Minerva-Fachserie
Theologie

Josef Fellermayr

Tradition und Sukzession im Lichte des römisch-antiken Erbdenkens

Untersuchungen zu den lateinischen Vätern
bis zu Leo dem Großen

 Minerva Publikation München

Meiner Frau

230.032
F336

81113037

CIP-Kurztitelaufnahme der Deutschen Bibliothek

Fellermayr, Josef:
Tradition und Sukzession im Lichte des römisch-
antiken Erbdenkens : Unters. zu d. lat. Vätern
bis zu Leo d. Grossen / Josef Fellermayr. - München : Minerva-Publikation, 1979.
   (Minerva-Fachserie Theologie)
   ISBN 3-597-10158-5

©1979 by Minerva Publikation Saur GmbH, München
Druck/Binden: Druckanstalt W. Blasaditsch, 8958 Füssen
Printed in the Federal Republic of Germany

VORWORT

Die vorliegende Untersuchung ist als Inaugural-Dissertation
zur Erlangung des Doktorgrades der Theologie von der Katho-
lisch-Theologischen Fakultät der Ludwig-Maximilians-Univer-
sität zu München im Sommersemester 1979 angenommen worden.
Die Arbeit gelangt - abgesehen von einigen Ergänzungen - unverändert zur Veröffentlichung, obgleich eine gewisse "retractatio" in manchen Punkten erwägenswert wäre. Zudem wären
inzwischen auch einige, teilweise sehr illustrative Belege
und ein paar zusätzliche Literaturangaben einzuarbeiten.
Doch die finanzielle und zeitliche Belastung durch eine solche "retractatio" übersteigt gegenwärtig, insbesondere angesichts der beruflichen Beanspruchung, meine Möglichkeiten.
Auf einige nachträgliche Ergänzungen am Ende der Arbeit wird
jedoch mit einem Sternchen (*) verwiesen.

Angeregt und entscheidend geprägt wurde die Arbeit von meinem verehrten Lehrer Professor Dr. Peter Stockmeier, der mich
in den Jahren meines Studiums in begeisternder und zugleich
liebenswürdiger Weise die faszinierende Geisteswelt der Alten
Kirche und der Patrologie kennen und lieben lehrte. Dafür danke ich ihm herzlich. Mein besonderer Dank gilt auch Professor
Dr. Josef Finkenzeller als dem zweiten Gutachter und den Professoren Dr. Heinrich Fries und Dr. Werner Suerbaum als den
Prüfern in den beiden Nebenfächern. Die existentielle Absiche-
rung meiner Promotion verdanke ich einem Stipendium der Stu-
dienstiftung des deutschen Volkes. In kameradschaftlicher Weise personalisiert hat sich diese Hilfe in meinem Vertrauens-
dozenten, Herrn Dr. Günter Hess, und seiner Frau Dr. U. Hess.
In diesem Zusammenhang danke ich auch noch den Professoren
Dr. O. Kuss, Dr. W. Müller-Seidel, Dr. W. Pannenberg, Herrn
Dr. L. Voit und Herrn Dr. M. Brocker als dem Leiter der Pro-
motionsförderung. Für die freundliche Arbeitserlaubnis im Vetus-Latina-Institut in Beuron und besonders im hiesigen Archiv des Thesaurus Linguae Latinae gilt den verantwortlichen
Leitern mein bester Dank.

Schließlich wären hier auch alle Freunde und Wohltäter, nicht
zuletzt schon aus meiner Gymnasialzeit, zu nennen, die mich
durch ihre Hilfe und ihre Ermunterung auf meinem Weg unterstützt haben. Insbesondere meinem väterlichen Freund Hochw.
Herrn Geistl. Rat Jakob Engl (Obertaufkirchen) ist hier für
seine Unterstützung und tätige Anteilnahme in all den Jahren
meiner Ausbildung und meines Studiums zu danken, ebenso meinen beiden Onkeln, den Patres Josef und Georg Bobenstetter.
Mein tiefster Dank gilt meinen lieben Eltern, die mir zu einer
Zeit das Studium ermöglichten, als dies für sie noch mit großen persönlichen Opfern verbunden war. Herzlichen Dank auch
meinen Schwiegereltern für ihre Anteilnahme und aktive Mit-
hilfe! Gewidmet sei die Arbeit meiner geliebten Frau. Ohne
sie gäbe es diese Arbeit nicht.

München, 15. August 1979   Josef Fellermayr

INHALTSVERZEICHNIS

EINLEITUNG

So wie man in der politischen Auseinandersetzung den Anspruch
auf eine ganz bestimmte politische Kontinuität und die Rechtfertigung der eigenen politischen Position mit der griffigen
und doch recht bedeutungsvollen Redeweise vom "Erbe"[1] zu umschreiben versucht, wird heute auch im kirchlich-theologischen
Bereich das "gemeinsame Glaubensgut", das "unverzichtbar Erbe
aus apostolischer Zeit"[2] ist, beschworen oder von den kirchlichen Amtsträgern als "Apostelerben"[3] gesprochen. Zwar geht es
unseren Untersuchungen nicht um die Aufdeckung oder Wertung
dieses zumeist unreflektierten Sprachgebrauchs[4], aber seine
Spuren, die man bis in unsere Tage immer wieder entdecken kann[5],
führen zurück bis zu den Vätern der Alten Kirche, die vielfach
ganz bewußt und konsequent auf das Glaubensgut und die Glaubens-
hüter bzw. auf deren Abfolge erbrechtliche Termini anwandten.

Doch der Anstoß zu unserer Thematik kam nicht von diesem neu-
zeitlichen Sprachgebrauch. Vielmehr ließ ein Hinweis[6] auf

1) Vgl. z.B. Süddeutsche Zeitung, 5./6.Jan. 1976: "In Bonn ist ein absonder-
licher Streit um eine Erbschaft entbrannt. Dabei geht es nicht ums Geld,
es geht vielmehr um die Frage, wer 'Konrad Adenauers Erbe' ist und sich so
nennen darf." Ausschnitte aus einem Kommentar unter dem Titel "Adenauers
Erben": A.a.O. S. 4 Sp. 1/2. Vgl. auch J.SCHWEDHELM, Ein Erbe kommt selten
allein, in: stern-magazin Nr. 4/1976, 152 ("Bonner Erbfolgekrieg").

2) K.GAMBER, Blick auf die Gesamtkirche verloren (Leserbrief), in: Süddeutsche Zeitung, 4.Jan. 1978 (=Nr. 3) S. 8; vgl. ebd.: "... daß sich
die römische Kirche stärker als bisher an das gemeinsame Erbe mit der
Orthodoxie erinnert ... Bis dahin kann ökumenische Arbeit nur darin
bestehen, das gemeinsame christliche Erbe zu suchen ...".

3) H.J.VOGT, Das Kirchenverständnis des Origenes (Köln-Wien 1974) 156;
vgl. ferner unten Kap. 6 A. 1.

4) Vgl. die Beispiele in Kap. 2 A. 2; 196; Kap. 6 A. 1; Kap. 7 A. 1.

5) Man müßte solchen Spuren systematisch nachgehen, um entscheiden zu
können, inwieweit sie tatsächlich durch die Väter angeregt sind oder
bloß eine beliebte Bild-Schablone darstellen.

6) Dabei handelte es sich um die Vorlesung meines akademischen Lehrers Prof.
P.STOCKMEIER, Glaube und Religion im frühen Christentum (WS 1971/72),
in der dieser Hinweis fiel (9.2.1972). Vgl. dann auch P. STOCKMEIER,
Glaube und Religion in der frühen Kirche (Freiburg-Basel-Wien 1973)
106.

die eigenartige Formulierung "hereditas fidei" in der L e i -
c h e n r e d e   d e s   A M B R O S I U S auf Kaiser Theodosius zunächst eine kleine Arbeit[7] über diesen Ausdruck
und den sogenannten Kreuzauffindungsexkurs entstehen. Dabei
blieb bei der Beschäftigung mit der Sprache und Geisteswelt
des Ambrosius glücklicherweise auch jene Stelle in dem wort-
gewaltigen "Sermo contra Auxentium" nicht unentdeckt, wo
der Mailänder Bischof sich auf die "hereditas" seiner großen Vorgänger auf dem Mailänder Bischofsstuhl beruft[8]. In
welcher Weise diese Stelle zu einer "Initialzündung" für eine neue Perspektive wurde und schließlich auch zu den nun
vorgelegten Untersuchungen führte, mag das folgende Zitat
aus jener Arbeit zeigen: "Eine spezielle, gleichermaßen phi-
lologisch wie theologisch orientierte Untersuchung über Herkunft, Einfluß und Funktion des Erbgedankens im frühchristlichen Traditions- und Sukzessionsverständnis könnte u.a.
nicht nur ein bislang überraschenderweise unbeachtetes Vokabular zur Diskussion beitragen, sondern auch die nachhaltige, juristische Überformung von Amtsnachfolge und Glaubenserbe von einer neuen Seite her erhellen ... ."[9] Allerdings bedeutete diese - damals lediglich auf die zwei Stellen
bei Ambrosius gestützte - Zielsetzung eine höchst unsichere
Ausgangslage. Denn wie leicht hätten sich die beiden Stellen
sozusagen als "Eintagsfliegen" erweisen können!
  Auch die Hoffnung, eine genügend intensive und vor allem
extensive Durchforstung von möglicherweise einschlägiger

---

7) Sie entstand als Zulassungsarbeit für das Staatsexamen in Latein bei
   dem Münchener Altphilologen Prof. C.Becker unter dem Titel: "Die
   Kreuzauffindung als Beginn der 'hereditas fidei': Verpflichtung und
   Unterpfand für die römischen Kaiser. Eine quellenkritische und systematische Interpretation der §§ 40-51 aus 'De obitu Theodosii' des Ambrosius von Mailand". Die Arbeit wurde nach dem Tod von Prof.Becker
   (+2.6.1973) von Prof. W.Suerbaum angenommen. - Vgl. zur "hereditas
   fidei" in dieser Rede des AMBROSIUS unten § 9.

8) C.Aux. 18; vgl. dazu unten § 23 I 3.

9) Aus Anm. 292 (S. 48) der oben (A.7) angeführten Arbeit.

L i t e r a t u r werde schon weiterhelfen, mußte im großen
und ganzen wieder der anfänglichen Feststellung vom "überraschenderweise unbeachteten Vokabular" Platz machen: Selbst
für die Erbthematik im Alten und Neuen Testament[10] gibt es
relativ wenige Untersuchungen. Neben den Zusammenfassungen
in den Lexika - dabei ist vor allem der große Artikel im
"Theologischen Wörterbuch zum Neuen Testament"[11] hervorzuheben - ist hier lediglich der Aufsatz von F. DREYFUS[12] und
die Monographie von P. L. HAMMER[13] erwähnenswert. Ansonsten
findet man noch einige Spezialliteratur zu Rechtswörtern und
zum Erbrecht in den paulinischen Briefen[14]. Anders als im
profanen Bereich, wo man neben den Fragen des (römischen)
Erbrechts[15] auch die Rezeption des "hereditas"-Motivs im römischen Erbprinzipat[16] näher untersucht hat, findet man zur
Rolle des dynastischen Prinzips und der Vererbung kirchlicher Ämter in der frühen Kirche kaum eine eigene Untersuchung[17].

Auch der instruktive Nachtrag zum "Reallexikon für Antike
und Christentum" (1971) unter dem Stichwort "Erbrecht" von W.
SELB[18] streift dieses Problem unter C.IV.c ("'Vererbung' eines Klosters") nur am Rande. Insbesondere aber fehlt unter
C.IV. ("Entlehnungen des Christentums") jeder Hinweis[19] auf

---

10) Vgl. dazu unten §§ 1 u. 2.

11) W.FOERSTER-J.HERRMANN, κλῆρος (κτλ.), in: ThW 3,757-786.

12) Le thème de l'heritage dans l'Ancien Testament, in: RSPhTh 42 (1958)
3-49.

13) The Understanding of inheritance (ΚΛΗΡΟΝΟΜΙΑ) in the New Testament
(Diss.masch. Heidelberg 1958).

14) Vgl. die Lit. Kap. 1 A. 55.

15) Vgl. die Lit. unter § 4.2 u. § 26.

16) Vgl. die Lit. unter § 19 I u. § 25 I.

17) Vgl. zu den verstreuten Hinweisen unten § 18.

18) JAC 14 (1971) 170-184.

19) Lediglich ein kleiner Ansatzpunkt findet sich unter C.IV.a ("Christen als Erben des Gottesreiches"), wenn es heißt: "Das Erbe wird
nicht mit den Häretikern geteilt (Aug. util.ieiun. 11,13...)"(182).

den Einfluß des Erbrechts bzw. des Erbdenkens auf das frühe
Traditions- und Sukzessionsverständnis, obwohl SELB zugibt:
"Es stehen Rechtsbegriffe selbst hinter theologisch-dogmati-
schen Gedankengängen. Freilich sind sie im E. nicht zahlreich."[20]
Letztere Feststellung "bedarf notwendig der Ergänzung" und
resultiert aus der Schwierigkeit, daß, wie SELB in der Einführung[21] beklagt, "eingehendere Untersuchungen zu den lat.
u. griech. Kirchenvätern in diesem Sinne noch immer fehlen."
Treffend charakterisiert SELB die Frage nach der Auswirkung
des überkommenen Erbrechts als einen Ausschnitt aus der um-
fassenderen Problematik[22]: "Wie bestimmen rechtliche Vorge-
gebenheiten der antiken Welt christliche Einrichtungen u.
christliches Denken?" Obwohl er Spuren auch "in der Glaubens-
diskussion, in der Liturgie u. in der Homiletik" vermutet,
glaubt er, daß dieser Ausschnitt "weniger als andere Rechts-
bereiche zu bieten vermag." Wahrscheinlich wäre diese Einschätzung nicht so zwiespältig ausgefallen, hätte SELB nicht

---

20) A.a.O. 182 r.Sp.

21) Zitate a.a.O. 171 r.Sp.

22) Zur Problematik des zunehmenden Rechtsdenkens und der juridischen
Überformung des Christentums - diesem großen Rahmenthema ist auch
unsere Thematik zuzuordnen - vgl. z.B. A.BECK, Römisches Recht bei
Tertullian und Cyprian. Eine Studie zur frühen Kirchenrechtsge-
schichte (Halle 1930/Neudr. Aalen 1967) (Lit. ebd. XIV-XV); DERS.,
Christentum und nachklassische Rechtsentwicklung. Bemerkungen zum
Problem ihrer gegenseitigen Beeinflussung, in: Atti del congresso in-
ternationale di Diritto Romano: Bologna e Roma 17.-27.April 1933
Vol. 2 (Pavia 1935) 89-122; J.GAUDEMET, La formation du droit sécu-
lier et du droit de l'église aux IVe et Ve siècles (Sirey 1957);
A.A.T.EHRHARDT, Politische Metaphysik von Solon bis Augustin 2 Bde.
(Tübingen 1959); O.HEGGELBACHER, Vom römischen zum christlichen
Recht. Juristische Elemente in den Schriften des sogenannten Ambrosiaster (Freiburg 1959); R.HERNEGGER, Macht ohne Auftrag. Die Entstehung der Staats- und Volkskirche (Olten-Freiburg 1963) 80-99;
R.J.HEBEIN, St. Ambrose and Roman Law (Diss. St.Louis University
1970) (Die Arbeit ist nur auf Mikrofilm zugänglich und hält in keiner Weise, was der Titel verspricht. Vgl. die Inhaltsübersicht: II:
The Catholic Church and the Roman Empire;III: The Bishop of Milan
and Several Emperors; IV: St. Ambrose and the Ius Sacrum; V: St. Ambrose on Emperors; VI: The Nature of Law; VII:Man and Law; VIII:
The Higher Law); STOCKMEIER, Glaube 100 ff; vgl. auch die Untersuchungen von W.ULLMANN (im Lit.-Verz.!).

übersehen, daß bereits im Jahre 1935 K. D. SCHMIDT in einem
kleinen Aufsatz mit dem Titel "Papa Petrus ipse"[23] auf die
Bezeichnung des Papstes als "heres Petri" und die damit implizierte Identifizierungstendenz hingewiesen hatte. Man kann
freilich SELB zugute halten, daß im Unterschied zur engli-
schen Forschung, wo dann W. ULLMANN in verschiedenen Aufsät-
zen[24] die ganzen Konsequenzen dieser Terminologie herausar-
beitete, und anders als in der italienischen Forschung, wo
man sich ebenfalls lebhaft mit der Funktion einer "hereditas
Petri" auseinandersetzte[25], im deutschsprachigen Raum nur da
und dort[26] auf K. D. SCHMIDT verwiesen wurde, während erst
1973 die Ausführungen von K. BAUS zu Leo dem Großen die Bedeutung der Petrus-Erbschaft als "eigentliche Begründung für
den Primat"[27] stärker ans Licht gebracht haben dürften.

Auch unsere eigenen Untersuchungen, die sich somit auch
als eine kleine Ergänzung zu SELB verstehen dürfen, wurden,
was nachträglich nur verwundern kann, nicht gleich am Anfang
auf diese für die "hereditas Petri"-Thematik vergleichsweise
günstige Forschunslage aufmerksam. Doch um so größer war dann
die Ermutigung inmitten der teilweise frustrierenden "Jagd"
auf "hereditas"-Stellen. Diese zeitraubende Erarbeitung des
Q u e l l e n m a t e r i a l s stützte sich auf einschlägige Register und Lexika, wobei der "Thesaurus Linguae Latinae"

---

23) ZKG 54 (1935) 267-275.

24) Vgl. unten im Lit.-Verz.

25) Bereits vor K.D.SCHMIDT befaßte sich im Jahr 1920 N.MARINI mit einer
"hereditas"-Stelle: HIER., ep. 15,1,2, (vgl. unten § 28.1). Vgl.nach
K.D.SCHMIDT: M.MACCARRONE, Vicarius Christi. Storia del titolo papale (Rom 1952) bes. 48; DERS., L'antico titolo papale "Vicarius Petri"
e la concezione del Primato, in: Divinitas 1 (1957) 365-371; G.CORTI,
Pietro, fondamento e pastore perenne della Chiesa, in: SC 85 (1957)
25-58; A.RIMOLDI, L'apostolo San Pietro (fondamento della Chiesa,
principe degli apostoli ed ostiario celeste nella Chiesa primitiva
dalle origini al Concilio di Calcedonia) (Romae 1958) bes. 165 ff;
170 f; 180 ff; M.MACCARRONE, La dottrina del primato papale dal IV
all' VIII secolo nelle relazioni con le chiese occidentali (Spoleto
1960) bes. 40 ff; V. MONACHINO, La perennità del Primato di S.Pie-
tro in uno studio recente, in: AHP 5 (1967) 325-339.

26) Vgl. unten Kap. 7 A. 162 a.

zweifellos das wertvollste Hilfsinstrument darstellte. Da
aber auch seine Belege zu den lateinischen Vätern keineswegs repräsentativ, geschweige denn auch nur annähernd vollständig sind, mußte, soweit dies zeitlich möglich war, auf
die Primärlektüre zurückgegriffen werden. Auch der Umweg über
die Schriftzitate des Beuroner Vetus-Latina-Instituts[28]
stellte einen Versuch dar, brauchbare Väterbelege ausfindig
zu machen. All diese, teilweise zeitraubenden Methoden machten uns erneut das Fehlen eines entsprechenden lexikalischen
Hilfsinstruments zu den lateinischen Kirchenvätern deutlich
und müssen zu dem notwendigen Vorbehalt führen, daß die Auswahl des Quellenmaterials nicht die wünschenswerte Vollständigkeit und Repräsentativität beanspruchen kann.

Diese unvermeidlichen Nachteile einer systematisch orientierten Arbeit aus der Patristik brauchen deshalb die
Z i e l s e t z u n g   unserer Untersuchungen nicht unbedingt zunichte machen, bedingen aber ein besonders vorsich-
tiges Urteil. Angesichts des Forschungsstandes und der Probleme bei der Quellenerhebung kann es uns nur um eine Auf-
hellung der Zusammenhänge von Glaubensüberlieferung (Tradition)[29] und Kontinuität des kirchlichen Amtes (Sukzession)[30]
mit Vorstellungen und Begriffen des Erbrechts gehen. Die
Auswahl der Texte orientiert sich dabei primär an der sogenannten "hereditas"-Terminologie[31], und erst sekundär werden

---

27) HHKG II/1, 273f (im Anschluß an W.ULLMANN); zit. 274.

28) Vgl. dazu Kap. 1 A. 84.

29) "Tradition" soll dabei verstanden werden als universaler Überliefe-
rungszusammenhang, der Schrift, Tradition (im engeren Sinn) und mitunter auch Kirche (als Hort des Heiles) umfaßt. Vgl. auch P.LENGS-
FELD, Tradition innerhalb der konstitutiven Zeit der Offenbarung,
in: Mysterium Salutis 1 (Einsiedeln-Zürich-Köln 1965) 239-288.

30) Sehr umfangreiche Lit.-Angaben in: ThRE 2, 500-622.

31) Dazu zählt "hereditas", "heres", "hereditarius", "exheres", "exheredare", "exhereditare". In Zusammenhang mit dieser Terminologie wurde
mitunter auch "consortium", "consors"; "testamentum" o.ä. berücksichtigt.

damit zusammenhängende Vorstellungen miteinbezogen. Da jeweils bei der Darbietung eines bislang unbeachteten Quellenmaterials und seiner historischen und theologischen Einordnung anzusetzen ist, ist keine Abstützung einer bestimmten
"Ideologie" und keine bestimmende Orientierung an irgendwelchen theologischen Gegenwartsfragen, sondern eine vorurteils-
lose Darlegung und Deutung des sprachlichen Befundes[32] intendiert. Dazu gehört auch, soweit dies möglich ist, die Abklä-
rung der Einflüsse und der der Terminologie zugrunde liegen-
den Vorstellungen und Denkweisen und eine kurze Skizzierung
der Umwelt und Ursprungssituation des innerkirchlichen Sukzessionsdenkens. Unter dem letzten Aspekt legt sich auch eine
Berücksichtigung der sich aus der Konvergenz von kirchlichem
und weltlichem Amtsverständnis für die Thematik ergebenden
Implikationen nahe. Schließlich ist in jedem Kapitel nach
der spezifischen Funktion der "hereditas"-Terminologie zu
fragen, um so der wichtigen Frage nach der Bedeutung dieser
Terminologie im Rahmen von Tradition und Sukzession gerecht
zu werden.

Die G r e n z e n dieser Zielsetzung sind - schon allein
arbeitstechnisch - gezogen durch die bisherige Ausblendung
der Thematik, das Fehlen von Vorarbeiten (abgesehen von der
"hereditas Petri"-Thematik) und die mangelnde Erhebung des
patristischen Stellenmaterials. Sie zeigen sich in der Beschränkung auf Termini des Erbrechts[33] und auf Vorstellungen[34],
die geeignet scheinen, in der Erbterminologie gegebene Grund-

---

32) Deshalb werden die zu interpretierenden Kernstellen im fortlaufenden
Text und zwar im lateinischen Original angeführt. Da die Deutung vom
lateinischen Text auszugehen hat, wird - auch aus Platzgründen - in
der Regel auf eine Übersetzung ins Deutsche verzichtet. Die Paraphrasierung der jeweiligen Argumentation macht eine zusätzliche Übersetzung entbehrlich.

33) Auf eine eingehende Untersuchung der "successio"-Terminologie (vgl.
unten § 22.1) muß jedoch verzichtet werden. Ebenso kann der Darstellung des Glaubens als "possessio" oder dem "depositum fidei"-Gedan-
ken nicht weiter nachgegangen werden.

34) Hierbei ist allerdings der zeitliche und sprachliche Rahmen nicht
so gut einzuhalten.

ideen zu illustrieren. Sie äußern sich ferner in der Beschränkung auf die Untersuchung der lateinischen Terminologie, die
jedoch unbedingt einer Ergänzung für den griechischen Bereich[35] bedürfte, und in der Schwerpunktsetzung im römischen
Erbrecht und Denken allgemein. Die zeitliche Obergrenze wird
in der Regel bei Leo dem Großen gezogen. Daraus ergibt sich,
daß spätere Texte, Spuren des "hereditas"-Motivs im religiösen Denken insgesamt oder Zeugnisse für das Nachwirken der
Problematik nur mitunter kurz zu streifen sind. Die Thematik
bedingt eine große Streuung patristischer Autoren und Werke,
so daß zum Teil eine Fülle von Sekundärliteratur[36] anzuführen ist. Die Arbeit ist ebenfalls aus thematischen Gründen
primär systematisch aufgebaut, während in der Anordnung der
einzelnen Stellen auch historische Gesichtspunkte berücksichtigt werden sollen. Die Zuordnung mancher Stellen zu einem
der beiden Hauptteile ist auf Grund der engen Verflechtung
von Sach- und Personaltradition - ein auch für die Erbvorstellung relevanter Sachverhalt - mitunter problematisch.
Mit zahlreichen Querverweisen soll deshalb versucht werden,
diese Schwierigkeiten zu mildern und jeweils das Gemeinsame
zu sehen.

Das 1. Kapitel, das als notwendige Vorinformation zu verstehen ist, befaßt sich mit der Erbthematik im Alten und Neu-

---

35) Als Beispiel sei angeführt GREG.NYSS., c.Eun. 3,2,98: ἀρκεῖ γὰρ
εἰς ἀπόδειξιν τοῦ ἡμετέρου λόγου τὸ πατρόθεν ἥκειν πρὸς
ἡμᾶς τὴν παράδοσιν, οἷόν τινα κλῆρον, δι' ἀκολουθίας ἐκ
τῶν ἀποστόλων διὰ τῶν ἐφεξῆς ἁγίων παραπεμφθέντα.
(W.JAEGER, Greg.Nyss.opera Vol.2, Leiden 1960, 84f). Dazu A.DENEFFE,
Der Traditionsbegriff. Studie zur Theologie (Münster 1931) 45: "die
durch die Sukzessionsreihe von den Aposteln her wie ein Erbteil auf
uns gekommene Lehre"; vgl. ebd. 51; P.SMULDERS, Le mot et le concept
de Tradition chez les pères grecs, in: RSR 40 (1952) 41-62, 59.

36) Untersuchungen (nicht Lexika oder große Handbücher!) werden in jedem
Kapitel (1-7) dort, wo sie zum ersten Mal zitiert werden, mit dem
vollen Titel, jedoch ohne Reihenangabe etc. aufgeführt. Ansonsten
wird dann nur mehr der Autor und, soweit nötig, ein Schlagwort angegeben. Lexika und große Handbücher, ebenso Textausgaben, die im Literaturverzeichnis erscheinen, werden in den Anmerkungen immer nur
mit dem Namen des Herausgebers bzw. einer geläufigen Abkürzung zitiert.

en Testament und mit einigen Formen der Rezeption dieser
Schriftstellen bei den Vätern. Der I. Hauptteil beschäftigt
sich mit der Anwendung der "hereditas"-Terminologie auf die
"Tradition": Im 2. Kapitel geht es um die Sicht von Glaube
und Lehre als Erbgut, während das 3. Kapitel kurz auf die Betonung der gleichzeitig einheitlichen und universalen ("pax"
und "unitas") Glaubenstradition durch die "hereditas"-Termi-
nologie eingeht. Das 4. Kapitel will zeigen, wie die "Orthodoxie" auch bei der "Heterodoxie" unter dem Aspekt des Erbes
eine ("häretische") Tradition und Abfolge von Traditionsträ-
gern gegeben sieht.
Damit ist auch bereits der Schnittpunkt mit dem II. Hauptteil erreicht, wo es dann das kirchliche Amt - hier vor
allem verstanden als Bischofsamt und Papsttum - bzw. die
Sukzession in diesem Amt im Hinblick auf den Erbgedanken
allgemein und die "hereditas"-Terminologie im besonderen
darzustellen gilt: Das 5. Kapitel bringt einen Überblick zu
der in der Forschung wenig beachteten Vererbung kirchlicher
Ämter in der Alten Kirche und der früh artikulierten Kritik
an dieser Art von "Erbprinzip" und schließlich einige Überlegungen zum Zusammenhang dieses Faktums mit der Anwendung
der "hereditas"-Terminologie auf die (apostolische) Sukzession im Bischofsamt. Mit der Anwendung dieser Terminologie
auf das Bischofsamt und den Verbindungslinien zur "successio"-
Terminologie befaßt sich das 6. Kapitel. Schließlich wendet
sich das 7. Kapitel der schon angesprochenen "hereditas
Petri"-Thematik und den hier besonders offenkundigen Bezugs-
punkten zum römischen Erbrecht zu.

1. Kapitel: <u>Vom Erbe des Landes zum Erbe des Reiches Gottes</u>.
Überblick über die Anwendung und Bedeutung der
Erbterminologie im Alten und Neuen Testament

§ 1. <u>Erbe des Landes und Erbe der Verheißung (AT)</u>

Da es sich im Rahmen unserer Untersuchung hier nur um einige notwendige Vorinformationen handeln kann, ist auf die
Nuancen der einschlägigen hebräischen Terminologie[1] und der
griechischen Äquivalente[2] in der Septuaginta nicht weiter
einzugehen. Ebenso muß eine nähere Differenzierung nach Ein-
zelschriften bzw. Überlieferungsschichten[3] unterbleiben.

Die wichtige Rolle, die die Erbthematik in den Schriften
des Alten Testaments[4] spielt, erklärt sich aus der ursprünglichen Sippenorganisation[5] und dem daraus erwachsenen Gottes-
verständnis. Die archaische Idee von der Gottheit als Haupt
der Sippe hat sich nach Ansicht mancher Forscher auch noch
in der späteren Redeweise vom "Gott Abrahams", "Gott Isaaks"

---

1) J.HERRMANN, in: ThW 3,768-775 (hebr. Entsprechungen der Wortgruppe
κλῆρος); HAAG 406; G.v.RAD, Verheißenes Land und Jahwes Land im Hexateuch (1943), in: Gesammelte Studien zum Alten Testament (München
1958) 87-100, 88f; F.DREYFUS, Le thème de l'heritage dans l'Ancien
Testament, in: RSPhTh 42 (1958) 3-49, bes. 5-16; P.L.HAMMER, The Understanding of inheritance (KΛΗΡΟΝΟΜΊΑ) in the New Testament (Diss.
masch. Heidelberg 1958) 4 (eine insgesamt enttäuschende Arbeit, die
wenig originell aufgebaut ist und kaum weiterführende Erkenntnisse
vermittelt).

2) ThW. 3, 758-760; 776-779 (W.FOERSTER); E.LOHMEYER, Diatheke. Ein Beitrag zur Erklärung des neutestamentlichen Begriffs (Leipzig 1913) 97-
101. Zu den entsprechenden Stellen in der Itala und Vulgata vgl.
ThLL VI, 3, 2642-2644.

3) Vgl. DREYFUS, bes 21ff; 33ff; HAMMER 6-22

4) Vgl. außer Lit. unter A. 1: LThK 3, 962f; L.CERFAUX, L'Eglise et le
Règne de Dieu d'après Saint Paul, in: EThL 2 (1925) 181-198, 182f;
H.LANGKAMMER, "Den er zum Erben von allem eingesetzt hat" (Hebr. 1,2),
in: BZ N.F. 10 (1966) 273-280; ansonsten die zu den entsprechenden
Stellen einschlägigen Kommentare. Zur Erbthematik in der Umwelt Is-
raels vgl. DREYFUS 16-21.

5) G.FOHRER, Geschichte der israelitischen Religion (Berlin 1969) 11-27,
bes. 20ff. Zur Bedeutung der Genealogie im Judentum RAC 9,1201-1205.

und "Gott Jakobs" niedergeschlagen[6]. In diesen Patriarchen
sah man schließlich auch den Besitz des Landes und die eigene völkische Existenz begründet. Entsprechend dem auf den
Polen von Verheißung und Erfüllung ruhenden Geschichtsver-
ständnis fungierten diese Patriarchen auch als die Bündnis-
partner Gottes. Gott Jahwe, dem nach alter Anschauung Grund
und Boden, später dann die ganze Welt gehörte[7], schloß demnach einen Bund mit diesen retrospektiv ersten Repräsentanten
des Volkes. So dürfte die Vorstellung, daß Kanaan und Volk
Israel Eigentum und E r b b e s i t z J a h w e s seien[8],
praktisch identisch mit dieser Bundesidee[9] und gleichzeitig
mit dem Erwählungsgedanken[10] zu verbinden sein. Den Patriarchen, insbesondere Abraham (GN. 15), hatte nun Gott Landbe-
sitz und Nachkommenschaft zugesagt oder anders ausgedrückt,
er hatte zur Erbschaft gleichzeitig auch die dazugehörigen
Erben verheißen. Diese Erben Abrahams[11], die bis zur Inbesitznahme des Landes Kanaan primär Erben einer Verheißung[11a],

6) A.ALT, Der Gott der Väter, in: Kleine Schriften zur Geschichte des
   Volkes Israel Bd. 1 (München 1953) 1-78, bes. 17ff; FOHRER 20-22.
   Vgl. auch die "Di patrii" bzw. "Theoi Patrioi" (ARTEMIS-LEXIKON 3050).

7) HAAG 369; vgl. auch RAD.

8) ThW 3,771f; 773; HAAG 406; DREYFUS 32f; HAMMER 17.

9) DREYFUS 33; 30; HAAG 406 sieht in der angesprochenen Vorstellung die
   besondere Sorge Jahwes (um seinen Erbbesitz) ausgedrückt.

10) Vgl. dazu HAAG 425 f.

11) DREYFUS 21-26 befaßt sich eingehend mit der Erbthematik in der Abra-
    hamsverheißung (GN. 15). Vgl. FOHRER 24f; LANGKAMMER 274-276 (GN. 17,
    5); zur biblischen Abraham-Überlieferung im AT: R.MARTIN-ACHARD, in:
    ThRE 1,367-372 (Lit.!). Nach MARTIN-ACHARD will der Jahwist zeigen,
    "daß der Segen Abrahams, des Erwählten Jahwes, in dem Maße auf die
    Völker zurückstrahlt, wie sie die Autorität des Erben des Patriar-
    chen, Davids, anerkennen" (368 Z. 37-39). Dieser Versuch einer Au-
    torisierung durch den Erbbegriff begegnet bei den Vätern in vielfa-
    cher Weise bezüglich Tradition und Sukzession.

11a) J.HERRMANN betont, daß das Land "rückwärts geschaut" (ThW 3,775)
     schon für eine Zeit als Erbbesitz bezeichnet wurde, wo es erst für
     die Nachkommen verheißen war (zum Zusammenhang von Erbbegriff und
     Zeitvorstellung unten § 2.3). Vgl. ansonsten ThW 3,768f. Zur "spon-
     sio" als "possessio hereditaria" bei Ambrosius siehe unten § 6.5.

waren, erlangten schließlich durch und von Jahwe das verheis-
sene Land. So war Kanaan kraft der Treue Jahwes zu seiner
Verheißung zum Erbe oder, klarer ausgedrückt, zum E r b -
b e s i t z   I s r a e l s[12] geworden. Diese Sicht ist nicht
nur als ein Ausdruck der alttestamentlichen Überzeugung von
der permanenten Führung durch Gott zu werten, sondern "Kanaan als das Erbe Israels" besagt vor allem göttliche Setzung
und immerwährendes, unumkehrbares Besitzrecht[13].

Das gleichsam irdische und vor allem juristische Pendant
zu dieser theologischen Überhöhung des Erbgedankens dürfen
wir in dem - auf dieses von Jahwe ererbte Land angewandten
- israelitischen E r b r e c h t[14] erblicken: Die Verteilung des Landes an die einzelnen Stämme, Geschlechter und
Familien erfolgte offenbar durch das Los[15]. Den zugefallenen
(Erb-)Teil versuchte man als den "Erbbesitz des Stammes unserer Väter"[16] auf das gewissenhafteste zu bewahren, so daß
im Falle des Fehlens männlicher Erben auch die Töchter erbberechtigt waren. Aber wie uns das bekannte Beispiel der
Töchter des Zelophehad[16a] zeigt, waren diese dann zur Heirat
innerhalb des väterlichen Stammes gezwungen, "damit der Fa-
milienbesitz nicht auf einen anderen Stamm übergehe."[17] Diesem streng genealogischen Sippendenken entsprach auf anderem

---

12) ThW 3,769-771; DREYFUS 33 (b); HAMMER 10; 16; 18f.

13) Hebräische und griechische Terminologie stimmen in diesem Punkt über-
ein; vgl. dazu die wichtige Zusammenfassung in ThW 3,774f u. 778f.
Zur Septuaginta HAMMER 26f. Diese Zielsetzung ist auch für die Anwendung der Erbterminologie auf die Tradition bei den Vätern im
Auge zu behalten (vgl. unten bes. Kap. 2).

14) HAAG 407; R.de VAUX, Das Alte Testament und seine Lebensordnungen Bd.
1 (Freiburg-Basel-Wien 1964²) 96-98. Zum Erbrecht in der Mischna,
mit dem dann das Christentum historisch konfrontiert wurde, vgl. W.
SELB, Erbrecht (Nachträge zum RAC), in: JAC 14 (1971) 173f.

15) ThW 3,774; HAAG 406; zur Losung vgl. auch unten § 17.2.

16) ThW 3,774f; RAD 88; VAUX 1,48f. Vgl. zur bekannten Geschichte Naboths (1 KG. 21) unten § 23 I 3.

16a)NM. 27,1-11; N.H.SNAITH, The daughters of Zelophehad, in: VT 16
(1966) 124-127; J.WEINGREEN, The case of the daughters of Zeloph-
chad, ebd. 518-522.

17) HAAG 407; vgl. VAUX 1,97; 267ff.

Gebiet auch die Art und Weise der Nachfolgeregelung im Priestertum[18] oder die Organisationsform des Handwerks[19].

Vor allem auf Grund der Gefährdungen der völkischen Existenz durch das babylonische Exil begann man die Inbesitznahme des Landes Kanaan zunehmend als unvollkommene Realisierung der Abrahamsverheißung aufzufassen. Entsprechend der
beginnenden Ausbildung einer Jenseitshoffnung bahnte sich
ein e s c h a t o l o g i s c h e s V e r s t ä n d n i s
dieser Verheißung und des zugesagten Erbes an. Man sprach
nun vom "Erben der (ganzen) Erde"[20], wozu man nur die Gerechten, die Auserwählten, den "Rest"[21] berufen glaubte. In der
makkabäischen Periode (2.Jh. v. Chr.) wurde die Erlangung
des eschatologischen Erbes auf die "Zeit" nach dem Tode ver-
legt.[22] F. DREYFUS spricht zutreffend von "spiritualisation
de l'héritage"[23], wie man sie vor allem in PSALM 16 und 73[24]
ausgedrückt findet. Hierher gehört auch jene etwas eigenar-
tig anmutende Vorstellung, daß J a h w e selbst Teil und
E r b e I s r a e l s bzw. der Gerechten[25] sei. Sie ist aus
der älteren Idee, daß die Leviten statt eines Landloses Jahwe
zugeteilt bekommen, hervorgegangen und läßt schon die Erbthematik des Neuen Testaments anklingen. Die alttestamentliche Spiritualisierung des Erbinhalts, die im zwischentes-
tamentarischen Schrifttum offenbar weniger zu belegen ist[26],

---

18) Vgl. unten § 17.1.

19) VAUX 1,128f.

20) DREYFUS 34 (AM. 9,11-15); 42. Vgl. auch MT. 5,5.

21) DREYFUS 40ff; zur Verbindung mit dem Messias in PS. 2 ebd. 42 u.
    unten § 12.

22) DREYFUS 43f.

23) A.a.O. 47; vgl. zur Spiritualisierung bzw. Eschatologisierung des
    Erbinhalts außerdem ebd. 34f; 44ff; ThW 3,780; LThK 3,963; HAMMER
    24f. Zu den Ursachen: DREYFUS 44.

24) DREYFUS 47; 48 Anm. 144;ThW 3,773.

25) DREYFUS 45f; HAMMER 14; 17; 21f. Zu den Leviten vgl. unten §17.2.

26) Eine Ausnahme bildet PHILON (vgl. seine allegorische Erklärung von
    GN. 15,2-18 mit dem Titel: "Quis rerum divinarum heres sit"); dazu
    DREYFUS 48 Anm. 146; LOHMEYER 122ff; CERFAUX, L'Eglise 184f mit Anm.
    22; HAMMER (Teil 2: 28-59): Zwischentestamentarische Literatur.

und die Abrahamskindschaft und "-erbenschaft" sind die wichtigsten Anknüpfungspunkte für das Neue Testament. Daß auch
"die materielle Konzeption von der Erbschaft" nicht ganz
eliminiert werden darf, meint DREYFUS, wenn er schreibt: "Le
Royaume à l'héritage duquel nous sommes appelés n'est pas
désincarné."[27]

§ 2. Die Vermittlung des eschatologischen Erbes durch Christus (NT)

Mancher Gläubige mag sich schon gefragt haben, weshalb
da ausgerechnet von "Erbschaft" die Rede ist, wenn der Priester im Eucharistischen Hochgebet vom "Erbe des Himmels"[28]
spricht oder darum bittet, daß "wir das verheißene Erbe erlangen mit deinen Auserwählten ..."[29]. Da aber auch die Redeweise vom "himmlischen Vater" recht geläufig ist, dürfte
es selbst einem theologischen Laien nicht sonderlich schwer-
fallen, die Grundlage für diese Erbterminologie in der Sicht
des Gott-Mensch-Verhältnisses als Vater-Sohn-Beziehung[30] zu
erblicken.

1. Aufbauend auf dieser Sicht wird auch in den Schriften
des Neuen Testaments das, was der Gläubige von seinem "himmlischen Vater" erhofft und erwartet, das z u k ü n f t i g e
H e i l , weithin als "Erbschaft" (κληρονομία) bezeichnet.

_____

27) DREYFUS 48 Anm. 145.

28) Eucharistisches Hochgebet IV: "Nobis omnibus, filiis tuis, clemens
    Pater, concede, ut caelestem hereditatem consequi valeamus ... "
    (Die Feier der Heiligen Messe. Meßbuch, Einsiedeln-Köln u.a. 1975,
    509); vgl. I: "wäge nicht unser Verdienst, sondern schenke gnädig
    Verzeihung und gib uns mit ihnen das Erbe des Himmels" (166); lat.:
    "intra quorum nos consortium ... admitte" (485).

29) Eucharistisches Hochgebet III: "Ipse nos tibi perficiat munus aeter-
    num, ut cum electis tuis hereditatem consequi valeamus ... " (498/
    186 deutsch); vgl. II: "ut ... aeternae vitae mereamur esse consor-
    tes" (493).

30) HAAG 407; LThK 4, 1115f.

Dieser zentrale Aspekt der neutestamentlichen Erbthematik[31],
nämlich daß die Auserwählten bzw. die Gläubigen von Gott das
Erbe des eschatologischen Heiles erhalten werden[32], knüpft
an alttestamentliche Gedanken an und begegnet in mannigfachen
Formulierungen[33]. Je nach Konstruktion erscheinen diese Begriffe, die den Erbinhalt angeben, als mit dem Verbum
κληρονομεῖν verbundene Objekte (a) oder von den Substanti-
ven κληρονομία (b) bzw. (συγ)κληρονόμος (c) abhängige Genitive[34] oder in einem entsprechenden Präpositionalausdruck
(d)[35]: γῆ[36], βασιλεία (θεοῦ)[37], ζωή αἰώνιος[38], χάρις ζωῆς[39],

---

ThW 3,781-786 (W.FOERSTER); HAAG 407f; LThK 3,963; M.CONRAT, Das
Erbrecht im Galaterbrief (3,15 - 4,7), in: ZNW 5 (1904) 204-227;
HAMMER, bes. 130-142; SELB 182f (Lit.); ansonsten die zu den ent-
sprechenden Stellen einschlägigen Kommentare. Vgl. auch F.SIEFFERT,
Das Recht im Neuen Testament (Rede beim Antritt des Rektorats der
Friedrich-Wilhelm-Universität zu Bonn am 18.Okt. 1899) (Göttingen
1900); A.N.SHERWIN-WHITE, Roman Society and Roman Law in the New
Testament (Oxford 1963).

32) ThW 3,782f; HAAG 408; CERFAUX, L'Eglise 182ff; G.DALMAN, Die Worte
Jesu (mit Berücksichtigung des nachkanonischen jüdischen Schrift-
tums und der aramäischen Sprache) (Leipzig 1930) 102f; DREYFUS 3f;
SELB 182. Natürlich kann das Erbe auch verloren gehen; vgl. zu diesem Aspekt J.SCHIRR, Motive und Methoden frühchristlicher Ketzerbekämpfung (Diss.masch. Greifswald 1976) 74ff: "Der Verlust des
Erbteils an der βασιλεία τοῦ θεοῦ".

33) An manchen Stellen ist auch nur ganz allgemein vom Erlangen der
κληρονομία die Rede; vgl. APG. 20,32; Kol. 3,24; HEBR. 9,15 (mit
Adjektiv); 1PT. 1,4 (mit Adjektiven); OFF. 21,7 (ταῦτα).

34) Im ersten Fall (b) handelt es sich um einen explikativen Genitiv
(vgl. Kap. 2A, 153); dazu wäre Eph. 1,18 zu rechnen; "die von
κληρονομία abhängigen Genitive" (ThW 3,782 Z. 40 - 783 Z. 1) konnte
ich ansonsten nicht finden! Im zweiten Fall (c) liegt meistens ein
genitivus obiectivus vor; Röm. 8,17 (A. 59) bildet eine Ausnahme.

35) Eph. 5,5; APG. 7,5 (von Abraham); HEBR. 11,8 (von Abraham).

36) MT. 5,5 (a; possidere); vgl. PS. 37,11; GN. 28,4. Zu MT. 5,5 vgl. ThW
3,783 mit Anm. 32; LOHMEYER 100 Anm. 1; DALMAN 103; 377; DREYFUS 4.

37) MT. 25,34 (a; possidere); vgl. dazu unten § 6.5. 1 Kor. 6,9 (a;
possidere); 6,10 (a; possidere); 15,50a (a; possidere); Gal. 5,21
(a; consequi); Eph. 5,5 (d; hereditas); JAK. 2,5 (c; heredes).

38) MT. 19,29 (a; possidere); MK. 10,17 (a; possidere); LK. 10,25 (a;
possidere); 18,18 (a; possidere); TIT. 3,7 (c; heredes). Vgl. auch
HEBR. 9,15; DALMAN 127-129.

39) 1 PT. 3,7 (c; coheredes).

ἀφθαρσία[40], σωτηρία[41], ἐπαγγελία[42], εὐλογία[43], δικαιοσύνη[44].
Wenn in der VULGATA die Erbterminologie, insbesondere in der
verbalen Ausdrucksweise (a) weitgehend zu einem "farblosen
'Erlangen'"[45] verkürzt wird, so gehen damit Momente wie "Zuversicht", "Anrecht" oder "Gewißheit"[46] verloren. "κληρονομία
ist das in der Verheißung Gottes begründete Heilsgut, das in
Gegenwart oder Zukunft den Gläubigen als fester Besitz zuteil
wird und κληρονόμος der, an den die Verheißung ergangen ist,
der darum eine sichere Anwartschaft auf die κληρονομία besitzt."[47]

2. Anders als im Alten Testament, wo der Erbgedanke nur
selten mit dem theologischen S o h n e s g e d a n k e n
verknüpft erscheint[48], bringt das Neue Testament beide Gedanken in einen engen Zusammenhang, jedoch Sohnes- wie auch
Erbenstellung der Gläubigen sind abgeleitet und vermittelt
durch Christus. Wie im "Gleichnis von den bösen Winzern"[49]

---

40) 1 Kor. 15,50b (a; possidere).

41) HEBR. 1,14 (a; hereditatem capere salutis).

42) HEBR. 6,12 (a; hereditare); 6,17 (c; heredes); dazu E.RIGGENBACH,
Der Brief an die Hebräer (Leipzig 1922³)166-168; 172. HEBR. 11,9
(c; coheredes; von Isaak und Jakob); Eph. 3,6 (c; coheredes).

43) HEBR. 12,17(a; hereditare; von Esau); 1 PT. 3,9 (a; hereditate possidere).

44) HEBR. 11,7 (c; heres; von Abraham); dazu RIGGENBACH, Der Brief 352f.

45) LOHMEYER 100 lehnt diese Nivellierung für κληρονομεῖν in der Septuaginta ab. - Zur Wiedergabe der neutestamentlichen Stellen in der
Vulgata vgl. oben A. 36-44; W.MATZKOW, De vocabulis quibusdam Italae
et Vulgatae Christianis quaestiones lexicographae (Berolini 1933)
45f.

46) LOHMEYER 100. Zum theologischen Gehalt der biblischen Erbterminologie auch unten § 2.3.

47) LOHMEYER 140. - Die Aussagen bei LOHMEYER (100 u. 140) zu κληρονομεῖν
in der Septuaginta sind etwas widersprüchlich.

48) Vgl. DREYFUS 39; 42 (Jeremias).

49) MT. 21,38; MK. 12,7; LK. 20,14. Vgl. dazu ThW 3,781f; DREYFUS 49
Anm. 147; HAMMER 65ff; E.BAMMEL, Das Gleichnis von den bösen Winzern (MK 12,1-9) und das jüdische Erbrecht, in: RIDA N.S. 6 (1959)
11-17; J.D.M.DERRETT, Law in the New Testament (London 1970) 286ff.

Christus der Erbe ist, den es zu beseitigen gilt, um selbst
(widerrechtlich) die Erbschaft[50] antreten zu können, so
preist auch der HEBRÄERBRIEF[51] Christus als den universalen
Erben, in dem sich das Heil vollendet, so wie in Abraham der
"Anfang der Erbschaftsgeschichte"[52] lag. Die Frage: "Wer sind
die wahren Söhne Abrahams und damit die Erben seiner Verheißung?", durch die die Beanspruchung der Abrahams-Kindschaft[53]
geradezu zu einem Erbstreit wurde, hat auch die heilsgeschichtliche Konzeption bei PAULUS[54] entscheidend geprägt.
In verschiedenen Anläufen[55] versucht Paulus, gegen die Ju-
daisten Christus als den "Samen" Abrahams und den "E r b e n
a u f   G r u n d   v o n   V e r h e i ß u n g" zu erweisen.
Nur auf diesem Weg kann die nach wie vor gültige Verheißung
an Abraham als in Christus erfüllt gedacht werden. Die
διαθήκη zwischen Jahwe und Abraham[56] ist nicht umgestoßen
(Gal. 3,15), sondern in Christus realisiert worden. Zur Teilhabe der Gläubigen am Erbe Christi heißt es dann in Gal.
3,29: "Wenn ihr Christus angehört, so seid ihr Abrahams

---

50) W.FOERSTER meint: "das Erbe ist das Reich Gottes" (ThW 3,782 Z. 15),
    während DREYFUS 49 Anm. 147 eine Reihe anderer Vorschläge aufzählt.

51) HEBR. 1,2 (vgl. HEBR. 1,4); zu dieser Stelle der Aufsatz von LANG-
    KAMMER; vgl. auch RIGGENBACH, Der Brief 6f; HAMMER 98ff. Zum Be-
    griff der διαθήκη in HEBR. vgl. E.RIGGENBACH, Der Begriff der
    ΔΙΑΘΗΚΗ im Hebräerbrief, in: Theolog. Studien, Theodor Zahn zum
    10.Okt. 1908 dargebracht von N.Bonwetsch u.a. (Leipzig 1908) 289-
    317; SELB 183 (Lit.!).

52) LANGKAMMER 278. HEBR. 11 betont die wichtige Funktion der Patriar-
    chen und ihres Glaubens; vgl. dazu ThW 3,786; RIGGENBACH, Der Brief
    340ff.

53) K.BERGER, Abraham II, in: ThRE 1,372-382 (Lit.), bes. 377-380; RAC
    1,20; HAAG 13f.

54) ThW 3,784f; HAMMER 80ff.

55) Vgl. die Zusammenfassung von W.FOERSTER: ThW 3,784 Z. 14ff; anson-
    sten A.HALMEL, Über römisches Recht im Galaterbrief. Eine Untersu-
    chung zur Geschichte des Paulinismus (Essen 1895); CONRAT; O. EGER,
    Rechtswörter und Rechtbilder in den paulinischen Briefen, in: ZNW
    18 (1917/18) 84-108; DERS., Rechtsgeschichtliches zum Neuen Testa-
    ment (Rektoratsprogramm der Universität Basel für das Jahr 1918)
    (Basel 1919).

Nachkommenschaft, Erben nach der Verheißung."[57] Näher präzisiert wird dies - im Sinn einer Erbenstellung durch Erlangung der Sohnesstellung - in dem von erbrechtlichen Kategorien getragenen Gleichnis von Gal. 4,1-7[58]: "Also bist du
nicht mehr Knecht, sondern Sohn; wenn aber Sohn, dann auch
Erbe durch Gott" (Gal. 4,7). In anderem Zusammenhang wird
dieser heilsgeschichtliche Erbbegriff noch weiter verdeutlicht, indem die Gläubigen als Kinder Gottes auch als die
"Erben Gottes, Miterben Christi"[59] bezeichnet werden.

3. Zu Recht sieht W.FOERSTER[60] in der Bezeichnung Isaaks
und Jakobs als "Miterben der gleichen Verheißung"[61] "das
'noch nicht' des Erbes, seine eschatologische Bestimmtheit"
ausgedrückt. Daß dieser Aspekt der biblischen Erbterminologie nicht nur in dieser Verbindung von "Erbe" und "Verheißung" vorliegt, zeigt sehr schön Eph. 1,14, wo der hl. Geist
als "Angeld (ἀρραβών/pignus) unseres Erbes"[62] bezeichnet wird.

---

56) Zur umstrittenen Deutung im Sinn von "Testament" bzw. "Vertrag",
"Bund" vgl. CONRAT 214ff; EGER, Rechtwörter 98ff; DERS., Rechtsgeschichtliches 31ff; SELB 183.

57) Vgl. Eph. 1,11: "Ja, in ihm sind wir auch zu Erben eingesetzt wor-
den". Nicht aus dem Gesetz wurde Abraham das Erbe zuteil: Röm. 4,13f;
Gal. 3,18. Vgl. auch Gal. 4,30: der Sohn "auf Grund der Verheißung"
(Gal. 4,23) wird Erbe (Abrahams).

58) CONRAT 219ff; LOHMEYER 140f; EGER, Rechtswörter 105ff. Zur Erbenstellung auf Grund der υἱοθεσία vgl. Gal. 4,5; Röm. 8,15.

59) Röm. 8,17; vgl. zu "Miterben" auch Eph. 3,6; HEBR. 11,9 (A. 42);
1 PT. 3,7 (A. 39).

60) ThW 3,786 Z. 7f.

61) HEBR. 11,9; vgl. A. 42.

62) Vgl. 2 Kor. 1,22; 5,5; ThW 1,474. Das "Pneuma" ist also die "Anzah-
lung", die Garantie, das Unterpfand für das Erbe des ganzen Heiles,
das noch aussteht. Dazu AMBROSIAST., in Eph. 1,14: "' ... qui est
pignus hereditatis nostrae ...'. ideoque ad gloriam dei pertinet,
quia gentes vocavit, ut salutis suae medellam consequerentur per
fidem promissam Iudaeis signum habentes redemptionis atque hereditatis futurae spiritum sanctum datum post baptismum. redempti enim
heredes designati sunt ... " (CSEL 81,3,75).

Wie mir scheint, zeigen solche Stellen, daß die biblische Erbterminologie nicht einfach austauschbar ist, sondern
auch abgesehen vom Bezug zum Sohnesgedanken und dem engen
Verhältnis zwischen dem Erblasser (Gott) und dem Erben (Christus; Mensch)[63] einen spezifisch t h e o l o g i s c h e n
G e h a l t besitzt. Zutreffend bemerkt P. L. HAMMER[64], daß
kein anderer Terminus Vergangenheit, Gegenwart und Zukunft
so gut miteinander verbindet. In der Tat läßt sich die - das
eschatologische Denken und die frühchristliche Parusie-Er-
wartung prägende - Spannung zwischen Gegenwart ("schon") und
Zukunft ("noch nicht") durch die Erbterminologie gut einfan-
gen: Gegenwart besagt Zusage, Anspruch, Anwärterschaft, "Angeld", kurz: Schon-Erbe-Sein, ohne jedoch die Erbschaft angetreten zu haben. Zukunft meint, daß der Empfang der Erbschaft, der Erbantritt, noch aussteht und es noch eine Zeit
der Bewährung, des Wartens und Hoffens, aber auch des möglichen Verlustes gibt. Im Erbe-Sein kann auch die Vergangenheit miteingeschlossen sein, insofern ich, auch wenn ich
schon geerbt habe, immer noch Erbe bin, mit allen Konsequenzen. Dieser Aspekt und vor allem der dem römischen Erbrecht
entstammende Gedanke von der Repräsentation des Erblassers
durch den Erben gehen aber bereits über das biblisch-escha-
tologische Erbverständnis hinaus und signalisieren eine radikale Umorientierung in der Blickrichtung.

Im Alten Testament erwartete man das Heil, sei es nun in-
dividuell oder gemeinschaftsbezogen, besonders von der Zukunft, so daß auch, wie wir sahen, der Erbbegriff eine
Eschatologisierung erfuhr. Diese Zukunftserwartung wurde im
Neuen Testament teilweise zur radikalen Naherwartung über-
höht. Der Erbbegriff wird durchwegs auf zukünftige Heilsgüter angewandt und steht ganz in einem eschatologischen Horizont. Selbst die scheinbare Orientierung an der Vergangenheit, an den Patriarchen mit ihrer Nähe zu Jahwe, erweist

---

63) Vgl. LOHMEYER 100.
64) A.a.O. 1: "No term seems to tie past, present and future so well together".

sich in Wirklichkeit als zukunftsbezogen, da es ja um das
Erbe einer Verheißung geht. Obwohl dann auf der Stufe des
Neuen Testaments der Besitz des Heiles im Christusereignis
und seinem Höhepunkt, der Auferstehung, schon endgültig vorzuliegen scheint, wird auch diese Stufe als proleptische Vor-
wegereignung des Eschaton an dem Einen, nämlich Christus,
erkannt und der Empfang des Erbes für alle an seine Parusie
geknüpft[65]. Diese Erkenntnis trat aber im Zuge der Parusie-
verzögerung zunehmend in den Hintergrund, so daß man befürch-
tete, angesichts des Wartens auf die Zukunft könnte die
Vergangenheit, die Verbindung mit dem "Schon", verlorenge-
hen. So ließen der Fortgang der Zeit und das Ausbleiben der
Parusie das angebrochene Heil zum Vergangenen und zum Ganzen
werden und das Problem der Teilhabe an ihm in den Vordergrund treten. Die B l i c k r i c h t u n g, die immer dem
Heil folgt, begann sich auf diese Weise u m z u k e h -
r e n[66]. Der Blick wandte sich zurück auf die ersten Bürgen
und Zeugen und das nun zum kostbaren Gut gewordene Evangelium. In diesem Horizont konnte es, verstanden als Schrift
und Glaubenslehre[67], schließlich zum wertvollen Erbgut werden, und die jeweiligen Besitzer und Tradenten verstanden
sich als Erben der Apostel. Nun war auch der Punkt für die
Rezeption außerbiblischer Erbvorstellungen[68] gekommen, während das heilsgeschichtlich-eschatologische Erbverständnis

---

65) Vgl. die Umschreibung der Erbinhalte (§ 2.1; A. 36-44).

66) Natürlich sind für diese Entwicklung auch Einflüsse aus der Umwelt
des frühen Christentums in Rechnung zu stellen. - Vgl. auch N.BROX,
Zur Berufung auf "Väter" des Glaubens, in: Heuresis. Festschrift f.
A.Rohracher, hrsg. v. Th.Michels (Salzburg 1969) 42-67, der betont,
daß sich die "Erfahrung der Distanz zum Ursprung" (44) schon in den
Spätschriften des Neuen Testaments niederschlug (46); bereits hier
zeichne sich "die Orientierung der späteren Generation nach rückwärts" (46) ab.

67) Vgl. dazu auch unten § 5 I 1.

68) Der Beginn dieses Einflusses läßt sich freilich bereits im NT feststellen (vgl. Lit. A. 31; 55), aber das neutestamentliche Heilsverständnis besaß relativ wenig Affinität hierfür.

weitgehend verlorenging[69] und uns nur noch in reichlich pri-
vatisierter Form an die Ursprünge in der Tradition der End-
zeiterwartung des auserwählten Volkes oder an das gemein-
schaftsbezogene "Erbe des Reiches Gottes" erinnert.

§ 3. Exemplarische Formen von Rezeption und juridischer Modifizierung des biblischen Erbbegriffs bei den Vätern

1. Nicht nur bei ihrer Beschäftigung mit der Schrift des
Alten und Neuen Testaments stießen die Väter der frühen Kirche auf Erbvorstellungen, sondern auch in ihrer t ä g l i -
c h e n   P r a x i s, insbesondere aber bei der Ausübung
des Bischofsamtes wurden sie mit konkreten Fragen des Erbrechts[70] konfrontiert. Bereits Kaiser Konstantin hatte ja
bekanntlich im Jahre 321 jedem erlaubt, durch letztwillige
Verfügung der Kirche Zuwendungen zu machen und der Kirche
das Recht zugestanden, ein Vermächtnis (legatum) anzuneh-
men[71]. Dies brachte der Kirche im Laufe der Zeit nicht nur
einen beachtlichen Besitz, sondern führte auch zu einer Men-
ge von Problemen[72]. Solche Erbstreitigkeiten konnten aber
auch dadurch entstehen, daß der Besitz von Mönchen und Non-
nen dem Kloster zufiel und dieser Personenkreis deshalb vor
dem Eintritt die eigenen Kinder entsprechend versorgen muß-

---

69) Das besagt keineswegs, daß man in den einschlägigen Werken und Kom-
mentaren der Väter nicht eine Unmenge entsprechender Schriftzitate
oder sich eng an den Schrifttext anlehnende Kommentierungen und Aus-
legungen finden könnte. Aber das Verständnis für den ursprünglichen
Gehalt der biblischen Erbterminologie - sofern diese überhaupt noch
in die lateinische Bibel Eingang gefunden hat - fehlt weitgehend
oder man läßt sich vom eigenen, stark von der Umwelt beeinflußten
Verständnis leiten; vgl. auch § 3.

70) SELB 174-178.

71) COD.THEOD. 16,2,4, (MOMMSEN I/2,836); vgl. dazu J.GAUDEMET, La lé-
gislation religieuse de Constantin, in: RHEF 33 (1947) 25-61, 41ff;
SELB 175 r.Sp.

72) So scheint es, vor allem bei Witwen und Diakonissen, zu Erbschlei-
chereien gekommen zu sein: COD.THEOD. 16,2,20; HIER., ep. 52,6. Zur
Verwaltung des Kirchenvermögens durch den Bischof und der schwierigen Abgrenzung seines Privatvermögens SELB 174 r.Sp./175 l.Sp.; un-

te[73]. Nach antikem Vorbild ging schließlich auch erbenloser Nachlaß von Klerikern bzw. Mönchen auf die "ecclesia" bzw. das "monasterium" über[74].

Mit den daraus resultierenden, primär juristischen Fragen verband sich die praktische Frage der Ausgestaltung eines kirchlich-sozialen Erbrechts[75]. Angesichts der religiös motivierten Aktivität mancher Leute, die um des "himmlischen Erbes" willen die "irdische Enterbung"[76] in Kauf nahmen, mußten die Verantwortlichen in der Kirche klug taktieren, um nicht in einen Strudel von Erbstreitigkeiten hineingezogen zu werden[77]. Von HIERONYMUS und AUGUSTINUS kennen wir in diesem Zusammenhang die sogenannte "Einsetzung Christi auf eine Kinder- oder Sohnesquote"[78], die nach den noch lebenden Kindern berechnet wurde oder auch die "Einsetzung Christi auf den Erbteil bereits verstorbener Kinder"[79], während SAL-VIAN das gesamte Vermögen für die Seele und die Armen forderte[79a]. Augustinus jedoch lehnte auch aus Rücksicht auf

---

ten § 20 I.

73) SELB 174 r.Sp.

74) Ebd.; SELB weist auf die Praxis bei Soldaten und Korporationsmitgliedern hin.

75) Vgl. E.F.BRUCK, Kirchenväter und soziales Erbrecht. Wanderungen religiöser Ideen durch die Rechte der östlichen und westlichen Welt (Berlin-Göttingen-Heidelberg 1956); SELB 179-181.

76) SELB meint treffend: "Die Askese freilich blieb den in ihrem Erbe gekürzten Verwandten" (179 r.Sp.). - Die Antithese: Enterbung - Erbe wurde zu einem beliebten Motiv, wie auch die folgende Stelle zeigt: "fateor, nulla sic amavit filios, quibus antequam proficisceretur, cuncta largita est (sc. Paula) exheredans se in terra, ut hereditatem inveniret in caelo" (HIER., ep. 108,6,5; CSEL 55,312); vgl. TERT., castit. 12,3: "Sed posteritatem recogitant Christiani, quibus crastinum non est; heredes dei servus desiderabit, qui semetipsum de saeculo exhereditavit" (CChrL 2,1032); monog. 16,4: "Haeredes ... Christianus quaeret saeculi totius exhaeres" (CChrL 2,1251).

77) Man zog nicht zuletzt deshalb deshalb Vermächtnisse (legata) der Erbeinsetzung vor (BRUCK 104). Allerdings verwischte sich die Unterscheidung zwischen Erbeinsetzung und Legat zunehmend; dazu KASER 2,335; SELB 175 r.Sp.

78) BRUCK 81; zu Hieronymus und Augustinus: 76-104. Vgl. SELB 180.

79) BRUCK 81 Anm. 9.

die betroffene Familie mitunter ganze Erbschaften ab[80], so
z.B. die des Priesters Januarius, der Tochter und Sohn enterbt hatte. Wie er die juristische, die soziale, die kir-
chenpolitische und die theologische Fragestellung miteinander
verwoben sah, zeigt die folgende Feststellung: "Wenn ihr mich
fragt, ob die Kirche erben darf, sage ich: Christus kann einen Pflichtteil bekommen; sind drei Kinder da, so kann er
das vierte sein, bei zehn Kindern das elfte. Aber er will
nicht der einzige sein, wenn andere dadurch enterbt werden."[81]

2. Die Vertrautheit mit dem profanen Erbrecht[82] machte
sich natürlich auch bei der Verwendung bzw. Kommentierung
einschlägiger S c h r i f t s t e l l e n [83] bemerkbar. Es
kann nicht unsere Aufgabe sein, der Rezeption und dem Prozeß
der Umformung des biblischen Erbbegriffs bei den Vätern weiter nachzugehen, wie er oft schon in der Übersetzung und
bloßen Zitation und dann in den unzähligen Paraphrasen, Kommentierungen, Übertragungen und Anklängen sichtbar wird. Bei
der Durchsicht des Zettelmaterials im Vetus-Latina-Institut
in Beuron machten die Abertausende von einschlägigen Väterstellen allein schon die Auswahl themenrelevanter Stellen
zu einer - zumindest hinsichtlich unserer Kernstellen - un-

79a) Z.B. eccl. 3,4,21; 3,5,22 (CSEL 8,275). Änliche Forderungen vertrat
Petrus Chryologus. Vgl. BRUCK 105ff bzw. 117ff.

80) F.van der MEER, Augustinus der Seelsorger. Leben und Wirken eines
Kirchenvaters (Köln 1951) 244; BRUCK 103 (Schutz der Familie).

81) Serm. 355,3-5 (PL 39,1570-1572); dazu MEER 243f, zit. 244 (freie
Wiedergabe von serm. 355,4).

82) Für unseren Bereich ist in erster Linie an das römische Erbrecht
(vgl. auch unten §§ 4.2; 26) zu denken, obwohl es in dieser Spätphase natürlich zu mannigfachen Einflüssen und einer Vulgarisierung
kam; vgl. KASER 2,334; SELB.

83) Vgl. die Bemerkungen zur allgemeinen Einstellung der Väter zum Zitat bei H.J.FREDE, Die Zitate des Neuen Testaments bei den lateinischen Kirchenvätern, in: Die alten Übersetzungen des Neuen Testaments, die Kirchenväterzitate und Lektionare, hrsg. v. K.Aland
(Berlin-New York 1972) 455-478, bes. 457f. Zur Rezeption von PS.
2,8 u. JO. 14,27 vgl. unten § 12 bzw. § 11.

rentablen Suchaktion[84].

An dieser Stelle ist deshalb nur kurz auf ein paar Väterbelege einzugehen, die die "hereditas"-Terminologie gewissermaßen auf das Ganze des Alten bzw. Neuen Testaments beziehen.
Vor allem AUGUSTINUS zeigt eine Vorliebe, von "heres novi
testamenti"[85] zu sprechen. Dabei ist zu bemerken, daß der Zusammenhang von "testamentum" und "hereditas", der bereits im
NEUEN TESTAMENT auftaucht[86], bei den Vätern verstärkt expliziert und offenbar der Schriftcharakter beider "testamenta"
im Sinn von Testamentsurkunde[87] hervorgekehrt wird. Zur Zuordnung beider Testamente[88] meint AUGUSTINUS: " testamentum
vetus ab heredibus testamenti novi accipitur"[89] und zur Kenn-

---

84) Von insgesamt etwa 500 Schriftstellen (griechischer Bibeltext; in-
    klusive κλῆρος) wurden vorweg ca. 150 ausgeschieden. Von den verblei-
    benden Stellen konnten etwa 20 in den bereits erschienenen Teilen
    der Vetus-Latina-Ausgabe (GN.; Eph.; Kol.; JAK.; 1 PT.) eingesehen
    werden, der große Rest (ca. 330) wurde im Zettelmaterial des Instituts
    gesichtet. Auf diese Weise wurde eine sehr große Anzahl von Belegstellen
    bei den in Frage kommenden Vätern gewonnen. Die eigentliche Zielset-
    zung dieser Bemühungen ließ sich durch dieses Vorgehen jedoch kaum
    erreichen, da das Zettelmaterial fast durchwegs nur die Zitate bzw.
    Anspielungen enthält und den (für uns möglicherweise interessante-
    ren) Kontext nicht verzeichnet. Es erwies sich aber von vornherein
    als unmöglich, alle im Zettel-Archiv verzeichneten Belege auf ihren
    Kontext hin zu überprüfen. Außerdem verstärkte sich auch anderwei-
    tig der Eindruck, daß die für Tradition und Sukzession relevanten
    und besonders wichtigen Vätertexte nur in relativ geringem Umfang
    durch Bibelzitate angeregt sind.

85) In Gal. 40,5 (CSEL 84,109); vgl. in evang.Ioh. 30,7 (CChrL 36,293);
    civ. 21,15 (CSEL 40,2,545); gest.Pelag. 5,14 (CSEL 42,66f); TERT.,
    adv.Iud. 6,2 (CChrL 2,1353); LEO M., serm. 61,5: "et in novi testa-
    menti haereditatem per electionem adoptionis intravimus" (CChrL 138,
    375).

86) Der Ausgangspunkt liegt in der Übersetzung des hebräischen בְּרִית
    (Bund) als διαθήκη bzw. "testamentum"; dazu HAAG 1733; vgl. auch 271;
    SELB 183. Zum Zusammenhang von διαθήκη und κληρονομία im Neuen Testa-
    ment vgl. PAULUS u. HEBR; dazu LOHMEYER; RIGGENBACH, Der Begriff.

87) HEUMANN 584: "die förmliche letztwillige Verfügung eines Erblassers
    über die Erbfolge in sein Vermögen"; GEORGES 2,3087f.

88) In evang.Ioh. 108,2: "Sanctificantur itaque in veritate haeredes
    Testamenti Novi, cuius veritatis umbrae fuerant sanctificationes Ve-
    teris Testamenti" (CChrL 36,617); vgl. c.Faust. 16,19 (CSEL 25,1,461).

89) C.Faust. 6,2 (CSEL 25,1,285).

zeichnung der "heredes" schreibt er: "ex fide viventes heredes sunt novi testamenti."[90] Implizit wird den Juden damit ihre "Testamentsurkunde" und ihre "hereditas" abgesprochen.

Tatsächlich deutet bereits LACTANTIUS (304 - 313) Erwählung u n d Verwerfung in der Heilsgeschichte mit den Kategorien des Erbrechts. Er sieht das Verhältnis J u d e n -
C h r i s t e n folgendermaßen:

"Iudaei vetere (sc. testamento) utuntur, nos novo: sed
tamen diversa non sunt, quia novum veteris adinpletio est
et in utroque idem testator est Christus, qui pro nobis
morte suscepta nos heredes regni aeterni facit abdicato et
exheredato populo Iudaeorum, sicut Hieremias propheta
testatur ... (es folgt JR. 31,31f; 12,7f) cum sit hereditas
eius caeleste regnum, non utique ipsam hereditatem se dicit odisse sed heredes, qui adversus eum ingrati et inpii
extiterunt ... domum autem Iuda et Israhel non utique
Iudaeos significat, quos abdicavit, sed nos, qui ab eo
convocati ex gentibus in illorum locum adoptione successimus et appellamur filii Iudaeorum."[91]

Ausgehend von JEREMIAS' Gedanke vom "Neuen Bund"[92] - in
der von Lactantius benützten Bibelversion wohl schon als "testamentum" zu lesen[93] - den der HEBRÄERBRIEF bereits auf
Christus deutet[94], wendet LACTANTIUS "testamentum" auf die
ganze Schrift der Juden an und unterstreicht den Zusammenhang mit "hereditas" durch Zitierung von JR. 12,7f[95]. Beide

90) Ep. 140,21,52 (CSEL 44,199). Vgl. zu "testamentum" - "hereditas"
auch AUG., in psalm. 67,19f (§ 17.2 mit A. 39).

91) Inst. 4,20,5-8.11 (CSEL 19,365f); vgl. 4,20,13: "inluminati ab eo
sumus, qui nos testamento suo adoptavit et liberatos malis vinculis
atque in lucem sapientiae productos in hereditatem regni caelestis
adscivit" (367). Dazu RIGGENBACH, Der Begriff 314-316.

92) HAAG 270.

93) RIGGENBACH, Der Begriff 315; vgl. die Angabe der "Auctores" (CSEL
19,365), z.B. die Testimonia Cyprians.

94) Vgl. HEBR. 8,7ff; 9,16f.

95) Das Zitat lautet bei LACT.: "dereliqui domum meam, dimisi hereditatem meam in manus inimicorum eius, facta est hereditas mea mihi si-

"testamenta" haben Christus als "testator"[96] und bei seinem
Tod tritt der "Erbfall" ein. Die "hereditas", verstanden als
"regnum aeternum" bzw. "caeleste regnum"[97], wird den einstigen Erben auf Grund ihres Verhaltens entzogen und "adoptione" treten (succedere) die Christen an die Stelle (locus) der
Juden, ja werden sogar "Söhne der Juden"[98] genannt. Die juristische Durchdringung dieses Gedankens, den PAULUS durch
das Bild des Ölbaums mit den aufgepfropften Zweigen meisterhaft umschrieben hatte[99], zeigt sich bei LACTANTIUS vor allem darin, daß das "Volk der Juden" als "enterbt"[100] hinge-

---

cut leo in silva, dedit ipsa super me vocem suam, idcirco odivi eam"
(CSEL 19,365).

96) HEUMANN 584: Testamentserrichter.

97) Vgl. auch oben A. 37.

98) Vgl. M.SIMON, Verus Israel. Etude sur les relations entre Chrétiens
et Juifs dans l'Empire Romain (135-425) (Paris 1964), bes. 137 (Heiden = genus primum; Juden = genus alterum; Christen = genus tertium).

99) Röm. 11,16-24; im größeren Rahmen von Röm. 9-11. In Gal. 4,30 (" ...
denn der Sohn der Sklavin soll nicht erben mit dem Sohne der Freien")
wird das Thema der "Enterbung" auch von PAULUS schon angedeutet.
Vgl. auch den Titel des folgenden Buches, das der Verständigung zwischen Christen und Juden dienen will: J.OESTERREICHER, Der Baum und
die Wurzel. Israels Erbe - An-spruch an die Christen (Freiburg 1968).

100) Zu "exheredare" ThLL V,2,1412-1415; HEUMANN 189: "durch testamentarische Anordnung jemanden von der Erbschaft, an der er nach der gesetzlichen Erbfolge Teil gehabt hätte, ausschließen". Zu "abdicare"
ThLL I,53-56; "de deo homines abiciente" (54 Z. 39ff). "Abdicare"
(sich lossagen, aufgeben) wird sehr häufig mit "exheredare" verbunden. Vgl. ferner LACT., epit. 38,5: "ingrato populo ab hereditate
summoto" (CSEL 19,714); 38,7: " ... tum heredibus abdicatis gentes
in adoptionem venirent" (715); 43,3: "exheredatos autem esse Judaeos,
quia Christum reprobaverunt, et nos, qui sumus ex gentibus, in eorum
locum adoptatos scripturis adprobatur" (721f); IREN., adv.haer.
3,23: scripturae "eos, qui gloriantur domum se esse Iacob et populum Israel, et exhaereditatos ostendunt a gratia Dei"; CHARVEY 2,111);
COMM., instr. 1,38,2: "inprobi (sc. Iudaei) ... vinci vos non vultis: sic exheredes eritis" (CSEL 15,51); AUG., ep. 69,1: ecclesia
"vos in hereditatem Christi ab exheredata praecisione fugientes pio
sinu suscepit" (CSEL 34,243f); in evang.Ioh. 9,16: "Facti sumus filii Abrahae imitando fidem, non nascendo per carnem. Sicut enim illi
degenerando exheredati, sic nos imitando adoptati" (CChrL 36,99); in
epist. Ioh, 4,10: "qui inde (sc. de carne Abrahae) nati sunt, ex-
haeredati sunt" (PL 35,2011). Zur "Enterbung" der Juden auch SIMON
136.

stellt wird, so daß konsequenterweise neue Erben an ihren Platz einrücken konnten[101]. Das eschatologische Element des biblischen Erbbegriffs ist hier völlig aufgelöst und hat einem endgültigen Erbantritt der Christen und einer unumkehrbaren " E n t e r b u n g " des auserwählten Volkes Platz gemacht. Geschichtstheologisch betrachtet dient hier die "hereditas"-Terminologie zur Kennzeichnung der (vermeintlichen) Endgültigkeit von Erwählung und Verwerfung, die übrigens in krassem Widerspruch steht zur eindringlichen Warnung vor Hochmut bei PAULUS[102]. Bei LACTANTIUS dagegen erscheinen die Erben getragen von jener Verkehrung des Erwählungsbewußtseins, die durch die Verwechslung von geschichtlicher Situation und Reich Gottes gekennzeichnet ist und der die Zeit eines Lactantius und Eusebios nur zu leicht erlegen ist.

Wahrscheinlich muß man es auch eher als Ausdruck eines falschen, exklusiven Erwählungsbewußtseins als einer berechtigten Sicherung der Ursprungstreue werten, wenn dieselben Erbkategorien ganz ähnlich strukturiert auch auf das Verhältnis O r t h o d o x i e - H ä r e s i e angewandt wurden: AUGUSTINUS (391 - 393) setzt sich mit dem Vorwurf eines Widerspruchs zwischen Altem und Neuem Testament von seiten der Manichäer auseinander:

"Caelum ergo et terram fecit deus in filio, per quem facta sunt omnia et sine quo factum est nihil, ut etiam evangelio concordante cum Genesi, secundum Testamenti utriusque consensum teneamus hereditatem, litigiosasque calumnias exheredatis haereticis relinquamus."[103]

---

101) Vergleichbar ist auch die Abfolge der Reiche gesehen als Erbfolge; dazu OROS., hist. 2,6,13: " ... cuius (gemeint ist Babylon) ut primum imperium ac potentissimum exstitit ita et primum cessit, ut veluti quodam iure succedentis aetatis debita posteris traderetur hereditas" (CSEL 5,97f); vgl. 2,1,6 (82); 2,2,10 (85); K.A.SCHÖN-DORF, Die Geschichtstheologie des Orosius (Diss.masch. München 1952) 23ff, bes. 24.

102) Röm. 11,18.20.21.

103) Serm. 1,2 (CChrL 41,4).

Die Orthodoxie besitzt also die "hereditas", während die
Manichäer als "haeretici" "exheredati"[104] sind, d.h. keinen
Anteil an der Schrift und vor allem an dem in der Schrift
beschlossenen Heil haben. In vergleichbarer Form zählt AU-
GUSTINUS auch die Donatisten zu den "exheredati"[105]. Diese
Methode der Ketzerbekämpfung[106] bedient sich sozusagen des
"Ausschlußverfahrens", wobei eine Anregung durch den heilsgeschichtlichen Erbbegriff des Neuen Testaments[106a] nicht
von der Hand zu weisen ist. Weitaus häufiger wird die "hereditas"-Terminologie jedoch quasi im "Einschlußverfahren"
oder besser zur Identifizierung mit berüchtigten Ketzerhäup-
tern verwendet, womit sich unser 4. Kapitel zu beschäftigen
hat.

3. Zum Schluß des 1. Kapitels soll nun am Beispiel des
AMBROSIUS[107] gezeigt werden, wie die Väter ausgehend von entsprechenden Schriftzitaten mit den Kategorien des damals geläufigen Erbrechts und der Rechtssprache allgemein umzugehen

---

104) Vgl. A. 100.

105) In psalm. 49,4: "Et consonant duo Testamenta, et unam vocem habent
duo Testamenta; audiatur vox concinentium Testamentorum, non calum-
niantium exheredatorum" (CChrL 38,577); vgl. zu den Donatisten
auch unten § 16.

106) Vgl. auch AUG., in psalm. 124,10 (Kap. 3 A. 49); ep. 43,25 (Kap. 3
A. 114); c.Petil. 1,26,28 (Kap. 3 A. 126); Zusammenstellung weiterer Belege in Kap. 4 A. 420.

106a) SCHIRR befaßt sich auch mit dem "Verlust des Erbteils an der βασιλεία τοῦ θεοῦ"(74ff). Der Verfasser, der sich auf den neutestamentlichen Kanon, die frühen Apostolischen Väter und die Epistula Apostolorum beschränkt, spricht im Hinblick auf die Formulierung οὐ
κληρονομεῖν von einer "Drohformel vom Nichterben des Gottesreiches" (76); vgl. dazu 1 Kor. 6,9; Gal. 5,21; Eph. 5,5; IGN., Eph.
16,1; Phld. 3,3.

107) Aus den Werken des Mailänder Kirchenvaters ließe sich neben den folgenden Stellen noch eine sehr große Anzahl von Belegen für die "hereditas"-Terminologie (vgl. auch bes. Nab. 1,3; ep. 75) anführen.
Schließlich werden auch die Kapitel des I. und II. Hauptteils zeigen,
daß er der mit großem Abstand wichtigste Autor für die Anwendung der
"hereditas"-Terminologie auf Tradition und Sukzession ist. Zu seiner
Verwurzelung im römischen Recht vgl. die nur auf Mikrofilm zugängli-
che Arbeit: R.J.HEBEIN, St.Ambrose and Roman Law (Diss. St.Louis
University 1970) (vgl. oben Einleitung A.22).

verstanden und so die Schrifstellen in einen völlig neuen Kontext rückten. So begegnet man, um nur einige, ziemlich willkürlich ausgewählte Beispiele zu nennen, Termini wie "substituere"[108], "hereditarium ius"[109], "hereditatis consortium"[110] oder der Definition: "testamentum autem dicitur quo defertur bonorum hereditas"[111]. Es ist öfters vom "testator"[112] die Rede und Ambrosius stellt vorwurfsvoll die Frage "nos hereditatem vindicamus, refutamus auctorem?"[113] Noe erscheint als "caelestis possessor hereditatis, beatissimorum consors bonorum"[114] und es geht um "patrimonium suum testamento transcribere" und "transfundere" "divinae hereditatem substantiae"[115].

Der Vers PS. 119 (118), 111[116], der bei verschiedenen Vätern mit erbrechtlichen Termini gespickte Kommentierungen

108) Cain et Ab. 1,6,23 (CSEL 32,1,359); vgl. HEUMANN 563.

109) Ebd.: "omnem operum suorum deputans hereditatem sapienti et iusto viro nec ullum ius hereditarium ancillis vel ancillarum filiis derelinquens" (359); vgl. PS-AUG., serm. 32,3: "bonus latro caeli beatitudinem hereditario iure promeruit" (ed. MAI p.70); HEUMANN 235.

110) Abr. 1,7,65: "eice ancillae filium, ut non habeat hereditatis consortium qui non habet originis privilegium" (CSEL 32,1,545); vgl. A. 114; Kap. 2 A. 271. "Consortium" bezeichnet im römischen Erbrecht das genossenschaftliche Verhältnis der Miterben.

111) Cain et Ab. 1,7,28 (CSEL 32,1,363); zu "deferre" vgl. HEUMANN 128: "die Erbschaft wird jemandem angetragen, sie fällt ihm an, d.h. er erhält das Recht, die Erbschaft, wenn er will, zu erwerben." u. Kap.2 A. 154. Vgl. auch Abr. 2,1189 (CSEL 32,1,637f): Unterscheidung zwischen "testamentum" und "legatum" (dazu HEUMANN 308).

112) Noe 10,35 (CSEL 32,1,435 Z. 9); in Luc. 9,27 (CSEL 32,4,448 Z. 7); HEUMANN 584f.

113) Spir 2,7,64 (CSEL 79,111); vgl. zu "auctor" HEUMANN 43: "wer ein ihm zustehendes Recht auf einen anderen übertragen hat"; zu "refutare" u. "vindicare" ebd. 500 u. 627.

114) Noe 10,35 (CSEL 32,1,435).

115) Noe 10,35 (a.a.O.). Zu "patrimonium" HEUMANN 410; "transcribere" ebd. 590; "transfundere" ebd. 591.

116) VULG.: "Hereditate adquisivi testimonia tua in aeternum, quia exultatio cordis mei sunt" (R.WEBER 1,926).

ausgelöst hat[117] führte bei AMBROSIUS zur Abhandlung mehrerer theologischer Themen[118], darunter auch zur folgenden Sicht des Erlösungswerks Christi:

" ... nunc heredes sumus Christi. ... non ad unum quidem, non ad paucos, sed ad omnes testamentum suum scripsit Iesus. omnes scripti heredes sumus non pro portione, sed pro universitate. testamentum commune est et ius omnium, hereditas universorum et soliditas singulorum. novum tamen testamentum et singuli adeunt et omnes possident nec minuitur heredi quicquid a coheredibus vindicatur. manet emolumentum integrum et eo magis singulis crescit, quo pluribus fuerit adquisitum."[119]

---

117) HIL., in psalm. 118 nun (=14) 19: "Dehinc sequitur: 'hereditavi testimonia tua in saeculum; quia exultatio cordis mei sunt.' heres secundum humanam consuetudinem omnia eius obtinet, cuius et heres est. sed humanas hereditates dedignatur propheta: testimonia dei hereditavit. ... sed propheta, ut et apostoli, licet inter multas persecutiones haec testimonia dei, id est testandi de eo cum exultatione cordis tamquam hereditatem retineat, tamen etiam illa dei testimonia hereditate adquisita habet, quae sub testibus dicta sunt" (CSEL 22,485f); Forts. in A. 120. Vgl. auch in psalm. 118 heth (=8) 5 (CSEL 22,425f); AUG., in psalm. 118 serm. 23,7 (CChrL 40,1743).

118) In psalm. 118,14,40-44 (CSEL 62,325-328). Märtyrer: "etiam ista vox martyrum est dicentium quod hereditatem acceperint caelestium testimoniorum. dicit ergo propheta: 'heres sum mandatorum tuorum, successionem tuam fidei pietatisque iure quaesivi'" (40/325).Erben Adams - Erben Christi: "Et bene ait: 'hereditate quaesivi testimonia tua', quoniam, sicut ante heredes fuimus peccatoris, ita nunc heredes sumus Christi. illa fuit criminum, haec est virtutis hereditas; ... mala Evae successio totum hominem devorabat, praeclara Christi hereditas totum hominem liberavit" (41/326); vgl. dazu auch unten Kap. 4 A. 417. Sündenvergebung/Auferstehung: "Audiamus igitur commoda hereditaria. remissio peccatorum hereditas Christi est. certe solida per singulos et in commune est lucrativa ... hereditas Christi est resurrectio" (42/327). Vgl. auch 44: "quis non exultet, quia caelum et terram hereditate quaesivit ... " (328). Vgl. auch D.GORCE, S.Ambroise. Exposé sur le Psaume CXVIII (Namur 1963); trotz intensiver Bemühungen gelang es mir nicht, dieses Buch einzusehen (vorhanden in der Bibliothèque nationale in Paris; nicht zur Ausleihe). Vgl. ferner HEBEIN 68; 104; 132; 136; 150; 153; 157; 160.

119) In psalm. 118,14,41 (326); vgl. zu dieser Stelle G.BORTOLUCCI, La Hereditas come Universitas: Il dogma della successione nella personalità giuridica del defunto, in: Atti del Congresso Internazionale di Diritto Romano Vol. I 1 (Pavia 1934) 431-448, 441f; anson-

Außer einer vergleichbaren Stelle bei HILARIUS[120] dürfte
wohl kaum ein anderer Text bei den Vätern das Grundaxiom des
römischen Erbrechts dermaßen fachmännisch zur Lösung der Frage heranziehen, wie die Vielen jeweils ganz am Erbe des Heiles in Christus teilhaben können. Das römische Erbrecht kannte bei einer Mehrzahl von Erben die Einrichtung des "consortium"[121] und neben der Enterbung[122] auf Verlangen auch eine
Erbteilung[123], die aber dem eigentlichen Wesensverständnis
der "hereditas" als "universitas"[124] zuwiderlief. Aber AM-
BROSIUS betont ausdrücklich die Einzigartigkeit des vorliegenden Erbfalls: "alia (!) condicio est hereditatis humanae.
si divisa fuerit, emolumenta minuuntur et heredis est damnum
adscriptio coheredis."[125] Erbteilung bedeutet also im menschlichen Bereich Minderung und ein zusätzlicher "Miterbe" eine
Einbuße. Außerdem gilt ja: "indivisum regnum Christi est,
indivisa hereditas."[126] Der Kirchenvater zieht sich letztlich durch ein Paradoxon aus der Affäre, indem er die "uni-

---

sten A.GARIGLIO, Il commento al salmo 118 in S.Ambrogio e in S.
Ilario, in: Atti della Accademia delle Scienze di Torino 90 (1955/
56) 356-370.

120) In psalm. 118 nun (=14) 19: "Esaias ... est dicens: 'testor vobis
coram deo et Christo Iesu et angelis eius.' haec ergo testimonia
sub his scripta et sub his testata et in his testata tamquam novi
patrimonii heres occupat: non ex parte, sed totum. ius enim hereditatis ex solido est. etsi inter plures secundum humanam successionem hereditas dividatur, tamen hereditas ipsa nomine heredis ex
solido est" (CSEL 22,486).

121) KASER 1,99-101; 590f; vgl. oben A. 110.

122) P.F.GIRARD, Geschichte und System des römischen Rechtes Bd. 2 (Berlin 1908) 926ff.

123) GIRARD 2,974f; KASER 1,100; 668f.

124) Vgl. BORTOLUCCI; A.HÄGERSTRÖM, Der römische Obligationsbegriff im
Lichte der allgemeinen römischen Rechtsanschauung Bd. 2, Beilage
5 (Uppsala 1941) 84-173 innerhalb der Beilage, 105f.

125) In psalm. 118,14,41 (CSEL 62,326).

126) Ebd. (326 Z. 25f); vgl. AUG., util. ieiun. 11,13 (§ 11.2).

versitas"[127] des Erbrechts kombiniert mit den "universi"[128], verstanden im Sinne von "omnes". Das von Jesus stammende Testament bezieht sich auf alle[129] und bedeutet ein "ius" für alle[130]. Dadurch wird aber die "hereditas" nicht "pro portione"[131] verkleinert, sondern alle sind Erben "pro universitas"[132] und jeder einzelne von allen besitzt die "soliditas"[133] oder ist Erbe "ex solido"[134], wie HILARIUS es ausdrückt. Das "emolumentum"[135] des Erbes bleibt "integrum"[136], was als Terminus technicus den Gegensatz zu "pars" oder "portio" bezeichnet. Die Lösung liegt, wie es zum Schluß heißt, in der Eigenart der "Christi dona", die zu einem jeden ein-

---

127) Bezeichnung für die Gesamtheit des hinterlassenen Vermögens; Gedanke der Vermögenseinheit! Vgl. KASER 1,673; 2,337; HEUMANN 601f. Es entspricht einander "non pro portione, sed pro universitate" (AMBR.) und "non ex parte, sed totum" (HIL.; A. 120); vgl. auch A. 131; 132.

128) Es sind "universi" (omnes) und "singuli" gegenübergestellt. Deshalb muß es sich auch bei beiden Genitivformen um ein Maskulinum handeln.

129) Zu "commune" vgl. HEUMANN 82 (Nr. 2).

130) Zur "hereditas" als "ius" vgl. HÄGERSTRÖM 104-106. Vgl. auch "ius enim hereditatis ex solido est" (HIL./A. 120).

131) HEUMANN 439: "nach Verhältnis"; Gegensatz zu "insolidum", "soliditas" bzw. "pro universitate".

132) HEUMANN 601f; vgl. oben A. 124; 127.

133) HEUMANN 545: das Ganze, die unzerteilte Masse; Gegensatz zu "pars", "portio".

134) Dieser Ausdruck ist bei Hilarius sehr beliebt (vgl. in Matth. 10,20; myst. 3,5; in psalm. 57,4; 140,12; trin. 2,22) und entspricht dem juristischen Terminus technicus "in solidum" (HEUMANN 545), der die Ganzheit, Unbegrenztheit bezeichnet. Er kommt als Gegensatz zu "pro portione hereditaria" und in Ausdrücken wie "in solidum sibi vindicare hereditatem" oder "in solidum esse alicuius" vor. Zur Verwendung von "in solidum" bei CYPRIAN vgl. A.BECK, Römisches Recht bei Tertullian und Cyprian. Eine Studie zur frühen Kirchenrechtsgeschichte (Halle 1930/Neudr. Aalen 1967) 127-129.

135) Auch als Fachausdruck im Erbrecht verwendet (HEUMANN 170).

136) HEUMANN 276 (Nr. 3). Vgl. auch AUG., serm. 88,18 (A. 138).

zelnen (von allen!) als "solida"[137] gelangen. Kurz gefaßt
könnte man sagen: Die Auffassung der "hereditas" als "universitas" bzw. ihr "ex solido"-Sein wird beibehalten und
trotzdem die Erbschaft einer Vielzahl (allen) zugesprochen.
Alle sind Erben des ganzen, ungeteilten Erbes[138].

ZUSAMMENFASSUNG:

Es ging also im 1. Kapitel um einen Überblick über die
Funktionen der Erbthematik in der Schrift, um so ihren möglichen Stellenwert für eine Umdeutung auf Tradition und Sukzession[139] bei den Vätern vorweg abzuklären. Selbst bei der
Rezeption solcher Schriftstellen durch die Väter zeigten
sich schon teilweise massiv Einflüsse des antiken, insbesondere römischen Erbrechts, dessen Kenntnis damals auch für
eine leitende Stellung in der Kirche notwendig war.

---

137) In psalm. 118,14,41: "aurum argentum praedium ab homine pluribus
derelictum distribuitur ac secatur, solida ad singulos Christi dona perveniunt; omnes habent et nemo fraudatur" (CSEL 62,327); vgl.
zu dieser Gegenüberstellung weltlicher Erbgüter auch AUG., util.
ieiun. 11,13 (§ 11.2).

138) Vgl. auch AUG., serm. 88,18: "pariter ab omnibus, totum a singulis
possidetur regnum Dei; crescente possessorum numero non minuitur,
quia non dividitur. Unicuique integrum est, quod concorditer habe-
tur a multis" (PL 38,549); in psalm. 49,2 (CChrL 38,576 Z. 24ff).

139) Soweit dabei überhaupt entsprechende Schriftstellen im Spiele sind,
trifft dies fast nur auf die Tradition zu.

ERSTER HAUPTTEIL

2. Kapitel: "Hereditas fidei".

Glaube und Lehre als Erbgut

Obgleich schon im Kontext des 1. Kapitels zu zeigen war, wie der primär heilsgeschichtliche Erbbegriff der Bibel von den Vätern in ihren exegetischen Bemühungen teils rezipiert, teils juridisch modifiziert wurde, ist die Frage noch nicht beantwortet, wie es auf dieser Linie zur Anwendung des Erbbegriffs auf Glaube und Lehre kommen konnte, wie man also die "Tradition"[1] als "Erblehre"[2] interpretieren konnte. Da-

---

1) Guter und instruktiver Überblick in: RGG 6,966-984; vgl. LThK 10,290-299; A.DENEFFE, Der Traditionsbegriff. Studie zur Theologie (Münster 1931); J.RANFT, Der Ursprung des katholischen Traditionsprinzips (Paderborn 1931); J.BEUMER, Das katholische Traditionsprinzip in seiner heute neu erkannten Problematik, in: Scholastik 36 (1961) 217-240, bes. 221ff; H.v.CAMPENHAUSEN, Ursprung und Bedeutung der christlichen Tradition, in: Im Lichte der Reformation 8 (1965) 25-45; J. RATZINGER, Das Problem der Dogmengeschichte in der Sicht der katholischen Theologie (Köln-Opladen 1966).

2) Ohne näher darauf einzugehen, möchte ich hier die "Redeweise" bezüglich der Tradition bei einigen modernen Autoren zu bedenken geben: DENEFFE 133f: "Die Tradition ist doch eine 'Erblehre'. ... Aber diese Lehre wird bis zum Ende der Zeiten dieselbe bleiben wie zur Zeit der Apostel, und in jedem Zeitpunkt nach den Aposteln stammt sie von den Aposteln her. Insofern hat die Bezeichnung 'Erblehre' etwas Berechtigtes. Die erste Lehrverkündigung durch die Apostel war Erblehre nur der Bestimmung nach; sie sollte vererbt werden. Die folgende Lehrverkündigung war Erblehre in Wirklichkeit, weil ererbt, und der Bestimmung nach, weil weiter zu vererben. Die letzte Lehrverkündigung vor dem Jüngsten Gericht ist Erblehre nur, weil ererbt, nicht mehr der Bestimmung nach, weil nun nicht mehr weiter zu vererben." J.RANFT, Tradition, in: BUCHBERGER 10,243-248: "Machte der ursprüngliche T.sbegriff keinen Unterschied zwischen schriftlicher u. mündl. Erblehre ..." (244); "dem objektiv an den Menschen herantretenden hl. Erbgut" (244); "Erklären die Kirchenväter in ihrer Gesamtheit od. Mehrheit eine bestimmte Lehre für Häresie, so muß das kontradiktor. Gegenteil als apost. Erblehre angesehen werden." (247); HHKG II/1, 67: Basileios' "unbeirrbare Treue zum altererbten Glauben"; Y.CONGAR, Die Normen für die Ursprungstreue und Identität der Kirche im Verlauf ihrer Geschichte, in: Concilium 9 (1973) 156-163: "Daß der Glaube der Kirche mit der Verkündigung der Apostel übereinstimmt, wird

bei stehen jedoch nicht der moderne Hintergrund oder Anlaß
für solche und ähnliche Bezeichnungen zur Debatte, sondern
es gilt, einerseits auf die Einflußmöglichkeiten des im römischen Bereich tief verwurzelten Traditionalismus und Erbdenkens, insbesondere auch im römischen Sakralrecht, hinzuweisen (§ 4) und andererseits die fortschreitende "Vergegenständlichung" im frühchristlichen Heils- und Glaubensverständnis an einigen mit dem Erbbegriff vergleichbaren Kategorien sichtbar zu machen (§ 5 I). Den Schwerpunkt dieses
Kapitels bildet jedoch die Untersuchung der Frage, in welchem sprachlichen Kontext sich die Anwendung des Erbbegriffs
auf Offenbarung, Glaube und Lehre[3] vollzieht und was diese
Interpretation der Tradition als "Erbgut" besagt und be-
zweckt (§§ 5 II - 9).

§ 4. Traditionalismus und Erbdenken im römischen Bereich

Will man "Tradition" inhaltlich als Glaube und Lehre umschreiben, so könnte man damit an Erbvorstellungen innerhalb
der römischen Religion und der antiken Philosophenschulen
anknüpfen. H. v. CAMPENHAUSEN spricht zwar im Hinblick auf
die Philosophenschulen ganz richtig von einer "gleichsam ge-
nealogische(n) Fortpflanzung der Lehrüberlieferung vom ursprünglichen Lehrer zu dessen Schülern und späteren Schulvorstehern"[4], doch sprachlich gesehen dominiert dabei

---

gesichert erstens durch seine Übereinstimmung mit dem, was von den
Altvordern überkommen ist, die es ebenfalls ererbt hatten und so immer weiter zurück bis zum Beginn" (156). Vgl. auch die Zeitschrif-
tentitel: "erbe und auftrag" (Benediktinische Monatsschrift; 54/Beu-
ron 1978); Kleronomia (Thessalonike 1969ff). Vgl. zur Verwendung der
Erbterminologie bei modernen Autoren auch unten A. 196; Kap. 6 A. 1;
Kap. 7 A. 1. (Stellen, die lediglich als eine Übersetzung lateini-
scher Erbterminologie anzusehen sind, entfallen hier natürlich.).

3) Diese allgemeine Umschreibung wurde gewählt, um nicht die Kontroverse
um das Verhältnis von Schrift und Tradition zu tangieren. Eine genauere
Eingrenzung erfolgt bei der Behandlung der einzelnen Stellen.

4) H.v.CAMPENHAUSEN, Lehrerreihen und Bischofsreihen im 2.Jahrhundert,
in: In memoriam E.Lohmeyer, hrsg. v. W.Schmauch (Stuttgart 1951) 240-
249, zit. 243.

die "heres"-Terminologie - freilich dem Sinne nach in engem Zusammenhang mit der "hereditas"-Terminologie zu sehen -, so daß sich weitere Hinweise in einem anderen Kontext[5] nahelegen.

1. Allerdings liefert die Philosophie schöne Beispiele für die tiefe Verwurzelung des T r a d i t i o n a l i s - m u s [6] und gleichzeitig eine Erklärung für diese umfassen-
* de Autorität der "Alten" und der "antiquitas"[7]. CICERO begründet nämlich die Notwendigkeit einer unentwegten Pflege der "Familiensacra" folgendermaßen:

"iam ritus familiae patrumque servare, id est, quoniam antiquitas proxume accedit ad deos, a dis quasi traditam religionem tueri"[8].

Mit der "antiquitas" und damit der Götternähe ist nach dieser stoischen, letztlich aber auf Platon[9] zurückgehenden Theorie auch eine größere Fähigkeit, die Wahrheit zu erkennen[10], verbürgt. Wenn man feststellt, daß sich die Hochschätzung der "antiquitas" besonders stark im römischen Staat[11] und im Sakralrecht zeigt, so umschreibt der Dichter

---

5) Vgl. hierzu § 13 I 1 mit A. 12a-14a.

6) J.PIEPER bei RATZINGER 36.

7) Vgl. dazu R.M.HONIG, Humanitas und Rhetorik in spätrömischen Kaisergesetzen (Studien zur Gesinnungsgrundlage des Dominats) (Göttingen 1960) 127-144; F.VITTINGHOFF, Zum geschichtlichen Selbstverständnis der Spätantike, in: HZ 198 (1964) 529-574, bes. 566f.

8) CIC., leg. 2,27 (K.ZIEGLER, Heidelberg 1963[2], 65).

9) Bes. Phil. 16c: καὶ οἱ μὲν παλαιοί, κρείττονες ⟨ ὄντες⟩ ἡμῶν καὶ ἐγγυτέρω θεῶν οἰκοῦντες (R.G.BURY, New York 1973, 17). Vgl. hierzu PIEPERs gelehrte Ausführungen über die "Autorität der 'Alten'", in: J.PIEPER, Über den Begriff der Tradition (Köln-Opladen 1958) 20-24.

10) CIC., Tusc. 1,12,26: "... uti ... possumus ... omni antiquitate, quae quo propius aberat ab ortu et divina progenie, hoc melius ea fortasse, quae erant vera, cernebant" (M.POHLENZ, Leipzig-Berlin 1912, 57).

11) Der Bestand des Staates war ja an die Teilhabe an dem bei der Stadtgründung gewährten göttlichen Schutz gebunden. Vgl. dazu und zu den Formen der Vermittlung MOMMSEN, Staatsrecht I,90; II 1,6; 15; WISSOWA, Religion und Kultus 386f.

ENNIUS überaus treffend diesen universalen, römischen Traditionalismus: "Moribus antiquis res stat Romana virisque."[12]
Aus diesem weiten Gebiet sollen nach einigen allgemeinen,
illustrierenden Hinweisen ein paar Grundzüge des römischen
Erbrechts und die Vererbung der "Familiensacra" zur Sprache
kommen. Beide Bereiche haben ihren Schnittpunkt in der römischen F a m i l i e , deren Bedeutung für Besitz und
Kult und deren Weitergabe besonders zu betonen ist. In dem
weit zu fassenden Verständnis von "familia"[13] und der einer
archaischen Sphäre entstammenden Stellung des "pater familias"[14] wurzeln sowohl die enge Verbindung von Staat und Religion als auch deren traditionalistische Prägung. Einen
höchst anschaulichen Beweis für die Bedeutung der Familie
und ihrer Ahnen bildet das Schauspiel der Ahnenprozession[15],
wo bei der Leichenfeier die Vorfahren mit ihren Gesichtsmas-
ken mitgingen und "die abgeschiedenen Geschlechter fortfuh-
ren, gleichsam körperlich unter dem gegenwärtigen zu wandeln"[16]. Welche umfassende Rolle die V o r f a h r e n ,
die "maiores", für den Römer spielten, zeigte H. ROLOFF bei

---

12) J.VAHLEN (1854) 73, frg. incertae sedis 41.

13) J.GAUDEMET, Familie, in: RAC 7,286-358, bes. 319ff; P.BONFANTE,
    L' origine dell' "Hereditas" e dei"Legata", in: Scritti giuridici
    varii I (Torino 1916) 101-151, bes. 115ff; KASER 1,50-56. Zum Zu-
    sammenhang von Übertragung der "familia" u. Erbeinsetzung A.HÄGER-
    STRÖM, Der römische Obligationsbegriff im Lichte der allgemeinen
    römischen Rechtsanschauung Bd. 2, Beilage 5 (Uppsala 1941) 84-173
    innerhalb der Beilage, 93f.

14) BONFANTE, L'origine 115f; KASER 1,51f.

15) POLYB. 6,53; vgl. TH.MOMMSEN, Römische Geschichte Bd. 1 (Berlin
    1861³) 858f; R.FUHRMANN, Ahnengut in Römischen Familien (Diss. Hal-
    le/Saale 1938) bes. 11-18 (mit zeitbedingten Abstrichen!); F.KLING-
    NER, Römische Geschichtsschreibung, in: Römische Geisteswelt (Mün-
    chen 1965⁵) 69. Zur Bedeutung des Ahnenkults für die Kraftübertra-
    gung von Generation zu Generation vgl. W.KÖHLER, Omnis ecclesia
    Petri propinqua. Versuch einer religionsgeschichtlichen Deutung: SB
    Heidelberg philos.-hist.Kl. (Heidelberg 1938) bes. 18ff. Zur Bedeu-
    tung der Ahnen bei den Römern vgl. ferner W.SPEYER, Genealogie, in:
    RAC 9,1145-1268, bes. 1187; zur Ahnenprozession ebd. 1187-1193.

16) MOMMSEN, Geschichte 1,859.

Cicero[17] auf. Was als "von den maiores empfangen" bezeichnet wird, gilt damit als rechtmäßiger Besitz[18]. Andererseits werden die "maiores" als Herkunft einer Sache genannt, wenn Besitzansprüche angemeldet werden sollen, ein Aspekt, der auch innerhalb des Christentums im Streit um den wahren Glauben wiederkehrt[19]. Schließlich bildet der "mos maiorum", besonders auch in seiner Ausformung im Recht der Väter, eine der drei Säulen,"auf denen nach der Überzeugung Ciceros und seiner Zeitgenossen das römische politische System ruhte."[20]

Aus dem staatlich-gesellschaftlichen Bereich bleibt noch die Erblichkeit des Prinzipats und der Gefolgschaft[21] zu erwähnen. Andere Phänomene wie das "Antiquitas"-Argument im Altersbeweis oder die Hochschätzung des Alten in der römischen Geschichtstheorie[22] bildeten ganz besonders geeignete Assimilationselemente für das Christentum, das zunehmend "der antiken Kritik an Wahrheiten, die sich nicht durch Alter auszuweisen vermögen"[23], entgegentreten und somit Wahrheitskriterien der Umwelt rezipieren mußte.

2. Eine bedeutende juristische Ausprägung römischen Traditionsdenkens darf man im r ö m i s c h e n E r b -

---

17) H.ROLOFF, Maiores bei Cicero (Diss. Göttingen 1938), vgl. auch K. JOST, Das Beispiel und Vorbild der Vorfahren bei den attischen Rednern und Geschichtsschreibern bis Demosthenes (Diss. Regensburg 1935), bes. 226ff; J.C.PLUMPE, Wesen und Wirkung der Auctoritas maiorum bei Cicero (Diss. Münster 1935); K.GROSS, Auctoritas - Maiorum exempla. Das Traditionsprinzip der hl. Regel, in: Studien und Mitteilungen zur Geschichte des Benediktiner-Ordens 58 (1940) 59-67. Vgl. auch N.BROX, Zur Berufung auf "Väter" des Glaubens, in: Heuresis, Festschrift f. A.Rohracher, hrsg. v. Th.Michels (Salzburg 1969) 42-67, bes. 48ff; H.RECH, Mos maiorum (Diss. Marburg 1936).

18) ROLOFF 50.

19) ROLOFF 51; vgl. hierzu auch TERTULLIANs "Praescriptio" (§ 5 II).

20) A.A.T.EHRHARDT, Politische Metaphysik von Solon bis Augustinus Bd. 1 (Tübingen 1959) 276. Die Rezeption dieser Denkweise im Christentum zeigt sich eindrucksvoll bei AUG., ep. 36,2: "in his enim rebus, de quibus nihil certi statuit scriptura divina, mos populi dei vel instituta maiorum pro lege tenenda sunt" (CSEL 34,2,32).

21) Vgl. dazu L.WICKERT, in: PW 22,2,2201.

22) KLINGNER 85ff; vgl. auch VITTINGHOFF.

r e c h t   erblicken. In unserem Zusammenhang soll jedoch
keine systematische Darstellung[24] dieses wichtigen Abschnit-
tes aus dem römischen Privatrecht angestrebt werden, sondern
an dieser Stelle sollen einzelne wichtige Punkte zusammen-
gestellt werden, die für die Anwendung der "hereditas"-Ter-
minologie allgemein relevant sind, während auf spezifische
Einzelheiten - zur Illustration bestimmter "hereditas"-Stel-
len - im jeweiligen Kontext einzugehen ist.

Für die römische Familie[25] läßt sich feststellen, daß der
"pater familias" Macht über Leben und Tod der anderen Fami-
lienmitglieder ausübt und diesen, d.h. den Hauskindern und
der "uxor in manu", auch keine aktive Mitberechtigung am
Familiengut zusteht. Diese besitzen lediglich "eine Anwartschaft auf künftigen Erwerb durch Erbgang"[26], wobei dieser
Erwerb als abgeleitet (derivativ) gilt und somit die Berechtigung des Erwerbes von der des Rechtsvorgängers abhängig ist. Um eine derartige Erbfolge kurz zu analysieren, soll
nun nach dem Subjekt, dem Gegenstand und den Berufungsgrün-
den gefragt werden: Jeder römische Bürger, der vermögens-
fähig ist, kann "Erblasser" sein[27]. Bei den "Erben" unterscheidet man zwischen den "sui (heredes)" und den "extranei
(heredes)". Die "sui heredes"[28] - alle freien Personen, die
mit dem Tod des Erblassers "sui iuris" werden - treten im
Augenblick, da der Erblasser stirbt, ohne ihr Zutun (necessarii heredes) an die Stelle des Erblassers (Hauserbfol-
ge). Im Falle einer Mehrzahl bilden sie nach dem Gleichheits-
recht ein genossenschaftliches Verhältnis der Miterben (con-

---

23) E.DINKLER, in: RGG 6,972.

24) Vgl. L.MITTEIS, Römisches Privatrecht bis auf die Zeit Diokletians
    Bd. 1 (Leipzig 1908) 93ff; KASER 1,91ff; 2,334ff; gute Einführung
    in: PW 8, 622-648; kurzer Überblick bei W.SELB, Erbrecht, in: JAC
    14 (1971) 170-184, bes. 171f; ARTEMIS-LEXIKON 2551ff; vgl. auch Lit.
    unter § 26.

25) Vgl. Lit. unter A. 13.

26) KASER 1, 52.

27) KASER 1,674.

28) KASER 1,95ff; 713ff.

sortium)[29]. Ist jedoch mit dem Tod des Erblassers seine Familie erloschen, erwerben die "extranei heredes" (Außenerben)[30] die Erbschaft, wozu ein förmlicher Erbantritt erforderlich ist (voluntarii heredes).

Den Gegenstand der Erbfolge bildet die "hereditas"[31]. Was kann aber der Inhalt dieser "hereditas" sein?[32] Die Klassiker verstehen darunter die Summe aller vererblichen Rechte und das als Einheit (universitas) aufgefaßte Vermögen. Die Rechte umfassen die Vermögensrechte inklusive der Servituten (dingliche Nutzungsrechte) und der Forderungsrechte und aus den Personengewalten "mancipium" und Sklaveneigentum. Dagegen erlischt die "patria potestas" mit dem Tod des Hausvaters und wird nicht vererbt[33]. Inwieweit die Schulden bzw. die Haftung für sie Bestandteil der "hereditas" oder Last der "hereditas" sind, ist zwar umstritten, jedoch mehr eine Frage der Definition[34]. Jedenfalls sind an den Eintritt in die Stelle des Erblassers bestimmte "extrapatrimoniale Rechte" gebunden, wie Patronat, "sepulcrum familiare"[35] und die

---

29) KASER 1,95ff; 99ff; HÄGERSTRÖM 156ff; vgl. unten A. 137.

30) KASER 1,101ff; 715ff.

31) KASER 1,673f; HÄGERSTRÖM 101. Daneben bezeichnet "hereditas" auch den Vorgang der Erbfolge. Vgl. auch ThLL VI,3,2630-2643 und H.KORNHARDT, Beiträge aus der Thesaurus-Arbeit VI: hereditas, in: Philologus 95 (1943) 287-298.

32) Vgl. KASER 1,98; 673f; 2,338; PW 8,626 Z. 1ff.

33) KASER 1,57; 98; 674.

34) Vgl. KASER 1,674; 2,338; PW 8,623 Z. 58ff; B.WINDSCHEID, Lehrbuch des Pandektenrechts Bd. 3 (Frankfurt 1906; Neudr. Aalen 1963) 187 Anm.; P.F.GIRARD, Geschichte und System des römischen Rechtes Bd. 2 (Berlin 1908) 966.

35) An zahlreichen Mausoleen, so auch in der Nekropole der "Isola sacra" bei Ostia, legen noch heute entsprechende Inschriften ein anschauliches Zeugnis ab von der Rolle der Erben im römischen Grabrecht. Große Berühmtheit erlangte die Titelinschrift über dem Mausoleum A in der Nekropole unter Sankt Peter. Sie enthält eine Klausel aus dem Testament eines gewissen Popilius Heraclea, der seinen Erben die Auflage machte, ihm ein Grabmal "in Vaticano ad circum" zu errichten. Vgl. dazu E.KIRSCHBAUM, Die Gräber der Apostelfürsten (Frankfurt 1959[2]) 16f. Vgl. ansonsten F.WAMSER, De iure sepulcrali Romanorum quid tituli doceant (Diss. Darmstadt 1887); TH.MOMMSEN, Zum römi-

auch in erster Linie als Last empfundenen "sacra familiaria".
Aus diesem kurz skizzierten Inhalt der "hereditas" wird bereits die für das römische Erbrecht typische Gesamtnachfolge
in Stand (locus) und Recht (ius) des Erblassers - zunehmend
verstanden als Rechtsnachfolge bis hin zur Folgerung einer
ideellen Personeneinheit - sichtbar, wie sie in anderem Zusammenhang noch näher zu beleuchten sein wird[36]. Die Unterscheidung einer Erbfolge nach dem "ius civile" (hereditas)
und nach dem "ius praetorium" (bonorum possessio)[37] ist weniger bedeutsam als der abschließende Hinweis auf die beiden
möglichen "Berufungsgründe", nämlich Testament und Gesetz[38].
Die Berufung "ex testamento" unterstützt die Tendenz zur
Alleinerbfolge und geht der Erbfolge "ab intestato" vor, die
im Laufe der Zeit immer mehr zur Ausnahme wird. Allerdings
müßte gerade für die Zeit, der unsere "hereditas"-Stellen
entstammen, M. KASERs Hinweis auf die "Vulgarisierung" des
Erbrechts[39] und die Verwischung mancher Unterscheidungen
berücksichtigt werden.

    3. Die an die Erbfolge gebundenen " s a c r a   f a m i -
l i a r i a " bilden eine der drei Arten von "sacra privata"[40]. Diese sind im Unterschied zu den "sacra publica"

---

schen Grabrecht, in: Gesammelte Schriften 3 (Berlin 1907) 198-214.
Die klassische Definition bei GAIUS, dig. 11,7,5: "Familiaria sepulchra dicuntur, quae quis sibi familiaeque suae constituit, hereditaria autem, quae quis sibi heredibusque suis constituit" (KRÜ-
GER-MOMMSEN 1,349).

36) Nähere Erläuterungen zur Universalsukzession in § 26 (mit Lit.).

37) KASER 1,672ff; E.COSTA, Storia del diritto romano privato dalle
origini alle compilazioni giustinianee (Torino 1911) 459ff.

38) KASER 1,92ff; 105ff; 668ff; 2,341ff.

39) A.a.O. 2,334ff.

40) 1. gottesdienstliche Handlungen, die für das Wohlergehen des einzelnen Menschen begangen werden; 2. sacra pro familiis; 3. sacra
pro gentibus; vgl. PW II 1,2,1657; A.de MARCHI, Il culto privato
di Roma antica I/II (Milano 1896/1903).

grundsätzlich der staatlichen Zuständigkeit entzogen, wenngleich der einzelne die Beratung durch die Pontifices in Anspruch nehmen kann und der Staat aus einem öffentlichen Interesse heraus gegenüber der Gottheit die Garantie für den
Fortbestand dieser "sacra" übernimmt[41]. Um das Erlöschen der
sakralen Verpflichtungen zu verhindern, unterliegen alle Ak-
te, "die eine Veränderung im sakralen Rechtsstande des Einzelnen zur Folge haben"[42], der Kontrolle durch die Pontifices. Beziehen sich die "sacra familiaria" auf alle "das Ge-
deihen der ganzen Familie ... fördernden Gottheiten"[43], auf
die Hausgötter (Lar familiaris, Genius, Penaten) und die
Geister der Vorfahren (maiores), so wird daraus schon der Zusammenhang von Ahnenkult und Familienheiligtümern ersichtlich[44].

Konsequenterweise waren die "sacra familiaria" ursprünglich ausschließlich an die Deszendenten gebunden, so daß der
Fortbestand des Familienkultes und in gewisser Weise auch
der eigenen Persönlichkeit allein in den Nachkommen gesichert schien[45]. Durch die Einführung des Privattestaments
wurde die gemeinsame Bindung von Kult und Vermögen an das
eigene "Blut" (Geschlecht) in Frage gestellt und der Fortbestand des Kultes gefährdet. Ähnlich wie die Schulden mußten deshalb auch die "sacra familiaria" an das Vermögen gebunden werden mit dem Ziel, "daß die Last der 'sacra' den

---

41) WISSOWA, Religion und Kultus 400-402; PW II 1,2,1659 Z. 55ff.

42) WISSOWA, Religion und Kultus 401.

43) PW II 1,2,1657.

44) Hierzu auch GIRARD 2,968; KASER 1,52.

45) Vgl. CATO: "si quis mortuus est Arpinatis, eius heredem sacra non
   sequuntur" (zit. PW 7,1,1188 Z. 32f); J.J.I.DÖLLINGER: "nach alt-
   Römischer Vorstellung war der ächte, den Göttern allein genehme und
   allein wirksame Ritus etwas in den Familien sich Fortpflanzendes,
   an der Geburt Haftendes, was auf Andre fremden Blutes nicht übertragen werden konnte" (Heidenthum und Judenthum. Vorhalle zur Geschichte des Christentums, Regensburg 1857, 475); vgl. auch § 26.

Erben treffe, wer immer er sei."[46] Diese Verlagerung erscheint insofern bedeutsam, als dadurch der "heres"-Begriff
mit neuen Inhalten angereichert wurde, die über den sakralrechtlichen Bereich hinausweisen und - wie etwa der Reprä-
sentationsgedanke[47] - am ehesten vom Sohn-Begriff her zu verstehen sind. Gleichzeitig klärt und erklärt sich damit m.E.
auch der müßige Streit, ob die Familiensacra nicht in die
Erbschaft fallen[48] oder doch "durch Erbgang mit der Habe"[49]
auf den Erben übergehen. Außerdem findet sich hierzu bei
LIVIUS eine sehr aussagekräftige Stelle, wo von "nominis,
sacrorum familiaeque heredes"[50] die Rede ist. Breit gestreu-
tes Belegmaterial zur Weitergabe der Familiensacra bietet
CICERO im 2. Buch von "De legibus"[51].

Abschließend seien im Hinblick auf die "hereditas fidei"-
Problematik noch einige Punkte hervorgehoben:

1. Der römische Staat hat ein Interesse auch am Fortbestand
   der "sacra privata".

2. Im Bereich der "familia" und der "gens" erscheint die Kontinuität des Kultes an die Generationenabfolge gebunden.

3. Schließlich kommt es zu einer Verbindung der Familiensacra mit der Erbfolge, um so ihre Kontinuität zu gewähr-
   leisten.

4. Mit dem Erbgedanken ist dabei wesentlich der Gedanke der
   Verpflichtung verknüpft.

---

46) GIRARD 2,968; vgl. KASER 1,94; 151; PW 7,1,1188; II 1,2,1660; CIC.,
    leg. 2,50: "Videtis igitur omnia pendere ex uno illo, quod pontifi-
    ces cum pecunia sacra coniungi volunt ..." (K.ZIEGLER, Heidelberg
    1963[2], 77). Beachte auch das Sprichwort: "hereditas sine sacris"
    (PLAUT., capt. 775), womit man ein Glück ohne Nachteile zu bezeich-
    nen pflegte.

47) Hierzu § 26.2.

48) So KASER 1,674.

49) WISSOWA, Religion und Kultus 401.

50) LIV. 45,40,7 (W.WEISSENBORN, Berlin 1880, Bd. 10,114).

51) Vgl. bes. leg. 2,19.47ff. Dazu H.BURCKHARD, Zu Cicero de legibus 2,
    19-21, in: ZSavRGrom 9 (1888) 286-330, bes. 294ff; B.KÜBLER, Zu Ci-
    cero de legibus 2,19-21, in: ZSavRGrom 11 (1890) 37-45.

§ 5. Anzeichen der "Vergegenständlichung" im frühchristlichen
Glaubens- und Heilsverständnis

I. Vom Glauben an die Person des Jesus von Nazareth zum Glauben als "Sache"

Die zentrale Menschheitsfrage: "Wie kann der Mensch Heil
erlangen?" mündet in die Frage nach dem Heilsverständnis,
nach dem Heilsgut. Kannte das ALTE TESTAMENT Heilsgüter wie
"Bund" oder "Gesetz", so findet man im NEUEN TESTAMENT Begriffe wie "Reich Gottes" (Synoptiker), "Pneuma" (Paulus)
oder "Ewiges Leben" (Johannes), also primär eschatologisch
verstandene Aussagen[52]. Auf die Frage nach dem rechten Weg
zu diesem Heil gibt Jesus die schlichte Antwort: "Kehret um
und glaubt an das Evangelium!" (MK. 1,15). Schon allein der
doppelte Imperativ im Vergleich zu dem einen Wort "Evangelium" (Heilsbotschaft) zeigt, wie hier der "Inhalt" noch weit
hinter der geforderten "Haltung" zurücktritt, wenn von "Glaube" die Rede ist. Angesichts der Diskrepanz zur Thematik unseres 2. Kapitels: "Glaube und Lehre als Erbgut" wird man
hier vielleicht stutzen und diese Überschrift als verfehlt
verwerfen. Doch ein kurzer Blick auf die Hintergründe und
auf einige Stationen dieses Entwicklungsprozesses kann wohl
auch sein Ergebnis, um das es hier ja primär geht, verständlich machen.

1. Bereits im NEUEN TESTAMENT selbst tritt "die inhaltliche Dimension des Glaubens"[53] stärker in den Vordergrund,
wenn im Zuge der Missionierung der G l a u b e   a n   d i e
P e r s o n   J e s u durch den Glauben an Aussagen über die
Person (Röm. 10,9f) erweitert wird oder wenn es gilt, diese

---

52) Zu den Wandlungen in der frühchristlichen Auffassung vom "religiösen Heilsgut" HARNACK, Dogmengeschichte 1,148ff. Zu den Heilsgütern
des Volkes Israel vgl. Röm. 9,4.

53) P.STOCKMEIER, Glaube und Religion in der frühen Kirche (Freiburg-
Basel-Wien 1973) 19; vgl. zum NT neuerdings E.LOHSE, Emuna und Pis-
tis - Jüdisches und urchristliches Verständnis des Glaubens, in:
ZNW 68 (1977) 147-163.

Aussagen vor dem Eindringen des Irrtums zu schützen. Hier macht sich dann sehr leicht der Inhalt selbständig und man sieht sich gezwungen, "das anvertraute Gut" (depositum)[54] zu schützen. In der "Definition" und Begrenzung dieses Gutes, sowohl personell (Kanon) als auch temporal (Tod des letzten Apostels), ist wohl der wichtigste Anstoß zu erblicken, Offenbarung als eine S u m m e v o n L e h r e n , die Gott der Menschheit in einem ganz bestimmten Zeitraum mitgeteilt hat[55], zu verstehen, So bildet das spätere "Axiom vom Offenbarungsabschluß mit dem Tod des letzten Apostels"[56] lediglich eine Fixierung der schon längst gültigen Vorstellung, daß dieses "anvertraute Gut" als unveränderlich, normativ für alle Zeiten und als Voraussetzung und Unterpfand für die Teilhabe künftiger Geschlechter am ewigen Heil zu gelten hat. Diese Denkweise bot sich wie von selbst als Ansatzpunkt für Vorstellungen aus dem (römischen) Erbrecht an, und so sah man schließlich den Glauben "als eine Sache, die nach den Vorstellungen des römischen Erbrechts in Besitz genommen und vererbt werden kann."[57].

---

54) 1 TIM. 6,20; 2 TIM. 1,12.14; vgl. zu "depositum" unten § 5 I 3.

55) Vgl. RATZINGER 18. - Wie mir scheint, ist die radikale Umkehrung der primären "Blickrichtung" im frühen Christentum von der Eschatologie und Parusieerwartung (Zukunft) zur Hochschätzung der "antiquitas" (Vergangenheit) für das Verständnis der Alten Kirche noch nicht genügend nutzbar gemacht. Inwieweit der römische Wesenszug des Traditionalismus (vgl. § 4.1) diese Entwicklung angestoßen und vorangetrieben oder nur als Ausdrucksmittel gedient hat, ist pauschal nicht zu entscheiden. R.P.C.HANSON verwendet in diesem Zusammenhang ein bezeichnendes Mythologumenon, wenn er schreibt: "In dieser Situation (Amt contra Gnostizismus) richtete die Kirche ihren Blick auf die älteste Periode ihrer Geschichte, auf ihr 'Goldenes Zeitalter'(!), und führte alles, was ihr im eigenen Leben als wichtig galt, auf die Anregung und Stiftung der Apostel zurück" (ThRE 2,536 Z. 42-45; Klammerausdrücke von mir). Vgl. zu diesem Problem auch oben § 2.3 (Umorientierung im Erbverständnis).

56) RATZINGER 18; vgl. P.STOCKMEIER, "Offenbarung" in der frühchristlichen Kirche, in: HDG I,1a (1971) 27-87.

57) STOCKMEIER, Glaube 106. Ebd. wird mit Recht darauf hingewiesen, daß "theologisch eine Auffassung von fides im Sinne des Glaubensgutes schon vorbereitet" war. Um dieses Problem geht es bei unseren Überlegungen zur "Vergegenständlichung".

2. Analog zu dieser theologischen Hinterfragung sollen nun hinweisartig einige Aspekte des "fides"-Verständnisses berührt werden, um so die "hereditas fidei"-Terminologie in den entsprechenden philologischen Rahmen einzuordnen.

Der Römer verstand unter "f i d e s "[58] in der republikanischen Zeit eine Garantie im weitesten Sinn, also Gewähr, Bürgschaft, Versprechen; Zuverlässigkeit, Treue. Wenn R. HEINZE "fides" definiert als "das im Menschen, was seine gegenüber einem anderen eingegangene Bindung oder Verpflichtung zu einer sittlichen Bindung macht und so das Vertrauen des anderen begründet"[59], so sind damit rechtliche und religiöse Aspekte impliziert. Tatsächlich kannte ja der Römer eine personifizierte "Fides"[60], so wie er in einer frühen Stufe in "Iuppiter Dius Fidius" das Stehen Jupiters zu dem einmal gewährten Schutz verehrte und er sich durch die "fides deorum"[61] allgemein gesichert glaubte. Dieser auch an den Bundesgedanken des AT[62] erinnernde Unterpfandsglaube[63] hat seine stärker rechtlich akzentuierte Parallele in der "Treue des Mächtigeren gegenüber dem Schwachen"[64]. Diese vielleicht

---

58) W.F.OTTO, Fides, in: PW 6,2281-2286; E.FRAENKEL, fides, in: ThLL VI,1, 661-691; DERS., Zur Geschichte des Wortes "Fides", in: RhM 71 (1916) 187-199; R.HEINZE, Fides, in: Hermes 64 (1929) 140-166; H.SCHMECK, Infidelis. Ein Beitrag zur Wortgeschichte, in: VigChr 5 (1951) 129-147; C.BECKER, Fides, in: RAC 7,801-839; vgl. bes. 801-824; P.OKSALA, "Fides" und "pietas" bei Catull, in: Arctos N.S. 2 (1958) 88-103; EHRHARDT 1,289ff; F.SCHULZ, Prinzipien des Römischen Rechts (München 1934) 151-161.

59) HEINZE 149.

60) EHRHARDT 1,290; ARTEMIS-LEXIKON 969.

61) HEINZE 165; EHRHARDT 1,290; RAC 7,809; M.HERZ, Sacrum commercium. Eine begriffsgeschichtliche Studie zur Theologie der römischen Liturgiesprache (München 1958) 206f.

62) Der Bemerkung von C.BECKER, beim Wiedereindringen des alten römischen Gehalts von "fides" in das christliche Verständnis habe auch mitgesprochen, "daß die biblischen Begriffe berith u. διαθήκη die Vorstellung vom Treuverhältnis zwischen Gott u. seinem Volk lebendig hielten" (RAC 7,827), wäre noch nachzugehen! Vgl. auch A. 11.

63) Vgl. K.GROSS, Die Unterpfänder der römischen Herrschaft (Berlin 1935) u. A. 11.

64) EHRHARDT 1,290; vgl. HEINZE 151 (fides im Klientelwesen).

etwas ungewohnten Schwerpunkte im römischen "fides"-Verständnis lassen sich erstaunlicherweise gut mit einer ganz bestimmten, christlichen πίστις-Definition verbinden. Πίστις[65] allgemein als Zuversicht, Vertrauen (auch zu den Göttern) verstanden, wurde im christlichen Bereich zum ersten Mal von TERTULLIAN und MINUCIUS FELIX mit "fides" wiedergegeben. AMBROSIUS bietet dann anknüpfend an HEBR. 11,1 folgende "fides"-Definition: "quid est enim fides nisi 'rerum earum, quae sperantur, substantia'?"[66] Dabei wird also ausgehend vom griechischen πίστις "fides" zwar stark inhaltlich akzentuiert und der Prozeß der "Vergegenständlichung" ("substantia rerum"!) vorangetrieben, doch das Moment des Stehens der Götter (Gottes) zur gegebenen Heilszusage ist auch hier präsent, was mitunter auch als "sponsio"[67] bezeichnet wird. Hier zeigt sich ansatzweise auch bereits die eine Komponente des traditionellen christlichen "fides"-Verständnisses, nämlich die " f i d e s   q u a e (creditur)", allerdings ohne den sonst dominierenden lehrhaften Inhalt. Die zweite Komponente, die " f i d e s   q u a (creditur)"[68] läßt an eine Anbindung der

---

65) A.WEISER-R.BULTMANN,πιστεύω (κτλ.), in: ThW 6,182-230; RAC 7, 826f; G.KOFFMANE, Geschichte des Kirchenlateins (Breslau 1879) 54.

66) Obit.Theod. 8 (CSEL 73,375); vgl. auch Kap. 2 A. 188. HEBR. 11,1 lautet: "Εστιν δὲ πίστις ἐλπιζομένων ὑπόστασις ... VULG.: "est autem fides sperandorum substantia" (R.WEBER 2,1853). Weitere Lit. zur christlichen "fides": ThLL VI,1,689-690; RAC 7,824-839; E. DASSMANN, Die Frömmigkeit des Kirchenvaters Ambrosius von Mailand (Münster 1965) 61-63; P.STOCKMEIER, Zum Verhältnis von Glaube und Religion bei Tertullian, in: TU 108 (1972) 242-246; A.LANG, Der Bedeutungswandel der Begriffe "fides" und "haeresis" und die dogmatische Wertung der Konzilsentscheidungen von Vienne und Trient, in: MThZ 4 (1953) 133-146.

67) AMBR., obit.Theod. 28: "'fidelis' enim 'deus', qui semel servis suis praeparata non subtrahit. Si fides nostra maneat, manet et sponsio" (CSEL 73,385f); vgl. damit HEINZE 155: "Und so spricht aus dem Rufe 'di vostram fidem' römische Religiosität: das Vertrauen des Römers auf den Schutz seiner Götter, auf den er ein Anrecht hat wie der Klient auf den Schutz seines Patrons".

68) Vgl. ThLL VI,1,689f: "actio sive facultas credendi in deum religionisque Christianae doctrinas". Nach HEINZE nimmt "erst das lateinische Christentum" diese Bedeutung für "fides" in breitem Umfang auf (143).

"fides christiana" an die römische "fides militum"[69] denken,
zumal der gerne damit verbundene Terminus "devotio" als "fides et devotio"[70] auch für die Haltung gegenüber dem weltlichen Imperator[71] gebräuchlich war. Hier wäre auch an das naheliegende "disciplina"[72] zu erinnern. Natürlich gebrauchte
man "fides" daneben - umfassend statt "fides christiana"[73]
- für die neue Religion, das Christentum, oder in der speziellen Bedeutung für "Taufe"[74].

Meistens spricht man von einer "fides quae", wenn "fides"
im Sinne von " d o c t r i n a "[75] gebraucht wird oder gar
als "doctrina fidei"[76] auftaucht. Analog zu Christus als
"Imperator" wird dabei Christus als "Lehrer" gesehen und sei-

---

69) Vgl. W.HARTKE, Römische Kinderkaiser. Eine Strukturanalyse römischen
Denkens und Daseins (Berlin 1951) 224 Anm. 2, wo auch ganz richtig
die "Vereinigung des antiken und christlichen 'fides'-Begriffs" bei
Ambrosius betont wird; RAC 7,831. - J.STRAUB. Vom Herrscherideal in
der Spätantike (Stuttgart 1939) 40ff sieht in der "Pietas" und "Fides (militum)" die wichtigsten Grundpfeiler des späten Kaisertums.
Eine sehr aufschlußreiche Verbindung von "perfidia" bzw. "fides" gegenüber Gott mit der fehlenden bzw. vorhandenen "fides" gegenüber
dem "Romanum imperium" bietet AMBR., fid. 2,16,139 (A. 194).

70) Vgl. RAC 7,831f; K.WINKLER-A.STUIBER, Devotio, in: RAC 3,849-862;
DASSMANN 58ff; 63.

71) Hervorzuheben ist hier die Bezeichnung und Darstellung Christi als
"imperator" und Krieger und die Sicht des christlichen Glaubens als
"militia". Vgl. A.v.HARNACK, Militia Christi. Die christliche Religion und der Soldatenstand in den ersten drei Jahrhunderten (Tübingen 1905) u. die Lit. bei C.ANDRESEN, Einführung in die christliche
Archäologie (Göttingen 1971) 56.

72) Vgl. V.MOREL, Disciplina, in: RAC 3,1213-1229; RAC 7,832; u. bes.
O.MAUCH, Der lateinische Begriff Disciplina (Diss. Basel 1941); R.
BRAUN, 'Deus christianorum'. Recherches sur le vocabulaire doctrinal
de Tertullien (Paris 1962) 423ff; G.G.BLUM, Der Begriff des Apostolischen im theologischen Denken Tertullians, in: KuD 9 (1963) 102-
121, bes. 103 mit Anm. 6.

73) RAC 7,829.

74) RAC 7,829f; DASSMANN 63.

75) H.I.MARROU, Doctrina et disciplina dans la langue des Pères de l'Eglise, in: ALMA 9 (1934) 5-25; BRAUN 419ff.

76) TERT., praescr. 20,4; anim. 58,9.

ne Botschaft als Lehre verstanden und weitergegeben[77]. Ein
solches Verständnis liegt klar auf der Hand, wenn von "fidem
scribere (conscribere; describere)"[78] die Rede ist. Natürlich
könnte man - je nach Kontext! - auch an eine etwas andere
Akzentuierung im Sinne von "scripta formula confessionis"[79]
denken. Sicherlich legt sich aber ein solches Verständnis an
manchen Stellen nahe, wo insbesondere IRENÄUS oder TERTULLIAN
von einer "regula fidei (veritatis)"[80] sprechen. Ursprünglich meinte man damit eher den "Gesamtinhalt der Offenbarungs-
wahrheit"[81], das "Lehrgefüge", das "den ganzen Glauben umfaßt, wie die Kirche ihn v. den Aposteln empfing"[82] und nicht
das eigentliche Taufsymbol. Doch in unserem Zusammenhang interessiert primär nicht die genaue Abgrenzung, sondern der
in der "regula fidei" ablesbare Prozeß der "Vergegenständlichung" im christlichen "fides"-Verständnis und der Gedanke

77) F.NORMANN, Christos Didaskalos. Die Vorstellung von Christus als
Lehrer in der christlichen Literatur des ersten und zweiten Jahrhunderts (Münster 1967). Zur Sicht des Glaubens als "Lehre" vgl.
auch § 13 I.

78) LUCIF., reg.apost. 1:" ... vox illa tua ... quae dicat: 'nisi catholica esset fides Arrii, hoc est mea, nisi placitum esset deo quod illam
persequar fidem quam contra nos scripserint apud Niciam, numquam
profecto adhuc in imperio florerem'" (CSEL 14,35); reg.apost. 11:
" ... tollere illos episcopos qui fidem praedicant descriptam a tre-
centis apud Niciam ... " (ebd. 61); vgl. bes. MAXIMIN., c.Ambr. 63
(§ 7.4).

79) ThLL VI. 1.690; vgl. A. 78 u. zum vergleichbaren Gehalt von "perfidia"
Kap. 4 A. 215. - Zum Wort "fides" für apostolische Tradition und Lehre
im lateinischen Irenäustext G.G.BLUM, Tradition und Sukzession. Studien zum Normbegriff des Apostolischen von Paulus bis Irenäus (Berlin-Hamburg 1963) 170f.

80) J.QUASTEN, Regula fidei, in: LThK 8,1102-1103; A.BECK, Römisches
Recht bei Tertullian und Cyprian. Eine Studie zur frühen Kirchen-
rechtsgeschichte (Halle 1930/Neudr. Aalen 1967) 25ff; E.FLESSEMAN-
VAN LEER, Tradition and Scripture in the Early Church (Assen 1953)
125-128; 161-170; B.HÄGGLUND, Die Bedeutung der "regula fidei" als
Grundlage theologischer Aussagen, in: StTh 12 (1958) 1-44; J.N.BAK-
HUIZEN VAN DEN BRINK, Traditio im theologischen Sinn, in: VigChr 13
(1959) 65-86, bes. 74-77; BLUM, Tradition 171ff.

81) BLUM, Tertullian 112.

82) LThK 8,1102.

einer Weitergabe, einer Traditionskette von Christus über
die Apostel an die Kirche[83].

Stellt man die Einflüsse der Umwelt in Rechnung, so ist
der Weg von der "regula fidei" zur Sicht des Glaubens als
" l e x "[84] gar nicht so weit. An dieser Stelle sei auf dieses interessante und folgenschwere Problem nur hingewiesen.
Bezeichnet doch bereits ein TERTULLIAN die Evangelien als
"digesta"[85] und LACTANTIUS wird nicht müde, von der neuen "divina lex"[86] und dem neuen "legis lator"[87] zu sprechen. Papst
SIRICIUS meint: "doctrinae nostrae, id est Christianae legi"[88],

---

83) Vgl. bes. TERT-. praescr. 21; 37,1; BLUM, Tertullian 113 mit Anm. 41.

84) Vgl. STOCKMEIER, Glaube 100ff; O.HEGGELBACHER, Vom römischen zum
christlichen Recht. Juristische Elemente in den Schriften des sogenannten Ambrosiaster (Freiburg 1959) 96f (Bezeichnung der Religion
als "Gesetz" und die Strömungen des ausgehenden 4.Jh.).

85) Adv.Marc. 4,3,4; 4,5,3; ad nat. 2,1,8; monog. 8,1: "Nunc ad legem
proprie nostram, id est evangelium ... " (CChrL 2,1239); virg.vel.
1,4: "Hac lege fidei manente ... " (CChrL 2,1209). Vgl. STOCKMEIER, Tertullian 243: "Wie stark freilich auch Tertullian bei der Adaption den
überlieferten Denken verhaftet blieb, erweist das rechtliche Verständnis des Terminus 'fides', der nahezu synonym mit 'lex' gebraucht
wird"; BECK 25ff, bes. 25 Anm. 4 ("lex" synonym mit "fides").

86) Inst. 5,13,5: "cum vero ab ortu solis usque ad occasum lex divina
suscepta sit ... " (CSEL 19,440). Vgl. inst. 4,10,6.13; 4,11,1.13;
6,8,6ff; ira 17,5; 19,5; weitere Stellen A. 87.

87) Epit. 38,5: "novae legis latorem" (CSEL 19,714); inst. 4,17,7: "de-
nuntiavit scilicet deus per ipsum legiferum quod filium suum id est
vivam praesentemque legem missurus esset et illam veterem per mortalem datam soluturus, ut denuo per eum qui esset aeternus, legem
sanciret aeternam" (CSEL 19,345); vgl. 4,25,2: "quasi vivam legem"
(375). Zur Bezeichnung "legis lator" vgl. CC.TRID.sess.VI, can. 21
(DS 1571; als Zitat DS 3677). - Meines Wissens hat man die Texte
bei LACTANTIUS bisher noch nicht zur Deutung der "Dominus legem
dat"-Darstellungen beigezogen. Dies legt sich aber gerade im Hinblick auf das linke Nischenmosaik in S.Costanza in Rom nahe, das
man auch als Gesetzesübergabe an Moses interpretieren kann. Vgl. dazu inst. 4,17,13: "et idcirco etiam Moysi successit, ut ostenderetur
novam legem per Christum Iesum datam veteri legi successuram, quae
data per Moysen fuit" (347); 4,13,1: "... ut novis cultoribus novam
legem in eo vel per eum daret, non sicut ante fecerat per hominem"
(316); inst. 4,17,7: "per mortalem" (345).

88) Ep. 7,3 (PL 13,1171A).

während in den Gesetzen VALENTINIANs I. und GRATIANs der christliche Glaube als "sanctissima lex" oder "catholica lex"[89] bezeichnet wird und THEODOSIUS im Jahre 380 per Edikt die den Römern vom heiligen Petrus übergebene Religion als Staatsreligion vorschreibt[90].

3. Diese nachhaltige Überformung des ursprünglichen "fides"-Begriffs zeigt sich besonders deutlich, wenn das VATI-KANUM I die "fidei doctrina" als " d i v i n u m d e p o - s i t u m "[91] interpretiert und ein Handlexikon das "depositum fidei"[92] folgendermaßen definiert: "... die dem Lehramt der Kirche für die Glieder der Kirche und alle Menschen anvertraute Offenbarung Christi, die mit den Aposteln abgeschlossen ist, insofern sie als heiliges Erbgut unversehrt bewahrt wird ..."[93]. Obwohl der Terminus "depositum"[94] dem

---

89) G.GOTTLIEB, Ambrosius von Mailand und Kaiser Gratian (Göttingen 1973) 56; vgl. auch H.H.ANTON, Kaiserliches Selbstverständnis in der Religionsgesetzgebung der Spätantike und päpstliche Herrschaftsinterpretation im 5.Jahrhundert, in: ZKG 88 (1977) 38-84, 50ff.

90) COD.THEOD. 16,1,2: "Hanc legem sequentes ..." (MOMMSEN I/2,833); hierzu STOCKMEIER, Glaube 100f; ANTON 54. Bereits drei Jahre zuvor hatte Gratian die "Unwandelbarkeit des im Bereich des Glaubens Überlieferten als leitenden Gesichtspunkt für seine Verurteilung der Irrlehre" (ANTON 53: fälschlicherweise: "Umwandelbarkeit") angeführt: "Nihil enim aliud praecipi volumus, quam quod evangeliorum et apostolorum fides et traditio incorrupta servavit, sicut lege divali parentum nostrorum Constanti Constanti Valentiniani decreta sunt" (COD.THEOD. 16,6,2; MOMMSEN I/2,880f).

91) "Neque enim fidei doctrina, quam Deus revelavit, velut philosophicum inventum proposita est humanis ingeniis perficienda, sed tamquam divinum depositum Christi Sponsae tradita, fideliter custodienda et infallibiliter declaranda" (DS 3020); vgl. RATZINGER 8f.

92) J.R.GEISELMANN, Depositum fidei, in: LThK 3,236-238; E.DUBLANCHY, Dépôt de la foi, in: DThC 4,526-531; J.RANFT, Depositum, in: RAC 3, 778-784, bes. 781f; F.MALMBERG, De afsluiting van het "depositum fidei", in: Bijdragen 13 (1952) 31-44.

93) Braun's Handlexikon der katholischen Dogmatik 121, zit. nach MALMBERG 38.

94) R.LEONHARD, Depositum, in: PW 5,1,233-236; G.HUMBERT, Depositum, in: DAREMBERG-SAGLIO 2,103-105; K.WEGENAST, Das Verständnis der Tradition bei Paulus und in den Deuteropaulinen (Neukirchen 1962) 147ff.

antiken Depositialrecht entstammt, demzufolge der "deponens" beim "depositarius" bewegliche Dinge zum Aufbewahrungszweck hinterlegt[95] und kein eigener Gebrauch gestattet ist, wird mit "heiliges Erbgut" ein zentraler Aspekt im christlichen Verständnis umschrieben. Denn in Absetzung von dem eher gnosisverdächtigen "Paradosis"-Begriff greifen bereits die PASTORALBRIEFE[96] zu der Vorstellung von der παραθήκη (depositum)[97], um die Unverletzlichkeit der apostolischen Überlieferung zu betonen.

Diese spezielle Vorstellung von einem "Lehrdepositum" mußte dann zwangsläufig zu einer Verbindung mit dem Sukzessionsgedanken führen[98], was starke Anklänge an erbrechtliche Kategorien zur Folge hatte. So finden wir bei IRENÄUS und KLEMENS VON ALEXANDRIEN[99] den Gedanken des Empfangens und Weitergebens mit der Pflicht zum Bewahren[100] verbunden und VIN-

---

95) Vgl. LThK 3,236. Dabei bildet "fides" im Sinne von Treue, Zuverlässigkeit die Grundlage dieses Kontrakts. Man beachte den Bedeutungswandel bis hin zu "depositum fidei"!

96) 1 TIM. 6,20 (WEGENAST 150ff); 2 TIM. 1,12.14 (ebd. 152ff); vgl. RAC 3,781f; J.R.GEISELMANN, Jesus der Christus. Die Urform des apostolischen Kerygmas als Norm unserer Verkündigung und Theologie von Jesus Christus (Stuttgart 1951) 93ff.

97) Vgl. Lit. A. 92; 93 u. WEGENAST 144ff (hebräische u. lateinische Äquivalente mit Lit.). Meistens wird παρακαταθήκη gebraucht, beides im Sinne von Kontrakt oder im Sinne des zu verwahrenden Gegenstands. Zu beachten ist der Unterschied zu διαθήκη = Testament, das bei Paulus eine große Rolle spielt: M.CONRAT, Das Erbrecht im Galaterbrief (3,15-4,7), in: ZNW 5 (1904) 204-227; F.O.NORTON, A lexicographical and historical study of ΔΙΑΘΗΚΗ from the earliest times of the end of the classical period (Diss. Chicago 1908); E.LOHMEYER, Diatheke. Ein Beitrag zur Erklärung des neutestamentlichen Begriffs (Leipzig 1913).

98) Vgl. A.HARNACK, Entstehung und Entwicklung der Kirchenverfassung und des Kirchenrechts in den zwei ersten Jahrhunderten (Leipzig 1910) 88.

99) IREN., adv. haer. 3,38,1: "... in fide nostra; quam perceptam ab Ecclesia custodimus ... quasi in vase bono eximium quoddam depositum ..." (HARVEY 2,131); vgl. CLEM.ALEX., strom. 6,15.

100) Eine Untersuchung der Verwendung von Wörtern wie "custodire", "servare" u.ä. im christlichen Bereich käme sicherlich zu aussagekräftigen Ergebnissen.

CENTIUS VON LERINUM verknüpft in seiner lange nachwirkenden
Definition die "publica traditio" mit der "custos"-Aufgabe:
"Quid est 'depositum'? id est, quod tibi creditum est,
non quod a te inventum, quod accepisti, non quod excogitasti,
rem non ingenii sed doctrinae, non usurpationis privatae sed
publicae traditionis, rem ad te perductam non a te prolatam,
in qua non auctor debes esse sed custos, non institutor sed
sectator, non ducens sed sequens"[101].

Terminologisch hat sich für die Weitergabe der apostolischen Überlieferung bzw. der "fides quae" der Begriff "traditio"/"tradere"[102] durchgesetzt. Mag im Zuge der Übersetzung ins Lateinische auch der Gehalt von παράδοσις/
παραδιδόναι[103] nachgewirkt haben, so darf man dennoch nicht
übersehen, daß die Römer "traditio" zur Bezeichnung der
rechtsgeschäftlichen "Übergabe zu Eigentum" gebrauchten[104].

II. Glaube und Offenbarung als "res" und "hereditas" bei
    Tertullian

    Tatsächlich versteht bereits TERTULLIAN in seinem "Rechts-
streit ... um das Eigentum an der wahren, reinen Lehre und

---

101) Comm. 27 (RAUSCHEN 47); vgl. praef.: "ut scilicet a maioribus tra-
     dita et apud nos deposita describam" (10); 14: "maiorum deposita"
     (24); 32: "Christi vero ecclesia, sedula et cauta depositorum apud
     se dogmatum custos" (51); 34: "'deposita' sanctorum patrum et com-
     missa servare" (54).

102) D.VAN DEN EYNDE, Les Normes de l'Enseignement Chrétien dans la lit-
     térature patristique des trois premiers siècles (Gembloux-Paris
     1933) 197ff; BAKHUIZEN VAN DEN BRINK; BLUM, Tertullian 111f.

103) Vgl. hierzu EYNDE 158ff; D.B.REYNDERS, Paradosis. Le progrès de
     l'idée de tradition jusqu'à Saint Irénée, in: RThAM 5 (1933) 155-
     191; O.CULLMANN, Paradosis et Kyrios. Le problème de la tradition
     dans le paulinisme, in: RHPhR 30 (1950) 12-30; GEISELMANN, Jesus
     60ff. Zur Gnosis und den Mysterienreligionen u. zur Verbindung mit
     διαδοχή vgl. WEGENAST 123ff; BLUM, Tradition 115ff.

104) Vgl. zur juristischen Valenz von "traditio" BECK 30f; R.SOHM, In-
     stitutionen. Geschichte und System des römischen Privatrechts (Mün-
     chen-Leipzig 1917[15]) 384ff; A.-P.MAISTRE, "Traditio". Aspects Thé-
     logiques d'un terme de droit chez Tertullien, in: RSPhTh 51 (1967)
     617-643.

an der Heiligen Schrift"[105] den Glauben als "res" bzw. "possessio"[106]. Damit sind auch bereits die Aspekte genannt, unter denen einige Stellen aus der berühmten Streitschrift "De praescriptione haereticorum"[107] zu betrachten sind. Bei der sogenannten "longi temporis praescriptio"[108] geht es darum, daß der beklagte Besitzer in Form einer "Prozeßeinrede" (praescriptio) sich auf den langen Besitz beruft. Eine eingehende Analyse der dabei von Tertullian verwendeten juridischen Terminologie bietet J. K. STIRNIMANN[109]. Im vorliegenden Fall geht der Streit um die Frage "quibus competat fides ipsa, cuius sunt scripturae"[110]. TERTULLIAN sieht dabei die "fides" und die "scripturae" "unter dem Bilde eines durch die Häretiker verletzten Grundstückes"[111]. Nach G. G. BLUM[112] ist dabei mit "fides" der "Inbegriff des unverkürzten und unverfälschten Offenbarungsinhaltes" gemeint, dem die Schrift als "Teil eines größeren Ganzen" unterzuordnen sei. Bei diesem

---

105) S.SCHLOSSMANN, Tertullian im Lichte der Jurisprudenz, in: ZKG 27 (1906) 251-275; 407-430, zit. 265.

106) Praescr. 35,3: "Posterior nostra res non est ... hoc erit indicium proprietatis ..." (REFOULE 136f); praescr. 37! Weitere Stellen bei SCHLOSSMANN 266 Anm. 1. Vgl. J.K.STIRNIMANN, Die Praescriptio Tertullians im Lichte des römischen Rechts und der Theologie (Freiburg 1949) 124 u. BECK 30f: "Das Eigentum am Glauben wird gewissermaßen als Sache von einem bischöflichen Vertreter der Eigentümerkirche dem Nachfolger als traditione übertragen gedacht" (31).

107) ALTANER-STUIBER 154 (Lit.).

108) Dazu neben SCHLOSSMANN u. STIRNIMANN: REFOULE 32ff; GIRARD 1,328f; P.JÖRS, Geschichte und System des römischen Privatrechts (Berlin 1927) 92f; BLUM, Tertullian 103f Anm. 7.

109) A.a.O. 111-126; vgl. neben BECK auch P.VITTON, I concetti giuridici nelle opere di Tertulliano (Roma 1924) u. J.MORGAN, The importance of Tertullian in the development of christian dogma (London 1928), bes. 69ff: Tertullian's legal terms.

110) Praescr. 19,2 (REFOULE 111); vgl. praescr. 15,4: "cui competat possessio scripturarum" (REFOULE 109). Zu "competere" HEUMANN 83f: im Rechtswege fordern; jemandem zustehen; unten Kap. 7 A. 13.

111) STIRNIMANN 112.

112) Tertullian 103 bzw. 115; vgl. STIRNIMANN 124, der ebenfalls meint, "res" bezeichne in praescr. 35 u. 37 "die christliche Lehre in ihrer Gesamtheit" (inklusive Hl.Schrift).

Streit mußte der beklagte Besitzer unter anderem[113] den
"rechtsgültigen Erwerbsgrund" (δικαία αίτία; iustus titulus)
nachweisen.

Schauen wir nun, was TERTULLIAN hierzu anzuführen weiß:

"Mea est possessio, olim possideo, prior possideo, habeo
origines firmas ab ipsis auctoribus quorum fuit res. Ego
sum heres apostolorum. Sicut caverunt testamento suo, sicut fidei commiserunt, sicut adiuraverunt, ita teneo. Vos
certe exheredaverunt semper et abdicaverunt, ita teneo.
Vos certe exheredaverunt semper et abdicaverunt ut extraneos, ut inimicos."[114]

Mit "habeo origines firmas", das m.E. in engem Zusammenhang mit praescr. 32,1 zu sehen ist[115], wird der rechtsgülti-
ge Erwerbsgrund angedeutet. Eine sehr aufschlußreiche Parallele zur Terminologie Tertullians findet sich im römischen
Recht, wo öfters von "auctoris heredes" die Rede ist[115a].
Hier nun werden die Apostel als die "auctores"[116], die Vorgänger im Recht, bezeichnet. "Ego sum heres apostolorum"
nennt dann unmißverständlich den Erwerbsgrund, nämlich die

---

113) Neben "Gutgläubigkeit" und "erfüllte(r) Ersitzungsfrist" (STIRNI-
MANN 113).

114) Praescr. 37,4-6 (REFOULE 140).

115) Hierzu unten § 22.4, Zum lateinischen Ausdruck STIRNIMANN 115f.

115a) Z.B. PAUL., dig. 45,1,85,5: "In solidum vero agi oportet et partis
solutio adfert liberationem, cum ex causa evictionis intendimus:
nam auctoris heredes in solidum denuntiandi sunt omnesque debent
subsistere et quolibet defugiente omnes tenebuntur, sed unicuique
pro parte hereditaria praestatio iniungitur" (KRÜGER-MOMMSEN 2,664).

116) Zahlreiche Belege zur Bezeichnung der Vorgänger im Eigentumsrecht
in: ThLL II,1194 Z. 62 - 1195 Z. 30. Vgl. HARNACK, Entstehung 83
(die Kleriker als "auctores"); U.GMELIN, Auctoritas. Römischer
Princeps und päpstlicher Primat (Diss. Berlin-Stuttgart 1936) 85f;
STIRNIMANN 117; BECK 31 mit Anm. 5; EHRHARDT 2,141 Anm. 3; TH.G.
RING, Auctoritas bei Tertullian, Cyprian und Ambrosius (Würzburg
1975) bes. 64ff. AMBR., Abr. 1,4,31: "... ut non Iudaeorum tantummodo patrem, ut ipsi adserunt, sed omnium credentium auctorem per
fidem credas" (CSEL 32,1,526); ansonsten Kap. 6 A. 110.

testamentarische[117] Erbeinsetzung durch die Erblasser, die Apostel.

Vom Gegenstand dieser Erbfolge war schon die Rede, wer ist aber mit "ego" bzw. "heres" gemeint? Wenn H. v. CAMPENHAUSEN dabei gleich an die Bischöfe als "die ursprünglichen Empfänger und 'Erben' der apostolischen Lehre"[118] denkt, so meldet J. MARTIN zu Recht Vorbehalte dagegen an[119]. Andererseits geht auch A. A. T. EHRHARDT - trotz des großen Stellenwerts eines allgemeinen Priestertums bei Tertullian[120] - zu weit, wenn er die Stelle so auslegt, als wäre damit die "Tradition" "Tertullians wie jedes katholischen Christen ererbtes Eigentum"[121]. Berücksichtigt man dagegen den Kontext des umstrittenen Satzes, so stellt man fest, daß TERTULLIAN zunächst von den "christiani" in der 1.Person Plural spricht[122] und mit Beginn der wörtlichen Rede - beim Erheben der Prozeßeinrede des beklagten Besitzers gegen den Kläger - in die 1.Person Singular wechselt[123], was vom Prozeßver-

---

117) "Sicut caverunt testamento suo"; STIRNIMANN 118; "cavere": (u.a.) verordnen, bestimmen bei letztwilligen Verfügungen (HEUMANN 62). Falls Tertullian dabei konkrete Stellen in der Schrift im Auge hatte, möchte man am ehesten 1 TIM. 6,20; 2 TIM. 1,12,14 beiziehen, obgleich hier von παραθήκη (depositum) und nicht διαθήκη (testamentum) die Rede ist.

118) Kirchliches Amt und geistliche Vollmacht in den ersten drei Jahrhunderten (Tübingen 1963²) 190. P.BATIFFOL, Cathedra Petri. Etudes d'Histoire ancienne de l'Eglise (Paris 1938) meint sogar, Tertullian könnte ebenso sagen, der Bischof von Rom sei "le premier bénéficiaire de l'héritage" (31).

119) Der priesterliche Dienst III: Die Genese des Amtspriestertums in der frühen Kirche (Freiburg-Basel-Wien 1972) 104 Anm. 45. Anders MARTIN selbst: "häufiger (?) spricht Tertullian davon, daß die Gemeinden, u.a. auch er selbst, Erben der apostolischen Tradition seien" (104; Fragezeichen von mir).

120) G.ZANNONI, Tertulliano montanista e il Sacerdozio, in: ED 11 (1958) 75-97.

121) Bd. 2,141; vgl. die Modifizierung ebd. 151: "Die Sukzession der Bischöfe, so behauptete er, ermöglichte es für einen jeden Christen, in seinem eigenen Namen zu sagen: 'Ich bin Erbe der Apostel.'".

122) Vgl. praescr. 36,8 - 37,1 (REFOULE 139).

123) Praescr. 37,3: "Ita non christiani nullum ius capiunt christianarum litterarum ad quos merito dicendum est: 'Qui estis? quando et

fahren her bedingt sein dürfte. Aus diesem Grund ist STIRNI-
MANNs Erklärung, Tertullian bezeichne "sich im Namen der Kirche als heres apostolorum"[124], am überzeugendsten. Auch sein
Hinweis auf die Gesamtnachfolge des "heres" in alle Eigen-
tums- und Schuldverhältnisse[125] kann man nur nachdrücklich
unterstreichen.
Daß man es bei diesem TERTULLIAN-Text mit ausgefeilter
Juristerei und nicht mit einem bloß bildlichem Verständnis
zu tun hat, zeigt sich auch in der Behauptung, die Apostel
als Erblasser hätten den Erben mit einem "Fideikommiß"[126]
belastet. Die apostolischen Gemeinden (Kirche) als die Te-
stamentserben der Apostel wurden dadurch verpflichtet, die
ererbte Sache (fides, scripturae) weiterzugeben, so daß die
Kontinuität in der Abfolge der Besitzer bis zur Zeit Tertullians gewahrt blieb. Hier wird auch verständlich, weshalb man einerseits solchen Wert auf den Erweis der Identität der Lehre der jeweiligen Zeit mit der Lehre der Apostel legte[127] und andererseits die zeitgenössischen Häresien
auf jene "ältesten, von den Aposteln noch persönlich verur-
teilten Häresien" zurückführte[128]. Diese Häresien sieht auch
Tertullian vom Erbe der Apostel ausgeschlossen, ja förmlich
von den Aposteln enterbt. Diese Enterbung, Lossagung und
Verstoßung "ut extraneos, ut inimicos"[129] geschah "nomina-

---

unde venistis? quid in meo agitis, non mei? ...'"(REFOULE 139);
vgl. 37,4: "Mea est possessio ...".

124) A.a.O. 118; ähnlich RING 73: "... weswegen die apostolischen Kirchen als Erben in die Rechtsnachfolge der Apostel eintraten". Zu
erinnern ist dabei auch an die berühmte Tradentenreihe Gott-Christus-
Apostel-apostolische Kirchen: Praescr. 21,4; 37,1. Vgl. auch EYNDE 202.

125) A.a.O. 118; die weiteren "heres"-Stellen bei Tertullian bietet
CLAESSON 2,661.

126) Dazu HEUMANN 212; STIRNIMANN 118f; KASER 1,757ff; 2,386ff; 395ff;
R.LEONHARD, Fideicommissum, in: PW 6,2272-2275.

127) Praescr. 20-36; STIRNIMANN 120; BECK 117: "Bei Tertullian wurde
das Glaubensgesetz in der Kirche von Hand zu Hand vererbt und übertragen".

128) STIRNIMANN 120; vgl. hierzu bes. Kap. 4.

129) Zur Terminologie (exheredare, abdicare, extranei) vgl. STIRNIMANN

tim"[130], d.h. daß auch die Häresien der Gegenwart von den
Aposteln "in sua nominatione damnantur"[131].

Weniger juristisch akzentuiert begegnet diese Vorstellung
von der "exheredatio" öfters in der Bekämpfung von Ketzern
und Häretikern[132]. Diese besitzen demnach keinen Anteil am
Glaubens- und Heilsgut. In der Sicht von Glauben und Offenbarung als "res" und "hereditas" bei TERTULLIAN hat der Prozeß der "Vergegenständlichung" im Glaubens- und Heilsverständnis - hier ablesbar an der Verwendung sachen- und erbrechtlicher Kategorien - unvergleichlich früh einen Kulmi-
nationspunkt erreicht, der sich wohl nur aus der juristischen Prägung des Autors und der engen Verbindung von "fides"
und "scripturae" erklären läßt.

Zum Verständnishorizont gehört dabei sicherlich auch

120-122; BECK 75f mit Anm. 4 u. praescr. 35,4; unten Kap. 3 A. 56-59.

130) Nach den Formvorschriften war bei der Enterbung die genaue Bezeichnung notwendig (STIRNIMANN 120). Vgl. GIRARD 2,926ff; KASER 1,99.

131) Praescr. 34,7 (REFOULE 136).

132) Hier ist auch an einen berühmten Brief NOVATIANs, des Sekretärs
des römischen Presbyterkollegiums während der Sedivakanz von 250-
251, an Cyprian zu erinnern, wo unbarmherzige Strenge gegenüber
den "Gefallenen" verlangt wird: CYPR., ep. 30,2: "minus est sine
praeiudicio virtutum ignobilem sine laude iacuisse quam exheredem
fidei factum laudes proprias perdidisse" (CSEL 3,2,550). Der "Stolz
auf die ruhmreiche römische Tradition" (HHKG I,378), der keinen
Verrat am einmal empfangenen Erbe des Glaubens duldet, schwingt
mit, wenn Novatian die Gefallenen als "exheredem fidei factum" ab-
qualifiziert. J.BAER übersetzt: "Es ist eine geringere Schmach,
ohne besondere Verdienste ungekannt und ruhmlos dahinzuleben, als
das Erbe des Glaubens und das erworbene Lob wieder zu verlieren."
(BKV 60,92). Ganz offensichtlich muß hier "fides" im Lichte des
vorausgehenden Kontexts gesehen werden: "nec hoc nobis nunc nuper
consilium cogitatum est nec haec apud nos adversus inprobos modo
supervenerunt repentina subsidia, sed antiqua haec apud nos seve-
ritas, antiqua fides, disciplina legitur antiqua, quoniam nec tan-
tas de nobis laudes apostolus protulit dicendo: 'quia fides vestra
praedicatur in toto mundo' ..." (550). Man beachte die Stellung
von "antiqua"! Für Novatian geht es also um "laudes" (Ruhmesgedan-
ke!) und "fides", die bis in die apostolische Zeit zurückreichen,
Aspekte, die sicher auch für das Verständnis des Ausdrucks "exheres fidei" beachtenswert sind. - Zur juristischen Enterbungsformel
"exheres esto" vgl. HEUMANN 189. Weitere Stellen: § 3.2; Kap. 3 A.
49; 51; 56; 62; 114; Kap. 4 A. 420.

"l'assimilation de l'Eglise à une 'familia'"[133] bis hin zur
Vorstellung von einer christlichen Kirchenfamilie, wo Gott
als der "pater familias" die Christen als die Angehörigen
des Hausverbandes Gottes (familia), die Häretiker und Heiden
aber als die "extranei" zu gelten haben.[134] In ähnlicher
Form, jedoch stärker mystisch geprägt, sieht AUGUSTINUS in
Christus den "rex regum", in den Aposteln die "reges" und in
den Kirchen "filias regum, civitates quae crediderunt in
Christum, et a regibus conditae sunt"[135]. Verweisen schließlich auch Ausdrücke wie "dotes ecclesiae"[136] und "consortium"[137] in dieses Umfeld, so wird man schwerlich umhinkönnen,
angesichts der Vorstellung von einer "hereditas fidei" erneut
auf die Vererbung der Familiensacra zu verweisen.

§ 6. Der Glaube als Erbschaft der Patriarchen

Wie bereits aufzuzeigen war, bildet Abraham[138] und die

---

133) D.MICHAELIDES, Tradition, succession épiscopale, apostolicité dans
le De Praescriptione de Tertullien, in: Bijdragen 29 (1968) 394-
409, zit. Anm. 152 (dort einschlägige Termini); vgl. ebd. bes. 409;
unten § 13: Ketzerstammbäume.

134) Vgl. BECK 24.

135) AUG., in psalm. 44,23 (CChrL 38,511); vgl. ebd.: "Praedicaverunt
verbum veritatis, et genuerunt ecclesias ..." (510) u. unten § 20
II. Zur vergleichbaren Bezeichnung "mater ecclesia": J.C.PLUMPE,
Mater Ecclesia (Washington, D.C. 1943); HHKG I, 409f.

136) Vgl. z.B. OPTAT. 1,10: "interea dixisti apud haereticos dotes ecclesiae esse non posse ... dum ecclesiae dotes et haereticis ipsis et
vobis scismaticis denegasti" (CSEL 26,11f); zur Aufzählung der fünf
bzw. sechs "dotes" vgl. OPTAT. 2,2ff; hierzu O.R.VASSALL-PHILLIPS,
The Work of St.Optatus bishop of Milevis against the Donatists
(London 1917) 64ff; 18ff.

137) Vgl. unten A. 271; Kap. 3 A. 47 u. 48; Kap. 4 A. 270 u. 271; Kap. 7
A. 54-57; HEUMANN 97f; F.WIEACKER, Societas. Hausgemeinschaft und
Erwerbsgesellschaft (Weimar 1936) 153ff; HÄGERSTRÖM 156ff; KASER
1,95ff; 97ff; BECK (Index!). HIL., in psalm. 121,1: "coheredem et
consortem aeternorum bonorum" (CSEL 22,570).

138) TH.KLAUSER, Abraham, in: RAC 1, 18-27; J.SCHMID, Abraham, in: LThK 1, 56-
59. Zum Glauben an die Vererbbarkeit von Segen und Fluch RAC 9,1203.

ihm gegebene Verheißung einen entscheidenden Ansatzpunkt für
die Anwendung der Erbterminologie im Alten und Neuen Testament. Bei den Vätern erscheinen die einschlägigen Schriftstellen und das Motiv vom Stammvater des Glaubens als wichtige Kristallisationspunkte der "hereditas"-Terminologie,
wobei der heilsgeschichtlich-eschatologische Erbbegriff unterschiedlich stark vom römischen Rechtsdenken überformt und
abgelöst wird. Analog dazu finden sich auch innerhalb des
Komplexes der "hereditas fidei" die verschiedensten Stadien
aus dem schon skizzierten Prozeß der "Vergegenständlichung"
im Glaubens- und Heilsverständnis.

1. Um die einmal gegebene Heils- und Segenszusage geht es
HILARIUS (ca. 365) in seiner Auslegung von PSALM 66 (67), 8:

"rursum benedictionis dei munus oratur, cum dicitur: 'be-
nedicat nos deus.' ac ne de incerto et incognito deo spe-
rari benedictio existimaretur, adiectum est: 'deus noster':
patriarcharum scilicet et prophetarum et apostolis ipsis
tamquam successionis hereditate iam proprius."[139]

Dieser Segen stammt aber nicht von einem "incertus et in-
cognitus deus", was stark an die Auseinandersetzung mit Markion[140] erinnert, sondern vom "deus noster". Die sprachliche
Explizierung von "noster" durch die beiden Genitive[141] "patriarcharum" und "prophetarum" und den - einen Genitiv er-
setzenden - Ausdruck "apostolis ipsis ... proprius"[142] zeigt
bereits die intendierte Betonung der Einheit und Kontinuität
im Gottesbegriff von AT und NT. Dieser auch im NT bezeugten
Selbigkeit und Identität des "Gottes Abrahams, Isaaks und

---

139) In psalm. 66,8 (CSEL 22,275).

140) Vgl. A.v.HARNACK, Marcion: Das Evangelium vom fremden Gott. Eine
   Monographie zur Geschichte der Grundlegung der katholischen Kirche (Leipzig 1924²).

141) Dabei handelt es sich jeweils um einen genitivus possessivus analog
   zum Possessivpronomen "noster".

142) Vgl. HEUMANN 471; ähnlich TERT., adv.Marc. 4,33,4: "Creator autem
   quomodo alienus erat Pharisaeis, proprius deus Iudaicae gentis?"
   (CChrL 1,633); in der Regel mit dem Genitiv verbunden.

Jakobs"[143] entspricht die Zuordnung von Patriarchen und Propheten auf der einen und Aposteln auf der anderen Seite, wie
sie in der juristischen Terminologie "tamquam successionis
hereditate" präzisiert wird. Wenn auch durch "tamquam" etwas
abgeschwächt, wird mit Hilfe der Erbterminologie die Zugehörigkeit (proprius) dieses Gottes auch zu den Aposteln begründet. Die eigenartige Verbindung "successionis hereditate"[144] ist wörtlich etwa wiederzugeben: "durch die Erbschaft
der Nachfolge", d.h. durch die mit der "successio" verbundene "hereditas". Die Apostel sind also die "successores" der
Patriarchen und Propheten und somit die "heredes" ihres Gottes und seiner Heils- und Segenszusagen. Man bringt sie ja
auch sonst gerne mit der Sendung der Propheten in Verbindung
oder sieht in ihnen die Patriarchen des neuen Gottesvolkes[145].

---

143) APG. 3,13; vgl. HEBR. 1,1-2; A.ALT, Der Gott der Väter, in: Klei-
ne Schriften zur Geschichte des Volkes Israel (München 1953) 1-78.
Zu den "Theoi Patrioi" ("die von den Vätern ererbten Götter") vgl.
ARTEMIS-LEXIKON 3050.

144) Bei "hereditate" (HEUMANN 235f) liegt ein ablativus instrumentalis
u. bei "successionis" (HEUMANN 566) wohl ein genitivus subiectivus
oder eventuell g. identitatis vor. Vgl. AMBR., spir. 1,6,80: "...
quemadmodum Petrus apostolus dixit, ut 'divinae' simus 'consortes
naturae'? In quo utique non carnalis successionis hereditas, sed
adoptionis et gratiae spiritale commercium est" (CSEL 79,48).

145) Vgl. IS. 61,1ff (Sendung des Propheten) u. H.WINDISCH, Paulus und
Christus. Ein biblisch-religionsgeschichtlicher Vergleich (Leipzig
1934) 148ff; LUCIF., non parc. 1: "sed oro te dicas, Constanti, qua
auctoritate viam iustorum patriarcharum prophetarum apostolorum ac
martyrum nos volueris deserere et conprehendere istam tuam novam
quam per Arrium instituerat diabolus. ... nos tenere viam ... quam
tenuerunt cuncti prophetae apostoli ac martyres ..." (CSEL 14,210);
vgl. Athan. 2,21: "ubi est fides tua? qui fidem quam tenuerunt
Abraham Isaac et Iacob beatissimi et cuncti prophetae apostoli ac
martyres damnaveras et illam statueris suscipiendam a cunctis dei
cultoribus, quam contra hanc catholicam fidem diabolus per magistrum vestrum Arrium vomuerit" (187). - Die Exegese von PS. 45,17
("Pro patribus tuis, nati sunt tibi filii: constitues eos principes
super omnem terram,") bei Origenes faßt A.-M.JAVIERRE (Le thème de
la succession des Apôtres dans la littérature chrétienne primitive,
in: L'épiscopat et l'église universelle, hrsg. v. Y.Congar u.a.,
Paris 1962, 171-221) so zusammen: "Origène identifie les Pères avec
les Patriarches de l'Ancien Testament, et réserve l'appellation
de fils aux apôtres de la Nouvelle Alliance, qui ont reçu en héritage la tâche doctrinale de leurs prédécesseurs" (195).

2. Weitaus häufiger als unter dem Aspekt des einen Gottes
von AT und NT begegnen uns Abraham bzw. die Erzväter Abraham,
Isaak und Jakob[146] als die Stammväter, ja geradezu als die
Erblasser des Glaubens. Ausgehend von GN. 15[147] bildet in
der um 378 verfaßten Schrift "De Abraham"[148] des AMBROSIUS
der Stammvater Abraham gleichsam den "Prägestock" für das
"fides"-Verständnis. Mit Hilfe der stark von PHILON beeinflußten allegorischen Schriftauslegung[149] kommt Ambrosius
dabei - natürlich bereits vor dem Hintergrund der paulinischen Uminterpretation[150] - zu immer neuen Variationen des
Kerngedankens "Abrahams-Kindschaft" und "Abrahams-Erben-
schaft". Das für das AT typische Streben Abrahams nach "posteritas perpetua"[151] erfüllt sich in den Augen des Christen
Ambrosius natürlich in dem einen Erben Christus:

"quomodo autem Abrahae propago diffusa est nisi per fide
hereditatem (hereditatem fidei) ...? ideo ait: 'sic erit
semen tuum'. et 'credidit' inquit, 'Abraham deo'. quid credidit? Christum sibi per susceptionem corporis heredem
futurum."[152]

Die erste Lesart: "durch die auf Grund seines Glaubens
(erhaltene) Erbschaft" hebt auf die Segenszusage ab, die
Gott dem Abraham als Antwort (Belohnung) für seinen Glauben

---

146) HAAG 1325-1328; RAC 1,21f; neuerdings K.BERGER, Abraham II, in: ThRE
1,372-382, bes. 380f (A. im frühen Christentum). BERGER spricht zwar
von bestimmten "Funktionen", "die Abraham oder die drei Erzväter re-
gelmäßig ausfüllen und für die sie stereotyp genannt werden" (381 Z.
11f), erwähnt aber erstaunlicherweise mit keinem Wort ihre Rolle als
Stammväter des Glaubens.

147) Vgl. dazu § 1.

148) S.STENGER, Das Frömmigkeitsbild des hl.Ambrosius nach seinen Schriften De Abraham, De Isaac und De bono mortis (Diss.masch. Tübingen
1947) 3ff; W.VÖLKER, Das Abraham-Bild bei Philo, Origenes und Ambrosius, in: Sonderausg. ThStK Bd. 103 Heft 2/3 (Gotha 1931) 199-207.

149) P.de LABRIOLLE, Saint Ambroise et l'exégèse allégorique, in: Annales
de philos. chrét. 155 (1907/08) 591-603; ThRE 2,378f (E.DASSMANN).

150) Hierzu § 2.2.

151) Abr. 2,8,48 (A. 155); Abr. 1,3,20: "... Abraham respexit in caelum
et splendorem suae posteritatis agnovit ..." (CSEL 32,1,516).

gegeben hat und die weitervererbt wurde bis zu ihrer endgültigen Erfüllung im Erben Christus. Im anderen Fall (per hereditatem fidei) erscheint der Bedeutungsumfang von fides m.
E. erweitert, da der Ausdruck "durch die Erbschaft seines
Glaubens"[153] sowohl Abrahams Glaubensgehorsam - als weiter-
vererbtes Vorbild - als auch die erhaltene Segenszusage umfassen könnte. Ganz im Sinne dieser zweiten Variante ist auch
der AMBROSIUS-Text zu verstehen, nach dem Abraham "seinem le-
gitimen Samen" Christus "hereditatem omnem fidei suae detulit"[154]. "Detulit" als juristischer Terminus   technicus besagt, daß Abraham Christus das Recht, die Erbschaft zu erwerben, falls er will, angetragen hat.

Natürlich wird diese von Abraham ausgehende "hereditas
fidei" nicht nur auf Christus bezogen, wie die folgende Stelle zeigt:

"Sanctae tamen et propheticae menti maior cura posteritatis perpetuae est; partus enim sapientiae et fidei here-

---

152) Abr. 1,3,21 (CSEL 32,1,516); vgl. die Lesarten: "fide hereditatem"
Pm 1; "fidei hereditatem" PCM; "fidem hereditate" T; "hereditatem
fidei" cet.; dazu ebd. 500. Zu "propago" unten A. 213.

153) D.h. "durch die Erbschaft, nämlich seinen Glauben". Man kann dabei
von einem genitivus identitatis oder "Genitiv der Definition" sprechen. Vgl. auch M.D.MANNIX, S.Ambrosii Oratio de obitu Theodosii.
Text, Translation, Introduction and Commentary (Washington 1925)
32f, die bei einer vergleichbaren Verbindung von einem "explikativen" oder "appositionellen" Genitiv spricht. Vgl. zum "appositionellen" Genitiv bei Ambrosius auch M.A.ADAMS, The Latinity of the
letters of Saint Ambrose (Washington 1927) 19f.

154) Cain et Ab. 1,6,24 (CSEL 32,1,360); zu "deferre" vgl. HEUMANN 128f.
- Zur Rolle Christi vgl. auch AMBROSIAST., in Gal. 3,18,3f: "hi ergo
heredes sunt promissionis Abrahae, qui illi succedunt suscipientes
fidem, in qua benedictus et iustificatus est Abraham. testimonium
ergo promissionis Abrahae testamentum appellatur, ut post mortem eius
heredes essent in promissione, filii eius facti per fidem. quae causa cucurrit usque ad Christum Abrahae repromissum, ut post mortem
Christi credentes heredes essent fidei Abrahae per testamentum san-
guinis Christi" (CSEL 81,3,37); in Gal. 3,29 (42).

ditatem desiderat. ideo ait: 'quid mihi dabis? ego autem
dimittor sine filiis.' ecclesiae subolem desiderabat,eam
successionem petebat quae non esset servilis, sed libera.
non 'secundum carnem', sed secundum gratiam."[155]

Berücksichtigt man den Chiasmus: "partus sapientiae" - "fidei hereditatem" und den übrigen Kontext[156], so erscheint es
nötig, "hereditatem" hier im Sinne von "heredes"[157], also als
"Erben für seinen Glauben" aufzufassen. Wie auch "ecclesiae
subolem desiderabat" zeigt, kann man als die zentrale Aussage dieser "hereditas fidei"-Stellen festhalten: Es ist allein
der Glaube (Glaubensgehorsam), der eine (geistige) Verwandtschaft mit Abraham herstellt und den es nachzuahmen gilt (1.
Aspekt der "hereditas") und der Anteil gewährt an den einmal
gegebenen Segenszusagen (2.Aspekt der "hereditas").

3. War in den soeben angesprochenen Texten (exegetische
Schriften!) Abraham als handelndes Subjekt und Erblasser im
Mittelpunkt gestanden, so kehrt sich nun die Blickrichtung
um und AMBROSIUS spricht in der 1.Person Plural (Leichenreden!)[158] vom Standpunkt der Erben Abrahams aus. Grundsätzlich,
aber freilich nicht in jedem Fall[159], ist hierbei in Rechnung zu stellen, welche neue Qualität dadurch das Wort "fides" plötzlich gewinnt. Dabei ist nicht so sehr der bis zur

---

155) AMBR., Abr. 2,8,48 (CSEL 32,1,601); vgl. HIL., in Matth. 2,3: "Non
enim successio carnis quaeritur, sed fidei hereditas" (PL 9,925C)
(unten § 14.1).

156) Vgl. neben "partus sapientiae" (Einfluß Philons!) "ecclesiae subolem desiderabat".

157) Verbunden mit einem genitivus obiectivus; vgl. exc.Sat. 2,89 (A.159).
Zu dieser Möglichkeit einer aktiven Deutung von "hereditas" im Sinne
von "heredes" vgl. KORNHARDT u. ThLL VI,3,2642.

158) F.ROZYNSKI, Die Leichenreden des hl.Ambrosius, insbesondere auf ihr
Verhältnis zu der antiken Rhetorik und den antiken Trostschriften
untersucht (Breslau 1910).

159) Vgl. z.B. exc.Sat. 2,89: "'Credidit Abraham deo'. Et nos credamus,
ut, qui sumus generis, etiam fidei simus heredes" (CSEL 73,297).

"Soldatentreue" schillernde Gebrauch von "fides"[160] in der
Leichenrede "De obitu Theodosii" (395)[161] gemeint, sondern
die konfessionell-kontroverse Modifizierung von "fides" im
Sinne von "fides christiana" in Absetzung vom Heidentum oder
im Sinne von "fides catholica" als Gegensatz zur Häresie. Zunächst mag man nicht gerade an diesen Hintergrund denken,
wenn Ambrosius nach dem Preis der "Theodosii fides" fortfährt:

"Nos autem non subtrahamus nos ad dispendium animae, sed
inhaereamus fidei ad animae nostrae adquisitionem, quoniam in hac fidei militia 'testimonium consecuti sunt'
seniores nostri Abraham, Isaac, Iacob et ideo hereditatem nobis fidei reliquerunt."[162]

Der Bezug zu den drei Stammvätern des Glaubens wird hier
auf dem Umweg über HEBR. 11 hergestellt. Dabei sei die beachtliche Modifizierung von "in hac (sc. fide)"[163] zu "in
hac fidei militia" betont. Hier mögen die Vorstellung vom

---

160) Bes. obit.Theod. 6: "Fides militum imperatoris perfecta aetas est"
(CSEL 73,374); 8: "Theodosii ergo fides fuit vestra victoria: vestra
fides filiorum eius fortitudo sit" (375). Zu "fides" bei Ambrosius
vgl. J.MESOT, Die Heidenbekehrung bei Ambrosius von Mailand (Schöneck-Beckenried 1958) 36ff (obit.Theod.); DASSMANN; G.BONAMENTE, "Fideicommissum" e trasmissione del potere nel "De obitu Theodosii" di
Ambrogio, in: Vetera Christianorum 14 (1977) 273-280, bes. 279f.

161) Vgl. MANNIX; CH.FAVEZ, L'inspiration chrétienne dans les "Consolations" de Saint Ambroise, in: REL 8 (1930) 82-91; S.RUIZ, Investigati-
ones historicae et litterariae in Sancti Ambrosii De obitu Valentiniani et De obitu Theodosii imperatorum orationes funebres (Mona-
chii 1968).

162) Obit.Theod. 9 (CSEL 73,375f). Forts.: "Fidelis Abraham, qui non ex
operibus, sed ex fide iustificatus est, quoniam deo credidit,
Isaac, qui per fidem nec gladium ferituri parentis expavit, Iacob,
qui paternae fidei vestigiis intentus, dum iter agit, angelorum vi-
dit exercitum et vocavit concilium dei" (376); vgl. dazu HEBR. 11,
bes. Vers 9. Zu obit.Theod. 9 M.A.de BROGLIE, Saint Ambroise (340-
397) (Paris 1899) 192f und neuerdings bes. W.STEIDLE, Die Leichenrede des Ambrosius für Kaiser Theodosius und die Helena-Legende,
in: VigChr 32 (1978) 94-112; zur zitierten Stelle: 97-99(vgl.auch
unten S. 442). STEIDLE betont mit Recht die durch das gemeinsame
"hereditas"-Motiv auffallende Parallelität der verschiedenen Glaubenstraditionen: Obit.Theod. 2(unten S.94f); 9; 40(unten S.95-98).
Zusätzlich ist noch auf obit.Theod. 28(unten S.69-71) zu verweisen.

163) HEBR. 11,2: ἐν ταύτῃ γὰρ ἐμαρτυρήθησαν οἱ πρεσβύτεροι.

militärischen Dienst gegenüber Gott[164] und der Gedanke des
Festhaltens (inhaereamus!) am staatlich verordneten Glauben[165] zusammengeflossen sein. - Aber geht es denn dabei
nicht um die "fides" der Stammväter, deren vorbildlicher Glaubensgehorsam verstanden als absolutes Vertrauen, Sich-Fügen,
Zuversicht an Beispielen expliziert wird? Natürlich! Und doch
geht es gleichzeitig um die "fides" der Theodosius-Zeit, da
ja die drei Stammväter "hereditatem nobis fidei reliquerunt",
und gleichzeitig gefordert wird: "inhaereamus fidei". Die
"Erbschaft des Glaubens"[166], die von den Stammvätern kommt,
mit Rücksicht auf die Erblasser zunächst zu identifizieren
mit "devotio" und "sponsio"[167], muß also bei den Zuhörern -
wohl aber auch beim Redner - im Jahre 395 ganz andere Asso-
ziationen geweckt haben. Der Aspekt der "devotio" mag stärker als die geforderte Haltung zum neuen Glaubensgesetz und
die "sponsio" im Lichte römischen Unterpfandsglaubens[168] verstanden worden sein. Die Verbindung der Stammväter (seniores) mit dem Erbgedanken mag zudem Erinnerungen an die Fami-

---

164) HARNACK, Militia Christi; J.CAPMANY, "Miles Christi" en la espiri-
tualidad de San Cipriano (Barcelona 1956); RAC 7,831.

165) COD.THEOD. 16,1,2; W.ENSSLIN, Die Religionspolitik des Kaisers
Theodosius (München 1953); STOCKMEIER, Glaube 100ff.

166) Zur Art des Genitivs "fidei" vgl. A. 153. J.NIEDERHUBER: "Und eben
deshalb haben sie uns das Erbe des Glaubens hinterlassen" (BKV 32,
394); MESOT 36: "Und deshalb haben sie uns das Erbe des Glaubens
hinterlassen"; MANNIX 98.

167) Zu "devotio": RAC 3,849-862; RAC 7,831f; DASSMANN 58ff. Zu "sponsio": Obit.Theod. 8 (HEBR. 11,1!); 28: "Si fides nostra maneat, manet
et sponsio" (CSEL 73,386); DASSMANN 62; § 6.5. K.BERGER: "Die relativ
freie Deutung des Inhalts der Abraham gegebenen Verheißung erlaubte
es, jeweils das 'Heil' als Erfüllung der eidlichen Versprechen Gottes
anzusehen" (ThRE 1,381 Z. 17-19; vgl. ebd. Z. 28-30). Bereits im Pen-
tateuch diente ja die Erwähnung der Väter zuweilen dazu, "an die
Verpflichtungen zu erinnern, die Jahwe zu ihren Gunsten und damit auch
ihren Nachkommen zugute eingegangen ist" (R.MARTIN-ACHARD, in: ThRE
1,370 Z. 4f).

168) GROSS, Die Unterpfänder. Auch im AT ist in den späteren Schriften immer wieder "die Stellung Abrahams als Unterpfand des Heils für seine Nachkommenschaft (Gen 17)" (ThRE 1,371 Z. 22f) hervorgehoben.

miliensacra oder an den "früheren" Stammvater Romulus und die
Weitergabe des Fideikommiß des göttlichen Schutzes[169] wach-
gerufen haben.

Diese gedankenmäßige Überbrückung, daß der Glaube Abrahams, Isaaks und Jakobs gleichzeitig der Glaube der Apostel[170]
und gleichzeitig der wahre rechtmäßige Glaube der "Jetztzeit"
ist, hat sich bereits bei LUCIFER VON CALARIS sprachlich eindeutig niedergeschlagen. Er spricht nämlich von der "fides",
"quam tenuerunt Abraham Isaac et Iacob beatissimi et cuncti
prophetae apostoli ac martyres" und bezeichnet diese gleich
anschließend als "catholica fides"[171]. Diese hier vorliegende Spannung im "fides"-Verständnis[172], überdeckt durch die
- Kontinuität und Identität implizierende - Verbindung "hereditas fidei", schwindet zu einem großen Teil freilich in
den Fällen, wo mit "hereditas fidei" nicht mehr der Glaube
Abrahams und der Glaube der Theodosius-Söhne identifiziert
werden, sondern die Brücke von den Aposteln oder gar erst von
Konstantin zur jeweiligen "Jetztzeit" geschlagen werden
soll[172a].

4. In gewisser Weise ein Bindeglied bilden die Vätertex-
te, wo Glaube und Segen Abrahams aus dem AT und seine Rezeption im NT mit Hilfe antiker Erbkategorien interpretiert
werden. So findet man die Vorstellung vom eschatologischen[173]
Erbe - überlagert von dieser neuen Terminologie und ihrem
Gehalt - bei AUGUSTINUS angewandt "ad significandum populum
heredem novi testamenti".[174] Nichtsdestoweniger wird dem

---

169) Vgl. hierzu MOMMSEN, Staatsrecht I,90.

170) Vgl. auch HIL., in psalm. 66,8 (§ 6.1).

171) Athan. 2,21 (A. 145); vgl. non parc. 1 (CSEL 14,210 Z. 25ff).

172) Vgl. auch § 5.

172a) Vgl. §§ 7-9.

173) Vgl. §§ 1; 2; ThLL VI,3,2641: "de aeterna beatitudine, promissione
caelestis regni".

174) In Gal. 40,5 (CSEL 84,109).

neuen Gottesvolk nur ein Anspruch auf ein spirituelles Heil
zugestanden:

" ... promissa terrena, quibus irretiti et quae tantummodo sperantes de deo non admittuntur ad hereditatem spiritualem caelestis patrimonii."[175]

Demnach gewährt der "Erblasser" Gott denen, die ihre Hoffnung nur auf die "promissa terrena" setzen, keine Zulassung[176]
zum Erbe, das als "hereditas spiritualis caelestis patrimonii" umschrieben wird. Bei dieser "geistigen Erbschaft" geht
es also um das vom himmlischen Vater zu ererbende "Vermögen"[177].

Daß damit letzlich der schon Abraham zugesprochene und
auf den Erben Abrahams, Christus, übergegangene Segen gemeint ist, ist auch einer vergleichbaren Stelle bei LEO DEM
GROSSEN zu entnehmen:

" ... ut Abraham fieret 'omnium gentium pater' et 'in semine eius' daretur mundo promissa 'benedictio', nec hi tantum essent Israhel quos sanguis et caro genuisset, sed
in possessionem haereditatis fidei filiis praeparatae,
universitas adoptionis intraret."[178]

Nicht mehr die leibliche Sohnschaft, sondern die "adoptio", die sich in Christus auf alle Völker erstreckt, gibt
das Anrecht zur "Inbesitznahme"[179] der "haereditas (fidei)

---

175) In Gal. 40,4 (CSEL 84,109).

176) Zu "admittere ad h." HEUMANN 15.

177) Zur Art des Genitivs "patrimonii" A. 153; zu "patrimonium" als das
vom Vater ererbte Vermögen HEUMANN 410. Vgl. auch HIL., in Matth.
27,6: "Haec enim incorrupta substantia est, hoc Christi patrimonium aeternis haeredibus reservatum" (PL 9,1061 BC); HIL., ad Const.
7,1 (§ 8.1); HIER., ep. 15,1,2 (§ 28.1); AMBR., sacr. 1,2,8: "fides enim aeternum patrimonium est" (CSEL 73,19).

178) Serm. 26,2 (CChrL 138,127). Weitere einschlägige Stellen bei M.M.
MUELLER, The Vocabulary of Pope St.Leo the Great (Washington 1943)
97; 221.

179) Zu "intrare in possessionem ..." vgl. HEUMANN 285.

filiis praeparata". Der mit "patrimonium" nahezu synonyme
Ausdruck ist durch den Genitiv "fidei"[180] erweitert, so daß
dadurch die von Abraham zu Christus reichende Heils- und Se-
genskontinuität inhaltlich noch näher bestimmt ist.[181]

5. Diese kurz skizzierte Verbindung ursprünglich[182] eschatologisch verstandener Heilsbezeichnungen wie "benedictio",
"promissa", "sponsio" - oftmals, wie schon betont, in "fides"
aufgegangen - mit den Erbkategorien der antiken Umwelt zeigt
sich besonders evident in der Leichenrede auf Kaiser Theodosius (395), wenn AMBROSIUS die Zuversicht auf den Heimgang
der Seele in die ewige Ruhe folgendermaßen begründet:

"Sed quid est quod ait dominus Iesus: 'Venite, benedicti
patris mei, hereditate possidete paratum vobis regnum a
constitutione mundi'? Tamquam enim possessionem hereditariam recipimus, quae promissa sunt nobis; 'fidelis' enim
'deus', qui semel servis suis praeparata non subtrahit.
Si fides nostra maneat, manet et sponsio."[183]

Ausgehend von einem Zitat aus MT. 25,34, bei dem er das
griechische κληρονομήσατε[184] mit "hereditate possidete"[185]
wiedergibt, bezeichnet Ambrosius die eschatologische Zusage
des Reiches Gottes - analog zur Verheißung an Abraham - als
"promissa". Wenn auch etwas abgeschwächt durch "tamquam"

---

180) Zum Genitiv bei "haereditas fidei" vgl. A. 153.

181) Ähnlich AUG., in Gal. 43,6: "... homo in veteri testamento sed non homo de veteri testamento, quem fides futurae hereditatis Christi revelata et reddita salvum faciebat et ad imitandum vocabat" (CSEL 84,117).

182) Hier bleibt natürlich unberücksichtigt, daß in den frühen Schich- ten des AT tatsächlich handfeste "promissa terrena" gemeint waren; Vgl. auch oben § 1.

183) Obit.Theod. 28 (CSEL 73,385f). J.NIEDERHUBER: "Gleichsam als Erbbe- sitz nämlich empfangen wir, was uns verheißen ist" (BKV 32,408). Zu hereditarius" vgl. ThLL VI,3,2630 Z. 12.

184) Vgl. ThW 3,766ff; W.BAUER 859f; oben § 2.1.

185) VULG.: "possidete paratum vobis regnum"; oftmals mit "hereditare" wiedergegeben (ThLL VI,3,2643f); "hereditate possidere" auch bei CIC. belegt (GEORGES 1,3037).

setzt er dann die Erfüllung dieser "promissa" gleich mit dem
Empfang einer "possessio hereditaria"[186]. Dadurch wird die
mit "promissa" implizierte Hoffnung - ähnlich wie bei der
Auslegung von HEBR. 11,1 - von der Vorstellung eines siche-
ren, geradezu handgreiflichen Besitzes, auf den man als Erbe
ein Anrecht hat, überlagert[187]. Wenn Ambrosius an anderer
Stelle die "fides" als "patrimonium spei nostrae"[188] interpretiert, so stellt sich die Frage, worin diese Umformung
der Hoffnung in eine rechtlich verbürgte Sicherheit gründet.
Eine theologische Begründung hierfür liefert bereits der
oben zitierte Text, wo es heißt: "'fidelis' enim 'deus' (sc.
est)".[189] Damit ist gemeint, daß Gott zu seiner einmal gegebenen "sponsio" steht, falls nur der Mensch bei seiner "fides" bleibt. Mag hierbei auch eine Anlehnung an 1 Kor. 1,9[190]
vorliegen, so denkt man doch unwillkürlich an die römische
Vorstellung von der "fides" der Götter[191], die den Zuhörern
der Leichenrede sicher geläufiger war. Die "fides nostra",
für Ambrosius wohl der Glaubensgehorsam gegenüber dem rechten, katholischen Glauben (Bekenntnis), ist die Voraussetzung und das Unterpfand für den Empfang der "possessio hereditaria". Altrömische Denkkategorien wie "do ut des"-Prin-

---

186) In dieser Verbindung als juristischer Terminus technicus nicht gebräuchlich; HEUMANN 235f; 439ff. - Vgl. auch HIL., in Matth. 10,24:
"Et idcirco illi, qui domesticas nominum charitates dilectioni eius
praetulerint futurorum bonorum indigni erunt haereditate" (PL 9,
977AB).

187) E.RIGGENBACH, Der Brief an die Hebräer (Leipzig 1922³) 341 zu HEBR.
11,1: " Was Gegenstand der Hoffnung ist, liegt noch in der Zukunft
und bildet kein Stück des gegenwärtigen Besitztums. Ebenso enbehrt
das Unsichtbare der handgreiflichen Sicherheit ...".

188) Paenit. 2,3,15: "'Fides' est enim 'eorum, quae sperantur, substantia, rerum argumentum non parentium'. Et bona 'substantia' fides,
in qua spei est nostrae patrimonium" (CSEL 73,170); vgl. sacr.
1,2,8 (A. 177); A. 66.

189) Zu "fidelis" vgl. SCHMECK, bes. Anm. 15 ("gläubig" für πιστός;
hier jedoch unzutreffend; GEORGES 1,2749 (getreu, zuverlässig).

190) Πιστὸς ὁ θεός. VULG.: "Fidelis deus".

191) Vgl. A. 61.

zip[192] und Unterpfandsglaube[193], beides auch dem AT nicht
fremd, bilden also hier den Hintergrund für die aufgezeigte
Modifizierung der vom NT angeregten Erbterminologie. Dabei
sollte man auch bedenken, daß hier noch das ewige Heil die
als Erbgut interpretierte göttliche "Gegenleistung" für die
"fides nostra" bildet, während andernorts mit dem Stichwort
"victoria"[194] "fides" in die Nähe frühchristlicher Reichs-
und Romideologie gerückt wird.[195]

§ 7. Der Glaube als Erbschaft der Apostel und Missionare

In ähnlicher Weise wie die Väter, meist angeregt durch bestimmte Schriftstellen, vom Glaubenserbe Abrahams bzw. der
Patriarchen sprechen, sehen sie im Glauben ihrer Zeit eine
erbmäßige Kontinuität mit dem Glauben der Apostel gegeben[196].

192) H.BERKHOF, Kirche und Kaiser. Eine Untersuchung der Entstehung der
     byzantinischen und der theokratischen Staatsauffassung im vierten
     Jahrhundert (Zollikon-Zürich 1947) 15; 56ff (als Motiv für die Be-
     kehrung Konstantins); 91ff (Ambrosius).

193) Hierzu GROSS, Die Unterpfänder.

194) Vgl. z.B. AMBR., obit.Theod. 6-10; fid. 1 Prol. 3; ep. 62,4: fid.
     2,16,139: (an Kaiser Gratian) "nec ambiguum, sancte imperator, quod,
     qui perfidiae alienae poenam excipimus, fidei catholicae in te vi-
     gentis habituri sumus auxilium. Evidens enim antehac divinae indig-
     nationis causa praecessit, ut ibi primum fides Romano imperio fran-
     geretur, ubi fracta est deo" (CSEL 78,106).

195) J.STRAUB, Christliche Geschichtsapologetik in der Krisis des römi-
     schen Reiches, in: Unser Geschichtsbild. Wege zu einer universalen
     Geschichtsbetrachtung, hrsg. v. K.Rüdinger (München 1954) 41-71.

196) Zum Nachwirken dieser Vorstellung bis in die Gegenwart vgl. VATIKA-
     NUM II, Unitatis redintegratio 14: "Das von den Aposteln überkomme-
     ne Erbe ..." (RAHNER-VORGRIMLER 242); Apostolicam actuositatem 27;
     "Commune veluti patrimonium evangelicum" (AAS 58 [1966] 858) = "Das
     Evangelium, das uns wie ein gemeinsames väterliches Erbe miteinan-
     der verbindet ..." (RAHNER-VORGRIMLER 415); Lumen gentium 19: die
     Apostel "übertrugen, damit die ihnen anvertraute Sendung nach ihrem
     Tod weitergehe , gleichsam nach Art eines Testaments ihren unmit-
     telbaren Mitarbeitern die Aufgabe, das von ihnen begonnene Werk zu
     vollenden und zu kräftigen" (RAHNER-VORGRIMLER 145). Zum Sprachge-
     brauch bei modernen Autoren vgl. HARNACK, Dogmengeschichte: "Unver-
     sehrtheit des apostolischen Erbes" (1,400); "das apostolische Erbe
     der Wahrheit" (1,402); "das apostolische Erbe" (1,403); DERS., Die

Dabei ist neben der bereits angesprochenen Modifizierung im
"fides"-Verständnis ein stärkerer Einfluß von seiten des Erbdenkens der Umwelt zu beobachten, zumal hier eine Anknüpfung
an Schriftstellen mit heilsgeschichtlicher Erbterminologie
meistens unterbleibt.

1. AMBROSIUS will in seinem Kaiser Gratian gewidmeten,
dogmatischen Werk "De Spiritu Sancto" (381)[197] Glauben und
Handeln der Apostel als Beispiel und Beweis für die wahre
Gottheit und Gleichheit des Sohnes herausstellen, wenn er
schreibt:

> "Haec est apostolicae fidei et devotionis hereditas, quam
> liquet ex ipsorum apostolorum considerare Actibus. Paru-
> erunt ergo Paulus et Barnabas sancti spiritus imperatis,
> paruerunt et omnes apostoli statimque eos, quos separari
> iusserat spiritus, ordinarunt."[198]

Ausgehend von APG. 13,3f werden die Apostel und ersten
Missionare als Vorbilder für "fides et devotio"[198a] angeführt,
insofern sie den Eingebungen und der Sendung des Geistes ge-
horcht haben. Obwohl Ambrosius kurz darauf fortfährt: "credidit Paulus, et quia credidit studia persecutoris abiecit
..."[199], scheint mir mit "apostolica fides" nicht nur diese
Glaubenshaltung, sondern vor allem auch der lehrhafte Inhalt

Chronologie der altchristlichen Litteratur bis Eusebius Bd. 1 (Leipzig 1897) 197: "Nachweis der Bewahrung des apostolischen Erbes";
EYNDE 198: "Cet argument se compose de deux preuves principales:
l'une directe, basée sur les titres positifs des églises à l'héritage apostolique, l'autre indirecte, déduite de la nouveauté des hérésies" (im Hinblick auf TERT., praescr.); GMELIN: "auctoritas eines
Bischofs, die auf dem Erbe der Apostel ruht" (88f); "das Gesetz Gottes
im Erbe der Apostel" (90); "dem Recht nach sind alle Träger gleich und
gleiche Erben der Apostel" (90f); "Verwaltung des apostolischen Erbes" (110). Vgl. auch A. 2; Kap. 6 A. 1; Kap. 7 A. 1-3.

197) ALTANER-STUIBER 382f.

198) Spir. 2,13,155 (CSEL 79,148).

198a) Zur Stelle DASSMANN 86 Anm. 63. Zu "fides et devotio" vgl. oben A. 70.

199) Spir. 2,13,156 (CSEL 79,148); vgl. ebd. 2,13,157: "Barnabas quoque
credidit".

der "fides" im Sinne der dogmatischen Aussagen über den heiligen Geist angesprochen zu sein[200]. Schließlich geht es ja Ambrosius um die Identität der zu seiner Zeit heiß umkämpften Glaubenslehre von der dritten göttlichen Person[201] mit der "fides" der Apostel. Ganz besonders betont wird dieser Aspekt dadurch, daß von einer "hereditas" die Rede ist, deren Inhalt[202] eben diese "apostolica fides et devotio" bildet. Diese "hereditas", durch "haec" gleichgesetzt mit der Glaubenslehre seiner Zeit, sieht Ambrosius bereits in der APG. niedergelegt. Hier soll also mit Hilfe der "hereditas"-Terminologie die Identität und Kontinuität mit der apostolischen Zeit, die Rechtmäßigkeit der eigenen dogmatischen Position und die Unantastbarkeit der "apostolica fides" unterstrichen werden.

2. Im Blick auf die Apostel verteidigt TERTULLIAN in seiner Schrift mit dem eigentümlichen Namen "Scorpiace" (um 213) den sittlichen Wert des Martyriums. Die Seligpreisung der in Christi Namen Verfolgten von MT. 5,10ff bildet den Hintergrund für seine folgenden Bemerkungen:

"Quamquam etsi omnem hanc persecutionem condicionalem in solos tunc apostolos destinasset, utique per illos cum toto sacramento, cum propagine nominis, cum traduce spiritus sancti in nos quoque spectasset etiam persecutionis obeundae disciplina ut in hereditarios discipulos et apostolici seminis frutices."[203]

Demnach hat Christus bei seiner Ankündigung der "persecutio" nicht nur die Apostel gemeint, sondern "per illos"

---

200) Das einleitende "haec" nimmt offenbar auf die Ausführungen in spir. 2,13,152ff (Similiter de sancto spiritu supra accepimus ...) Bezug.

201) Vgl. L.HERRMANN, Ambrosius von Mailand als Trinitätstheologe, in: ZKG 69 (1958) 195-218.

202) Zum Genitiv in "apostolicae fidei et devotionis hereditas" vgl. A. 153.

203) Scorp. 9,3 (CChrL 2,1084).

auch die Gläubigen der Tertullian-Zeit (in nos quoque) im
Auge gehabt, wobei Tertullian mit dem Ablativ[204] "etiam persecutionis obeundae. disciplina" den näheren Aspekt angibt.
Abschließend werden deshalb die "nos" gleichsam[205] als "hereditarii discipuli" und "apostolici seminis frutices" bezeichnet. Die auch durch das NT angeregte Bezeichnung des
Gläubigen als "discipulus"[206] erinnert hier - vor allem auf
Grund der Verbindung mit "hereditarius"[207] - an den Sprachgebrauch der antiken Philosophenschulen[208]. Sie ist einzuordnen in die allgemein verbreitete Sicht des christlichen
Glaubens als "philosophia", "doctrina" und "disciplina" bis
hin zu Christus als dem "Lehrer"[209]. Trotzdem scheint mir
an der vorliegenden Stelle mit "hereditarii discipuli" ein
Bezug zu den Aposteln und nicht zu Christus vorzuliegen, was
auch der Kontext[210] bestätigt. Bezeichnet also "nos" die Erben und bilden die Apostel die Erblasser, so stellt sich
die Frage nach dem Gegenstand der "hereditas". Zwar geht von
der beiden Gruppen drohenden Verfolgung der Impuls für die

---

204) Da in Haupt- und Nebensatz Christus als Subjekt zu denken ist, läßt
sich "disciplina" nur als Ablativ erklären (vgl. auch CLAESSON 1,
424). Am ehesten könnte man dabei von einem ablativus limitationis
sprechen, der die "Hinsicht", den Aspekt, anfügt.

205) "Ut" kann hier einen Vergleich einleiten, aber auch eine zu "in
nos" appositionsmäßig angefügte, erläuternde Erklärung: "zu uns
als den Schülern und Erben ...".

206) "Jünger" im NT; vgl. z.B. MT. 10,24; LK. 14,26f. Zum Sprachgebrauch
bei Tertullian vgl. CLAESSON 1,425.

207) ThLL VI,3,2630 Z. 40ff: gleichbedeutend mit "qui hereditate accipit", "hereditans"; vgl. BECK 88. Zu der mit "hereditarii discipuli"
sehr ähnlichen Verbindung "hereditarii rei" vgl. TERT., orat. 14:
"Certe manus eius (sc. Israel) semper inmundae, sanguine prophetarum
et ipsius Domini incrustatae in aeternum; et ideo conscientia patrum
hereditarii rei nec attolere eas ad Dominum audent ..." (CChrL 1,265).

208) Vgl. § 13 I.

209) Vgl. §§ 5 I; 13 I; J.KOLLWITZ, Christus als Lehrer und die Gesetzesübergabe an Petrus in der konstantinischen Kunst Roms, in: RQ 44
(1936) 45-66; oben A. 77.

210) Man beachte den Zusammenhang von "persecutio" - "apostoli" und "persecutio" - "nos" (hereditarii discipuli), ferner die Ergänzung:
"apostolici seminis frutices".

Anwendung der Erbterminologie aus[210a], doch eng verbunden mit dieser schweren Bürde der "disciplina"[211] erscheinen die Ausdrücke "totum sacramentum"[212], "propago nominis"[213] und "tradux spiritus sancti"[214]. So gehören also offensichtlich auch Glaube und Sakrament, der Christenname und die Weitergabe des Geistes an die Geistträger, d.h. für Tertullian alle Gläubigen, zu dieser "hereditas" der Apostel, die, wie auch aus praescr. 37,5[215] erhellt, auf die Gläubigen als ihre "heredi-

210a) In ähnlicher Weise drückt APONIUS in seiner "Explanatio in Canticum canticorum" (405-415) die Kontinuität und Weitergabe des Kreuzes - Zeichen des Todes und der Erlösung - zwischen Christus und den Aposteln mit der Erbterminologie aus: "Apostoli vero eorumque consimiles ipsam crucem redemptionis haereditario susceptam possident iure" (12; PLS 1,1022); vgl. A. 229.

211) Hier m.E. am ehesten zu verstehen als "Lebenshaltung", "Verhalten eines Menschen in der Gesamtheit" (RAC 3,1228). Diese Auffassung bestätigt auch M.E.de BACKER, in: J.de GHELLINCK, Pour l'histoire du mot "sacramentum" (Louvain-Paris 1924) 92, der "disciplina" (scorp. 9,3) im Sinn von "discipline" versteht und von "une pratique disciplinaire" spricht. Die richtige Einschätzung des Kasus von "disciplina" (A. 204) erscheint bei BACKER jedoch fraglich. Vgl. auch A. 72 (Lit.).

212) Damit meint Tertullian nach BACKER a.a.O. 92 dasselbe wie mit "fides et disciplina". BACKER weist zwar mit Recht auf den Zusammenhang (bis hin zur Synonymität) von "sacramentum" - "fides" - "disciplina" hin, trägt aber durch das überstrapazierte Prinzip reziproker Definitionen wenig zu einer Klärung bei.

213) "Propago" und "tradux" sind bei Tertullian nahezu synonym aufzufassen (vgl. CLAESSON 2,1252; 3,1648) und beides vom Wachsen der Natur herkommende Begriffe, die auf die Generationenabfolge übertragen und von den Vätern auch auf die Traditions- und Sukzessionsvorstellung angewandt wurden: TERT., praescr. 20,5: "a quibus (sc. ecclesiis) traducem fidei et semina doctrinae ceterae exinde ecclesiae mutuatae sunt" (REFOULE 113); praescr. 32,3 (A. 217); AMBROSIAST., quaest. 110,7: "per traducem succedentium episcoporum" (CSEL 50,274). Zur Stelle vgl. TERT., nat. 1,4,2: "mala secta, tradux mali nominis" (CChrL 1,14); ARATOR, act. 1,587: "Emicat hinc Stephanus, primus qui in agone coronam,/ Nominis heres, habet ..." (CSEL 72,47). Zur "hereditas nominis" bei leiblichen und angenommenen Söhnen vgl. B. DOER, Die römische Namengebung. Ein historischer Versuch (Stuttgart 1937) 75f.

214) Vgl. A. 213; TERT., anim. 9,6: "qua flatus et spiritus tradux" (CChrL 2,793).

215) "Ego sum heres apostolorum ..."; vgl. § 5 II.

tarii discipuli"[216] übergeht. Damit würde der Erbgedanke an
dieser Stelle die Vorstellung sowohl von Verpflichtung als
auch Anrecht nahelegen.

Der mit "hereditarii discipuli" korrespondierende Ausdruck
"apostolici seminis frutices" entstammt zwar der völlig anderen Vorstellungswelt der Natur, unterstreicht aber dennoch
auf Grund der engen Zusammengehörigkeit von "semen"[217] und
"frutex"[218] die vorher mit juridischen Begriffen implizierte
Einheit und Kontinuität. Diese Tendenz zu einer Identifizierung mit Glauben und Lehre der Apostel wird auch besonders
nachdrücklich bei VINCENTIUS VON LERINUM (434) hervorgehoben,
der von den rechtgläubigen Vätern als den "apostolicae et
catholicae veritatis heredes"[219] spricht.

3. Anders als in den soeben berührten Texten[220] wird an den
beiden folgenden Stellen die erbmäßige Weitergabe des Glaubens nicht explizit bis auf die Apostel zurückgeführt.

Der leider oftmals nur als Häretiker abgestempelte PELA-
GIUS sieht in seinem Kommentar (vor 411) zum 2.Timotheusbrief
anscheinend den Paulusschüler Timotheus in einer Erbfolge
des Glaubens stehen:

---

216) MARTIN 104 mit Anm. 44 denkt dabei an die "Gemeinden". CAMPENHAUSEN,
Amt 190 mit Anm. 4 will auch in scorp. 9,3 aus völlig unersichtli-
chen Gründen die Bischöfe (!) als "die ursprünglichen Empfänger und
'Erben' der apostolischen Lehre" angesprochen sehen. BACKER a.a.O.
91 resümiert: "L'exhortation au martyre ... s'adresse en réalité à
tous les fidèles."

217) Zu "semen" bei TERT. vgl. CLAESSON 3,1464; praescr. 32,3: "Perinde
utique et ceterae (sc. ecclesiae) exhibent quos ab apostolis in episcopatum constitutos apostolici seminis traduces habeant" (REFOULE
131). Hier sind im Unterschied zu scorp. 9,3 mit "apostolici seminis
traduces" die Bischöfe gemeint (vgl. BLUM, Tertullian 108).

218) "Frutex": Strauch, Gebüsch, Staude. TERT., virg.vel. 1,6: "Granum
est primo, et de grano frutex oritur, et de frutice arbuscula eniti-
tur; deinde rami et frondes invalescunt et totum arboris nomen expan-
ditur ..." (CChrL 2,1210); adv.Prax. 8,6 "Nam et radix et frutex
duae res sunt, sed coniunctae" (CChrL 2,1168); praescr. 36,8: "Ita
et haereses de nostro frutice, non nostro genere, veritatis grano
sed mendacio silvestres" (REFOULE 139).

219) Comm. 8 (RAUSCHEN 17); vgl. unten § 8.4.

220) Vgl. auch die NOVATIAN-Stelle A. 132.

"'Revelationem accipiens [eius] fidei quae est in te non ficta, quae [et] habitavit primum in avia tua Loide.' Quae vera in te esse operibus [com]probatur, sicut Iacobus definivit, et quae ad te[ex avitae] successionis institutione quasi hereditario iure descendit. 'Et matre tua Eunice'. Quia prior credidit. 'Certus sum autem quod et in te: propter quam causam ammoneo te.' Quia conprobavi fidem tuam, commoneri [non] indiges, non doceri."[221]

Doch analysiert man die Verschränkung von Schrift-Text und Kommentar-Text genauer, so ergibt sich ein etwas anderes Bild: Die Informationen über das fromme Elternhaus des Timotheus[222], wo offenbar im Gefolge von Großmutter Lois und Mutter Eunike auch der junge Timotheus dem Werben des Missionars Paulus auf seiner ersten Reise gefolgt ist[223], bringen Pelagius auf den Gedanken eines Zusammenhangs von Generationenabfolge und Glaubenskontinuität. Analog zur hier anklingenden Deszendenz der Generationen spricht er deshalb in dem eingeschobenen[224] Kommentar davon, daß auch zu seinem Adressaten[225] die "fides" "successionis institutione quasi hereditario iure descendit."

Mag auch "fides" zunächst von 2 TIM. 1,5 ausgehend[226]

---

221) In II Tim. 1,5f (A.SOUTER, Pelagius's Expositions of 13 Epistles of St.Paul vol. II., Cambridge 1926, 507); zur Fortsetzung vgl. A. 231.

222) Vgl. HAAG 1318; 443; 1062. In Lystra und seiner Umgebung scheinen sich zu allen Zeiten besonders fromme und religiöse Menschen zu finden. Hielt man doch bereits Paulus und Barnabas für Götter (APG. 14, 11ff) und gelten auch heute noch die Bewohner von Konya, der einstigen Hochburg der "Tanzenden Derwische", als besonders strenggläubige Anhänger Allahs.

223) Wahrscheinlich schon auf der ersten Missionsreise bekehrt, wurde Timotheus von Paulus auf seiner zweiten Reise zum Begleiter und Helfer bestimmt (vgl. APG. 14,6ff; 16,3).

224) "Quae vera ... descendit (= relativer Satzanschluß) ... Quia prior credidit ... Quia doceri."

225) Vgl. "ad te"; "fidem tuam". Will man hier einen Namen nennen, so darf man am ehesten an Caelestius, den begeisterten Angänger des Pelagius denken. Vgl. G.BARDY, Célestius, in: DHGE 12,104-107; HHKG II/1,169.

226) Damit ist die Vorstellung vom "Einwohnen" (habitare) der "fides" vorgegeben. Einfluß auch von JAK. 2,22! Zum Verständnis des "aktu-

eher im Sinne von Glaubensakt zu verstehen sein, so darf gerade in Zusammenhang mit der Erbterminologie nicht übersehen
werden, daß Pelagius - ganz im Einklang mit dem schon gestreiften Bedeutungswandel von "fides" - das "depositum" von
1 TIM. 6,20 als "fidei depositum"[227] interpretiert. Nach den
Worten des Kommentars ging also diese "fides" - wohl ausgehend von der apostolischen Zeit eines Timotheus - durch die
"Einrichtung der Sukzession"[228] und "gleichsam nach den Regeln des Erbrechts"[229] auch auf die Zeit des Pelagius
über[230]. An der Terminologie erscheint hier die gegenseitige
Illustration von "successio" und "hereditarium ius" besonders beachtenswert, da damit die Weitergabe des Glaubens bzw.
der Tradition durch die bischöfliche Sukzession[231] klar unter den Kategorien des Erbrechts erscheint. Pelagius versteht demnach den Adressaten seiner Schriftauslegung als Erben des Timotheus.

4. Abschließend sei noch kurz eine Stelle aus der "Epistola de fide, vita et obitu Wulfilae" des Wulfila-Schülers

---

alen Glaubens" bei Pelagius H.H.ESSER, Thesen und Anmerkungen zum
exegetischen Paulusverständnis des Pelagius, in: Zwischenstation.
Festschrift f. K.Kupisch zum 60.Geburtstag, hrsg. v. E.Wolf (München 1963) 27-42, bes. 37f.

227) In I Tim. 6,20: "' O Timothee, depositum custodi'. Commendatum a
nobis serva mandatum. Sive: Fidei custodi depositum" (PLS 1,1359);
vgl. oben A. 92.

228) "Institutio" = Einrichtung, feste Gewohnheit (CIC.); zu "successio"
vgl. A. 231.

229) Zu dem oft vorkommenden Ausdruck "hereditario iure" vgl. ThLL VI,3,
2628 Z. 33ff; HEUMANN 235; oben A. 210a; unten Kap. 3. A. 27; Kap.
5 A. 139; Kap. 6 A. 296.

230) Zu "descendere" (ad heredes etc.): übergehen HEUMANN 139; zu "ad
te" vgl. A. 225.

231) Neben "successionis institutione" ist dazu auch die Fortsetzung in
II Tim. 1,6 zu beachten: "Ut resuscites gratiam dei [,quae est in
te]'. Quasi tribulationibus dormitantem. 'Quae data est tibi per in-
positionem manuum mearum'. Ad episcopatum scilicet" (SOUTER 507).
Es ist allerdings unmöglich, Caelestius (vgl. A. 225) in eine solche "bischöfliche Sukzession" einzubinden, so daß man hier den Ausdruck mit Vorbehalt betrachten sollte.

AUXENTIUS VON DUROSTORUM[232] betrachtet. Diese kleine Biographie über den bedeutenden Gotenmissionar und Bibelübersetzer Wulfila[233] ist uns in der 383 verfaßten Streitschrift des arianischen Bischofs Maximinus gegen Ambrosius[234] erhalten geblieben. Auxentius berichtet uns, wie sein verehrter Lehrer "gentem gothorum secundum evangelicam et apostolicam et profeticam regulam emendavit"[235] und geht schließlich folgendermaßen auf sein Sterben ein:

"qui et in exitu suo usque in ipso mortis momento per testamentum fidem suam describtam populo sibi credito dereliquid ita dicens: Ego ulfila episkopus et confessor semper sic credidi et in hac fide sola et vera transitum facio ad dominum meum. credo unum esse deum patrem ...".[236]

Für unsere Fragestellung ist es nicht von Belang, ob das hier angesprochene und in der Biographie überlieferte Glaubensbekenntnis (fides describta) für eine Synode in Konstantinopel (383)[237] verfaßt wurde, ob allein von Wulfila oder in Zusammenarbeit mit Demophilos und anderen Homöern[238] und

---

232) A.SEIDER, Auxentius, in: BUCHBERGER 1,861; vgl. auch Kap. 4/§ 15.8 mit A. 300; 301.

233) J.ZEILLER, Les origines chrétiennes dans les provinces danubiennes de l'empire romain (Paris 1918): Index ("Ulfila"); A.BIGELMAIR, Ulfila(s), in: BUCHBERGER 10,362-364; HHKG II/1,235ff; K.K.KLEIN, Gotenprimas Wulfila als Bischof und Missionar, in: Geschichtswirklichkeit und Glaubensbewährung, Festschrift f. Bischof F.Müller, hrsg. v. F.C.Fry (Stuttgart 1967) 84-107. (Tod des Wulfila: 382).

234) "Epistola de fide ..." = C.Ambr. 42-63 (PLS 1,703-707); kritisch überprüfter Text bei H.-E.GIESECKE, Die Ostgermanen und der Arianismus (Leipzig-Berlin 1939) 16-22. Vgl. K.K.KLEIN, Die Dissertatio Maximini als Quelle der Wulfilabiographie, in: Zeitschrift f. deutsches Altertum u. deutsche Literatur 83 (1951/52) 239-271.

235) C.Ambr. 57 (PLS 1,706); kurze Charakterisierung der Biographie bei ZEILLER 497f.

236) C.Ambr. 63 (PLS 1,707); vgl. KLEIN, Gotenprimas 94.

237) Vgl. F.JOSTES, Das Todesjahr des Ulfilas und der Übertritt der Goten zum Arianismus, in: Beiträge zur Geschichte der deutschen Sprache u. Literatur 22 (1897) 158-187, bes. 162f; zur Synode HEFELE 2,41ff.

238) ZEILLER 462f: "La confession de foi testamentaire d'Ulfila est le seul écrit dogmatique que nous puissions lui attribuer en toute certitude" (465).

auch nicht, ob sich die beschriebene Szene am Lebensende des
Wulfila tatsächlich so abgespielt hat[239]. Hier interessiert
lediglich, daß Auxentius berichtet, "dass Ulfilas den Goten
testamentarisch sein Glaubensbekenntnis hinterlassen habe"[240].
Nach Auskunft des Textes handelt es sich dabei um die "fides
sola et vera", für die Wulfila sein ganzes Leben lang eingetreten ist und mit der er nun stirbt. Dabei wird durch den
Biographen die Vorstellung vermittelt, wie der Missionar -
gleich einem Vater - sein Volk, das ihm wie ein Kind anvertraut ist, testamentarisch als den Erben seiner schriftlich[241]
niedergelegten Glaubenslehre einsetzt[242]. Mit dieser drama-
tischen Geste, die geradezu an das Testament Jesu bei JO.
14,27[243] erinnert, sollte wohl die Verpflichtung aller von
Wulfila Bekehrten auf dieses Bekenntnis[244] herausgestellt
werden. Das bedeutete für den einzelnen Goten: Die letzte
Willensäußerung des Vaters meines Glaubens verlangt das treue
Festhalten an diesem Bekenntnis, das auch für mich den "tran-
situs ad dominum" verbürgt.

§ 8. Die Unantastbarkeit des orthodoxen Glaubenserbes

So wie für die Väter an verschiedenen Stellen die Patriar-

---

239) Hierzu JOSTES 162; G.WAITZ, Über das Leben und die Lehre des Ulfila (Hannover 1840) nimmt den Text offenbar wörtlich: "Er hinterließ ein Testament, in dem er seinen Glauben noch einmal öffentlich bekannte" (49).

240) JOSTES 160.

241) Vgl. auch A. 78.

242) "Derelinquere" (hier: = relinquere): hinterlassen (HEUMANN 138);
vgl. auch AMBR., obit.Theod. 40 (unten § 9.2); PS-AUG., serm. 97 (Kap.
3 A. 36). - K.K.KLEIN, Ambrosius von Mailand und der Gotenbischof
Wulfila, in: Südostforschungen 22 (1963) 14-47: "Auf dem Totenbett
... legte Wulfila sein Glaubensbekenntnis schriftlich nieder und
hinterließ es seinem Kirchenvolk als Vermächtnis" (25).

243) Vgl. dazu § 11.

244) HHKG II/1,236: "Wulfilas Credo entsprach der Formel von Rimini
(359)".

chen und an anderen wieder die Apostel als Bezugs- und Ausgangspunkt des eigenen Glaubens gelten und mit der "hereditas"-Terminologie diese Kontinuität näher qualifiziert wird,
mit all den unterschiedlichen Akzenten von Verpflichtung, Anrecht usw., taucht insbesondere während der arianischen Auseinandersetzungen und Wirren des vierten Jahrhunderts der
Glaube von Nikaia als der Meilenstein oder besser noch als
die neue "Relaisstation" für das Glaubenserbe der apostolischen Zeit auf. Dabei scheint man ein besonderes Gewicht auf
den Aspekt der Unantastbarkeit dieses Erbes gelegt zu haben;
war es doch auf den verschiedenen Synoden[245] und durch die
schwankende Gunst religionspolitisch aktiver Kaiser immer
wieder von neuem gefährdet.

1. So sah sich auch der profilierte Vorkämpfer der Orthodoxie HILARIUS VON POITIERS nach der Niederlage der Anhänger
von Nikaia auf der Doppelsynode von Rimini - Seleukia (359)[246]
zu einem Schreiben an den homöisch gesinnten Kaiser Konstantius II.[247] veranlaßt. In diesem "Liber ad Constantium
Augustum" (359)[248], den er im Exil verfaßte, beklagt er verschiedentlich[249] den traurigen Streit um die wahre "fides"
und sieht die Sache der Orthodoxie schon dem "Schiffbruch"
nahe oder gleich einem väterlichen Erbe vergeudet, aber so
wie in beiden Fällen ein "tutus recursus" möglich ist,

---

245) HHKG II/1,17ff; I.O.de URBINA, Nicäa und Konstantinopel (Mainz
1964) 135ff; M.MESLIN, Les Ariens d'Occident 335-430 (Paris 1967).

246) HEFELE 1,712ff; HHKG II/1,48ff.

247) C.F.A.BORCHARDT, Hilary of Poitiers' Role in the Arian Struggle
('S-Gravenhage 1966) 170ff; HHKG II/1,42ff; 84ff.

248) CSEL 65,197-205; BARDENHEWER 3,384f; ALTANER-STUIBER 364; BORCHARDT
170ff; I.OPELT, Hilarius von Poitiers als Polemiker, in: VigChr 27
(1973) 203-217. 208.

249) 6,1: "Fides deinde quaeritur, quasi fides nulla sit. fides scriben-
da est, quasi in corde non sit. regenerati per fidem nunc ad fidem
docemur, quasi regeneratio illa sine fide sit ..." (CSEL 65,201);
8,2: "memento eam (sc. fidem) non in quaestione philosophiae esse,
sed in evangelii doctrina" (ebd. 203).

"... ita inter haec fidei naufragia caelestis patrimonii
iam paene profligata hereditate tutissimum nobis est primam et solam evangelicam fidem confessam in baptismo in-
tellectamque retinere nec demutare, quod solum acceptum
atque auditum habeo bene credere ...[250].

Zur Kennzeichnung der Lage spricht Hilarius also von "haec
fidei naufragia"[251], um bei dem einmal gewählten Bild von der
Schiffahrt[252] zu bleiben. Doch dann drängt sich sofort die
zweite Vorstellung[253], die offensichtlich angewandt auf die
"fides" aussagekräftiger ist, in den Vordergrund: "caelestis
patrimonii iam paene profligata hereditate"[254]. Zwar liegt
- isoliert betrachtet - der Inhalt dieser "caelestis patrimonii hereditas"[255], die schon fast vergeudet ist, nicht

---

250) 7,1: "Quod hieme undoso mari observari a navigantibus maxime tutum
est, ut naufragio desaeviente in portum, ex quo solverant, rever-
tantur, vel incautis adulescentibus convenit, ut, cum in tuenda domo sua mores paternae observantiae transgressi profusa libertate
sua usi sunt, iam sub ipso amittendi patrimonii metu solus illis
ad paternam consuetudinem necessarius et tutus recursus sit, ita
..." (CSEL 65,202). Vgl. J.H.REINKENS, Hilarius von Poitiers. Eine
Monographie (Schaffhausen 1864) 206.

251) Auch AMBR., fid. 1,6,46 spricht hinsichtlich der arianischen Wirren
von "inter naufragia fidei" (CSEL 78,20); vgl. fid. 3,1,3: "famosa
naufragia" (ebd. 108).

252) Zur weiteren Ausgestaltung dieser Metapher hinsichtlich des kirchlichen Amtes (gubernare, gubernaculum etc.) und des Petrusamtes
vgl. K.GOLDAMMER, "Navis ecclesiae", in: ZNW 40 (1942) 76-86; H.
RAHNER, Navicula Petri. Zur Symbolgeschichte des römischen Primats,
in: ZKTh 69 (1947) 1-35.

253) Es erscheint beachtlich, daß sich dieselbe Vorstellung und Terminologie, jedoch mit präziseren Bezügen auch bei HIER., ep. 15,1,2
findet: "profligato a subole mala patrimonio apud vos solos incorrupta patrum servatur hereditas" (CSEL 54,63); vgl. dazu § 28.1.

254) Durch den ablativus absolutus "... profligata hereditate" soll,
ähnlich wie durch den vorausgehenden Präpositionalausdruck "inter
...", die aktuelle Lage gekennzeichnet werden.

255) ThLL VI,3,2641 Z. 56-58. Zu der etwas eigenartigen Verbindung von
"hereditas" und "patrimonium" (HEUMANN 410) vgl. AUG., in Gal.
40,4: "non admittuntur ad hereditatem spiritualem caelestis patrimonii" (CSEL 84,109); zur weiteren Verwendung von "patrimonium" A.
177. Vgl. bes. HIER., ep. 15,1,2 (A. 253).

gleich auf der Hand, doch der ganze Kontext[256] läßt nur an
die "fides" denken. Gleichsam den Kern der schon angegriffe-
nen "hereditas", nämlich die "prima et sola evangelica fides
confessa in baptismo"[257], gilt es also festzuhalten. Wünscht
man hier noch eine weitere Präzisierung, so kann damit nur
das Bekenntnis von Nikaia[258] gemeint sein. Also bezeichnet
Hilarius den Glauben von Nikaia etwas pleonastisch als "das
Erbe" und gleichzeitig[259] als "das himmlische[260], vom Vater
überkommene Erbgut", womit hier ganz offensichtlich die auch
sonst[261] dominierenden Aspekte des Bewahrens und der Unantastbarkeit betont werden sollen.

2. Wie stark der Glaube von Nikaia die theologischen Auseinandersetzungen des ganzen vierten Jahrhunderts geprägt
hat, zeigt auch die folgende Stelle aus einem Brief, den Bischof AMBROSIUS (381) im Namen der Synode von Aquileia an

---

256) Vgl. "inter haec fidei naufragia" und dann "... fidem retinere".

257) Man beachte die vier Epitheta zu "fides". Ähnlich 4,1: "post confessam et iuratam in baptismo fidem" (CSEL 65,199).

258) Vgl. J.DOIGNON, Hilaire de Poitiers avant l'exil. Recherches sur
la naissance, l'enseignement et l'épreuve d'une foi épiscopale en
Gaule au milieu du IVe siècle (Paris 1971) 492ff.

259) Bei der Verbindung "patrimonii hereditas" handelt es sich wieder
um einen genitivus identitatis; vgl. A. 153.

260) Mit dem Adjektiv "caelestis" soll allgemein die ehrwürdige Herkunft
des mit "patrimonium" gemeinten Glaubens und Heilsgutes gekennzeichnet werden. Zahlreiche Belege für HIL. in: ThLL III, 69 Z.
26-28; 70 Z. 58-64; 72 Z. 26-28. Vgl. VINCENT.LER., comm. 6: "pro
caelesti dogmate humanae superstitiones introducuntur" (RAUSCHEN
15); HIL., ad Const. 7,1: "sed quia per temeritatem humanam usur-
pantur ad contradictionem" (CSEL 65,202).

261) Vgl. 7,1: "fidem ... retinere nec demutare" (202 Z. 14); 8,2: "quod
accepi, teneo nec demuto, quod dei est" (203,20); 4,1: "neque ...
quicquam aliud vel ambigere vel innovare" (199,9f); 4,3: "scriben-
dae atque innovandae fidei exinde usus inolevit" (199,18); 7,2: "ut
periculose tamquam sub emendatione innovetur" (202,19f). Vgl. das
bekannte Argument STEPHANs I. gegenüber Cyprian: "nihil innovetur,
nisi quod traditum est" (CYPR., ep. 74,1; CSEL 3,2,799); zur Interpretation und Bedeutung dieses Grundsatzes F.J.DÖLGER, "Nihil innovetur nisi quod traditum est." Ein Grundsatz der Kulttradition in
der römischen Kirche, in: AuC 1 (1929) 79f.

Kaiser Theodosius gerichtet hat:

"Neque plane non tamquam ex forma aliquid innovavimus: sed
sanctae memoriae Athanasii, qui quasi columen fidei fuit,
et veteris sanctitatis patrum nostrorum in conciliis definita servantes, non evellimus terminos, quos posuerunt
patres nostri, nec haereditariae communionis iura violamus: sed debitam vestro imperio honorificentiam reservan-
tes, studiosos nos pacis et quietis ostendimus."[262]

Auf die in diesem Brief angesprochenen zwei Hauptprobleme,
Beilegung des Antiochenischen Schismas[263] und endgültige Be-
seitigung der Irrlehre des Apollinarios[264], kann man auch
das angeführte Zitat beziehen. Einem einleitenden "neque"
bzw. "nec"[265] folgt, jeweils beginnend mit "sed", antithetisch die eigene (positive) Aussage. Betrachtet man nun näher den Ausdruck "haereditariae communionis iura", so ist zunächst hervorzuheben, daß der für das frühe kirchliche Leben
zentrale Terminus "communio"[266] auch in anderen Ambrosius-
briefen der fraglichen Zeit[267] eine bedeutende Rolle spielt

262) Ep. 14,7 (PL 16,995C). M.M.BEYENKA, Saint Ambrose: Letters (Washington 1967/Reprint.) übersetzt: "... we do not violate the laws
of the communion to which we are heirs, but, preserving the honor
due your power, we merely show ourselves zealous for peace and re-
pose" (225). Zu "innovare" vgl. A. 261.

263) F.CAVALLERA, Le schisme d'Antioche (Thèse Paris 1905); HEFELE 2,
36f; HHKG II/1,62f; vgl. G.MAMONE, Le epistole di S.Ambrogio, in:
Didaskaleion 2 (1924) 3-143, 141f; J.-R.PALANQUE, Saint Ambroise
et l'Empire Romain (Paris 1933) 468; 505.

264) Ep. 14,4; HEFELE 2,37; HHKG II/1,100-102.

265) Natürlich ließe sich das zweite "nec" auch als Fortführung von "non
evellimus terminos" verstehen.

266) Dazu auch Kap. 3, bes. A. 33 (Lit.); 108; 123 (hereditati = ecclesiae communicare); L.HERTLING, Communio und Primat. Kirche und
Papsttum in der christlichen Antike, in: Una Sancta 17 (1962) 91-
125; W.POPKES, Gemeinschaft, in: RAC 9,1100-1145; zu "communio" als
"Bruchteilsgemeinschaft" im römischen Erbrecht KASER 1,590f; RAC
9,1119f.

267) Ep. 12,3: "manet una et intemerata fidelium communio" (PL 16,988B);
12,4: "qui in nostra semper communione durabant" (988C); vgl. A.
269; 273; ep. 12,4: "quia communionis societas nullam debet habere
offensam" (989A); 12,5: "quibus impertienda communio quibusque ser-

und in engem Zusammenhang mit Begriffen wie "pax"[268], "concordia"[269], "unitas"[270] und "consortium"[271] zu sehen ist.
Wenn nun hier von einer "haereditaria communio" die Rede ist,
die nicht "verletzt"[272] werden soll, so kann man das als die
althergebrachte, ererbte Gemeinschaft im Glauben mit dem
Osten (Antiochien) verstehen. Mit dem Adjektiv "haereditarius" wird dabei die zeitliche "Tiefendimension" dieser "communio" und ihr Verpflichtungscharakter betont, wobei Ambrosius interessanterweise in einem anderen Brief davon spricht,

---

vanda sit" (989B); ep. 13,3: "cum Maximus episcopus Alexandrinae
Ecclesiae communionem manere secum ..." (991A); 13,5 (A. 271); ep.
14,1 (A. 271); 14,3: "ea quae communionem nostram de Orientis parte
turbaverunt" (994B).

268) Vgl. Kap. 3; L.HERTLING, Communio und Primat, in: MHP 7 (1943) 1-48,
4f.

269) AMBR., ep. 12,4: "qui semper communionis nobiscum intemeratam habu-
ere concordiam" (PL 16,989A); vgl. RAC 8,441; 444.

270) HERTLING (MHP) 5.

271) Vgl. R.GRYSON, Le prêtre selon saint Ambroise (Louvain 1968) 149-
151; AMBR., ep. 14,1: "Dolori enim erat inter Orientales atque Occi-
dentales interrupta sacrae communionis esse consortia" (PL 16,994AB);
ep. 12,4 (A. 275); ep. 13,4: "Non praerogativam vindicamus examinis,
sed consortium tamen debuit esse communis arbitrii" (992A); 13,5:
"Itaque cum Maximum episcopum receperunt in communionem nostra consortia" (992B); 13,5: "praesertim cum ab iisdem Nectarius dicitur
illico sine communionis consortio destitutus, a quibus fuerat ordinatus" (993A); EUGIPP., Sev. 21,1: "hic in consortio beati viri die-
bus aliquot remoratus" (W.BULST, Heidelberg 1948, 32; Text nach TH.
MOMMSEN, MGSS rer.Germ. 26, Berlin 1898). Zur Anwendung von "consortium" in der Trinitätslehre vgl. AMBR., spir. 2,13,153: "Unitas
igitur imperii, unitas constitutionis, unitas largitatis. Nam si
constitutionem separes et potestatem, quae erat causa, ut, quos po-
suerat apostolos Christus, poneret deus pater, poneret et spiritus,
nisi forte ut homines tamquam in consortio possessionis aut iuris
praeiudicium verebantur et ideo dividebatur operatio, distribueba-
tur imperium?" (CSEL 79,147); zu einer ähnlichen Anwendung bei TERT.
vgl. BECK 47-49. Zum erbrechtlichen Terminus "consortium" (genossenschaftliches Verhältnis der Miterben) vgl. A. 137; für das römische
Recht wäre allerdings die Verbindung "communionis consortia" undenkbar (vgl. KASER 1,590).

272) Eine erstaunlich ähnliche Terminologie bringt AMBR., fid. 3,15,128:
"Servemus igitur praecepta maiorum nec hereditaria signacula ausi
rudis temeritate violemus" (CSEL 78,152); vgl. § 8.3.

daß die "vetustae communionis ... praerogativa"[273] zu beachten sei.

Inhaltlich läßt sich diese ererbte "communio" leicht mit
der vorausgehenden Bekräftigung der nikänischen Tradition[274],
den "in conciliis definita", verbinden, d.h. es geht eigentlich um die "hereditaria communio" auf der Basis von Nikaía,
auf der Ambrosius - pauschal gesehen - auch die Lösung der
beiden angesprochenen Hauptprobleme sieht. Die "fides plena"[275] wäre als eine der Voraussetzungen der "communio" anzusprechen und m.E. auch bereits unter die etwas ominösen
"(haereditariae) communionis iura" zu subsumieren. Dies würde auch durch jene berühmte und geschichtsmächtige[276] Stelle
aus einem Brief an die Kaiser Gratian, Valentinian und Theodosius (381) bestätigt, wo es von der "Romana Ecclesia"
heißt: "inde enim in omnes (sc. ecclesias) venerandae communionis iura dimanant"[277]. Neben der "vetustae communionis
... praerogativa" als weiterer Voraussetzung könnte "iura"

273) Ep. 12,4 (A. 275); zur Stelle HERTLING (MHP) 5; DERS., (Una Sancta)
 95: "Handelt es sich doch darum, das Vorrecht der alten Mitglieder
 der Communio unverletzt zu wahren." HERTLING läßt dabei den Genitiv
 "communionis" von "sociis" abhängen. "Praerogativa": (die zuerst
 stimmende Zenturie) Vorzug, Vorrecht (HEUMANN 449).

274) Man beachte die zentrale Stellung von Athanasios in ep. 14,7 und den
 Hinweis auf die "termini" der "patres nostri". Ähnlich VINCENT.LER.,
 comm. 6: "intra sacratae atque incorruptae vetustatis castissimos
 limites" (RAUSCHEN 15). Der Plural "in conciliis" könnte neben Nikaia noch die alexandrinische Synode von 362 meinen.

275) AMBR., ep. 12,4: "Quos quidem, si fieri potest, et fides plena commendat, ad consortia nostra optemus adiungi: sed ita ut vetustae
 communionis sociis sua praerogativa servetur ..." (PL 16,989A).

276) VATIKANUM I, Pastor aeternus cap. 2: "Hac de causa ad Romanam Ecclesiam ... necesse semper fuit ... convenire ..., ut in ea sede,
 e qua 'venerandae communionis iura' in omnes dimanant, tamquam mem-
 bra in capite consociata in unam corporis compagem coalescerent"
 (DS 3057).

277) AMBR., ep. 11,4 (PL 16,986B); HERTLING (MHP) 30: "denn von dort
 (nämlich von Rom) ergiessen sich in alle (anderen Kirchen) die Rechte der ehrwürdigen Communio". Vgl. zur römischen Kirche und der
 "communio" HERTLING (Una Sancta) 112ff. Zur Stelle auch H.KOCH,
 Cathedra Petri. Neue Untersuchungen über die Anfänge der Primatslehre (Gießen 1930) 81.

noch konkrete Ausprägungen der "communio"[278] wie gegenseitige Zulassung zur Eucharistiefeier, Zusenden der Eucharistie,
Friedensbriefe und jene Vorrechte, die CYPRIAN "tectum" und
"hospitium"[279] und TERTULLIAN "nomen fraternitatis"[280] nennt,
meinen. So könnte man zusammenfassend sagen, AMBROSIUS erklärt sich bereit, all diese Rechte und Vorrechte denen ein-
zuräumen, mit denen er schon immer Gemeinschaft hatte und
die auf der Basis des Glaubens von Nikaia selbst die Voraussetzungen für diese "communio" mitbringen. Implizit ist
damit auch gesagt, daß nur der Anspruch auf die "hereditaria
communio" hat, der auch die "hereditaria fides" besitzt[280a].

3. Um diese "hereditaria fides" von Nikaia geht es AMBRO-
SIUS besonders im 3.Buch von "De fide" (380)[281], wenn er zum
Festhalten des "in tractatu fidei" niedergelegten Wortes
"homousios"[282] aufruft:

"Servemus igitur praecepta maiorum nec hereditaria signacula ausi rudis temeritate violemus. 'Librum signatum'

---

278) Vgl. dazu HERTLING (Una Sancta) 96ff; 99ff. "Iura" wäre hier wohl
am besten mit "Privilegien" wiederzugeben (vgl. GEORGES 2,501/II
B 1). TERT., praescr. 20,8f: "Probant unitatem communicatio pacis
et appellatio fraternitatis et contesseratio hospitalitatis. Quae
iura non alia ratio regit quam eiusdem sacramenti una traditio"
(REFOULE 113f; vgl. Anm. mit Lit.!).

279) Ep. 75,25: "ut venientibus non solum pax et communio sed et tectum
et hospitium negaretur" (CSEL 3,2,826 Z. 10-12); TERT., praescr. 20,
8: "contesseratio hospitalitatis" (A. 278). - Hier ist auch zu beachten, daß für die Römer "das geheiligte Band des Hospitium" nicht als
"rein persönliches" galt, sondern auch Kinder und Enkel betraf, so
daß MITTEIS 1,94 von einer "Vererbung des Hospitium" spricht (vgl.
PW 8,625).

280) TERT., praescr. 20,8: "appellatio fraternitatis" (A. 278); virg.vel.
2,2: "cum quibus scilicet communicamus ius pacis et nomen fraternitatis" (CChrL 2,1210); zu dieser klassischen Konstruktion vgl. GE-
ORGES 1,1326; "communicare" mit Dativ: Kap. 3 A. 108; 123.

280a) Diesen Zusammenhang zeigt auch gut AMBR., exc.Sat. 1,47 (§ 24 I 1).

281) BARDENHEWER 3,533f; PALANQUE 502f.

282) Fid. 3,15,125: "Haec cum lecta esset epistula in concilio Nicaeno,
hoc verbum in tractatu fidei posuerunt patres ..." (CSEL 78,151);
vgl. 3,12,96ff u. Kap. 4 A. 272; 273.

illum propheticum non seniores, non potestates, non ange-
li, non archangeli aperire ausi sunt, soli Christo expla-
nandi eius praerogativa servata est. Librum sacerdotalem
quis nostrum resignaret audeat, signatum a confessoribus
et multorum iam martyrio consecratum?"[283]

Im ersten Satz dieses Zitats finden wir den Glauben von
Nikaia mit dem traditionsreichen Ausdruck "praecepta maiorum"[284] umschrieben. Nach dem Bauprinzip eines Chiasmus korrespondiert damit die singuläre Wortverbindung "hereditaria
signacula", die offensichtlich durch das "Buch mit den sieben Siegeln" von OFF. 5[285] angeregt ist. Eine Fortführung
dieses Gedankens bildet der "liber sacerdotalis, signatus a
confessoribus"[286], der nicht mehr "entsiegelt"[287] werden
darf.

Was besagt nun die Anwendung dieser Terminologie auf das
Bekenntnis von Nikaia? Zunächst ist nicht zu übersehen, daß
die Väter "signare"[288] und besonders "signaculum"[289] schon

---

283) Fid. 3,15,128 (CSEL 78,152f); Forts. ebd.: "Quem qui resignare coacti sunt, postea tamen damnata fraude signarunt, qui violare non
ausi sunt, confessores et martyres extiterunt. Quomodo fidem eorum
possumus denegare, quorum victoriam praedicamus?" (153); zu "resignare" vgl. A. 287. Anspielung auf Rimini (359) und Paris (361);
vgl. HEFELE 1,726.

284) Vgl. AMBR., ep. 13,4: "... iure et more maiorum, sicut et sanctae
memoriae Athanasius, et dudum Petrus ... fecerunt" (PL 16,992); zu
"praeceptum": Verordnung, Vorschrift, Befehl HEUMANN 445f.

285) OFF. 5,1.3.5.9.

286) Gleichzusetzen mit dem "tractatus fidei" (A. 282) von Nikaia (Erläuterung von O.FALLER, in: CSEL 78,153, zu 40).

287) M.E. ist in fid. 3,15,128 statt "designare" (bezeichnen) zweimal
"resignare" zu lesen, wie es sich in der Mauriner-Ausgabe von 1690
findet. G.RAUSCHEN (Vincentius-Ausgabe 16) liest "dissignare" (vgl.
unten A. 296), was "einrichten", "anordnen" heißt, übersetzt jedoch: "die Siegel abzureißen" bzw."zu entsiegeln" (BKV 20,21).

288) Zu "signare" vgl. HEUMANN 540; F.J.DÖLGER, Sphragis. Eine altchristliche Taufbezeichnung in ihren Beziehungen zur profanen und religiösen Kultur des Altertums (Paderborn 1911/Reprint. 1967) 32;
43f; 180.

289) Hierzu DÖLGER, bes. 99ff; HEUMANN 540; zu "signaculum fidei" DÖL-
GER 103f.

lange vorher auf die Taufe und speziell auf das Taufbekennt-
nis angewandt haben. Hier zeigt sich erneut die auch anderweitig belegte Zuordnung von Taufglaube und Glaube von Nikaia[290], wobei - für beide Fälle - die Bedeutung von "signaculum" als Vertrag, Dekret, gesiegelte Urkunde, Testament[291]
beachtenswert erscheint. Der bei der Taufe empfangene Glaube
ist ebenso unantastbar wie der in Nikaia definierte Glaube,
ja letztlich mit ihm identisch. Berücksichtigt man nun die
Ausdrucksweise "hereditaria signacula" - eingebettet in die
übrige Unverletzlichkeits-Terminologie[292] - so wird dadurch
das Verhältnis zum Glauben von Nikaia eindeutig festgelegt:
Die späteren Generationen sind die Erben des in Nikaia von
den "maiores" und "confessores"[293] besiegelten, "versiegel-
ten" und unterschriebenen[294] Glaubens. Sie dürfen diesen
Glauben nicht mehr verändern oder ihn gar preisgeben[295], so-

---

290) HIL., ad Const. 4,1: "post confessam et iuratam in baptismo fidem"
(CSEL 65,199); 7,1: "primam et solam evangelicam fidem confessam
in baptismo ... retinere" (202). Im Synodalbrief von Konstantinopel
(382) heißt es, der "evangelische Glaube" von Nikaia müsse allen
genügen, "da er sehr alt ist und der Taufformel entspricht" (HEFE-
LE 2,38; URBINA 252; 316). Vgl. auch BACHIAR., fid. 3: "Hic est
nostrae Fidei thesaurus, quem signatum ecclesiastico Symbolo quod
in baptismo accepimus, custodimus" (PL 20,1029A).

291) Ausgehend von der üblichen "Siegelung" bei solchen Dokumenten
(DÖLGER 15f).

292) Fid. 3,15,128: "Servemus ... nec ... temeritate violemus; ... resignare coacti sunt ... violare non ausi sunt" (CSEL 78,152f). Interessant
wäre auch eine Untersuchung all jener Stellen, wo die Väter vor "teme-
ritas" (temere, temerarius etc.; HEUMANN 580) warnen; vgl. AMBR.,
ep. 13,4: "nihil temere statuendum esse" (PL 16,991B); VINCENT.LER.,
comm. 4: "paucorum temeritati vel inscitiae" (RAUSCHEN 13); 5: "unius
hominis sacrilegam temeritatem ecclesiae Christi praeponeret" (14);
8: "pro alicuius provinciolae temeraria quadam conspiratione" (17).

293) Hier dürften namentlich Hilarius und Athanasios gemeint sein; vgl.
ep. 13,4 (A. 284).

294) "Signare" könnte u.U. auch die Unterschrift auf dem Konzil meinen;
vgl.: "Quem ... postea tamen damnata fraude signarunt" (A. 283). Man
unterschied dabei sogenannte Präsenz- und Subskriptionslisten.

295) Im Anschluß an 1 KG. 21,3 hielt Ambrosius den Arianern entgegen: "hereditas maiorum fides vera est" (in psalm. 36,19; CSEL 64,85); deshalb kommt eine Preisgabe nicht in Frage. Vgl. dazu unten § 23 I 3.
Es paßt gut zu der großen Bedeutung des Glaubens von Nikaia an den

fern sie nicht in die Erbfolge des Arius[295a] abgleiten wollen.

Eine authentische Interpretation des vorgestellten Ambrosiustextes liefert uns VINCENTIUS VON LERINUM (434), indem er ihn zur Verteidigung des eigenen "amor vetustatis" anführt und gleichzeitig zur Verteidigung der "maiorum fides" aufruft[296].

4. Unter derselben Thematik der "defensio maiorum fidei" hält es VINCENTIUS (434) für seine Zeit für überlegenswert, wie sich etwa 80 Jahre früher die Anhänger von Nikaia verhalten haben:

> "Neque enim fas erat, ut tanti ac tales viri unius aut duorum hominum errabundas sibique ipsis contrarias suspiciones tam magno molimine adsererent. ... sed omnium sanctae ecclesiae sacerdotum, apostolicae et catholicae veritatis heredum, decreta et definita sectantes maluerunt semetipsos quam vetustae universitatis fidem prodere."[297]

Vincentius sieht sich in seinem eigenen Eintreten für die "vetustae universitatis fides" insofern bestätigt, als auch die Anhänger von Nikaia zur Zeit der Auseinandersetzungen um Rimini-Seleukia, insbesondere Hilarius und Athanasios[298],

---

besprochenen Stellen, daß ein Edikt im Jahre 381 ausdrücklich feststellte, das gesetzmäßig verfügte Bekenntnis vom 28.2.380 sei identisch mit der "Nicaena fides" (COD.THEOD. 16,5,6).

295a) AMBR., fid. 3,16,132 (§ 15.5).

296) Comm. 7 (RAUSCHEN 15f) zitiert fid. 2,16,141 u. 3,15,128. Hierzu F.BRUNETIERE-P.de LABRIOLLE, Saint Vincent de Lérins (Paris 1906) 15-17.

297) Comm. 8 (RAUSCHEN 17).

298) Vgl. "tanti ac tales viri", "sectantes", "confessorum principes" (comm. 8; RAUSCHEN 17). Offenbar hat G.RAUSCHEN (BKV 20,22) den Realis in "Neque enim fas erat, ut tanti ac tales viri ..." übersehen (statt: "Denn es w a r nicht recht ..." muß es heißen: " Es w ä r e nämlich nicht recht gewesen ..."). Deshalb ergibt sich in seiner Übersetzung ein Widerspruch zwischen dem ut-Satz (tatsächliches Eintreten dieser "viri" für eine häretische Minderheitsmeinung) und dem sed-Satz (Gefolgschaft derselben "viri" für die "omnes sacerdotes" von Nikaia).

lieber sich selbst preisgaben als daß sie ihre Gefolgschaft
für die "decreta et definita"[299] von Nikaia aufgegeben hätten. Deren Urheber und Verfasser, die "omnes sanctae ecclesiae sacerdotes"[300], werden in einer Apposition als die "apostolicae et catholicae veritatis heredes"[301] apostrophiert.
Damit wird das Verhältnis zwischen nikänischem und apostoli-
schem Glauben unter dem Aspekt einer Erbfolge gesehen und
die Konzilsväter von Nikaia gelten als die "Erben der apostolischen und katholischen Wahrheit"[302]. Während also das
Festhalten der nachnikänischen Zeit an Nikaia als ein "sec-
tari"[303] umschrieben wird, wird die Kontinuität, ja Identität zwischen den "decreta et definita" des Konzils und der
"veritas" der apostolischen Zeit durch die "hereditas"-Ter-
minologie noch stärker herausgehoben. So gewinnt auch das
vorausgehende Zitat aus AMBROSIUS mit den "hereditaria signacula"[304] bei VINCENTIUS eine über Nikaia zu den Aposteln
zurückreichende Dimension und muß die "hereditas"-Terminolo-

---

299) Comm. 6: "definita maiorum" (RAUSCHEN 15); vgl. oben A. 262; Kap.
4 A. 272; 273.

300) Vgl. auch AMBR., fid. 3,15,128: "Librum sacerdotalem ..." (CSEL 78,
153); "sacerdos" fungiert hier als Bezeichnung für die Konzilsväter
bzw. Bischöfe. Vgl. FORCELLINI 5,288; RAC 2,406; BRUNETIERE-LABRIOL-
LE 18: "tous les évêques de la sainte Eglise, héritiers de la véri-
té apostolique et catholique". M.GY, Bemerkungen zu den Bezeichnungen des Priestertums in der christlichen Frühzeit, in: Das apostolische Amt, hrsg. v. J.Guyot (Mainz 1961) 92-109: "Von der zweiten
Hälfte des vierten Jahrhunderts bis zum sechsten bezeichnet 'sacerdos' in der Regel den Bischof" (108).

301) "Heredes" hier verbunden mit einem genitivus obiectivus.

302) G.RAUSCHEN: "sie folgten vielmehr den Beschlüssen und Bestimmungen
aller Priester der heiligen Kirche, der Erben der apostolischen und
katholischen Wahrheit" (BKV 20,22).

303) Dazu HEUMANN 531. Vgl. dagegen BRUNETIERE-LABRIOLLE XVIIsq, wo von
einem allgemeinen "Erben" die Rede ist: "Ce que nous devons croire,
ce que nous pouvons croire, sans risque de nous y tromper, c'est ce
que 'nous n'avons pas inventé', mais ce que 'nous avons hérité' ou,
en d'autres termes, c'est ce qui a été cru en tous lieux, en tous
temps, et par tous." Dabei bleibt unklar, woher die angeführten Zitate stammen sollen.

304) Comm. 7 (RAUSCHEN 16); vgl. A. 296.

gie in engem Zusammenhang mit seiner tief verwurzelten "antiquitas"-Ideologie[305] gesehen werden.

5. Abschließend sei noch eine Stelle aus dem Brief Papst CÖLESTINs I. (432) an Klerus und Volk von Konstantinopel[306] erwähnt, wo er folgendermaßen auf die versuchte Beeinträchtigung des orthodoxen Glaubens durch Nestorios hinweist:

"illum namque ex quo erat, sicut legimus, imitatus, vobis legitimis dei filiis hereditatem conabatur auferre, quos, dicente apostolo, pro fide vestra et heredes dei et Christi nostri futuros credimus coheredes."[307]

Der heilsgeschichtliche Erbbegriff von Röm. 8,17[308] wird hier in einen völlig neuen Zusammenhang gestellt, indem der verdammte Nestorios als Sohn des Teufels[309] in Gegensatz tritt zu den "legitimi dei filii", d.h. den Anhängern von Ephesos. Die Sprechweise von einem "hereditatem auferre", angeregt durch den Schriftbezug, geht über die Vorstellung vom himmlischen Erbe weit hinaus und zielt letztlich auf die hier in Frage stehende Schmälerung des orthodoxen Glaubenserbes. Im Zuge der gut erkennbaren juristischen Überformung[310] des biblischen Erbbegriffs wird dabei die Vorstellung von Erbschleicherei und Diebstahl[311] von seiten des Hä-

---

305) Sehr interessante Belege für "mos", "antiquitas", "vetustas", "consuetudo" und für die Bedeutung der "traditio" im Gegensatz zur "innovatio" bietet und behandelt HONIG 127-144.

306) Ep. 25 (JK 388) (ACO I 2,91-98; PL 50,548-558); vgl. CASPAR 1,414f.

307) Ep. 25,1 (ACO I 2,91).

308) VULG.: "Si autem filii, et heredes: heredes quidem Dei, coheredes autem Christi" (R.WEBER 2,1758); vgl. auch § 2.

309) Wie Judas Iskariot gilt hier Nestorios als "filius perditionis" (ACO I 2,91 Z. 27) und unter Anspielung auf JO. 8,44 als Sohn des Teufels; ähnlich ep. 25,4 (92f). Vgl. auch unten Kap. 4 A. 194ff; 251; 258; 348a.

310) Zu "legitimus" vgl. HEUMANN 309f; zu beachten ist auch, daß in Röm. 8,17 von keiner "hereditas" gesprochen wird.

311) Zu "auferre": entwenden, stehlen vgl. HEUMANN 44; es geht also um einen Diebstahl der wahren Lehre und des damit verbundenen Heiles. Einen ganz ähnlichen Gedanken bringt AMBR., in psalm. 118,22,33.

retikers suggeriert. So zeigt diese Stelle nochmals deutlich
die ganze Spannweite und mitunter auch Ambivalenz der mit der
"fides" verknüpften "hereditas"-Terminologie.

§ 9. Die Kaiser Konstantin und Theodosius als Erblasser der
     "hereditas fidei"

Es verwundert inzwischen wohl nicht mehr besonders, wenn
es wiederum der "echte Römer"[312] AMBROSIUS ist, der die Vorstellung von einem Glaubenserbe auch mit dem Kaisertum verknüpft. Wie zu seiner allgemeinen Denkweise so paßt es besonders zum Charakter seiner Leichenrede auf Kaiser Theodosius
(395)[313], daß wir aus dieser Rede schon zwei zentrale "hereditas"-Stellen[314] zu behandeln hatten und nun erneut drei
Stellen[315] begegnen, wo Kaiser als Erblasser des christli-

---

wo es von den Häretikern heißt: "patrimonium coelestium scripturarum in sua furta detorquent" (CSEL 62,504).

312) BERKHOF 92: "Ambrosius war ein großer Christ. Aber er war zugleich
     ein echter Römer", H.v.CAMPENHAUSEN, Ambrosius von Mailand als Kir-
     chenpolitiker (Berlin-Leipzig 1929). Erinnert werden darf hier vor
     allem an seine Argumentation im Streit um den Victoria-Altar.

313) Vgl. ROZYNSKI, FAVEZ, L'inspiration und RUIZ beschränken sich mehr
     auf das (vermeintlich) christliche Gedankengut. So geht RUIZ am Den-
     ken eines Ambrosius völlig vorbei, wenn er meint: "Minime hic (bes.
     obit.Theod. 6ff) illud principium veterum Romanorum primitivorumque
     populorum: 'do ut des', inveniendum putamus, sed potius doctrinam
     ex S.Scriptura depromptam videndam credimus" (252; Klammerausdruck
     von mir), zumal ja gerade in diesem Punkt die scharfe Antithese: rö-
     mische Religiosität – Lehre der Schrift (bes. AT!) fehl am Platze
     ist. Zur juristischen Prägung der Rede vgl. neuerdings BONAMENTE.
     Zur Religionsgesetzgebung des Theodosius ANTON 54-58.

314) Obit.Theod. 9: "seniores nostri Abraham, Isaac, Iacob ... heredita-
     tem nobis fidei reliquerunt" (CSEL 73,376); 28: "Tamquam enim pos-
     sessonem hereditariam recipimus, quae promissa sunt nobis" (385);
     vgl. oben § 6.3 u. 6.5.

315) Obit. Theod. 2; 40; 47. In obit.Theod. 5 werden allgemein Fragen des
     kaiserlichen Testaments behandelt, die die Vertrautheit des Redners
     mit dem römischen Erbrecht (vgl. auch z.B. exc.Sat. 1,60: "Ergo
     dispensatores nos, non heredes reliquit; nam hereditas successori
     quaeritur, dispensatio pauperibus obligatur" [CSEL 73,240]; vgl.
     HEUMANN 152:"dispensator pauperum" = Armenpfleger; exc.Sat. 2,13:
     heres, coheres, successor, consors, portio) zeigen. Dabei wird mit

chen Glaubens fungieren.

1. Nach dem in heidnisch-antiker Manier geschilderten Ab-
gang[316] des "clementissimus imperator Theodosius" in das
himmlische Jerusalem, wo er sein "regnum" - lediglich in ver-
änderter Form - weiterführt, kommt der Redner auf die Hinter-
bliebenen zu sprechen:

> "Sed plurimos tamquam paterno destitutos praesidio dereli-
> quit, ac potissimum filios. Sed non sunt destituti, quos
> pietatis suae reliquit heredes, non sunt destituti, qui-
> bus Christi adquisivit gratiam et exercitus fidem, cui
> documento fuit deum favere pietati ultoremque esse perfi-
> diae."[317]

Dabei wird als Trost angeführt, daß die Untertanen und vor
allem seine Söhne nicht alleingelassen sind, sondern sich als
"pietatis suae heredes"[318] fühlen dürfen. Verstehen wir hier
"pietas"[319] zunächst als eine Tugend, so läßt sich hierzu
gut CICERO anführen, der von der "virtus" sagt: "Hanc reti-

---

folgenden Worten auf einen von Theodosius geplanten Steuererlaß eingegangen: "... promissa annonarum exigendarum relaxatio dum moratur,
facta est successio eius indulgentiarum hereditas ..." (CSEL 73,374).

316) Zu den in obit.Theod. 1 geschilderten Prodigien vgl. G.M.CARPANETO,
Le opere oratorie di S.Ambrogio, in: Didaskaleion 9 (1930) 35-156,
63ff; RUIZ 195ff; apotheosierende Elemente in obit.Theod. 56; hierzu E.DEMOUGEOT, De l'unité à la division de l'empire romain 395-410
(Paris 1951) 96.

317) Obit.Theod. 2 (CSEL 73,372). Dazu STEIDLE 98; 107.

318) J.NIEDERHUBER: "er ließ sie ja als Erben seines Frommsinns zurück"
(BKV 32,395). - Vgl. auch Nab. 3,13: "... ne ius hereditariae pietatis amittas" (CSEL 32,2,475); Abr. 2,7,41: "... quaesivit ... hereditatem iustitiae" (CSEL 32,1,596); obit.Valent. 38: "Haec est vobis, sanctae animae, hereditas pretiosior fraternae laudis et gloriae" (CSEL 73,348); 39: "et discipulo dixit: 'Ecce mater tua', hereditatem illi caritatis suae et gratiae dereliquens" (CSEL 73,
348); dazu A. 338.

319) Vgl. HIL., c.Const. 27 (§ 9.3); DASSMANN 86; OKSALA 91ff. "Pietas"
gehört ab dem ausgehenden 4.Jh. auch zur Selbsttitulatur der Kaiser. Zu "impietas" Kap. 4 A. 310.

nete ... quam vobis tamquam hereditatem maiores vestri reliquerunt"[320]. Doch berücksichtigt man, daß AMBROSIUS parallel
zur "pietas" von der "exercitus fides" spricht und die Antithese "pietas" - "perfidia"[321] gebraucht, so müßte "pietas"
nicht nur die persönliche Haltung einer demütigen Annahme
des Glaubens, sondern auch den Glaubensinhalt, nämlich den
tatsächlichen, angenommenen, rechten Glauben bezeichnen. Gerade
der abschließende Hinweis auf den die "perfidia" rächenden
Gott beleuchtet gut den mit der "hereditas"-Terminologie intendierten Verpflichtungsgedanken, wobei aber das an die "do
ut des"-Ideologie[322] erinnernde "favere" nicht zu übersehen
ist. Eine interessante Parallele bietet HILARIUS, der Konstantius II. als "paternae pietatis haeres rebellis"[323] bezeichnet, und umgekehrt spricht FILASTRIUS - in alttestamentlichem Kontext - von "heredes impietatis paternae"[324]. AMBRO-
SIUS will durch seine Worte jedenfalls unterstreichen, daß
sich besonders Arkadius und Honorius, die Söhne und universalen Erben des dahingegangenen "princeps"[325], auch als die
Erben seines Glaubens betrachten dürfen und müssen.

2. Aber ebenso wie der Redner bei den Feierlichkeiten am
40.Tag nach dem Tode des Kaisers auf dessen Söhne einging,

---

320) Phil. 4,13 (W.STERNKOPF, Berlin 1912, 55).Vgl. dazu RAC 9,1187.

321) Vgl. obit.Theod. 10: "... quia ubi perfidia, ibi caecitas est ...
     Ubi autem fides, ibi exercitus angelorum est" (CSEL 73,376); 51:
     "Exuerunt se camo perfidiae, susceperunt frena devotionis et fidei"
     (398); Kap. 4 A. 294; 307-310.

322) Zur Verbindung von "imperium" und "fides" in der Person des christ-
     lichen "princeps" vgl. unten § 25 I.

323) C.Const. 27 (PL 10,603A); vgl. § 9.3.

324) FILASTR. 132,7 (Kap. 4 A. 336a); vgl. SULP.SEV., chron. 1,51,5:
     "Amos ... paternae impietatis heres, Dei neglegens, suorum insidiis
     circumventus periit" (CSEL 1,53).

325) Obit.Theod. 5: "Nihil gloriosius exitus tanti principis habuit, qui
     omnia iam filiis tradidisset, regnum, potestatem, nomen Augusti ..."
     (CSEL 73,373).

mußte er schon allein nach den Baugesetzen eines ἐγκώμιον[326] auch auf dessen Vorfahren (maiores) zu sprechen kommen. Zu diesem obligatorischen Lob der Vorfahren[327] leitet AMBROSIUS über, indem er Theodosius "in lumine" seinen Verwandten und christlichen Vorgängern begegnen läßt[328]. Dabei bot sich ihm eine günstige Gelegenheit, "die Genese des christlichen Kaisertums zu schildern"[329] und so auch diesen Teil der Rede primär an die beiden Kaisersöhne zu adressieren[330]. In eindeutig protreptischer Zielsetzung wird dabei die "Konstantinische Wende"[331] einerseits durch die Symbolerzählung von der Kreuzauffindung durch Helena[332] und der damit verbundenen Anfertigung eines kaiserlichen Diadems und Zügels[333] und andererseits durch den Begriff "hereditas fidei" als radikaler Neuanfang[334] hochstilisiert. Die Bedeutung und Tendenz

---

326) ROZYNSKI 106f; vgl. 110ff; FAVEZ, L'inspiration 83; RAC 9,1190ff.

327) Obit.Theod. 39-40; vgl. O.FALLER 116+(CSEL 73); RUIZ 40-43; unten A. 335.

328) Obit.Theod. 39: "Manet ergo in lumine Theodosius et sanctorum coetibus gloriatur. Illic nunc conplectitur Gratianum ..." (CSEL 73,391); 40: "... quando recepit etiam filium Gratianum et Pulcheriam ... quando ei Flacilla adhaeret ... quando patrem sibi redditum gratulatur, quando Constantino adhaeret" (392).

329) ROZYNSKI 107.

330) Vgl. FAVEZ (o.c.A. 332) 186-188; O.FALLER: "Itaque tota in eo est, ut hereditas publica Theodosii ratioque eius agendi cum ecclesia continuetur in filiis" (CSEL 73,116+).

331) P.STOCKMEIER, Die sogenannte Konstantinische Wende im Licht antiker Religiosität, in: HJ 95 (1975) 1-17.

332) Damit beschäftigt sich eingehend meine (unveröffentlichte) Zulassungsarbeit (vgl. oben Einleitung A. 7). Vgl. ansonsten J.STRAUBINGER, Die Kreuzauffindungslegende (Paderborn 1912); CH.FAVEZ, L'épisode de l'invention de la Croix dans l'Oraison funèbre de Théodose par saint Ambroise, in: REL 10 (1930) 423-429, übernommen in: La consolation latine chrétienne (Paris 1937) 181-188; BERKHOF 187-189; MESOT 37-39; RUIZ; A.EBERT, Allgemeine Geschichte der Literatur des Mittelalters im Abendlande bis zum Beginn des XI.Jahrhunderts Bd. 1 (Leipzig 1889²) 165f und neuerdings bes. STEIDLE.

333) Obit. Theod. 47 (CSEL 73,396); den Anknüpfungspunkt für das "frenum" bildet das Zitat von ZACH. 14,20 in obit. Theod. 40.

334) Erwähnt sei hier nur die auffallende Parallelisierung von Helena und Maria (44), Kreuzauffindung und Erlösung (Auferstehung) (47; 49).

dieses Begriffs und seines näheren Kontexts gilt es nun zu klären.

Ganz geschickt läßt Ambrosius den verstorbenen Kaiser als letztem aus seiner Verwandtenreihe dem Konstantin[335] begegnen:

"... quando Constantino adhaeret. Cui licet baptismatis gratia in ultimis constituto omnia peccata dimiserit, tamen quod primus imperatorum credidit et post se hereditatem fidei principibus dereliquit, magni meriti locum repperit."[336]

Der verdienstvolle Platz Konstantins, sein "magni meriti locus", wird hier darauf gegründet, daß er den folgenden Kaisern[337] die "hereditas fidei" hinterließ[338]. Hier wird also

---

335) Dies (man beachte auch den doppelten relativen Satzanschluß: Cui ..... Cuius ...) würde - neben der ganzen Intention des sogenannten "Exkurses" von der Kreuzauffindung (40-51) - ebenfalls dafür sprechen, daß die Rede bereits in ihrer endgültigen Form vorgetragen wurde (so auch PALANQUE 464). Anders L.LAURAND, L'oraison funèbre de Théodose par Saint Ambroise, discours prononcé et discours écrit, in: RHE 16 (1921) 349-350; O.FALLER: "Quare existimaverim Ambrosium totam de inventione crucis narrationem post orationem ipsam addidisse ..." (CSEL 73,117[+]).

336) Obit.Theod. 40 (CSEL 73,392); vgl. A. 328. - J.NIEDERHUBER: "Wenngleich nämlich diesem erst an seinem Lebensende durch die Taufgnade Nachlaß aller Sünden wurde, erlangte er doch durch den Umstand, daß er der erste Kaiser war, welcher den Glauben annahm, und daß er den Herrschern nach ihm das Glaubenserbe hinterließ, eine hohe Verdienstesstufe" (BKV 32,414); vgl. MANNIX 78: "... and because he was the first of the emperors to believe and left after him a heritage of faith to princes, he has found a place of great merit." P.STOCKMEIER, Leo I. des Großen Beurteilung der Kaiserlichen Religionspolitik (Diss. München 1959) 69f; STEIDLE 95-99 (vgl. unten S. 442).

337) Ambrosius verwendet dafür abwechselnd "imperatores", "principes" und "reges", wobei letzteres - angewandt auf die römischen Kaiser - in §§ 40-51 9x, in der übrigen Rede jedoch nicht vorkommt. Bei "principes" ergibt sich dagegen ein Verhältnis von 4:6, bei "imperatores" 9:19. Neben anderen Gründen läßt auch dieser Befund an griechische Vorlagen denken (Kreuzauffindungslegende!).

338) Zum Genitiv in "hereditas fidei" vgl. A. 153. MANNIX 131 sieht hier m.E. zu vorschnell eine bloß metaphorische Verwendung von "hereditas" gegeben, wodurch jedes weitere Fragen nach der Tragweite einer solchen Terminologie unterbleibt. - "Derelinquere" wird als juristischer Terminus meistens bei den "necessarii heredes" verwendet,

nicht nur plötzlich der römische Kaiser - gleich einem Bi-
* schof[339] - mit der erbmäßigen Weitergabe des christlichen
Glaubens betraut, sondern er wird sogar innerhalb der Erblinie des Kaisertums als der Anfangspunkt der Erbfolge und
Erblasser dieses Glaubens gefeiert, "quod primus imperatorum
credidit."

Diese höchst bedeutsame Sicht unterstreicht AMBROSIUS ein
Stück weiter unten mit ganz ähnlichen Worten:

> "Utroque usus est Constantinus et fidem transmisit ad po-
> steros reges. Principium itaque credentium imperatorum
> 'sanctum' est."[340]

Demnach gilt Konstantin erneut als das "principium" der
christlichen Kaiser, weil er die beiden symbolreichen Reliquien, das "diadema gemmis insignitum"[341] und das "frenum"[341a]
benützte und weitergab, ebenso wie er die "fides" "ad posteros reges" übertrug: Im Hinblick auf die oben verwendete "hereditas fidei"-Terminologie erscheint es eminent wichtig,
daß auch der Terminus "transmittere" im technischen Sinn die
Übertragung der Erbschaft bezeichnet[342], so daß man hier
präzise übersetzen müßte: "er vererbte den Glauben ..."[343].

---

die vom "ius abstinendi" Gebrauch machen (HEUMANN 138; ThLL V,1,
627 Z. 72 - 628 Z. 3), während es hier im positiven Sinn, ähnlich
wie "relinquere" (hinterlassen), aufzufassen ist (vgl. obit.Valent.
39; A. 318). Belege hierzu in ThLL V,1,627 Z. 49-72.

339) Vgl. dazu unten § 23 I 2.

340) Obit.Theod. 47 (CSEL 73,396); vgl. FAVEZ, L'épisode: "Constantin a
transmis sa foi à ses successeurs: 'cet objet sacré qui se trouve
sur le mors' a marqué le commencement de l'Empire chrétien" (186).

341) Vgl. zur Ausdeutung obit.Theod. 48 und den "sponsio"-Aspekt im "fides"-Verständnis (obit.Theod. 28; oben § 6.5). Zum wechselvollen Geschick der sogenannten "Eisernen Krone" F.X.KRAUS, Der Heilige Na-
gel in der Domkirche zu Trier zugleich ein Beitrag zur Archaeologie
der Kreuzigung Christi (Trier 1868) 81ff.

341a) Ausgedeutet bes. in obit.Theod. 47 u. 51: enger Bezug zur "devotio"!

342) GEORGES 2,3194; HEUMANN 592: vgl. z.B. "ad heredem transmittere legatum" (privilegia); "in suam posteritatem transmittere hereditatem".

343) So auch J.NIEDERHUBER: "Beides nahm Konstantin in Gebrauch und vererbte den Glauben auf die folgenden Kaiser" (BKV 32,418). Ungenauer
MESOT 38 (39): "... und hinterließ den Glauben den nachfolgenden Kai-

Zur Illustrierung dieser Sicht Konstantins als Anfangspunkt und Erblasser des christlichen Glaubens für die römischen Kaiser kann ein Text des SEVERUS VON ANTIOCHIEN dienen,
in dem Konstantin als "der Anfang seiend der gläubigen Könige nach ihm"[344] gefeiert wird. Konsequent wird diese Sicht
auch von AMBROSIUS weitergeführt und von den "maiores" wieder zu Theodosius übergeleitet, wenn es heißt: "Inde reliqui
principes Christiani - praeter unum Iulianum, qui salutis
suae reliquit auctorem, dum philosophiae se dedit errori -
inde Gratianus et Theodosius."[345] Damit wird die Kontinuität
in der Erbfolge der "hereditas fidei" zwischen Konstantin
und Theodosius betont und Konstantin als der entscheidende
Bezugspunkt und gleichsam Beginn einer neuen Zeitrechnung[346]
herausgestellt, während lediglich Julian aus dieser Erbfolge herausgenommen wird[347].

Überblickt man kurz die zitierten Texte, so erscheint in
ihnen Konstantin als der Beginn einer christlichen Traditionskette[348] römischer Kaiser und als deren Erblasser im eigentlichen Sinne, während Theodosius im Blick auf seine Söh-

---

sern". MANNIX 80; "... and transmitted the faith to later kings."

344) A.BAUMSTARK, Konstantin, der "Apostelgleiche", und das Kirchengesangbuch des Severus von Antiocheia, in: Konstantin der Große und seine
Zeit, hrsg. v. F.J.DÖLGER (RQ Suppl. 19) (Freiburg 1913) 248-254, 250.

345) Obit.Theod. 51 (CSEL 73,398). Unzutreffend übersetzt in BKV 32,420:
"Von da an herrschen ein Gratian und Theodosius". Vgl. dagegen MESOT
39: "Von da an waren die übrigen Kaiser Christen, mit Ausnahme Julians, der den Urheber seines Heiles verließ und sich den Irrtümern
der Philosophie hingab. Von da an auch Gratian und Theodosius";
BERKHOF 189.

346) Man beachte den Bogen, den der Redner von obit.Theod. 40 zu 51 spannt,
und die folgende Terminologie: "primus ... credidit et post se ..."
(40); "... ac posteros reges Principium... credentium imperatorum
..." (47); "ex illo fides ..." (47); "Inde reliqui principes ...
inde Gratianus et Theodosius" (51).

347) Vgl. dagegen die andere Sicht bei HIL., c.Const. 27 (§ 9.3).

348) FAVEZ, L'épisode 187: "... montrez que Théodose n'avait fait que suiv-
re une sainte tradition"; vgl. ebd. 186-188; BROGLIE 194: "... à l'
exhorter à se maintenir dans cette tradition héréditaire de la politique chrétienne ..." und den Titel der Untersuchung von F.M.FLASCH:
"Constantin der Große als erster christlicher Kaiser" (Würzburg 1891).

ne nur ein Zwischenglied darstellt[349]. Konstantins Stellung
dagegen läßt sich hier nur mit der exzeptionellen Position
eines Abraham vergleichen, der uns ja in obit.Theod. ebenfalls als der Anfangspunkt einer "hereditas fidei"[350] begegnet. Ebenso wie in ihm ist auch in Konstantin der Glaube spä-
terer Generationen bzw. Kaiser gleichsam schon mit erwor-
ben[350a]. Dafür spricht neben der Vorstellung, daß die Söhne
jeweils den Vater repräsentieren bzw. er in ihnen weiterlebt[351] auch der auffallende Plural an einigen Stellen der
Kreuzauffindungslegende[352], der besagt, daß die "Helenae operatio"[353] nicht nur Konstantin, sondern auch seinen Nachfolgern galt. Ambrosius will also seinen Zuhörern einschärfen,
daß die Kaiser als "dépositaires d'un vénérable héritage"[354]
nicht nur ein Anrecht oder Unterpfand in der "hereditas fidei" zu erblicken haben, sondern sich nicht zuletzt aus ihrer ein-

---

349) Zu Theodosius als Erblasser des christlichen Glaubens vgl. obit.
Theod. 2 (§ 9.1).

350) Obit.Theod. 9 (§ 6.3).

350a) Vgl. damit auch die römische Vorstellung vom Erwerb von Segen und
Herrschaft (MOMMSEN, Staatsrecht; zit. unten Kap. 6 A. 39).

351) Über die Söhne des Theodosius: Obit.Theod. 6: "Ergo tantus imperator recessit a nobis, sed non totus recessit; reliquit enim nobis
liberos suos, in quibus debemus agnoscere et in quibus eum et
cernimus et tenemus" (CSEL 73,374); 36: "Sed tamen tu solus, domine, invocandus es, tu rogandus, ut eum in filiis repraesentes"
(389). Vgl. BROGLIE 192: "Le dessein est évidemment de faire voir
que si Théodose n'est plus, il revit dans les héritiers de sa race
qui doivent l'être aussi de sa foi, de ses vertus, de son génie et
de sa fortune ...". Vgl. auch unten § 23 II 1; § 26; weitere Belege aus den Panegyrici: Kap. 7 A. 18. Zu einer möglichen Übertragung
dieser Vorstellung auf die Apostel im Verhältnis zu den Bischöfen
TERT., praescr. 36,1 (Kap. 6/§ 22 A. 134).

352) Obit.Theod. 47: "... visitata est Helena, ut redimerentur imperatores" (CSEL 73,396); 50: "... nisi ut imperatorum insolentiam re-
frenaret" (398); 51: "... nisi ut omnibus imperatoribus sancto dicere spiritu videretur" (398).

353) Obit.Theod. 51 (CSEL 73,398).Es paßt gut zur Bedeutung Helenas für
Konstantin und zu der Konstantins für seine Nachfolger, wenn W.SPE-
YER bemerkt: "Ein neuer Impuls,auf G.(enealogie) zu achten, ent-
stand auch aus dem Gefühl der Dankbarkeit gegenüber den christl.
Vorfahren, die den Nachkommen den Glauben als kostbares Gut ver-
erbt hatten" (RAC 9,1220f).

354) FAVEZ, L'épisode 188.

stigen Stellung als "Pontifex maximus"[355] und vielleicht auch
aus der herkömmlichen Verantwortung für die Familiensacra[356]
eine besondere Verpflichtung für und auf das Erbe des rechten Glaubens ableitet. P. STOCKMEIER, der, soweit ich sehe,
als erster auf die Bedeutung dieser Stelle hingewiesen hat,
faßt ihre Aussage treffend zusammen, wenn er schreibt: "Glaube erscheint hier als eine Sache, die nach den Vorstellungen
des römischen Erbrechts in Besitz genommen und vererbt werden kann. Für den Kaiser entsteht dadurch die Verpflichtung,
gerade als Nachfolger Konstantins dieses Erbgut zu wahren
und im Reich für den Fortbestand zu sorgen. ... die Verpflichtung des Kaisers auf Grund des Erbgedankens illustriert aber,
wie sehr das Christentum in die juridisch-religiöse Tradition des Imperiums verwoben war."[357]

3. Haben sich nun die Nachfolger Konstantins tatsächlich
alle - mit Ausnahme Julians - als die zuverlässigen Erben
erwiesen, als die sie AMBROSIUS hinstellt? Als Antwort auf
diese naheliegende Frage ist kein Ausflug in die kaiserliche Religionspolitik des 4.Jahrhunderts[358] vorgesehen, sondern mit HILARIUS soll abschließend noch eine Stimme zu Wort
kommen, die einen eigentümlichen Kontrast zur Sicht des Mailänder Bischofs darstellt:

"... audi patris tui professam fidem, audi humanae spei
confidentem securitatem, audi haereticae damnationis pub-
licum sensum, et intellige te divinae religionis hostem
et inimicum memoriis sanctorum, et paternae pietatis hae-
redem rebellem."[359]

---

356) P.STOCKMEIER, Die Übernahme des Pontifex-Titels im spätantiken
     Christentum, in: Konzil und Papst, Festgabe f. H.Tüchle, hrsg. v.
     G.Schwaiger (München-Paderborn-Wien 1975) 75-84, bes. 76ff.

356) Vgl. oben § 4.3.

357) STOCKMEIER, Glaube 106. Vgl. nun auch den Aufsatz von STEIDLE.

358) Zur Entwicklung nach Konstantin vgl. HHKG II/1,33ff; 51ff; 63ff;
     84ff; neuerdings bes.ANTON; zu Konstantin: 39-48.

359) C.Const. 27 (PL 10,603A).

Mit diesen eindringlichen Worten stellt Hilarius dem arianerfreundlichen Kaiser Konstantius II.[360] in der Anklageschrift "Contra Constantium imperatorem" (360)[361] die Diskrepanz zwischen seinem Verhalten und dem seines Vaters Konstantin vor Augen. Im Blick auf die "patris tui professa fides", die unlösbar mit Nikaia verbunden ist[362], findet er für Konstantius unter anderen das aussagekräftige Schimpfwort[363] "paternae pietatis haeres rebellis". Konstantius wird hier zwar - mit denselben Worten wie bei AMBROSIUS die Theodosius-Söhne[364] - als der Erbe der "paterna pietas" bezeichnet, aber er ist ein "Rebell"[365] gegen das Erbe des wahren und rechtmäßigen Glaubens des Vaters, d.h. er erweist sich nicht als "pius"[366] gegenüber der "professa fides" seines Vaters und der Väter von Nikaia.

Nun klärt sich auch die etwas widersprüchliche Sicht der Kontinuität der Erbfolge bei Hilarius und Ambrosius: AMBROSIUS spricht in protreptischer Absicht von Konstantin als dem Beginn einer Erbfolge christlicher Kaiser, womit er im Jahre 395 "eo ipso" - auch unbeschadet seiner Erwähnung Julians - selbstverständlich die Verpflichtung auf das nikänische Christentum meinte. HILARIUS dagegen greift mit seiner Invektive mitten in den Auseinandersetzungen nach Nikaia Konstantius als den Protektor des Arianismus an, insofern er das Erbe der "paterna pietas", d.h. für ihn das Christentum

---

360) R.KLEIN, Constantius II. und die christliche Kirche (Darmstadt 1977).

361) OPELT, Hilarius 208-213; BORCHARDT 170ff.

362) Vgl. auch § 24 I 2.

363) OPELT, Hilarius 211; DIES., Lucifer; DIES., Die lateinischen Schimpfwörter und verwandte sprachliche Erscheinungen. Eine Typologie (Heidelberg 1965).

364) Obit.Theod. 2 (§ 9.1).

365) Vgl. LACT., inst. 2,17,12: "rebelles adversus parentem generis humani deum" (CSEL 19,174); epit. 48 (53) (ebd. 726 Z. 19).

366) Hervorzuheben ist der scharfe Gegensatz zwischen "pius" (pietas) und "rebellis"; vgl. LACT., inst. 5,8,11: "tamquam perfidi ac rebelles liberi" (CSEL 19,423); 5,18,16: "quod ipse (sc. deus) per vates suos inpiis ac rebellibus comminatur" (461). Zu "pietas" vgl.

in seiner nikänischen Ausprägung verraten hat. Dabei steht sicherlich Hilarius, natürlich auch durch den zeitlichen Kontext bedingt, mit seiner raffinierten Wortkonstellation "haeres rebellis" der historischen Wahrheit näher als AMBROSIUS mit seiner etwas pauschalen, schillernden und aus der Situation heraus idealisierenden Gesamtschau von der (nahezu) ununterbrochenen Erbfolge eines christlichen Kaisertums.

ZUSAMMENFASSUNG:

Ohne hier nochmals all die verschiedenen Aspekte anzusprechen, die die Väter mit der Terminologie "hereditas fidei", "heres fidei" u.ä. ausdrücken wollten, darf man feststellen, daß es ihnen insgesamt gesehen, sei es nun das Erbe Abrahams, der Apostel oder der Väter von Nikaia, in erster Linie darum ging, "daß etwas ursprünglich aus übermenschlicher Sphäre Empfangenes in der Geschichte anwesend gehalten wird. Und hier stellt sich das Problem der 'Identität'! ... Und wenn da keine Identität ist, dann gibt es eben für die nachgeborenen Geschlechter keine wirkliche Teilhabe."[367] Trotz dieser in sich faszinierenden Konzeption bei den Vätern stellt sich uns heute angesichts unseres Welt- und Wirklichkeitsverständnisses die Frage, "wie i n d e r G e s c h i c h t e sich Identität vollziehen kann und vollzieht."[368]

HIL., ad Const. 1,4; 2,2; c.Aux. 13, wo "pietas" als Anrede (Kurialstil) verwendet wird, u.A. 319.

367) Diskussionsbeitrag von J.PIEPER, in: RATZINGER 36.

368) RATZINGER 39 (gesperrt von mir).

3. Kapitel: "Hereditas pacis" und "hereditas Christi".

"Pax" und "unitas" als Hinterlassenschaft und

Auftrag Christi

Einen Appell mit ganz ähnlichem Charakter wie die "hereditas fidei" umschreiben einige Väterstellen mit "hereditas pacis". Diese Terminologie, die fast durchwegs im Herrenwort von JO. 14,27 wurzelt und den dort angelegten Gedanken eines testamentsähnlichen Friedensauftrags weiterführt, soll nun - nach einigen kurzen Hinweisen auf die bedeutende Rolle des Pax-Gedankens (§ 10) - im Rahmen des jeweiligen Kontextes interpretiert werden (§ 11). In Anknüpfung an die Interpretation von "pax" im Sinne von "unitas" soll schließlich in einem weiteren Abschnitt an einigen paradigmatischen Stellen gezeigt werden, wie die Väter den "Erbbesitz Christi" von PS. 2,8 als Schriftbeweis für die Universalität der Kirche einsetzen (§ 12).

§ 10. Die "pax" als zentrales Gut und Ausdruck der Orthodoxie

Vorab soll aber der überaus weite Horizont des Pax-Verständnisses im frühen Christentum[1] herausgestellt werden. Anzusetzen ist hier natürlich beim heidnisch-antiken Hintergrund des Wortes "pax"[2], das allgemein vom Verbum "pacisco" bzw. "paciscor" abgeleitet wird und so die Grundbedeutung "Herstellung eines friedlichen Zustandes zwischen Kriegführenden"[3] erhält. Für den Römer bezeichnete "pax" einen von

---

1) Vgl. dazu allgemein H.FUCHS, Augustin und der antike Friedensgedanke. Untersuchungen zum 19.Buch der Civitas Dei (Berlin 1926); RAC 8,434-505.

2) PW 18,2430-2436; RAC 8,436; 440ff; J.A.MAYER, Pontes. Begleitbuch zur Lektüre nach übergeordneten Themen (Stuttgart 1968) 91ff. W.VOGT-U.PRUTSCHER, Pax. Vertrag, Herrschaft, Ordnung, Hoffnung (Frankfurt 1977).

3) A.WALDE-J.B.HOFMANN, Lateinisches Wörterbuch Bd. 2 (Heidelberg 1938-54[3]) 231.

Menschen gemachten Zustand, der sich auf das zwischenstaat-
liche Verhältnis oder auf die innenpolitische Lage bezog[4].
Dabei ging der imperiale Charakter so weit, daß die "pax Romana" dem "imperium Romanum" gleichgesetzt wurde. Auf die
Ausprägung der Pax-Ideologie in der "Pax Augusta" bis hin
zur Errichtung der "Ara pacis Augustae"[5] oder das als "pax
deorum"[6] bezeichnete eigentümliche Verhältnis zwischen der
römischen Nation und ihren Göttern sei hier nur verwiesen.

Einen weitaus existenzielleren, aber auch unbestimmteren
Charakter besitzt demgegenüber das alttestamentliche שָׁלוֹם[7]
= "Wohlsein", "Heilsein" u.ä. und das neutestamentliche
εἰρήνη[8], das zunächst etwa denselben Bedeutungsumfang aufweist, wenn auch durch die Verknüpfung mit dem Heilsgesche-
hen in Christus das politische Element zunehmend durch ein
eschatologisches abgelöst wird.

Welchen bedeutenden Platz im Gemeindeleben der frühen
Christen der Friedensgedanke einnahm, kann man aus verschiedenen liturgischen Bräuchen und Formeln erschließen: So wurden der auf Christus zurückgeführte "Friedensgruß"[9], der sogenannte "Friedenskuß"[10] und die "Friedensbitte"[11], durchwegs
jüdische Elemente, in die Eucharistiefeier übernommen. Zu
erinnern wäre hier auch an die sepulkrale Verwendung des
Pax-Begriffs[12].

Dagegen scheint mir die enge Verknüpfung von Bußpraxis
und Pax-Gedanke, wie sie in Formeln wie "pacem dare" (habere,

---

4) RAC 8,440f; J.A.MAYER 91.

5) A.A.T.EHRHARDT, Politische Metaphysik von Solon bis Augustin Bd. 1
   (Tübingen 1959) 295.

6) EHRHARDT 1,295ff; RAC 8,439.

7) ThW 2,400-405; RAC 8,436f; 446ff.

8) ThW 2,398-400; 405-416; RAC 8,460ff.

9) ThW 2,409 Z.40ff; 410 Z.19f. RAC 8,488-490. J.PASCHER, Der Friedensgruß der Liturgie, in: MThZ 9 (1958) 34-38.

10) RAC 8,505-519; vgl. G.MALCHIODI, La lettera di S.Innocenzo I a De-
    cenzio Vescovo di Gubbio (Roma 1921) 31-37.

11) RAC 8,489-492.

facere)[13], in der Gleichsetzung von "pax" und Sündenvergebung[14] oder in den sogenannten "libelli pacis"[15] aufscheint,
eher vom römischen Pax-Verständnis her beeinflußt zu sein.

In engen Zusammenhang mit dieser Sicht kirchlicher Buß-
disziplin ist sicherlich auch die Zuordnung und Gleichsetzung von "pax ecclesiastica" und "unitas"[16] zu bringen, wie
sie im Verlauf der die Einheit bedrohenden Differenzierung
in Glaube und Disziplin zu beobachten ist. In erster Linie
diesen Aspekt wird man bei der Betrachtung der "hereditas"-
Terminologie berücksichtigen müssen, zumal man analog zu
"pax Romana" = römisches Reich die "pax ecclesiastica" der
Kirche gleichsetzte[17]. Das konträre Begriffspaar, das besonders in der Kampfschrift des OPTATUS VON MILEVE eine wichtige Rolle spielt, lautet "pax" und "scisma"[18]. Gerade der von
Optatus benützte Ausdruck "hereditas scismatis", der in anderem Zusammenhang noch zu interpretieren ist[19], muß bei der
Frage nach dem Sinn einer "hereditas pacis" präsent sein, da
mit "pax" immer wieder die Einheit der Kirche beschworen
werden soll, ganz ähnlich wie in Konstantin die "hereditas
fidei" und das "imperium" verknüpft wurden.

---

12) DACL 13,2775-2782; RAC 8,470; 484-488.

13) So bes. bei CYPRIAN; vgl. RAC 8,471f.

14) RAC 8,469.

15) RAC 8,472.

16) Bes. an den Ketzertaufstreit und die Donatistenkämpfe ist hier zu
erinnern; vgl. FUCHS 220-223.

17) Vgl. dazu FUCHS (220; 223), der darin den Gedanken der "ungestörten
kirchlichen Einheit und der vorbehaltlos anerkannten kirchlichen
Zwangsgewalt" (220) ausgedrückt sieht.

18) Bereits CYPRIAN spricht von einem "ab ecclesiae pace discedere"
(unit.eccl. 22; CSEL 3,1,230); vgl. OPTAT. 1,21: "... quod illi
priores in titulo scismatis fecerant ... illi ruperunt suis temporibus pacem, vos exterminatis unitatem" (CSEL 26,22f); COLL.ANTIAR.
PARIS. B IV 2,3: "quicumque ergo nostrae unanimitatis optat habere
consortium, quicumque individuam pacem nobiscum habere desiderat
..." (CSEL 65,158).

19) Vgl. § 16.

§ 11. Die "hereditas pacis" als Testament für die "Söhne"
des Herrn

1. Ein erstes Beispiel für dieses Denken finden wir in der
berühmten Schrift CYPRIANs "De ecclesiae unitate"[20], die er
im Jahr 251 gegen das novatianische Schisma richtete. Gegen
Ende dieses ganz vom Appell zur "unitas" geprägten Werks unterstreicht er seine Ermahnungen zur "unanimitas"[21] nochmals
mit dem Friedensauftrag des Herrn:

"inter sua divina mandata et magisteria salutaria passioni iam proximus Dominus addidit dicens: 'pacem vobis dimitto, pacem meam do vobis.' hanc nobis hereditatem dedit,
dona omnia suae pollicitationis et praemia in pacis con-
servatione promisit. si heredes Christi sumus, in Christi
pace maneamus: si filii Dei sumus, pacifici esse debemus."[22]

Cyprian bezeichnet hier den Friedensgruß bzw. Friedensauftrag Christi als eine "hereditas", wobei diese "hereditas" sowohl Verpflichtung als auch Verheißung beinhaltet;
denn die Heilszusagen werden an die Bewahrung des Friedens
gebunden und das "heredes Christi"-Sein wird in seinen Konsequenzen aufgezeigt. Die "pax" wird hier als letzte Gabe
und letzter Auftrag Christi weitgehend gegenständlich aufgefaßt, so daß die Anwendung der "hereditas"-Terminologie
hier dem allgemeinen Erbverständnis sicher nähersteht als
dem eschatologischen.

Über ein Jahrhundert später erscheint dieselbe Schriftstelle (JO. 14,27) in einem ähnlichen Kontext in dem Schreiben, das Papst SIRICIUS 386 an die Bischöfe Nordafrikas rich-

---

20) Dazu ALTANER-STUIBER 175.

21) Vgl. zu diesem Wort CSEL 65,158,19: "nostrae unanimitatis consortium" und A. 27.

22) Unit.eccl. 24 (CSEL 3,1,231); vgl. zur Stelle bes. RAC 8,471.

tet[23]. Nach der üblichen einleitenden Begründung seiner Vollmacht[24] in Petrus und der "cura" für die gesamte Kirche erfährt der Leser, daß es sich um "apostolica et patrum constitutione... constituta"[25] bzw. "statuta maiorum"[26] handle. Die
Beachtung der anschließend genannten Kirchengesetze wird dann
in geschickter Weise von der Pax-Thematik her begründet und
eingeschärft:

"Haec itaque fratres, si plena vigilantia fuerint ab omnibus observata, ... haereses et schismata non emergent
... manebit unanimitas ... pax praedicata labiis cum voluntate concordabit: pax utique Dei nostri, quam Salvator
ipse iam proximus passioni servandam esse praecepit, et
haereditario nobis iure reliquit, dicens: 'Pacem meam do
vobis, pacem meam relinquo vobis'."[27]

Das Stichwort "pax" - zunächst eine der aus der Beachtung
der Kirchengesetze resultierenden positiven Konsequenzen -
wird wie in einer Klimax hinsichtlich seines Verpflichtungscharakters immer stärker hervorgehoben, indem damit die "pax
Dei" identifiziert, indem auf den Friedensauftrag des scheidenden Herrn verwiesen und indem die "pax" als "haereditario
iure"[28] hinterlassen vorgestellt wird. Die in dem ganzen
Duktus aufkommende Angleichung, ja beinahe Identifizierung
der "pax" mit den vorgestellten Gesetzen drückt sich auch in
den juristischen Termini "observare"[29], "praecipere"[30] oder

---

23) JK 258 = ep. 5 (PL 13,1155B - 1162A). Das Schreiben war zunächst von
einer Synode an die Bischöfe Italiens gerichtet, ist in dieser Form jedoch verloren; vgl. HEFELE 2,45ff; BARDENHEWER 3,591; HHKG II/1, 264.

24) Ep. 5,1; vgl. dazu § 28.3 u. F.OBRIST, Echtheitsfragen und Deutung
der Primatsstelle Mt. 16,18f in der deutschen protestantischen Theologie der letzten dreißig Jahre (Münster 1961) 85f.

25) Ep. 5,1 (PL 13,1156A).

26) Ebd. (PL 13,1156B).

27) Ep. 5,4 (PL 13,1161B).

28) Zum Ausdruck "haereditarium ius" PW 8,1,622-648; Kap. 2 A. 229.

29) HEUMANN 382.

30) Ebd. 445.

dem an die Gesetzessprache erinnernden, dominierenden Kondi-
zionalgefüge aus. Den Höhepunkt dieser Tonverlagerung bildet
zweifellos die Vorstellung, die "pax" sei durch den scheidenden Christus per Erbverfügung (Testament), d.h. "haereditario iure" verordnet worden. Der so gewonnene immense Verpflichtungscharakter - schließlich handelt es sich ja um ein
Vermächtnis, einen Erbauftrag Christi - ist aber in der oben
geschilderten Weise auf die angesprochenen Kirchengesetze ge-
münzt. So kann Siricius am Schluß seiner Dekretale[31] im Sinne einer Strafandrohung von einem "a nostra communione sec-
lusum"[32] sprechen, was man nur dann in seiner letzten Konsequenz begreift, wenn man die enge Beziehung von "communio"[33] und "pax" in Rechnung stellt.

In weniger juristischem Ton wird JO. 14,27 an verschiedenen Stellen[34] bei PSEUDO-AUGUSTINUS als paränetischer Appell zur Einheit und Eintracht verwendet. Dabei klingt in
einigen Fällen auch die "hereditas"-Vorstellung an, wobei
der juristische Akzent jedoch verschieden stark artikuliert
ist, sei es daß der "pacificus" von MT. 5,9 als "haeres pacis" gesehen wird[35], sei es, daß die "pax" Christi als "hae-

---

31) Zur Eigenart der Dekretale H.GETZENY, Stil und Form der ältesten
Papstbriefe bis auf Leo den Großen (Tübingen 1922); CASPAR 1,261ff;
zur Strafdrohung ebd. 263.

32) Ep. 5,4 (PL 13,1162A).

33) Zu dem wichtigen Begriff der "communio" vgl. L.HERTLING, Communio
und Primat, in: MHP 7 (1943) 1-48; M.MACCARRONE, La dottrina del
Primato papale dal IV all' VIII secolo nelle relazioni con le chiese occidentali (Spoleto 1960) 84ff; G.d'ERCOLE, Communio interecclesiastica e valutazione giuridica del Primato del Vescovo di Roma
nelle testimonianze patristiche dei primi tre secoli, in: Apollinaris 35 (1962) 25-75; unten § 8, bes. A. 266. DERS., Communio - collegialità - primato e sollicitudo omnium ecclesiarum dai Vangeli
a Costantino (Roma 1964); O.SAIER, "Communio" in der Lehre des
Zweiten Vatikanischen Konzils. Eine rechtsbegriffliche Untersuchung
(München 1973).

34) Vgl. z.B. serm. 61 (PL 39,1858f); 97 (1931f); 98 (1932-1934) (abhängig von unit.eccl. 24).

35) Serm. 61,1 "Non vult filius dici, qui pacificus noluerit inveniri:
negat sibi patrem Deum, qui haeres pacis esse nequivit." (PL 39,
1858); vgl FUCHS 207.

reditarium bonum" interpretiert wird[36], bis hin zur Vorstellung der Enterbung[37].

2. Ganz juristisch mutet dagegen der Ansatz an, den AUGU-
STINUS in seiner Schrift "De utilitate ieiunii"[38] wählt. Ausgehend von der Schriftstelle[39], an der Jesus als "divisor
hereditatis" angerufen wird, wendet er sich "contra haereticos Ecclesiam dividentes"[40], wie die Überschrift in der Mi-
gne-Ausgabe lautet:

"Nos autem, carissimi, non eum rerum talium iudicem re-
quiramus, quia nec talis est hereditas nostra; pura fronte, bona conscientia interpellemus dominum nostrum, et
dicat ei unusquisque nostrum: 'Domine, dic fratri meo,
non ut dividat, sed ut teneat mecum hereditatem.' Quid
enim vis dividere, frater? Quod enim dimisit nobis dominus non potest dividi. Aurum est enim, ut stateram divi-
sionis proferat? Argentum est, pecunia est, mancipia sunt,
pecora sunt, arbores sunt, agri sunt? Omnia enim ista dividi possunt; non potest dividi: 'Pacem meam do vobis,
pacem meam dimitto vobis.' Postremo in ipsis etiam terre-
nis hereditatibus divisio minorem facit."[41]

Indem er die "hereditas nostra" abhebt von der "hereditas" der Schriftstelle und den "terrenae hereditates" überhaupt, für die das Erbrecht mit all seinen Konsequenzen

---

36) Serm. 97: "Hanc (sc. pacem) qui amaverit, Dei haeres est; qui contempserit, Christo rebellis est. Dominus enim Christus ad Patrem
remeans, haereditarium bonum, id est pacem suam, suis cultoribus
dereliquit, dicens: 'Pacem meam do vobis, pacem dimitto vobis.'"
(PL 39,1932).

37) Dazu § 3.2; Kap. 4 A. 420.

38) BARDENHEWER 4,492; D.RUEGG, Sancti Aurelii Augustini 'De utilitate
ieiunii'. A Text with a Translation, Introduction and Commentary
(Washington 1951).

39) LK. 12,13f; ausführlich zu dieser Stelle auch PETR.CHRYS., serm.
162 (PL 52,625-628).

40) PL 40,716.

41) Util.ieiun. 11,13 (RUEGG 90; vgl. 124f; CChrL 46,241).

gilt[42], unterstreicht er den einmaligen Charakter der "hereditas", um die es ihm zu tun ist. Es ist die "pax", näherhin
das "pax"-Vermächtnis Christi von JO. 14,27, wozu das "dividere" in schärfstem Gegensatz steht. Deshalb paraphrasiert
W.SELB[43] zutreffend: "Das Erbe wird nicht mit den Häretikern
geteilt" und D.RUEGGs Überschrift lautet: "The inheritance
of Christ cannot be diminished no matter how many possess
it."[44] Allerdings liegt m.E. der Hauptakzent auf dem positiven "tenere mecum" und nicht auf dem Motiv eines Erbstreits
mit den Häretikern, wie wir es bei TERTULLIAN vorfanden. Der
"hereditas"-Begriff wird hier also als Folie verwendet, um
die einzigartige Unteilbarkeit des Pax-Auftrags, d.h. auch
der Kirche und ihres Heilsbesitzes, von den übrigen "hereditates" abzuheben.

Dasselbe Thema variiert AUGUSTINUS noch an verschiedenen
anderen Stellen, wenn er etwa die "pax" als "possessio ecclesiae" und "hereditas nostra" sieht[45] oder indem er erneut JO.
14,27[46] mit juristischer Terminologie interpretiert:

"... qui ait, 'Pacem meam do vobis, pacem meam relinquo
vobis.' Hoc est testamentum patris nostri, testamentum
pacis. Quaelibet haereditas dividatur inter consortes, pacis haereditas dividi non potest. Pax nostra Christus est.
Pax facit utraque unum, non duo de uno. 'Ipse enim pax
nostra', dixit, 'qui fecit utraque unum'. Testamentum Dei
est, haereditas pax est. A concordibus consortibus possi-

---

42) D.h. dividere, minuere, lites etc.; vgl. util.ieiun. 11,12f u. RUEGG
124f.

43) Erbrecht, in: JAC 14 (1971) 182.

44) A.a.O. 16.

45) MORIN 623,17ff: "magna est possessio, quia tantum est et pretium.
Cuius possessionis pretium non video aurum, non argentum, non pecuni-
am, non praedam, non quicquid dividi potest ... possessio ecclesiae,
pax. Si dimitteret nobis argentum et aurum, divideremus inter fratres, et forte non litigaremus ... Pacem dimisit; pax est pretium
nostrum, pax est hereditas nostra, non habet lites" (nach RUEGG 125).

46) Zur Textgestalt vgl. RUEGG 29.

deatur, non a litigantibus dividatur ..."[47]

Neben der Bezeichnung "pacis haereditas" ist hier zusätzlich von einem "testamentum pacis" die Rede, wobei jedoch
beides die Aussage von JO. 14,27 prägnant umschreiben soll
und gegen die "testamenta schismaticorum" - gemeint sind die
Donatisten - gerichtet ist. Die Gleichsetzung von "pax" und
"Christus" unter Anspielung auf Eph. 2,14 führt zu einer noch
stärkeren Betonung des tragenden "unitas"-Gedankens, was
außerdem auch durch die juridische Terminologie "concordes
consortes"[48] - im Anschluß an den "hereditas"-Begriff - unterstrichen wird.

3. In konsequenter Fortführung der Erbvorstellung wird mit
der Pax-Thematik auch der Gedanke der Enterbung verbunden.
So droht AUGUSTINUS in einer Psalmen-Homilie allen, die sich
seinem Werben für "pax" und "unitas" verschließen, diese
"Sanktion" an:

"Iam veniamus ad ipsam hereditatem, fratres, quia filii
sumus. Quid possidebimus? quae est hereditas? quae patria
nostra? quid vocatur? Pax. Per hanc vos salutamus, hanc
vobis annuntiamus ... Quia filii sumus, hereditatem habe-
bimus. Et quid vocabitur ipsa hereditas, nisi pax? Et videte quia exheredati sunt qui non amant pacem. Non autem
amant pacem, qui dividunt unitatem. Pax possessio piorum
est, possessio heredum. Et qui sunt heredes? Filii."[49]

Augustinus sieht hier die "pax" als "possessio" und "here-

---

47) Serm. 47,13,22 (PL 38,310). Vgl. zur Unteilbarkeit A.HÄGERSTRÖM, Der
    römische Obligationsbegriff im Lichte der allgemeinen römischen
    Rechtsanschauung Bd. 2, Beilage 5 (Uppsala 1941) 84-173 innerhalb
    der Beilage, 102ff; 151.

48) Beachte den Gegensatz "consortes litigantes"; zu "consortes" vgl.
    HEUMANN 97. - Hier wird der Terminus eindeutig auf eine Vermögens-
    gemeinschaft - "pax" bzw. "hereditas" - angewandt. Hinzuweisen ist
    ferner auf die enge Verbindung von "pax" und "concordia" für den Rö-
    mer (vgl. RAC 8,441; 444).

49) In psalm. 124,10 (CChrL 40,1843).

ditas", wobei der Erbbegriff eng mit dem "filii"-Sein[50] verknüpft ist. Ebenso wie er diese beiden besitzrechtlichen Kategorien auf die "pax" anwendet, zögert er nicht, den Terminus technicus "exheredare"[51] auf diejenigen anzuwenden, "qui
non amant pacem ... dividunt unitatem". Allerdings erscheint
dabei - wie bei allen vergleichbaren Stellen - "pax" einerseits als Auftrag und Medium der Bewährung und andererseits
als das Gut, das gegeben (hereditas) bzw. entzogen (exheredare) wird. Der zweite Aspekt berührt m.E. vor allem den dau-
ernden Besitz und das bleibende, heilbringende Verbundensein
mit Christus und der Kirche, womit aber nur ein spezieller
Fall der bereits skizzierten, allgemeinen Ambivalenz und der
eschatologischen Komponente des Erbbegriffs[52] angesprochen
ist.

Historisch gesehen könnte Augustinus mit der Drohung des
"exheredare"[53] in erster Linie die Donatisten gemeint haben,
da er von "dividere unitatem", "conscindere unitatem"
spricht[54].

Ganz kurz sei abschließend noch auf eine Stelle bei PSEUDO-
AUGUSTINUS hingewiesen, die inhaltlich lediglich dasselbe
Thema variiert, begrifflich aber die juristische Seite noch
mehr unterstreicht[55]. Im Unterschied zu Augustinus wird an
dieser Stelle und noch deutlicher in einer von ihr abhängigen Version[56] die Enterbung durch einen regelrechten Ternar

---

50) Vgl. dazu § 11.1.

51) "durch testamentarische Anordnung jemanden von der Erbschaft, an der
er nach der gesetzlichen Erbfolge Teil gehabt hätte, ausschließen"
(HEUMANN 189).

52) Vgl. oben § 2.

53) Hiermit ließe sich u.U. auch "excommunicare" vergleichen, zumal wenn
man an den engen Zusammenhang von "communio" und "pax" denkt; vgl.
hierzu A. 33.

54) CChrL 40,1844; vgl. den ganzen Kontext in in psalm. 124,10.

55) Serm. 97 (PL 39,1932); vgl. auch A. 36.

56) PS-PETR.CHRYS., serm. 7 (47): "quoniam qui in eadem (sc. pace) non
fuerit inventus, abdicatur a Patre, exhaeredatur a Filio, nihilomi-
nus a sancto Spiritu alienus efficitur. Respuit enim munus oblatum,

von juristischen Begriffen, verbunden mit den drei göttlichen
Personen, ausgedrückt: abdicare[57] - Pater, exhaeredare[58] -
Filius, alienum[59] invenire (efficere) - idem Dominus (sanc-
tus Spiritus). Erinnert sei hierbei nur an den ganz ähnlichen
Ternar: "exheredare, abdicare, extranei" bei TERTULLIAN[60].
Daß sich hinter dieser Stelle bei PSEUDO-AUGUSTINUS ein zu-
tiefst juridisch denkender Autor verbirgt, zeigen auch Ter-
mini wie "haereditas", "testamentum" oder "cultor"[61].

Zusammenfassend läßt sich sagen, daß durch die Verbindung
der "pax"-Thematik mit dem "hereditas"-Begriff in seinen verschiedenen Ausprägungen ein bedeutsames Licht auf die Sicht
der "pax" und ihre fundamentale Funktion in der Alten Kirche
fällt, während der zum Schluß betrachtete Aspekt auch noch
eine überraschende geistige Entsprechung zu der durch Ge-
setze belegten Sanktion einer materiellen Enterbung der Häretiker darstellt[62].

Exkurs:

In Anknüpfung an die Terminologie "hereditas pacis" legt
sich ein kurzer Ausblick auf die sogenannte " D o m i n u s
p a c e m   d a t " - D a r s t e l l u n g nahe. Das Mosaik
in der rechten Nische in der Kirche S.Costanza in Rom, das
üblicherweise zu den "Dominus legem dat"-Szenen[63] gerechnet

---

qui datae legis contempserit bonum ..." (PL 52,680A; PL 39,1931).

57) Jemand nicht als den seinigen anerkennen, verleugnen; d.h. ein Kind
verstoßen, enterben (vgl. GEORGES 1,9; HEUMANN 2).

58) Vgl. A. 51.

59) Gegensatz zu "suus"; "fremd" bezogen auf Familie und Verwandtschaft
(vgl. GEORGES 1,307; HEUMANN 27).

60) Praescr. 37; dazu § 5 II.

61) Vgl. A. 36.

62) Dazu W.SELB: JAC 14 (1971) 176r.Sp.

63) Vgl. den Überblick bei W.N.SCHUMACHER, Traditio legis, in: LChrIk
4,347-351 (Lit.!) und RAC 8,502 (zur Frage der Lesart). Vgl. auch
oben Kap. 2 A. 87.

wird, bietet auf der von Christus dem Petrus überreichten
Rolle einen Text, der nach neueren Untersuchungen "Dominus
pacem dat" zu lauten scheint[64]. Ohne hier auf die Kontroverse einzugehen, sei nur angemerkt, daß zwar verschiedentlich[65]
auf den Ostergruß des Auferstandenen (LK. 24,36 nach einigen
Lesarten; JO. 20,19) hingewiesen, jedoch meines Wissens nirgends das viel näher liegende Abschiedswort JO. 14,27:
Εἰρήνην ἀφίημι ὑμῖν, εἰρήνην τὴν ἐμὴν δίδωμι ὑμῖν, beigezogen wird.

War bereits der enge Zusammenhang dieser Schriftstelle
mit der Anwendung der "hereditas"-Terminologie zu betonen, so
läßt sich auch die Mosaikdarstellung mit ihrer Aufschrift -
hier die "pax"-Lesart vorausgesetzt - in Beziehung setzen zu
Aussage und Intention des Ausdrucks "hereditas pacis" und
zur Sicht der "pax" als "hereditarium bonum", zumal in beiden Fällen eine eschatologische Komponente nicht zu übersehen ist. Mit JO. 14,27, mit Darstellung und Schriftband und
mit der "hereditas pacis" als Testament des scheidenden Herrn
soll Christus als Friedensstifter herausgestellt werden, wobei diese Stellung sicherlich mit Formen alttestamentlicher
und paganer Herrscherpanegyrik[66] gezeichnet wird.

Diese Gegenüberstellung ist nicht als Argument für eine
bestimmte Lesart zu werten, sondern sollte lediglich zeigen,
wie die betrachtete Terminologie eine sich auch noch in anderen Formen manifestierende Vorstellung wiedergibt.

---

64) Im Anschluß an G.MATTHIAE (Mosaici medioevali delle chiese di Roma
[Roma 1967] 405) treten auch E.KIRSCHBAUM (ByZ 49 [1956] 144), W.N.
SCHUMACHER ("Dominus legem dat", in: RQS 54 [1959] 1-39; vgl. Anm.
48 S.10), P.BESKOW (Rex gloriae. The Kingship of Christ in the Early
Church [Uppsala 1962] 23) ein.

65) Vgl. z.B. SCHUMACHER 10 Anm. 48.

66) Alttestamentlicher Friedensfürst (IS. 9,6) und zeitgenössisches Kaisertum spielen hier eine Rolle; vgl. RAC 8,490; 501.

§ 12. Die Universalität der als "hereditas Christi" verstandenen Kirche

Unter dem Aspekt der "unitas", der im Zusammenhang mit der "hereditas pacis" immer wieder anklang, läßt sich auch noch eine Betrachtung verschiedener Interpretationen von PS. 2,8 in das 3. Kapitel einfügen.

1. Da auch diese Schriftstelle in ihrer Bedeutung und Funktion ausgehend vom AT über das NT bis hin zur Exegese und Schriftargumentation der Väter eine große Entwicklung durchgemacht hat, soll zunächst ihre ursprüngliche Bedeutung im AT etwas betrachtet werden. PS. 2,7f lautet: "So will ich den Beschluß des Herrn verkünden: Der Herr sprach zu mir: 'Mein Sohn bist du, ich selbst habe dich heute gezeugt. Erbitte von mir, und ich gebe dir Völker zum Erbe, zu deinem Besitz die Grenzen der Erde.'"[67] Wird PSALM 2 allgemein zu den Königspsalmen oder messianischen Psalmen gezählt, so werden speziell diese Verse mit dem judäischen Krönungsritual[68] in Beziehung gebracht oder man spricht von einer Doppelbedeutung im Sinn von Inthronisationsritus und messianischem Charakter[69]. Jedenfalls wird hier der judäische König gemäß einem Beschluß des Herrn[70] als Weltherrscher gesehen, der die ganze Welt von Gott zum "Erbe" bekommt. Das hierfür verwendete hebräische Wort "naḥaláh" impliziert gleichzeitig die

---

67) MASOR.: וְאֶתְּנָה גוֹיִם נַחֲלָתֶךָ
   LXX: δώσω σοι ἔθνη τήν κληρονομίαν σου.
   VULG.: "Et dabo tibi gentes hereditatem tuam".

68) G.FOHRER, Geschichte der israelitischen Religion (Berlin 1969) 139; vgl. R.PRESS. Jahwe und sein Gesalbter. Zur Auslegung von Psalm 2, in: ThZ 13 (1957) 321-334, bes. 332f; P.L.HAMMER, The Understanding of inheritance (ΚΛΗΡΟΝΟΜΙΑ) in the New Testament (Diss.masch. Heidelberg 1958) 10 bezieht die gesamte Anrede ohne Begründung auf Israel.

69) Vgl. R.de VAUX, Das Alte Testament und seine Lebensordnungen Bd. 1 (Freiburg-Basel-Wien 1960) 177-179.

70) Nach A.ROBERT, Considérations sur le Messianisme du psaume II, in: RSR 39 (1951) 88-98, ist damit die sogenannte "Natansverheißung" von 2 SM. 7,14 gemeint.

Vorstellung von Stabilität und Dauer[71]. Diese Zusage von
Vers 8 gründet in der Adoption des Königs durch Jahwe von
Vers 7 und bedeutet die Einräumung eines universalen Herr-
schaftsrechts, das in der Sohnschaft seine Legitimation hat[72].
Diese Sohnschaft ist jedoch nicht im physischen Sinn zu ver-
stehen, sondern der König wurde durch "eine Willenserklärung
Jahwes als Sohn anerkannt und erhielt auf diese Weise einen
Anteil am Herrschaftsrecht, Besitz und Erbe Jahwes"[73].

Während im Rahmen der "hereditas"-Terminologie vor allem
die weitere Entwicklung von PS. 2,8 interessiert, steht bei
der christologischen Neuinterpretation im NT Vers 7 im Vordergrund. So begründet etwa die Taufstimme bei der Taufe Jesu mit diesem Vers den Gottessohntitel und die Amtseinsetzung Jesu[74]. Der Gedanke des Anteilhabens am universalen Erbe Jahwes dagegen klingt modifiziert in HEBR. 1,2 an, wo es
von Christus heißt: ὃν ἔθηκεν κληρονόμον πάντων . Nur mit
Vorbehalt könnte man auch LK.20,14: οὗτός ἐστιν ὁ κληρονόμος
von PSALM 2 beeinflußt denken[75].

Dagegen zeichnet der Hebräerbrief Christus eindeutig im
Anschluß an PS. 2 - so wird in HEBR. 1,5 auch das Erben seines Namens[76] mit PS. 2,7 und 2 SM. 7,14 begründet - als den
Allherrscher und den Universalerben Gottes, wobei unsere Untersuchung über die Berechtigung bzw. Bewertung der christologischen bzw. christlichen Interpretation der Schrift der
Juden kein Urteil zu fällen hat.

---

71) Dazu F.DREYFUS, Le thème de l'héritage dans l'Ancien Testament, in:
RSPhTh 42 (1958) 3-49, 8; vgl. ThW 3,773.

72) DREYFUS 42; FOHRER 138f; zum biblischen Zusammenhang von Sohnschaft
und Erbschaft vgl. ansonsten § 1.

73) FOHRER 140.

74) Dazu F.HAHN, Christologische Hoheitstitel (Göttingen 1966[3]) 343-345.

75) So etwa DREYFUS 42.

76) HEBR. 1,4: ... ὅσῳ διαφορώτερον παρ' αὐτοὺς κεκληρονόμηκεν
ὄνομα.

2. In ähnlicher Weise, wie im AT Israel als der Erbteil
Jahwes gesehen wurde[77], taucht bei einigen Vätern die Bezeichnung des "neuen Israel", der "ecclesia" als "hereditas"
auf. Dabei bildet teils diese Parallelisierung, teils PS. 2,8
den Anknüpfungspunkt für diese Kennzeichnung.

Nehmen wir als erstes eine Stelle aus der gegen den aria-
nerfreundlichen Kaiser Konstantius gerichteten Streitschrift
"De non conveniendo cum haereticis"[78] des LUCIFER VON CALA-
RIS:

"spiritus sanctus dixerit ore David in tricesimo secundo
psalmo: 'dominus dissipavit consilia gentium, reprobat
autem cogitationes populorum et reprobat consilia principum'. consilia vero vestra contra suam prolata ecclesiam
reprobat deus; nec enim potest odire populum suum, hereditatem suam, et amare vos filios pestilentiae, vos persecutores servorum suorum."[79]

Entsprechend der bedeutenden Rolle, die das AT bei den
Vätern spielt[80], wird die Religionspolitik des Kaisers mit
den "consilia gentium" bzw. "principum" des Psalms verglichen und wird er selbst zu den "filii pestilentiae"[81] gezählt, während die verfolgte "ecclesia sua" als der neue
"populus suus" auch die neue "hereditas sua" bildet. An dieser Stelle ist m.E. klar der Bezug zur alttestamentlichen
Begrifflichkeit ersichtlich, so daß man hier nicht sogleich
nach Art eines Abstractums pro concreto[82] "hereditas" mit

77) Vgl. dazu § 1.
78) BARDENHEWER 3,471.
79) 5 (CSEL 14,13).
80) Vgl. z.B. E.DASSMANN, Die Bedeutung des Alten Testaments für das Verständnis des kirchlichen Amtes in der frühpatristischen Theologie, in: Bibel und Leben 11 (1970) 198-214.
81) Vgl. dazu auch Kap. 4 A. 373.
82) Vgl. H.KORNHARDT, Beiträge aus der Thesaurus-Arbeit VI: hereditas, in: Philologus 95 (1943) 287-298, 297.

"heredes" gleichsetzen kann, wie es W. HARTEL tut[83].

Dasselbe gilt wohl von der Stelle aus der 357/58 verfaßten Verteidigungs- bzw. Angriffsschrift "De sancto Athanasio"[84] desselben Verfassers:

> "desine iam criminari Athanasium vel nos quod enim nos dei
> destruamus domum, quando invenias apud Zachariam te atque
> contyrannos tuos esse descriptos, quod enim futuri esse-
> tis dei hereditatis persecutores vos, quos dicit supra
> modum vobis usurpasse potestatem."[85]

Mit "contyranni" und "persecutores" dürfte neben Konstantius noch Julian gemeint sein, der 355 als Caesar den gallischen Reichsteil übernommen hatte. Der Ausdruck "dei hereditas" steht hier eindeutig an Stelle von "ecclesia" und rückt
damit die Kirche als das neue Israel in ein besonders enges
Verhältnis zu Gott.

Beinahe von einer festen Terminologie bei LUCIFER könnte
man sprechen, nachdem derselbe Ausdruck in einem vergleichbaren Kontext nochmals auftaucht:

> "non despicis re vera conviperinos tuos Arrianos, natos
> videlicet de inpuderato patre vestro diabolo; diligis
> fratres tuos, quia hos videas tibi proximiores ... hos
> socios atque participes ad dei delendam hereditatem in
> tuo regno habes"[86].

Durch die Bezugnahme auf den "diabolus" als "pater" der
Arianer[87] wird hier der Gegensatz zur "dei hereditas" noch
deutlicher.

---

83) CSEL 14,363 (Index).

84) Vgl. hierzu BARDENHEWER 3,472.

85) 1,37 (CSEL 14,131).

86) Athan. 1,43 (CSEL 14,142f).

87) Vgl. dazu Kap. 4 A. 196.

88) PS. 15,5: "Dominus pars hereditatis meae et calicis mei: tu es qui
    restitues hereditatem meam" (R.WEBER 1,783f). MT. 5,4: "Beati mites:
    quoniam ipsi (hereditate; AUG.) possidebunt terram" (R.WEBER 2,1531).

3. Neben Lucifer bringt besonders AUGUSTINUS "ecclesia"
und "hereditas" miteinander in Verbindung. So handelt er PS.
5,1 ausgehend vom "titulus": "Pro ea quae hereditatem accipit" in verschiedenen Variationen unter der "hereditas"-The-
matik ab. Nachdem er mit MT. 5,5 und PS. 15,5[88] zeigen zu
können glaubte, daß im "titulus" die "ecclesia" als Empfän-
gerin der "hereditas" gemeint sei, geht er zu einem anderen
Aspekt dieser Beziehung über:

"Dicitur et hereditas Dei vicissim ecclesia secundum illud: 'Postula a me, et dabo tibi gentes hereditatem tuam.'
Ergo hereditas nostra Deus dicitur, quia ipse nos pascit
et continet; et hereditas Dei dicimur, quia ipse nos administrat et regit. Quapropter vox ecclesiae est in hoc
psalmo vocatae ad hereditatem, ut et ipsa fiat hereditas
Domini."[89]

Augustinus sieht also in PS. 2,8 die Kirche als "hereditas Dei" bezeichnet, was er mit "dicimur" sodann gleich auf
die Glieder der Kirche bezieht. Die Sicht der "hereditas
Dei" wird etwas erhellt durch die Begründung "quia ipse nos
administrat et regit". Damit wäre "hereditas" etwa im Sinne
von "Besitz" verstanden, über den Gott Leitungsbefugnis besitzt, womit die Deutung sogar dem alttestamentlichen Verständnis von PS. 2,8 nahekäme.

In einer Auslegung zu PS. 78 kommt er nach längeren Aus-
deutungen von "populus Israel" = "hereditas Dei", wofür er
auch Röm. 11,1.2 und PS. 93,14 anführt, darauf zu sprechen,
daß auch der "vetus populus" schon "ecclesia" genannt worden
sei und fährt dann fort:

"Haec igitur ecclesia, haec hereditas Dei ex circumcisione et praeputio congregata est, id est ex populo Israel

---

89) In psalm. 5,1 (CChrL 38,19).

et ex ceteris gentibus"[90].

In diesem Gedankengang wird die Grundlegung der Identifizierung von "ecclesia" und "hereditas dei" wohl am deutlich-
sten. In dem Satz "Hanc hereditatem non moriens Pater Filio
reliquit; sed ipse Filius eam sua morte mirabiliter adquisi-
vit, quam ressurectione possedit"[91] kündigt sich schon der
Ausdruck "hereditas Christi" an, ohne daß hier jedoch PS. 2,8
im Spiele wäre.

Dagegen bildet diese Schriftstelle den Mittelpunkt der
folgenden Argumentation in "Contra litteras Petiliani":

"quod enim dictum est de impiis, hoc vos ad Christi hereditatem convertere conamini et hoc esse factum nefanda
impietate contenditis. cum enim de impiis ille loqueretur,
ait: 'pereat pars eorum a terra.' cum autem vos dicitis
illud quod scriptum est: 'dabo tibi gentes hereditatem
tuam' et: 'commemorabuntur et convertentur ad dominum universi fines terrae' iam istam promissionem perisse de terra. in Christi hereditatem retorquere vultis quod de sorte praedictum est impiorum; sed manente atque crescente
Christi hereditate, cum ista dicitis, vos peritis."[92]

In diesem Streit um die Anwendung von Schriftworten auf
die beiden Parteien spricht Augustinus von den Donatisten
als "impii" und den Katholiken als "Christi hereditas"[93].
Dabei erscheint letztere Bezeichnung bereits vor dem Zitat
aus PS. 2,8, gründet jedoch sicher in ihm. In der Ergänzung

---

90) In psalm. 78,3 (CChrL 39,1100); vgl. damit HIL., in psalm. 67,12:
"Atque ut secundum praeparatam dulcedinem pauperi vel ecclesiae congregatio, quae hereditas deo est, vel apostolicae praedicationis sig-
nificatum esse intellegeretur eloquium" (CSEL 22,287).

91) AUG., in psalm. 78,3 (CChrL 39,1101).

92) 2,39,94 (CSEL 52,78).

93) Vgl. dazu auch eine Stelle im "Liber regularum" des Donatisten TYCO-
NIUS: "Non enim sicut quidam dicunt, in contumeliam regni Dei, in-
victaeque haereditatis Christi, quod non sine dolore dico" (1; PL
18,16B) und AUG., ep.ad. cath. 8,20: "'dabo tibi gentes hereditatem
tuam et possessionem tuam fines terrae.' quis enim christianus um-

"manente atque crescente" spielt auch hier schon der Gedanke der Universalität[94] herein, der das aus PS. 2,8 abgeleitete "ecclesia"-Verständnis im Sinne einer "hereditas Christi" zu einem wichtigen Kampfinstrument in der Auseinandersetzung mit dem Donatismus machte.

4. Daß bei dieser Auseinandersetzung selbst juristische Kategorien angewandt wurden, zeigen manche Äußerungen bei AUGUSTINUS. In einem Brief aus der Frühzeit, adressiert an seinen Freund Generosus[95], befaßt er sich zunächst mit den Urkunden und Quellen aus den Anfängen des Donatismus und fährt dann fort:

> "Quamquam nos non tam de istis documentis praesumamus quam de scripturis sanctis, ubi hereditas Christi usque ad ter-
> minos terrae promissa est in omnibus gentibus. unde isti
> nefario schismate separati iactant crimina in paleam
> messis dominicae ...".[96]

Den "ista documenta" des Donatismus-Streits werden nun die "scripturae sanctae" gegenübergestellt, die hier gleichsam als die Erburkunde für die "hereditas Christi" gesehen werden, da sie die wichtige Zusage von PS. 2,8 enthalten. Aus dem folgenden "unde ... separati" geht ganz klar hervor, daß damit die "ecclesia (catholica)" identifiziert wird[97].

In den Mittelpunkt eines regelrechten Rechtsstreits rückt

---

quam dubitavit hoc de Christo esse praedictum aut hanc hereditatem aliud quam ecclesiam esse intellexit?" (CSEL 52,254).

94) Auch GN. 22,18 wird gerne mit dem Gedanken der Universalität verbunden; vgl. c.Petil. 2,8,20.26; 2,31,73; 2,36,84; 2,39,93; 2,65,146; 3,50,62.

95) Vgl. dazu auch Kap. 4 A. 375.

96) Ep. 53,6 (CSEL 34,2,156).

97) So auch in ep. 53,6: "... cogitent, quanta caecitate et quanta insania dicant orbem terrarum ignotis Afrorum criminibus esse maculatum et hereditatem Christi, quae promissa exhibita est in omnibus gentibus, peccatis Afrorum per contagionem communicationis fuisse deletam ..." (CSEL 34,2,157).

die "hereditas" bzw. "possessio" von PS. 2,8 in der Predigt,
die AUGUSTINUS unmittelbar vor der berühmten Konferenz von
411 in Karthago[98] hielt. Obwohl der ganze "sermo" von juristischen Kategorien geprägt ist[99] und als solcher vorzustel-
len wäre, soll hier nur die tragende Argumentation im Streit
zwischen der "ecclesia catholica" (totum) und der "pars (Donati)" zur Sprache kommen:

> "Habemus verba Domini pro illa (sc. ecclesia), et pro no-
> bis. 'Dominus', inquit, 'dixit ad me: Filius meus es tu,
> ego hodie genui te. Postula a me, et dabo tibi gentes hae-
> reditatem tuam, et possessionem tuam fines terrae.' Quare
> ergo, fratres, de possessione litigamus, et non potius
> sanctas tabulas recitamus?"[100]

Wenn Augustinus das AT bzw. PS. 2,7f als "(sanctae) tabu-
lae" bezeichnet, so verwendet er damit den rechtlichen Terminus technicus für "Testamentsurkunde"[101]. Die "ecclesia"
wird damit als "hereditas" (possessio) gesehen und die "causa possessionis"[102] wird mit PS. 2,8 angegeben. Im Folgenden
wird dann der Besitz und der Besitzer näher erläutert:

> "Interpello enim Dominum meum, fateor, interpello. Non
> tamen dico, 'Domine, dic fratri meo, ut dividat haeredita-
> tem mecum': sed dico 'Domine, dic fratri meo, ut teneat
> mecum unitatem.' Ecce possessionis huius tabulas recito,
> non ad hoc ut solus possideam, sed ut fratrem meum mecum
> nolentem possidere convincam. Ecce tabulas, frater: 'Po-
> stula ...' Christo dictum est. Nobis ergo dictum est, quia
> Christi membra sumus ... Ecce totum tene quod in tabulis.

---

98) Dazu G.G.WILLIS, Saint Augustine and the Donatist controversy (London 1950) 70ff; W.H.C.FREND, The Donatist Church. A movement of pro-
test in Roman North Africa (Oxford 1952) 275ff u. nun WISCHMEYER.

99) Dazu gehören Begriffe wie lis, litigator, litigare, iudex, possessio,
contentio, excludere, adversarius, interpellare.

100) Serm. 358,2 (PL 39,1586); vgl. zu diesem Serm. WILLIS 69f; FREND 277.

101) HEUMANN 577.

102) D.h. der Rechtsgrund, aus welchem jemand seinen Besitz ableitet (HEU-
MANN 60).

Quaeris inter quem et quem possideas, quomodo solent in-
strumentis quaeri possessores, inter quos sint affines.
Qui tibi dedit omnes fines, nullos dimisit affines."[103]

Bei dem Besitz handelt es sich also um eine universale
"possessio", so daß es keine Grenznachbarn (affines) geben
kann. Die Worte der Testamentsurkunde gelten primär Christus,
aber sekunkär auch den Katholiken, insofern sie "Christi mem-
bra" sind. Entsprechend der Thematik "De pace et charitate"
will Augustinus den rechtmäßigen Besitz der "ecclesia" auf-
weisen und gleichzeitig die "pars Donati" zur "unitas" ein-
laden.

Damit wandelt Augustinus ganz in den Spuren eines OPTATUS
VON MILEVE, der bereits im 2.Buch seines Werks gegen Parmenianus[104] unter dem Thema "quae sit una ecclesia" den Donatisten angesichts ihrer "Alleinvertretungsansprüche" ein "in
angustum coartare ecclesiam"[105] vorwirft:

"tota est donata terra cum gentibus, totus orbis Christo
una possessio est. hoc probat deus, qui ait: 'dabo tibi
gentes hereditatem tuam et possessionem tuam terminos
terrae' ... pater dum donat, nihil excipit ... Christus
vos cum ceteris in societatem regni caelestis invitat et
coheredes sitis hortatur, et vos eum in hereditate sibi
a patre concessa fraudare laboratis, dum Africae partem
conceditis et totum terrarum orbem, qui ei a patre donatus est, denegatis."[106]

Optatus hält den Donatisten vor, durch ihren Anspruch,
ihre afrikanische "Teilkirche" sei die reine, wahre "ecclesia", Christus das ihm zustehende Erbe, den "totus terrarum
orbis", d.h. die universale "ecclesia" vorzuenthalten. So
wird auch hier wieder PS.2,8 geschickt als Argument für die

---

103) Serm. 358,2 (PL 39,1587).
104) Vgl. hierzu unten § 16.
105) 2,1 (CSEL 26,33).
106) 2,1 (CSEL 26,34).

"universitas" der "hereditas Christi" und damit als Argument
für die "ecclesia catholica" verwendet.

In demselben Sinn wirft AUGUSTINUS Petilianus vor, die
Donatisten versuchten die "hereditas Christi" "ad exiguam
partem terrae redigere"[107] und in einer Homilie zum Johannes-
brief aus der Osterwoche des Jahres 416 stellt er wieder die
Frage nach der Schuld an der Spaltung:

> "Aut ipsi a nobis exierunt, aut nos ab ipsis. Sed absit
> ut nos ab ipsis: habemus enim testamentum dominicae hae-
> reditatis, recitamus, et ibi nos invenimus, 'Dabo tibi gen-
> tes haereditatem tuam, et possessionem tuam terminos ter-
> rae.' Tenemus haereditatem Christi: illi eam non tenent;
> non communicant orbi terrarum, non communicant universi-
> tati redemptae sanguine Domini ... Securi sumus de unita-
> te haereditatis. Quisquis huic haereditati non communicat
> foras exiit."[108]

Das "testamentum dominicae haereditatis"[109] stellt bei der
Beantwortung dieser Frage ein wichtiges Beweismittel dar.

---

107) C.Petil. 2,92,210 (CSEL 52,135); vgl. 2,31,71: "Augustinus respondit: Tu doce potius, universus orbis terrarum, qua diffusa est hereditas Christi, et illa tot gentium multitudo, ubi apostoli ecclesias
fundaverunt, quando baptizandi amiserit potestatem" (60). In psalm.
119,7: "Quis nostrum clamat a finibus terrae? Nec ego, nec tu, nec
ille, sed a finibus terrae ipsa tota ecclesia, tota hereditas Christi clamat; quia ecclesia hereditas eius, et de ecclesia dictum est:
'Postula a me ...'" (CChrL 40,1783); ep. 23,2: "novi etenim, quae
sit ecclesia catholica. gentes sunt hereditas Christi et possessio
Christi termini terrae. nostis et vos aut, si non nostis, advertite"
(CSEL 34,1,65); ep. 49,2: Quoniam ecclesiam eius, quae catholica
dicitur, sicut de illa prophetatum est, per orbem terrarum diffusam
videmus, arbitramur nos non debere dubitare de tam evidentissima
completione sanctae prophetiae, quam dominus etiam in evangelio con-
firmavit ..." (CSEL 34,2,140f); ep. 49,3: "Quaerimus ergo, ut nobis
respondere non graveris, quam causam forte noveris, qua factum est,
ut Christus amitteret hereditatem suam per orbem terrarum diffusam et
subito in solis Afris nec ipsis omnibus remaneret" (CSEL 34,2,142).

108) In epist. Joh. 3,7 (PL 35,2001).

109) Vgl. dazu auch serm. 358,2 und A. 101.

Insofern die Donatisten nicht in "communio"[110] mit dem "orbis terrarum" leben, haben sie die "hereditas Christi" nicht
in Besitz. Die Gleichung: orbis terrarum = hereditas Christi
= ecclesia catholica stellt hier wieder die Beweisgrundlage
dar. Es gibt nur die Alternative zwischen "huic haereditati
communicare"[111] und "foras exire"[112]. Durch den Rekurs auf
das Testament des Herren-Erbes, d.h. PS. 2,8 soll wiederum
die Universalität und der Absolutheitsanspruch der katholischen Kirche unterstrichen werden, die sich gleichzeitig
selbst als dieses universale Erbe und die einzig rechtmäßige Verwalterin des Herren-Erbes versteht.

5. Die "unitas" mit diesem Erbe kann nach AUGUSTINUS auch
nicht durch den Besitz der heiligen Schriften[113] aufgewogen
werden. Auf diese Weise soll der Vorwurf der "traditio" von
seiten der Donatisten entkräftet werden:

"maior liber noster orbis terrarum est; in eo lego com-
pletum, quod in libro dei lego promissum: 'Dominus', inquit, 'dixit ad me: ... postula a me et dabo tibi gentes
hereditatem tuam et possessionem tuam terminos terrae.'
huic hereditati qui non communicat, quoslibet libros teneat, exheredatum se esse cognoscat; hanc hereditatem
quisquis expugnat, alienum se esse a familia dei satis
indicat. certe de traditione divinorum librorum vertitur
quaestio, ubi hereditas ista promissa est. ille ergo cre-
datur testamentum tradidisse flammis, qui contra volunta-

---

110) Zu diesem Begriff vgl. A. 33.

111) Vgl. zu dieser Ausdrucksweise auch c.Petil. 2,58,132: "quia illi
sacrilegum schisma fecerunt non communicando parti Donati, attende
quae loca teneatis et cuius hereditati non communicetis ..." (CSEL 52,
92); 2,8,20: "huic hereditati communica et obice mihi de testamento
quod voles" (31); ep. 43,25: "huic hereditati qui non communicat ..."
(CSEL 34,2,107); vgl. dagegen c.Petil. 2,8,20: "ecce a qua hereditate
vos alienatis, ecce cui heredi resistitis" (CSEL 52,33).

112) Zu Augustins analog formulierter Aufforderung "cogite intrare" vgl.
A.MANDOUZE, Saint Augustin: L'aventure de la raison et de la grâce
(Paris 1968) 384ff.

113) Vgl. dagegen die Argumentationsweise bei TERT., praescr. 15; 19.

tem litigat testatoris."[114]

Augustinus setzt hier in seinem Brief dem Vorwurf des "testamentum tradidisse flammis" entgegen, es käme in erster Linie auf das "communicare"[115] mit der in diesem "testamentum"
verheißenen "hereditas" an, womit sicher die "unitas" mit der
"ecclesia catholica" gemeint ist. Jeder andere muß sich nach
Augustinus als "exheredatus", d.h. "enterbt" betrachten[116].

Daß hier konsequent in den Kategorien des Erbrechts[117] gedacht wird, geht auch daraus hervor, daß der Autor dem "non
communicare" ein paralleles "expugnare" an die Seite stellt.
Dieses Wort bedeutet als Fachausdruck so viel wie "anfechten", insbesondere in Bezug auf Testamente gebraucht[118]. Wer
sich bei der in Frage stehenden "hereditas" dieses Vergehens
schuldig macht, der ist in den Augen Augustins ein "alienus
a familia dei"[119], was vom Satzaufbau her und auch etwa im
Sinn dem "exheredatus" entspricht. Beide Ausdrücke erhellen
sich somit gegenseitig. Zieht man auch noch andere Stellen
aus diesem Brief bei[120], so wird klar, daß mit dieser Verwendung von PS. 2,8 ein wichtiger Appell zur "unitas" intendiert ist, der sich an der eben betrachteten Stelle ausgehend von der "hereditas" des Psalms vorwiegend in juristischen Begriffen artikuliert.

---

114) Ep. 43,25 (CSEL 34,2,107).

115) Dazu A. 111.

116) Dazu A. 53 und Kap. 4 A. 420.

117) Auch die Begriffe "testator" = Testamentserrichter (HEUMANN 584)
und "litigare" = vor Gericht streiten (HEUMANN 318) gehören hierher.

118) HEUMANN 197.

119) "Familia" fügt sich konsequent zum "hereditas"-Gedanken; zu "alienus"= keinen Teil an etwas habend vgl. HEUMANN 27.

120) Ep. 43,21: "conscinditur unitas Christi, blasphematur hereditas
Christi, exsufflatur baptisma Christi ... nos eis obicimus furorem
schismatis, rebaptizationis insaniam, ab hereditate Christi, quae
per omnes gentes diffusa est, nefariam separationem" (CSEL 34,2,
102f); 43,24: "non enim nobis displicent, quia tolerant malos, sed quia
intolerabiliter mali sunt propter schisma, propter altare contra altare, propter separationem ab hereditate Christi toto orbe diffusa,

Derselbe Appell zeigt sich auch an einer Stelle in dem bereits mehrfach erwähnten Werk des AUGUSTINUS gegen Petilianus:

"... cur non pro unitate Christi quae toto terrarum orbe diffusa est, de quo praedictum est quod 'dominabitur a mari usque ad mare ...' et quod praedictum est videtur ac probatur impleri, cur ergo non pro ista unitate vera et plenaria lex illius hereditatis agnoscitur, quae de communibus codicibus personat: 'dabo tibi gentes hereditatem tuam et possessionem tuam terminos terrae?'"[121]

PS. 2,8 wird hier mit dem Ausdruck "vera et plenaria lex illius hereditatis"[122] umschrieben und quasi als juristisches Argument für die "unitas" angeführt.

Ein Stück weiter unten trifft dann AUGUSTINUS eine grundsätzliche Unterscheidung zwischen Donatisten und Katholiken:

"haec dicens non attendisti quod te utique movere deberet, quomodo fieri posset, ut nos testamentum incenderemus et in ea hereditate consisteremus quae illo testamento conscripta est; vos autem mirum est testamentum servasse et hereditatem perdidisse. nonne in eo testamento scriptum est: 'postula a me...' huic hereditati communica et obice mihi de testamento quod voles."[123]

Ganz ähnlich wie in ep. 43 der Besitz der "hereditas" (Katholiken) dem Besitz der "libri" (Donatisten) gegenübergestellt wurde, wird hier das "in hereditate consistere" - die "hereditas" von PS. 2,8 wird wieder auf die "ecclesia

---

sicut tanto ante promissa est" (106).

121) C.Petil. 1,12,14 (CSEL 52,12f); vgl. den Rekurs auf diese Stelle c.Cresc. 3,24,27: "... quam recte dixerim: si pro unitate partis Donati in nefario schismate baptizatos nemo rebaptizat, cur non pro unitate Christi vera et plenaria lex illius hereditatis agnoscitur" (CSEL 52,433).

122) "plenarius" = vollständig, auf das Ganze lautend; "lex" (hereditatis) ist hier wohl im Sinne von "die autonomische Willenserklärung" oder die "Nebenwillenserklärung, welche jemand einer Gabe beifügt und welcher sich der Empfänger durch die Annahme unterwirft" gemeint (HEUMANN 312).

123) C.Petil. 2,8,20 (CSEL 52,31).

(catholica)" gedeutet - dem "testamentum" entgegengesetzt.
Die formale Argumentation wird durch den Rekurs auf den viel
wichtigeren Inhalt abgetan, um so den Vorwurf des Petilianus,
man habe das "testamentum" preisgegeben[124], zu entkräften.
Wiederum wird der Aufruf zum "huic hereditati communicare"[125],
d.h. zur "unitas", zum Mittelpunkt dieses "Schriftbeweises"
und der Gegner als Besitzer eines wertlosen Testaments hingestellt.

6. Die Vorstellung von der "hereditas Christi" bezieht
AUGUSTINUS nicht nur in die Argumentation gegen die Donatisten mit ein, sondern sie bildet geradezu eine feste Bezeichnung der "ecclesia catholica":

"Nisi forte expectatis a me, ut etiam de Manicheo quae
interposuit refellantur. qua in re nobis non displicet
nisi quia pestilentiosissimum et perniciosissimum errorem,
id est Manicheorum haeresem, omnino levissima et prope
nulla reprehensione culpavit, quem veritatis fortissimis
documentis catholica expugnat. hereditas enim Christi in
omnibus gentibus constituta adversus omnes exheredatas
haereses tuta est."[126]

Hier wirft Augustinus dem Donatisten Petilianus eine zu
große Schonung der Manichäer vor, während die "(ecclesia)
catholica"[127] "veritatis fortissimis documentis" gegen diesen Irrtum vorgehe. Ohne Überleitung bezeichnet er sie dann
als "hereditas Christi", wobei nur noch die Explizierung "in
omnibus gentibus constituta" den Ausgangspunkt in PS. 2,8
erahnen läßt. Die Begründung für dieses Vorgehen[128] liefert

---

124) Vgl. c.Petil. 2,8,17 und § 16.1.

125) Vgl. dazu A. 111.

126) C.Petil. 1,26,28 (CSEL 52,21).

127) Zu "catholica" ist hier wahrscheinlich "ecclesia" zu ergänzen.

128) Formuliert als "expugnare" (vgl. A. 118; ob auch hier die spezielle Bedeutung "anfechten" zutrifft, ist fraglich).

die allgemeingültige Aussage, die "hereditas Christi" sei
"tuta"[129] "adversus omnes exheredatas haereses". Mit dieser
Ausdrucksweise greift Augustinus auch hier die juristische
Vorstellung von der Enterbung auf[130], wie wir sie bereits
bei der Pax-Thematik vorfanden. In der engen Antithese zur
"hereditas Christi"[131] werden somit die Häresien von jeder
Verbindung mit Christus und von jedem Anspruch auf PS. 2,8 ausgeschlossen, während sich die katholische Kirche als "hereditas Christi", d.h. als Besitz und Erbteil Christi versteht
und damit in enger Verbindung zu Christus und seinem Heils-
wirken weiß.

Damit kommt neben der "universitas" und der "unitas" ein
weiterer, sicherlich alle "hereditas Christi"-Stellen[132] be-
treffender Aspekt zum Tragen, der - wurzelnd in der Israel-
Erbe-Jahwes-Vorstellung - die enge Bindung an Christus und
damit die Abgrenzung nach außen, den Ausschluß[133] der anderen, betrifft.

---

129) HEUMANN 598f.

130) Vgl. dazu bes. AUG., serm. 1,2 (CChrL 41,4); dazu auch § 3.2; in
psalm 49,4 (CChrL 38,577).

131) Zur selben Antithese zwischen Kirche und Judentum vgl. AUG., ep.
69,1: "Molitus est quidem adversarius Christianorum per carissimum
atque dulcissimum filium nostrum fratrem tuum catholicae matri,
quae vos in hereditatem Christi ab exheredata praecisione fugientes pio sinu suscepit ..." (CSEL 34,2,243f); im übrigen vgl. 69,1:
"quid enim laudabilius et Christianae caritati commodatius quam
derelicta Donatistarum vesana superbia ita hereditati Christi co-
haerere, ut testimonium humilitatis amore probaretur unitatis?"
(244).

132) Gemeint sind hier die in § 12 behandelten Texte. Als weitere Texte,
die in ähnlicher Weise von PS. 2,8 ausgehen, wären zu nennen: HIL.,
in psalm. 2,22 (CSEL 22,53f); 2,31 (60); 2,43 (70); 67,11 (286);
67,19 (294); OPTAT. 2,1 (CSEL 26,33); 3,1 (67); AMBR., exam. 1,5,
19 (CSEL 32,1,16); AUG., ep. 52,4 (CSEL 34,2,151); 87,9 (404f);
157,39 (486); in psalm. 47,7 (CChrL 38,544); 81,7 (CChrL 39,1140);
126,9 (CChrL 40,1863).

133) Vgl. auch c.Petil. 2,8,20: "ecce a qua hereditate vos alienatis,
ecce cui heredi resistitis!" (CSEL 52,33); § 3.2; Kap. 4 A. 420.

4. Kapitel: "Hereditas perfidiae"

Die Erbfolge der Ketzer

Das im Anschluß an PS. 2,8 aufgezeigte Bemühen der "Orthodoxie", den Gegnern den Besitz der "hereditas Christi" - begriffen als eschatologische Heilsverheißung oder als diese
verbürgende wahre Glaubenslehre, beides konkretisiert in der
Kirche - abzusprechen, das wir unter etwas anderen Vorzeichen und mit rein juristischen Kategorien durchgeführt auch
bereits bei TERTULLIAN vorfanden[1], soll nun noch unter einem
weiteren Blickwinkel behandelt werden.

Könnte man zunächst versucht sein, ein eigenes Kapitel
unter dem Schlagwort "hereditas perfidiae" im Hinblick auf
die Thematik als etwas abwegig zu beurteilen, so ist dagegen
- ganz abgesehen von der auch heute noch gültigen Grundkon-
zeption von W. BAUER[2] - einzuwenden, daß gerade auch aus der
apologetisch-polemischen Behandlung "häretischer" Glaubens-
strukturen durch "orthodoxe" Kreise deren eigene Denkkategorien und Terminologie aufscheinen können, die aber ihrerseits wieder zum Teil in den bekämpften Positionen ihren Ursprung haben.

So findet sich im Binnenbereich des frühen Christentums,
besonders aber natürlich in der Auseinandersetzung mit dem
Heidentum das interessante Phänomen, daß die einstige "Waf-
fenschmiede" mit ihren eigenen "Waffen" bekämpft und das als
"Nachäffung" disqualifiziert wird[3], worin man selber wurzeln
könnte, erstaunliche, aber allzu menschliche Eigenheiten,
denen man näher nachgehen sollte.

---

1) Vgl. § 5 II.

2) W.BAUER, Rechtgläubigkeit und Ketzerei im ältesten Christentum (Tübingen 1964[2]).

3) Vgl. z.B. TERT., praescr. 40,2-6 (REFOULE 144-146); hierher gehört
auch die sogen. "Diebstahlstheorie". Dazu E.MOLLAND, The Conception
of the Gospel in the Alexandrian Theology (Oslo 1938) 52-67; B.WEISS
(o.c.S. 442) 214-217. Vgl. auch unten A. 142.

Insofern sich unser "Häretikerkapitel"[4] aber darauf beschränkt, aufzuzeigen, wie und mit welchen Absichten durch
genealogische Konstruktionen (§ 13) und durch Anwendung der
"hereditas"-Terminologie (§§ 14-16) disqualifizierende Abhängigkeiten und Zusammenhänge innerhalb von "Irr"-lehren und
"Irr"-lehrern hergestellt werden, soll die Anordnung des 4.
Kapitels am Ende des I. Hauptteils auch bereits die Verwei-
sung auf den II. Hauptteil der Untersuchung signalisieren.

§ 13. Herkunft und Darstellung der sogenannten Ketzerstammbäume

I. Antike Philosophenschulen und frühchristliche Häresie

Wenn nun in einem ersten Abschnitt, der sich diesem genealogischen Denken zuwendet, zunächst von antiken Philosophenschulen (I) und dann von Ketzerstammbäumen (II) die Rede
sein wird, so soll damit nicht das die ganze Kirchengeschichte durchziehende Problem einer geistigen Affinität von Häresie und Philosophie angegangen werden, sondern die genannte
Zuordnung gründet in konkreten Zusammenhängen innerhalb unserer Thematik: 1. Begrifflichkeit: αἴρεσις - Häresie, 2.
Schematisierung und Stammbaumbildung - Ketzerstammbäume, 3.
Bezeichnung der Philosophen als Patriarchen der Häretiker,
4. διάδοχος - Begriff in den Philosophenschulen - Erbfolge
der Ketzer.

Aus dieser Zuordnung resultiert auch die Auswahl einiger

---

4) An allgemeiner Literatur zur Häresie im frühen Christentum ist neben
   W.BAUER zu nennen: A.HILGENFELD, Die Ketzergeschichte des Urchristen-
   tums urkundlich dargestellt (Leipzig 1884); J.BROSCH, Das Wesen der
   Häresie nach den altchristlichen Quellen (Diss. Würzburg 1935); S.L.
   GREENSLADE, Schism in the Early Church (New York 1953); G.L.PRESTIGE,
   Fathers and Heretics (London 1954); H.E.W.TURNER, The Pattern of
   Christian Truth. A Study in the Relations between Orthodoxy and Heresy in the Early Church (London 1954), vgl. dazu auch den Anhang in
   W.BAUERs 2.Aufl. 288ff; L.GOPPELT, Die apostolische und nachapostolische Zeit (Göttingen 1966[2]) 112ff; F.WINKELMANN, Großkirche und Häresien in der Spätantike, in: Forschungen und Fortschritte 41 (1967)
   243-247; E.WOLF, Häresie: RGG 3,13-15; H.KÖSTER, Häretiker im Urchristentum: ebd. 17-21; J.SCHIRR, Motive und Methoden frühchristli-

weniger Teilaspekte aus dem Problemkreis der antiken Philosophenschulen[5], die bei der Behandlung der sogenannten Bischofslisten[6] noch eine Ergänzung erfahren sollen. Gleichzeitig
kommt in dieser Reihenfolge in gewissem Maße auch die Linie
der Abhängigkeit: Philosophie - Häresie - Orthodoxie zum Aus-
durck, wie sie etwa H. v. CAMPENHAUSEN[7] vertritt. Er meint
auch, daß die "terminologische Beziehung" "der sachlichen,
historischen und soziologischen Verwandtschaft"[8] von Philosophie und Häresie (Gnosis) entspricht.

1. Ausgehend von diesem Gedanken soll zunächst kurz das
tatsächliche L e h r e r - S c h ü l e r - V e r h ä l t -
n i s in den Philosophenschulen betrachtet werden, um dann
das Vorgehen der konstruierenden Philosophengeschichtsschrei-
bung analog zur Arbeitsweise frühchristlicher Häresiologen
zu skizzieren.

Soweit die Nachrichten historisch zuverlässig sind, läßt
sich eine wechselnde Betonung der Zugehörigkeit zu einer be-

---

cher Ketzerbekämpfung (Diss.masch. Greifswald 1976); zur Häretikerge-
setzgebung H.H.ANTON, Kaiserliches Selbstverständnis in der Religionsgesetzgebung der Spätantike und päpstliche Herrschaftsinterpretation
im 5. Jahrhundert, in: ZKG 88 (1977) 38-84.

5) Vgl. hierzu F.ÜBERWEG, Grundriß der Geschichte der Philosophie Bd. 1
(Berlin 1926[12]); E.ZELLER, Die Philosophie der Griechen in ihrer geschichtlichen Entwicklung I/II (Leipzig 1876/1889); H.I.MARROU, Geschichte der Erziehung im klassischen Altertum (Freiburg-München 1957)
56f; 103ff; O.GIGON, Grundprobleme der antiken Philosophie (Bern-München 1959) 87ff; ARTEMIS-LEXIKON 2308f; A.M.JAVIERRE, El tema literario de la sucesion en el Judaismo, Helenismo y Christianismo primitivo (Zürich 1963) 65-86.

6) Vgl. § 22.7.

7) "Es darf ... nicht überraschen, daß der Gedanke der Überlieferung und
ihrer namentlichen Garantie zunächst nicht dort auftaucht, wo man sich
'katholisch' fühlt, sondern vielmehr im gegnerischen Lager" aus dem
ausgezeichneten Aufsatz: Lehrerreihen und Bischofsreihen im 2.Jahrhun-
dert, in: In memoriam E.Lohmeyer, hrsg. v. W.Schmauch (Stuttgart 1951)
240-249, 243; vgl. 248; DERS. ganz ähnlich hinsichtlich des Schrif-
tenkanons: Ursprung und Bedeutung der christlichen Tradition, in: Im
Lichte der Reformation 8 (1965) 25-45; 40f.

8) Lehrerreihen 244.

stimmten Schule und der persönlichen Bindung an einen Meister im Sinn eines engen Lehrer-Schüler-Verhältnisses feststellen. So können wir etwa bei den unteritalischen Pythago-
reern des 6.Jh. v. Chr. bereits eine regelrechte Schule "mit
bestimmten Zutrittsbedingungen, Lehrgängen und Lehrzielen"[9]
feststellen, während im 5.Jahrhundert allgemein wieder eine
stärkere Tendenz zum Anschluß an bestimmte Philosophen sichtbar wird, nach denen man sich dann als Herakliteer, Parmenide-
er, Anaxagoreer usw. bezeichnet.

In beiden Fällen ist aber eine Vorliebe für die Verwendung von genealogischen oder familiären Bezeichnungen zu beobachten, so etwa wenn GELLIUS von der Schule des Pythagoras
schreibt: "Ordo atque ratio Phythagorae ac deinceps familiae
[et] successionis eius recipiendi instituendique discipulos
huiuscemodi fuisse traditur."[10] Einen Höhepunkt persönlicher
Bindung erlebt das Lehrer-Schüler-Verhältnis aber in SOKRA-
TES was sich im platonischen Verständnis des Eros[11], an der
Methode des sokratischen Dialogs und dem Inhalt vieler pla-
tonischer Dialoge zeigt. Entsprechende Folgerungen ließen
sich auch aus manchen Bekehrungs- bzw. Berufungsgeschichten
im Umkreis des Sokrates ziehen[12], wo z.B. Xenophon am Ende
eines Gesprächs mit den Worten "Also folge mir und lerne es!"
berufen wird. Schließlich wird auch der Nachfolger des Schul-
oberhauptes, des Scholarchen, von den Schulmitgliedern gewählt oder - besonders für unseren Zusammenhang bedeutsam -
vom Vorgänger mit letztwilliger Verfügung ernannt, wobei
letzteres fast immer mit der Vererbung der Bücher verbunden
war[12a]. Nicht nur seine bekannte Bezeichnung als

---

9) GIGON 87.

10) GELLIUS 1,9,1 (C.HOSIUS, Stuttgart 1967, Vol. 1,59).

11) In besonderer Weise thematisiert im "Symposion"; vgl. dazu J.B.LOTZ,
    Die drei Stufen der Liebe (Frankfurt 1971) 159ff; 173f.

12) GIGON 71f.

12a) Zu dieser Nachfolgeordnung vgl. ZUMPT, Die Athenischen Philosophen-
     schulen und die Succession der Scholarchen daselbst, in SB (Berlin
     1842) 211-213; TH.GOMPERZ, Die angebliche platonische Schulbiblio-

διάδοχος[13], die dem Erbrecht entstammt, sondern auch die Charakterisierung des Platon-Nachfolgers Speusippos als "philosophiae quasi heres" und des Antiochos-Nachfolgers Aristos
als "(Academiae) heres" bei CICERO[14] oder auch noch die aussagekräftige Wortverbindung "Pythagoricarum doctrinarum heredes" in einem Brief des Philosophen und Presbyters CLAUDIA-
NUS MAMERTUS (+ 474) aus Vienne[14a] lassen das Streben nach
einer "gleichsam genealogische(n) Fortpflanzung der Lehrüberlieferung vom ursprünglichen Lehrer zu dessen Schülern und
späteren Schulvorstehern"[15] erkennen.

2. Angesichts dieser Verhältnisse und der Terminologie kann
es nicht verwundern, wenn in der Philosophiegeschichtsschrei-
bung[16], speziell in den Schulgeschichten[17] in großem Umfang
der Versuch unternommen wird, ausgehend von tatsächlichen

---

thek und die Testamente der Philosophen, in: SB philos.-hist.Cl.
141 (Wien 1899) VII.Abh., bes. 5ff.

13) Dazu und zum Begriff der διαδοχή vgl. Lit. unter § 22.2.

14) Ac. 1,17: "Nam cum Speusippum sororis filium Plato philosophiae quasi heredem reliquisset..." (O.PLASBERG, Stuttgart 1922,.7); Brut.
332: "illa vetus Academia atque eius heres Aristus" (H.MALCOVATI,
Leipzig 1965, 105). Aristos war der Bruder und Nachfolger des akademischen Philosophen Antiochos von Askalon.

14a) Ep. 2 (CSEL 11,204,13f); CLAUD.MAM. sagt von Platon: "ac usque Pythagoricarum doctrinarum [per] heredes indefessus rerum scrutator ac-
cessit", um so dem Rhetor Sapaudus das Bildungs- und Tugendstreben
der Vorzeit vor Augen zu führen; zur Stelle vgl. F.BÖMER, Der lateinische Neuplatonismus und Neupythagoreismus und Claudianus Mamertus
in Sprache und Philosophie (Leipzig 1936) 97ff. Vgl. auch: "modo tu
fac memineris docendi munus tibi a proavis et citra hereditarium
fore" (CSEL 11,205,19f). Zu CLAUD.MAM. vgl. den instruktiven Art.
von W.SCHMID, in: RAC 3,169-179; zum Brief P.COURCELLE, Les lettres
grecques en occident de Macrobe à Cassiodore (Paris 1948²) 223f.
Eine ähnliche Stelle bei MART. 9,47,3: "quasi Pythagorae loqueris
successor et heres".

15) CAMPENHAUSEN, Lehrerreihen 243.

16) Dazu GIGON 93ff; zu den sogen. Doxographen ARTEMIS-LEXIKON 773 und
bes. H.DIELS, Doxographi Graeci (Berlin 1879).

17) GIGON 98ff; RAC 2,409-410 (L.KOEP); vgl. auch die Tabelle über die
Sukzession der Scholarchen in Athen bei ÜBERWEG 398ff.

Abhängigkeiten und Lehrer-Schüler-Beziehungen regelrechte
L e h r e r r e i h e n aufzustellen und D i a d o c h e n -
l i s t e n der Schulhäupter zu konstruieren, wie wir es bei
dem Alexandriner SOTION, dem Archegeten der Diadochē-Schrift-
stellerei, zuerst beobachten können.

Dabei werden selbst jene Philosophen, die in keinem eigentlichen Schulzusammenhang stehen, in einen solchen Stammbaum
integriert und auch ganze Schulen untereinander in Zusammenhang gebracht[18]. Aus der Vielzahl der sich teilweise wider-
sprechenden Gruppierungen und Schematisierungen ist am be-
kanntesten die Einteilung in eine jonische und italische Philosophie mit Thales bzw. Pythagoras als Gründerfiguren und
die ebenfalls in der Philosophiegeschichte des DIOGENES LAER-
TIOS überlieferte Einteilung in zehn αἱρέσεις[19].

Aus den für uns noch feststellbaren Hilfskonstruktionen
und Verzerrungen der Wirklichkeit läßt sich in etwa als Tendenz dieser Schematisierungen feststellen: 1. das auch in der
Wirklichkeit gegebene Bestreben, durch die διαδοχή der Schulhäupter den Zusammenhang mit den Ursprüngen zu sichern, 2.
das bereits mit ARISTOTELES anhebende Bemühen, in einer Zusammenschau von Problemgeschichte und Schulgeschichte systematische Einheit "personell, also in gegenseitigen Lehrer-
Schüler-Verhältnissen" zu konkretisieren[20], 3. den Versuch,

---

18) GIGON 98.

19) Vgl. E.SCHWARTZ, Diogenes Laertios, in: PW 5,738-763, bes. 754ff;
    GIGON 99f; eine Stelle aus dem Werk des Bischofs AETIOS (ca. 393-
    458), plac. 1,3,1: Δοκεῖ δὲ ὁ ἀνὴρ οὗτος [sc. Thales] ἄρξαι τῆς
    φιλοσοφίας, καὶ ἀπ' αὐτοῦ ἡ 'Ιωνικὴ αἵρεσις προσηγορεύθη.
    ἐγένοντο γὰρ πλεῖσται διαδοχαὶ φιλοσοφίας (DIELS 276). Eine
    Fortsetzung dieser Philosophen-Diadochēn findet sich auch bei CLEM.
    ALEX., strom. 1,14,62.64 (GCS 52,39,14ff; 40,16ff; 41,5ff); 2,21,130
    (ebd. 184,18ff), der bereits auch eine häretisch-gnostische und eine
    apostolische Diadochē kennt.

20) GIGON 99.

durch Verbindung mit herausragenden Gründerpersönlichkeiten
wie Sokrates eine Schule besonders zu autorisieren oder umgekehrt das eigene System zu retten, indem Sokrates einfach
den Naturphilosophen Archelaos als Lehrer erhält[21], 4. die
besondere Auszeichnung jener (Gründer-) Philosophen, die an-
geblich selbst keinen Lehrer hatten[22].

3. Bevor ähnliche Tendenzen im Bereich der Häresie aufzuzeigen sind (II.), soll im Rahmen einer allgemeinen Zuordnung
von Philosophie und frühchristlicher Häresie[23] - ausgehend
von der Bezeichnung der Philosophenschulen als αἱρέσεις zunächst ganz kurz die terminologische Beziehung und Entwicklung von α ἵ ρ ε σ ι ς [24] u n d " H ä r e s i e" zur Sprache kommen.

Die in hellenistischer Zeit überwiegende Bedeutung im Sinne von "Lehre" und "Schule"[25] hatte sich aus der klassischen
Bedeutung von αἵρεσις (von αἱρεῖν = nehmen, herausnehmen) als
Einnahme, Wahl, Entschluß, Vorsatz entwickelt und implizierte damit die soziologische Komponente einer sich abgrenzen-
den Gemeinschaft. Diese Anwendung auf eine Gemeinschaft findet sich auch im jüdischen Bereich, wobei freilich die religiösen Schulbildungen der Juden wie Essener, Sadduzäer und
Pharisäer weiterhin unter dem Aspekt griechischer Philosophenschulen betrachtet werden. Beträchtlicher Einfluß für
die Bedeutungsentwicklung dürfte dann auch von dem hebräischen Äquivalent מִין [26] in Anwendung auf abweichende Richtun-

---

21) So bei DIOG.LAERT.; vgl. GIGON 101.

22) Unausgesprochen steht dahinter die Vorstellung eines direkten Kon-
takts mit den Göttern, worin letztlich auch die ganze antike "antiquitas"-Ideologie gründet; vgl. § 4.1.

23) Eine systematische Untersuchung dieser Frage steht noch aus. Auch
SCHIRR geht darauf nicht weiter ein.

24) Vgl. dazu den instruktiven Überblick mit Stellenmaterial von H.
SCHLIER, in: ThW 1,180-183; ansonsten BROSCH 9ff; M.MEINERTZ,
Σχίσμα und αἵρεσις im Neuen Testament, in: BZ N.F. 1 (1957) 114-
118; SCHIRR 7-13.

25) Vgl. die Stellen bei SCHLIER, a.a.O. 180.

26) Dazu SCHLIER, a.a.O. 181.

gen des Judentums und schließlich sogar Andersgläubige aus-
gegangen sein. Während die APOSTELGESCHICHTE[27] im Sprachgebrauch noch ganz vom jüdischen Hintergrund geprägt ist, resultiert - nach der allerdings etwas zu dogmatisch formulier-
ten Sicht von H. SCHLIER - das paulinische Verständnis ganz
aus "der neuen Situation, die durch das Auftreten der christlichen ἐκκλησία geschaffen wurde"[28], so daß ἐκκλησία und
αἵρεσις zu zwei Gegenbegriffen werden, die sich auf Grund
des universalistischen Volk-Gottes-Bewußtseins und des privaten, sich absondernden Parteienstrebens gegenseitig wider-
streiten.

Dieser Gedanke ist auch bei den APOSTOLISCHEN VÄTERN und
den APOLOGETEN präsent, bei denen aber gleichzeitig das "Bewußtsein der inneren Verwandtschaft der Häretiker mit den
profanen Philosophenschulen oder den jüdischen Sekten"[29] in
den Vordergrund tritt und αἵρεσις weitgehend den Sinn von
"Häresie" annimmt, obgleich später sogar noch Konstantin
ganz unbefangen von der αἵρεσις καθολική[30] sprechen kann. Für
die Entwicklung der folgenden Jahrhunderte könnte man als
Stichpunkte angeben: Einfluß der lateinischen Bibelüberset-
zungen mit abwechselnder Transkribierung bzw. Übersetzung
von αἵρεσις als "haeresis" bzw. "secta"[31], etymologische Er-

---

27) APG. 5,17; 15,5; 26,5; 24,5; πρωτοστάτης τῆς τῶν Ναζωραίων
αἱρέσεως wird Paulus an letzterer Stelle von dem jüdischen Rhetor
Tertullus genannt, was er offensichtlich auf Grund eines polemischen
Untertons in κατὰ τὴν ὁδὸν ἣν λέγουσιν αἵρεσιν (APG. 24,14)
umbiegt; vgl. dazu BROSCH 10ff; SCHLIER, a.a.O 181, 26ff; MEINERTZ
116.

28) SCHLIER, a.a.O. 182,10f; allerdings geht SCHLIERs dogmatische Überinterpretation des ἐκκλησία-Gedankens an der Realität der paulinischen
Einzel- ἐκκλησίαι etwas vorbei (bes. 182,30f).

29) SCHLIER, a.a.O. 183,6f; vgl. ebd. Anm. 13 und GOPPELT 113; zu Justin
BAUER 277f.

30) EUS., hist.eccl. 10,5,21 (GCS 9,2,889 Z. 1); vgl. dazu P.FRAENKEL,
Histoire sainte et Hérésie chez Saint Epiphane de Salamine d'après
le tome I du Panarion, in: RThPh 12 (1962) 175-191, 183f, der bes.
die überraschende Neutralität des Ausdrucks bei Epiphanios betont.

31) Dazu und zu vergleichbaren Ausdrücken BROSCH 32f u. bes. H.PÉTRÉ,
Haeresis, schisma et leurs synonymes latins, in: REL 15 (1937) 316-

wägungen bei der Übersetzung des griechischen Wortes bei TER-
TULLIAN, HIERONYMUS, ISIDOR u.a.[32], terminologische, sachli-
che und juristische Abgrenzungsversuche von "haeresis" und
"sc(h)isma"[33].

4. Diesen terminologischen Überblick soll nun die Frage
nach einer sachlichen Zuordnung von Philosophie und frühchristlicher Häresie ergänzen, um dann mit Tertullians Sicht
der Philosophen als "Patriarchen der Häretiker"(5.) abzu-
schließen. Da dabei, ohne diese Problematik hier grundsätzlich anzugehen, einige paradigmatische Aussagen im Vordergrund stehen sollen, sei hinsichtlich der Zuordnung von Philosophie und Orthodoxie pauschal die eigentümliche Dialektik
und Ambivalenz[34] betont, die sich einerseits aus dem missio-
narisch-apologetischen Anliegen, das Christentum als "vera

325. Speziell zu "secta" (von "sequi" abgeleitet ist wieder die völlig neutrale Anwendung im philosophischen Bereich zu betonen, z.B.:
CIC., Brut.120: "philosophorum sectam secutus est"; SEN., clem. 2,5,
2: "secta Stoicorum"; dial. 7,13,2: "secta Epicuri"; vgl. ep. 83,9;
92,5; zur Anwendung auf das Christentum vgl. TERT., nat. 1,10,19:
"Habetis igitur in maioribus vestris, etsi non nomen, attamen sectam
Christianam, quae deos neglegit" (CChrL 1,26). Eine weitere Entwicklungsstufe bietet HIL., syn. 30: "omnem haereticam et pravam sectam
anathematizamus"(PL 10,503B);DIAL.ADAMANT. 2,22: "(catholica ecclesia), quae solo veram obtinet sectam" (GCS 4,115). PÉTRÉ 319 Anm. 1.
Zu erinnern wäre dabei auch an die Bezeichnung des Christentums als
ὁδός.

32) Vgl. PÉTRÉ 317f; REFOULE 95 Anm. 2.

33) PETRE 320ff; GREENSLADE 19ff; zur juristischen Tragweite vgl. PW 7,2,
2182; 8,1380f; zur späteren kirchenrechtlichen Unterscheidung LThK
5, 6-8; 12 (Lit.).

34) Zu erinnern ist hier an die gleichzeitige Ablehnung und Hochschätzung
bzw. die subjektive Auswahl der Philosophie bei vielen Vätern oder
an die überraschende Gleichsetzung: christliche Religion = Philosophie bei AUG., vera relig. 1,26; vgl. auch G. BARDY, "Philosophie"
et "philosophe" dans le vocabulaire chrétien des premiers siècles,
in: RAM 25 (1949) 97-108; J.BARBEL, Gregor von Nazianz: Die fünf
theologischen Reden (Düsseldorf 1963) 46ff Anm. 17; A. 58.

philosophia" zu erweisen[35] und andererseits aus der von beiden Lagern auf philosophischem Felde ausgetragenen Auseinandersetzung um den rechten Glauben ergab. In Konsequenz dieser Auseinandersetzung ist auch im Bereich der "Häresie" mit
philosophiefeindlichen Positionen zu rechnen[36].

Umgekehrt warnt bereits PAULUS[37] - sicher nicht ohne Nach-
wirkungen - eindringlich vor der häresieverdächtigen Philosophie, deren Symbiose mit häretischen Elementen der Gnosis -
bis hin zur Identifizierung zumindest in der Polemik - wohl
dann auch in der Folgezeit zur toposhaften Vorstellung einer
Abstammung der Häretiker von den Philosophen geführt hat.
Dies hinderte aber Vertreter dieser Vorstellung wie IRENÄUS
und HIPPOLYT[38] keineswegs, selbst philosophische Argumente
zu gebrauchen. Ebenso übte AMBROSIUS harte Kritik an den Philosophen, deren Erbe seiner Meinung nach die Häretiker angetreten haben, wenn er etwa den Arianern vorwirft: "Nonne ex
philosophia omnem impietatis suae traxerunt colorem?"[39]. Dieselben Arianer bezeichnet der "Ketzerhammer" EPIPHANIOS in
seinem Panarion als οἱ νέοι Ἀριστοτελικοί[40], um so die Kontinuität des Irrtums darzulegen. Auf verschiedenste Weise
versucht er deshalb zu zeigen, daß alle Philosophen in einer
Linie mit der Häresie stehen, wodurch jedoch eine schemati-
sche und globale Ablehnung ohne Kenntnis der näheren Zusammenhänge entsteht. Die disqualifizierende Tendenz tritt be-

---

35) Vgl. JUST. oder CLEM.ALEX.; dazu BARDY 104; P.STOCKMEIER, Glaube und
Religion in der frühen Kirche (Freiburg-Basel-Wien 1973) 76.

36) Sie kritisieren dabei meist eine Verfälschung der Schrift oder die
Neuerungen durch (neue) philosophische Termini; eine Untersuchung
der beiderseitigen Argumentation wäre wünschenswert.

37) Kol. 2,8; vgl. G.BORNKAMM, Das Ende des Gesetzes. Paulusstudien (München 1952) 143f bes. Anm. 12.

38) Vgl. IREN., adv.haer. 2,14,2ff; HIPPOL., haer. prooem. 8.9.11; 10,32,
5; dazu bes. RAC 4,203-206.

39) Fid. 1,13,85 (CSEL 78,37); vgl. E.DASSMANN, Die Frömmigkeit des Kirchenvaters Ambrosius von Mailand (Münster 1965) 30f; 85 mit weiteren
Stellen.

40) Haer. 69,71,1 (GCS 37,218); vgl. W.SCHNEEMELCHER, in: RAC 5,909-927,
bes. 923ff.

sonders klar hervor, wenn HIERONYMUS selbst noch die Pelagianer über Zwischenstufen auf die "heresis Pythagorae et Zenonis" - hier ein die ganze Bedeutungsgeschichte von αἵρεσις
umspannender Ausdruck - zurückführt[40a].

5. Einen beispiellosen Höhepunkt aber hat die H e r -
l e i t u n g d e r H ä r e s i e a u s d e r P h i -
l o s o p h i e bereits bei TERTULLIAN[41] erreicht, der in
den verschiedenen Häresien einen ehebrecherischen Abfall
(adulterare) von der "una via" zu den "obliqui multi et inexplicabiles tramites" philosophischer Lehrmeinungen sieht[42].
Mit der unwirschen Frage "Quid ergo Athenis et Hierosolymis?
quid academiae et ecclesiae? quid haereticis et christianis?"[43] kommentiert er deshalb die vorher konstatierte Abhängigkeit eines Valentin von Platon und eines Markion von der
Stoa und die häretischen Spuren, die Epikur, Zenon und Hera-
klit hinterlassen haben. So muß sein Resümee über die Philosophen lauten: "illi sapientiae professores, de quorum ingeniis omnis haeresis animatur"[44], was er aber schon in der
hl. Schrift ausgedrückt sieht[45]. Seine Zuordnung von Philosophen und Häretikern, auch gerne mit dem juristischen Terminus technicus "subornare"[46] bezeichnet, wird schließlich

---

40a) In Ier. 4,1,2 (A. 179).

41) Zur Häresie bei TERT. vgl. bes. die Schrift praescr.

42) Apol. 47,9: "Nec mirum, si vetus instrumentum ingenia philosophorum
interverterunt: ex horum semine etiam nostram hanc noviciolam paraturam
viri quidam suis opinionibus ad philosophicas sententias adulteraverunt
et de una via obliquos multos et inexplicabiles tramites exciderunt"
(CChrL 1,164).

43) Praescr. 7,9 (REFOULE 98); vgl. cap. 7 insgesamt.

44) Adv.Marc. 1,13 (CSEL 47,307).

45) Stellen wie 1 Kor. 1,27; 3,19 u. Kol. 2,8 haben also diese Wertung
mitbeeinflußt; vgl. praescr. 7,1; adv.Marc. 5,19; an letzterer Stelle
wird Markion von der Schule des Epikur "abgeleitet" (anders praescr. 7,3).

46) Praescr. 7,3: "Ipsae denique haereses a philosophia subornantur"
(REFOULE 96); vgl. apol. 47,11; subornare = jem. zu einer schlechten
Tat insbes. zur Erhebung einer falschen Anklage, zur Ablegung eines
falschen Zeugnisses anstiften (HEUMANN 561).

auf die einprägsame Formel von den "philosophi" als den "pa-
triarchae haereticorum"[47] gebracht, um so die sehr real gedachte geistige Abstammung und Verwandtschaft[48] auszudrücken.
Dahinter steht wohl auch "eine bestimmte Geschichtstheologie, die die Einheit der Heils- u. 'Unheils'-geschichte nun
auch in der Ketzerbekämpfung zum Ausdruck bringt"[49].

II. Ketzerstammbäume und genealogisches Denken bei den frühen
    Ketzerbestreitern

Dies zeigt sich auch in dem Bestreben, einzelne Häresien
auf Stammväter und die Häresie insgesamt auf den "Erzketzer"
Simon Magus[50] zurückzuführen. Dabei dürfte die Rückführung
einzelner Lehrmeinungen auf Einzelpersönlichkeiten im großen
und ganzen der historischen Wirklichkeit noch am nächsten
kommen - so handelt es sich bei Simon zweifellos um eine
historische Gestalt - während wir die Zentralstellung von
Simon und die einzelnen Ketzerfiliationen sicher aus einer
ähnlichen Sicht wie die Schulgeschichten in der Philosophie
betrachten werden müssen.

1. Parallel zur Bedeutungsgeschichte von αἵρεσις[51] ist
auch der Ausdruck αἱρεσιάρχης (haeresiarches, -a), womit ursprünglich der Leiter einer profanen αἵρεσις, z.B. einer medizinischen Schule[52] bezeichnet wurde, beginnend bei HIPPO-

---

47) Adv.Hermog. 8,3 (CChrL 1,404); anim. 3,1 (CChrL 2,785).

48) Vgl. praescr. 32,6: "in eadem fide conspirantes non minus apostolicae deputantur pro consanguinitate doctrinae" (REFOULE 132); hier ist
allerdings von der orthodoxen Lehre die Rede.

49) RAC 5,917 (W.SCHNEEMELCHER); zur Zuordnung von Philosophie (bes.Epi-
kureer) u. Häresie bei HIL. vgl. H.D.SAFFREY, Saint Hilaire et la
philosophie (in: o.c. A. 229: 247-265) 255ff; J.DOIGNON, Hilaire de
Poitiers avant l'exil. Recherches sur la naissance, l'enseignement
et l'épreuve d'une foi épiscopale en Gaule au milieu du IVe siècle
(Paris 1971) 147ff.

50) Eine gute Sichtung der verwirrenden Nachrichten über Simon bietet H.
LIETZMANN, in: PW II 3,1,180-184; vgl. auch bes. E.MEYER, Ursprung und
Anfänge des Christentums Bd. 3 (Stuttgart-Berlin 1923) 286ff u. K.
BEYSCHLAG, Simon Magus und die christliche Gnosis (Tübingen 1974).

51) Vgl. § 13 I 3.

LYT und TERTULLIAN[53] zu einem Terminus technicus für das
(Schul-) Haupt[54], wenn nicht sogar eher für den Urheber einer
christlichen Häresie geworden. Denn sowohl bei HIERONYMUS[55]
als auch bei FILASTRIUS[56] und AUGUSTINUS[57] werden damit Ket-
zerstammväter wie Dositheos, Ebion, Markion, Basilides, Arius, Eunomios, Cassianus, "Manichaeus" und Pelagius angesprochen.

Die terminologische Verwandtschaft mit dem antiken philosophischen Schulbetrieb erweist sich des weiteren auch in
der Verwendung von Wörtern wie "doctor" und "discipulus"[58]
und in der Aufstellung einer förmlichen "successio" bzw.

---

52) So bezeugt durch die Inschrift eines Heroons: IG vol. 14 Nr. 1759;
vgl. GAL. 6,372. Zu Stammbäumen von Ärzten RAC 9,1179f.

53) HIPPOL., haer. 6,27,1 (GCS 26,153) bezeichnet damit Valentin u. Ptolemaios (vgl. 6,29); TERT., adv.Val. 5,1 meint auch die vorher genannten Valentin u. Ptolemaios, zumal er dann Justin, Miltiades, Irenäus u.a. als "ipsorum haeresiarchum contemporales" bezeichnet (CChrL
2,756); das griech. αἱρεσιάρχης wurde im Lat. als "haeresiarcha",
"haeresiarches" oder "haeresiarchus" (vgl. A. 55; 56; ThLL VI,2500f)
übernommen.

54) So etwas ungenau H.SCHLIER, in: ThW 1,183 Anm. 2.

55) Hom.Orig.in Luc. 25: "de Dositheo Samaritarum haeresiarcha" (PL 26,
296B); in Gal. 2,3,13f: "Ebion ille haeresiarches semi-Christianus
et semi-Iudaeus" (PL 26,387B); in Mich. 2,6: "ad haeresiarchas, ut
fuit Marcion et Basilides, et nuper Arius et Eunomius" (PL 25,1215A);
in Gal. 3,6,8: "Cassianus ... Encratitarum vel acerrimus haeresiarches" (PL 26,460A); vgl. in Is. 12,41 (PL 24,420C) u. A. 60.

56) Haer. 32: "Post istos Basilides * * qui et haeresiarches dicitur a
multis" (CSEL 38,16).

57) Haer. 46: "in suo haeresiarcha Manichaeo" (PL 42,38); ebenso ep. 237,
2 (CSEL 57,527); c.Pelag. 4,8,21: "ipse heresiarcha istorum Pelagius"(CSEL 60,543); civ. 21,25: "qui haereses inpias condiderunt
exeuntes de catholica ecclesia et facti sunt haeresiarchae" (CSEL
40,2,566); vgl. c.Iul.op.imperf. 1,25 (CSEL 85,1,22).

58) Vgl. z.B. IREN., adv.haer. 3,4,3; FILASTR. 30; 37; 39; 41; 45; 47
oder HIPPOL., haer. 9,12, der die römische Kirche unter Kallist ein
häretisches διδασκαλεῖον nennt; vgl. A. 80. Zu verweisen wäre
hier auf die allgemeine Bezeichnung des christlichen Glaubens als
"doctrina", "philosophia" u.ä. in orthodoxen u. häretischen Kreisen;
dazu R.BRAUN, "Deus Christianorum". Recherches sur le vocabulaire
doctrinal de Tertullien (Paris 1962) 419ff.

διαδοχή, worauf noch einzugehen sein wird. In gewissem Zusammenhang mit dieser Sukzessions- und Erbvorstellung stehen
natürlich genealogische Bezeichnungen für den Ketzergründer
oder -vorgänger wie "mater", "pater", "proavus", "progeni-
tor"[59], die Grundlagen für die Ketzerstammbäume. Eine Art
genealogischer Fortpflanzung des Bösen spiegelt schließlich
die Vorstellung wider, daß der Ketzervater vom Satan getrie-
ben wird bzw. eine Inkarnation des Satan[60] darstellt.

In Konsequenz dieses Denkens wurden von den frühen Häresiologen[61] einzelne Häretiker und häretische Bischöfe mit
bestimmten Ketzervätern in Zusammenhang gebracht und wohl
angeregt durch die Philosophenschulen ganze K e t z e r -
s u k z e s s i o n e n und Ketzerstammbäume konstruiert,
deren historische Zuverlässigkeit aber durch ihre Mannigfaltigkeit und Widersprüchlichkeit in Frage gestellt ist. Bezeichnenderweise war diesen häresiologischen Konstruktionen
schon die Aufstellung von Sukzessionen von Seiten der "Häretiker" vorausgegangen, die damit die rechtmäßige Fortpflanzung der Tradition von den Aposteln her erweisen wollten. So
beansprucht etwa der Gnostiker Ptolemaios in seinem berühmten Brief an Flora eine geheime apostolische Überlieferung,

---

59) IREN., adv.haer. 1,29: "A talibus matribus, et patribus, et proavis
eos qui a Valentino sint ... necessarium fuit manifeste arguere"
(HARVEY 1,243); 3 praef.: "a Simone patre omnium haereticorum" (2,1);
vgl. 3,4,3 (2,18); 2 praef.: "... progenitoris ipsorum doctrinam Simonis magi Samaritani, et omnium eorum, qui successerunt ei, mani-
festavimus" (1,249); vgl. auch σπέρματα (1,27,1/1,221).

60) Vgl. IREN., adv.haer. 3,3,4 (2,14), der Polykarp von Markion als
πρωτότοκος τοῦ Σατανᾶ sprechen läßt; HIER., in Matth. 4,24,5:
"Ego reor omnes haeresiarchas Antichristos esse" (PL 26,183A); DI-
DASC.APOST. 6,7,1: "Initium haereseum autem sic erat. Simonem quem-
dam magnum invasit satanas" (F.X.FUNK, Didascalia et Constitutiones
Apostolorum vol. 1, Paderborn 1905, 314); vgl. auch § 15.1. Als weiteres, weniger theologisches als realistisches Entstehungsmotiv für
die Häresie wird sonst gerne gekränkter Ehrgeiz angeführt; TERT.,
bapt. 17,2: "Episcopatus aemulatio scismatum mater est" (CChrL 1,
291); vgl. GREENSLADE 37ff.

61) Zu erinnern ist hier bes. an HIPPOLYT, IRENÄUS, HEGESIPP, FILASTRIUS.
Dabei machte sich aber bald bloße Rezeption und Modifizierung frühe-
rer Schemata breit.

die ἐκ διαδοχῆς bis auf ihn gelangt sei[62] und Adamantios
spricht in seinem Dialog von bischöflichen Sukzessionen bei
den Markioniten[63].

In polemischem Interesse wenden HIPPOLYT und IRENÄUS die
Sukzessionsterminologie auf die Häretiker an, indem sie zeigen, wie Markos und Karbasos als οἱ τῆς Οὐαλεντίνου σχολῆς
διάδοχοι[64] oder Markion auf dem Wege der Nachfolge des Kerdon[65] jeweils auf die eine Wurzel des Übels zurückgehen und
"von der 'principalis successio' abweichen"[66].

TERTULLIAN dagegen weist den Häretikern die Wertlosigkeit
ihres "ordo episcoporum"[67] nach, der nur "ordinationes teme-
rariae" entspringe und die notwendige "consanguinitas doctrinae" vermissen lasse[68].

2. Nach den kurz skizzierten Ketzersukzessionen sollen
nun die damit eng verwandten K e t z e r s t a m m b ä u -
m e [69] zur Sprache kommen. Ihren Ansatz haben wir bei JU-

---

62) EPIPHAN., panar. 33,7,9 (GCS 25,457); vgl. bes. A.HARNACK, Der Brief
   des Ptolemäus an Flora, in: SB (Berlin 1902) 534 (Text 541); DERS.,
   Dogmengeschichte 1,281 Anm.; CAMPENHAUSEN, Lehrreihen 242.

63) DIAL.ADAMANT. 1,8: Ἐξ ὅτου Μαρκίων ἐτελεύτησε, τοσούτων
   ἐπισκόπων, μᾶλλον δὲ ψευδεπισκόπων, παρ' ὑμῖν διαδοχαὶ
   γεγόνασιν (GCS 4,16/18); dazu A.HARNACK, Marcion. Das Evangelium
   vom fremden Gott (Leipzig 1924²) 154; 346⁺.

64) HIPPOL., haer. 6,55,3 (GCS 26,189).

65) IREN., adv.haer. 1,25,1 (A. 80); vgl. hierzu u. zu weiteren Stellen
   G.G.BLUM, Tradition und Sukzession. Studien zum Normbegriff des Apostolischen von Paulus bis Irenäus (Berlin-Hamburg 1963) 197f.

66) BLUM 198; vgl. IREN., adv.haer. 4,26,2 (2,236).

67) Praescr. 32,1 (REFOULE 130); G.G.BLUM, Der Begriff des Apostolischen
   im theologischen Denken Tertullians, in: KuD 9 (1963) 102-121, will
   "ordo" als Parallelbegriff zu "successio" verstanden wissen (107f).

68) Vgl. praescr. 41,6 (REFOULE 147) u. 32,6 (132).

69) Durch die etwas willkürlich anmutende Unterscheidung von "Ketzersukzessionen" und "Ketzerstammbäumen" - man könnte letztere auch als
   Oberbegriff nehmen - sollte auf der einen Seite auch die bischöfliche Sukzession bei Häretikern miteingeschlossen werden und im anderen Fall mehr auf die Vorstellungen eines Stammvaters, eines Stem-
   mas und von Verzweigungen abgehoben werden, obwohl auch hier neben
   der genealogischen Vorstellung Sukzessionstermini angewandt werden.

STIN zu suchen, der Mitte des 2. Jahrhunderts in seiner Apo-
logie[70] und wohl noch ausführlicher im verlorenen Syntagma
gegen alle Häresien in Simon Magus den sprichwörtlich gewor-
denen "Erzvater aller Ketzerei"[71] und in dem Dreiergespann
Simon, dessen Schüler Menander und Markion die drei Archihäretiker schlechthin sieht. Justins Dreizahl wirkt auch noch
stark im klassischen Antiketzer-Werk "Adversus haereses" des
IRENÄUS VON LYON nach[72], das aber durch seine Front gegen
die Valentinianer etwas andere Schwerpunkte erhält. Simon Magus steht als Erzketzer schlechthin eindeutig im Vordergrund,
indem einerseits pauschal " omnes haeretici" und "universae
haereses" auf ihn zurückgeführt[73] und andererseits durch Angabe einzelner Sukzessionen[74] die Valentinianer und verschiedene Ketzerhäupter mit ihm verbunden werden: In direkte Abhängigkeit von Simon werden dabei die "vocati Simoniani"[75]
und der justinische Archihäretiker Menander als Σίμονα
τὸν μάγον διαδεξάμενος [76] gebracht. Von diesem hinwiederum stammen die Gnostiker Satornil und Basilides[77] und die

---

70) Apol. 26 (E.J.GOODSPEED, Die ältesten Apologeten, Göttingen 1914,
43); zum Syntagma apol. 26,8 (44); vgl. HARNACK, Marcion 155.

71) MEYER 296; vgl. HILGENFELD 25,163ff; BEYSCHLAG 9ff.

72) Vgl. z.B. 2,48,1: "adversus eos qui sunt a Marcione, et Simone, et
Menandro" (1,369); zu den Ketzerfiliationen bei Irenäus HILGENFELD
46ff, 342ff; weitere Lit. BEYSCHLAG 13ff u.ö.

73) 1,16,2: "Simon autem Samaritanus, ex quo universae haereses substite-
runt" (1,191); 1,25,2: "quoniam omnes, qui quoquo modo adulterant veritatem ..., Simonis Samaritani magi discipuli et successores sunt" (1,219);
2 praef.: "Et quoniam omnes a Simone haeretici initia sumentes" (1,249);
3 praef. (vgl. A. 59).

74) Der Anspruch von 3 praef.: "Aggressi sumus autem nos, arguentes eos
(sc. Valentinianos) a Simone patre omnium haereticorum, et doctrinas
et successiones manifestare (2,1) wird leider kaum in die Tat umgesetzt.

75) 1,16,3: "habent quoque et vocabulum a principe impiissimae senten-
tiae Simone, vocati Simoniani" (1,194f); zu diesem Sammelbegriff der
Simonianer vgl. MEYER 293ff.

76) 1,17 (1,195) (=EUS., hist.eccl. 3,26); vgl. A. 78; HILGENFELD 47;
MEYER 296/297 mit Anm. 1; BEYSCHLAG 68.

77) 1,18: "Ex iis (sc. discipulis Menandri) Saturninus, qui fuit ab Antiochia
ea quae est apud Daphnen, et Basilides, occasiones accipientes ..." (1,196);
vgl. HILGENFELD 195-230; MEYER 297; J.H.WASZINK, in: RAC 1,1217-1225, bes.
1223f; R.M.GRANT, Gnostic origins and the Basilidians of Irenaeus, in:
VigChr 13 (1959) 121-125.

"reliqui ... qui vocantur Gnostici"[78] ab.

Die zweite Hauptlinie - die Simonianer - verzweigt sich in zwei "Seitenlinien", die auf der einen Seite über Kerdon[79] bis zu Markion[80] und auf der anderen Seite über die Barbelo-Gnostiker[81] zu den Valentinianern[82] verlaufen. Diese hinwiederum kennt IRENÄUS vor allem in den Ausprägungen der Ptolemaiten und Markosier[83].

---

78) 3,4,3: "Reliqui vero qui vocantur Gnostici a Menandro Simonis discipulo ... accipientes initia" (2,18).

79) 1,24 (EUS., hist.eccl. 4,11): Κέρδων δέ τις ἀπὸ τῶν περὶ τὸν Σίμονα τὰς ἀφορμὰς λαβὼν (1,214); vgl. 3,4,2; HARVEY 2,17 Anm. 4.

80) 3,4,3: "Marcion autem illi succedens" (2,18); 1,25,1: Διαδεξάμενος δὲ αὐτὸν Μαρκίων ὁ Ποντικὸς, ηὔξησε τὸ διδασκαλεῖον (succedens autem ei Marcion Ponticus adampliavit doctrinam) (1,216). Bemerkenswert ist hierbei neben der gängigen Wiedergabe von διαδέχεσθαι durch "succedere" die ursprüngliche Verwendung von διδασκαλεῖον statt des vergleichsweise farblosen "doctrina", womit das Ganze wiederum in den Horizont einer griechischen Philosophenschule gerückt wird; vgl. A. 58. - Markion lehnte nach Irenäus (25,2) den Ursprung von Simon ab. Zu seiner, gegenüber Justin veränderten Stellung bei Irenäus vgl. HILGENFELD 48f; ansonsten reiche Lit. bei ALTANER-STUIBER 107.

81) 1,27,1: "Super hos autem ex his qui praedicti sunt Simoniani multitudo Gnosticorum Barbelo exsurrexit" (vgl. griech. Text!) (1,221); vgl. RAC 1,1176-1180 (L.CERFAUX).

82) 1,29 (vgl. A. 59); damit ist freilich die Abstammungslinie nicht genau präzisiert; 28,8: "a quibus, velut Lernaea hydra, multiplex capitibus fera de Valentini schola generata est" (1,241); dazu RAC 1,1179. Vgl. auch 3 praef. (A. 74), wo die Valentinianer in direkter Abstammung von Simon gesehen werden; F.M.M.SAGNARD, La gnose valentinienne et le témoignage de saint Irénée (Paris 1947).

83) Vgl. dazu HILGENFELD 345ff; 369ff; SAGNARD 358ff. - Diese negative Ausprägung einer Stammbaumbildung, wie sie sich in diesen Ketzer-sippschaften und Ketzerstammbäumen zeigt, ist nicht zu verstehen, wenn man sich nicht den Stellenwert der Genealogie in der Antike vor Augen hält. Höchst instruktiv hierzu ist der Artikel von W. SPEYER, Genealogie, in: RAC 9,1145-1268. Vgl. auch H.J.BÄUMERICH, Über die Bedeutung der Genealogie in der römischen Literatur (Diss. Köln 1964).

Zur Illustration dieser Verzweigungen könnte man etwa fol-
gendes Stemma erstellen:

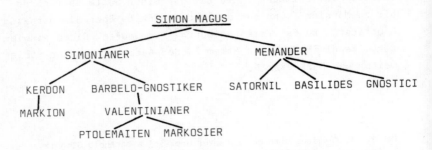

Ohne nähere Verbindung mit diesem Ketzerstammbaum, wie er
sich aus der Kombination der einzelnen Ketzerbeziehungen
bei IRENÄUS skizzieren läßt, werden Karpokrates, Kerinth, die
Ebionäer und die Nikolaiten behandelt[84].

3. Während also bereits im Werk des Irenäus Repräsentanten judenchristlicher Häresie Eingang fanden, vermittelt uns
dessen Zeitgenosse, der selbst jüdischem Milieu entstammende
HEGESIPP[85], ein Häresien-Schema, in dem ein gewisser Thebutis "als der Erzketzer statt Simon Magus erscheint"[86].
Aus dem Text, den uns EUSEBIOS[87] überliefert hat, gewinnen wir zunächst den Eindruck eines fürchterlichen Durchein-
anders, mit dem der wohl "sagenhafte" Thebutis im Zusammen-

---

84) 1,20-23 u.a.; vgl. dazu HILGENFELD 49ff, 397ff; SAGNARD; spez. zu
den Ebionäern BAUER 278ff (G.STRECKER).

85) Vgl. die kurze Charakterisierung bei BLUM, Tradition 78f (Lit.); H.
KEMLER, Der Herrenbruder Jakobus bei Hegesipp und in der frühchristlichen Literatur (Diss.-Teildruck) (Göttingen 1966).

86) H.J.SCHOEPS, Theologie und Geschichte des Judenchristentums (Tübingen 1949) 283; zur möglichen Ableitung des Namens ebd. 284; vgl. H.V.
CAMPENHAUSEN, Die Nachfolge des Jakobus, in: ZKG 63 (1950) 133-144,
140; H.KEMLER, Hegesipps römische Bischofsliste, in: VigChr 25 (1971)
182-196, bes. 186f.

87) Hist. eccl. 4,22,4-7 (GCS 9,1,370/72); vgl. 2,23,8 (ebd. 168).

hang der sieben jüdischen Sekten[88] als Ausgangspunkt[89] für die Häresien der Simonianer, Kleobianer, Dositheaner, Gorthener und Masbotheer hingestellt werden soll. Diese bilden ihrerseits nach HEGESIPP insgesamt den Mutterboden für die Menandrianisten, Markianisten, Karpokratianer, Valentinianer, Basilidianer und Satornilianer[90], von denen schließlich all die "falschen Christusse, falschen Propheten und falschen Apostel" herkommen.

Somit wird auch hier einerseits die Vielfalt der Häresien auf den Ursprung in dem einen Erzketzer zurückgeführt, so daß C. H. TURNER zutreffend bemerkt: "Hegesippus almost seems to conceive of the history and propagation of heresy as a sort of pseudo-apostolic succession"[91], und andererseits wird mit ganz bestimmter Intention "in der Entstehung und Entfaltung der Häresien eine Genealogie"[92] gesehen und konstruiert.

4. Auf einen weiter gefaßten Begriff von Häresie, "der alles außerhalb des Christentums stehende u. nicht nur den Abfall von der Kirchenlehre umfaßt"[93] und dabei ähnlich wie Hegesipp auch die Rolle des Judentums hervorhebt, stoßen wir

---

88) Dazu zählen die Essener, Galiläer, Hemerobaptisten, Masbotheer, Samaritaner, Sadduzäer und Pharisäer. D.A.SCHLATTER, Die Kirche Jerusalems vom Jahre 70-130 (Gütersloh 1898) meint, in diesen 7 αἱρέσεις sei eine Bezeichnung für die Judenschaft insgesamt zu sehen in Absetzung vom christlichen Israel als ὁ λαός (27). Vgl. N. HYLDAHL, Hegesipps Hypomnemata, in: StTh 14 (1960) 70-113, bes. 94ff.

89) Vgl. das wie eine Anapher anmutende ἀπὸ τῶν ἑπτὰ αἱρέσεων ... ἀφ' ὧν ... ἀπὸ τούτων ... ἀπὸ τούτων (a.a.O.).

90) Vgl. zu diesen Sekten und ihrem Anspruch auf den Besitz apostolischer Tradition KEMLER, Bischofsliste 190-192.

91) Apostolic Succession, in: Essays on the Early History of the Church and the Ministry, hrsg. v. H.B.SWETE (London 1921) 93-214, 116.

92) KEMLER, Bischofsliste 190 Anm. 16; HYLDAHL 99: "in seinem primitiven Versuch einer Genealogie".

93) W.SCHNEEMELCHER, in: RAC 5,916. Bei diesem weiten Häresiebegriff muß aber berücksichtigt werden, daß Epiphanios αἵρεσις auch - aber nicht nur - "sans aucune note de blâme" (P.FRAENKEL 183) verwendet.

im "Panarion" des EPIPHANIOS. Für unsere Thematik ist in diesem Werk besonders die "filiation des hérésies entre elles" relevant, wie P. FRAENKEL[94] sie als Strukturprinzip des ersten Buches und als "une des grandes théories hérésiologiques d'Ephiphane" herauszuarbeiten versuchte. Mag auch FRAENKELs Lösungsversuch für die Einordnung der Samaritaner etwas kompliziert und vielleicht konstruiert anmuten, so hat er dennoch das Verdienst, unter der Überschrift "Les mères des hérésies et leur filiation"[95] den Stellenwert der Bezeichnung von "Barbarismus", "Skythismus", "Hellenismus", "Judaismus" und "Samaritismus" als μητέρες für alle übrigen αἱρέσεις herausgestellt zu haben. Die Schwierigkeit, daß EPIPHANIOS einerseits von fünf "Häresie-Müttern"[96] spricht und andererseits nur vier hervortreten und der "Samaritismus" seinerseits in Abstammung von "Hellenismus" und "Judaismus" gesehen wird[97], könnte sich aus dem Umstand erklären, daß unser Ketzerbekämpfer ausgehend von Kol. 3,11 vier verschiedene Religionsstufen kennt[98] und damit die Theorie von den Sama-

---

94) A.a.O. bes. 181-183; zit. 182.

95) A.a.O. 182.

96) Anaceph. tom. 1: Πρῶτον μὲν αἱ τῶν αἱρέσεων πασῶν μητέρες τε καὶ πρωτότυποι ὀνομασίαι, ἐξ ὧν μητέρων πέντε αἱ ἄλλαι ἐφύησαν, καί εἰσὶν αὗται αἱ πρῶται τέσσαρες. (GCS 25,162); panar.prooem. 1,5,2: σὺν ταῖς ‹ μητράσι καὶ πρωτοτύποις › ὀνομασίαις τούτων (ebd. 159); vgl. dazu panar.prooem. 1,3,2 (ebd. 157), wo im Gegensatz zu Anaceph. tom. 1 alle fünf ὀνομασίαι aufgeführt sind. P.FRAENKEL scheint auf Grund seiner Zitierweise: "μητέρες καὶ πρωτότυποι" (182f) die adjektivische Zuordnung von π. zu ὀνομασίαι nicht erkannt zu haben.

97) Der Σαμαρειτισμός wird einerseits unter die Ἑλλήνων διαφοραί gerechnet (vgl. GCS 25,197) und andererseits heißt es von ihm: ὅς ἐστιν ἀπὸ Ἰουδαϊσμοῦ (166) oder: Σαμαρειτικὴ αἵρεσις, ἡ οὖσα ἐκ τοῦ Ἰουδαϊσμοῦ. (159,26f). Vgl. P.FRAENKEL 182 u. sein Häresien-Schema (181).

98) Anaceph. tom. 1,4,2 (GCS 25,164f); vgl. P.FRAENKEL 180.

ritanern als Quelle neuer Häresien verbindet[99], so daß der
"Samaritismus" einmal als "hérésie-dérivée" und ein andermal
als "hérésie-mère" gesehen wird. Jedenfalls bleibt auch bei
Epiphanios eine genealogische[100] Ableitung und Zuordnung einzelner Häresien festzuhalten.

5. Selbst der Kirchenvater AMBROSIUS läßt sich noch von
einem ähnlichen häresiologischen Schema leiten, wenn er die
Häretiker "Manicheus", Markion, Sabellius, Arius und Photinos auf Grund ihrer "perfidiae germanitas" als "fratres Iudaeorum" disqualifiziert[101]. Bedenkt man zudem, daß diese Disqualifizierung, wie sicher viele andere auch, aus einer
Schriftauslegung erwachsen ist und daneben auch eine grundsätzliche Juden-Ablehnung ausdrückt, so erhebt sich hier die
F r a g e   n a c h   d e r   h i s t o r i s c h e n   Z u -
v e r l ä s s i g k e i t derartiger Aussagen.

Diese Frage soll aber in unserem Rahmen nicht durch eine
historisch gesicherte Beurteilung und Einordnung einzelner
Ketzer und die dazu notwendige Inhaltsanalyse einzelner Häresien - soweit dies angesichts der einseitig ausgerichteten
und bruchstückhaften Quellenlage überhaupt möglich wäre -
angegangen werden, sondern durch eine zusammenfassende Skizzierung der literarisch greifbaren und für unsere Thematik
relevanten Absichten und Tendenzen. Diese spiegeln sich vor

---

99) Anaceph. tom. 1,9,1: Σαμαρειτισμός καὶ οἱ ἀπ' αὐτοῦ
Σαμαρεῖται, ὅς ἐστιν ἀπὸ Ἰουδαϊσμοῦ (GCS 25,166). Diese unterschiedliche Bezeichnung könnte auch die Mutter-Funktion (vgl.
die anderen 4 Häresie-Mütter) von den 4 davon abgeleiteten Häresien
der Samaritaner (vgl. die Bezeichnung anderer abgeleiteter Häresien)
abheben.

100) Vgl. neben μητέρες auch ἐφύησαν (A. 96), αἱ ἀπὸ τοῦ
Ἑλληνισμοῦ φύσασαι αὖται (sc. αἱρέσεις) (panar.prooem. 1,3,3;
GCS 25,157) u. das die Herkunft bezeichnende ἀπό mit kausalem Genitiv (z.B. GCS 25,203ff). - Zur korrespondierenden Redeweise von
der "mater ecclesia" vgl. J.C.PLUMPE, Mater Ecclesia. An inquiry into the concept of the Church as mother in early Christianity (Washington 1943).

101) In Luc. 8,13 (CSEL 32,4,397); vgl. dazu W.WILBRAND, in: RAC 1,370,
der Ambrosius aber irrtümlicherweise von "Brüdern der Heiden" sprechen läßt.

allem in den großen Strukturen und den in der Ketzerbekämpfung verwendeten Termini, Bildern und Schemata wider: So bietet
sich uns, allgemein gesprochen, der Befund, daß die häresiologische Situation anfangs noch offener ist und die Beurteilung
stärker von persönlicher Kenntnis und Stellungnahme geprägt
wird[102], während später zunehmend die Mannigfaltigkeit und
Vielgestaltigkeit historischer Gegebenheiten - besonders be-
günstigt durch geographischen und zeitlichen Abstand - in
ein Schema gepreßt wird, das dann mit jeweils gerade oppor-
tun erscheinenden Modifizierungen von den Häresiologen wei-
tertradiert wird.

Eine historische Konkretisierung dieses häresiologischen
Phänomens bietet etwa die Beurteilung des Ebionitismus, wie
sie G. STRECKER skizziert[103]. Eine ähnliche, langsame Entwicklung und ein breites Band von Aspekten könnte eine eingehende Betrachtung der gesamten Terminologie[104] vermitteln,
wie sie von uns nur ausschnittweise versucht wurde.

6. Von besonderer Relevanz für die Frage nach den Tendenzen sind natürlich die verwendeten B i l d e r   u n d
S c h e m a t a , so etwa die kausale Erklärung der Häresien durch das Wirken des Satan, durch gekränkten Ehrgeiz[105]
oder den Plan der göttlichen Vorsehung[106], die Dekadenz aus-
drückenden Bilder von der Abweichung von dem einen geraden

---

102) Die Entwicklung verlief von der Mitwirkung der Gemeinde bei konkreten Einzelentscheidungen über synodale Entscheidungen hin zur Ab-
stempelung ganzer Gruppen, was natürlich auf pauschalen und sche-
matischen Urteilen beruhte; vgl. auch WINKELMANN 244.

103) BAUER 274ff.

104) Zu denken wäre hierbei an Wortverbindungen mit ψευδ-, ἑτερο-,
ὀρθο- an Wörter wie αἱρεσις, "haeresis", "secta", an das in "Ketzer" steckende καθαροί, an Verbindungen mit "corruptus", kurz an
die gesamte polemische Terminologie. Die ersten Ansätze zu entsprechenden Erhebungen leistete bisher I.OPELT (vgl. o.c. A. 156; 157;
186a; 228; 289).

105) Vgl. A. 60; H.ACHELIS, Das Christentum in den ersten drei Jahrhunderten Bd. 2 (Leipzig 1912) 10 mit Anm. 1.

106) Ausgehend meistens von 1 Kor.11,19; AUG., vera relig. 1,30ff; 44ff;
CLEM.ALEX., strom. 1,177,2; 7,9,5; TERT., anim. 3; praescr. 1;
CYPR., testim. 3,93.

Weg[107] und von der Befleckung der reinen Jungfrau[108] samt
der sehr verbreiteten Vorstellung von Ehebruch und Hurerei[109],
die Disqualifizierung der Häretiker als moralisch tiefste-
hende Menschen[110] und schließlich die Zuordnung und Verbindung einzelner Häretiker bzw. Häresien durch ein Lehrer-
Schüler-Verhältnis, durch Sukzessionen und durch Stammbäume.

Ein besonders auffallendes Schema bilden die sogenannten
Ketzersynchronismen bei IRENÄUS[111], der die Ketzerhäupter
Valentin, Kerdon und Markion chronologisch den römischen Bischöfen Hyginus, Pius und Anicetus (154-166) zuordnet. Eine
ähnliche Parallelreihe stellt auch HIPPOLYT auf, indem er
Noetus, seinen Schüler Epigonus und dessen Schüler Kleomenes
mit den Vertretern der Orthodoxie Viktor und Zephyrinus in
zeitliche Beziehung setzt[112]. Der Befund bei TERTULLIAN läßt

---

107) Vgl. A. 42.

108) So bes. bei HEGESIPP (EUS., hist.eccl. 4,22,4f/GCS 9,1,370; 3,32,7/
ebd. 270); vgl. PLUMPE 255.

109) Unter Verwendung von Wörtern wie "adulterium" (vgl. bes. ThLL I,883, Z.
53ff), "adulterare", das bereits im heidnischen Bereich übertragen gebraucht wurde (ThLL I,884); vgl. A. 42 u. OPELT (o.c. A. 186a) 207f.

110) Ähnliche Argumentationstechniken gegenüber Opponenten kannte bereits die römische Kaiserzeit. Vgl. auch SCHIRR 97ff.

111) 3,4,2: "Ante Valentinum enim non fuerunt, qui sunt a Valentino; neque
ante Marcionem erant, qui sunt a Marcione ... Valentinus enim venit Romam sub Hygino; increvit vero sub Pio, et prorogavit tempus usque ad
Anicetum. Kerdon autem qui ante Marcionem, et hic sub Hygino, qui fuit
octavus episcopus, saepe in ecclesiam veniens ..." (2,17 griech.); 3,
4,3: "Marcion autem illi succedens invaluit sub Aniceto ..." (2,18);
1,24: "Et Cerdon autem quidam ... cum venisset Romam sub Hygino ..."
(1,214 griech.); 1,20,4: "Unde et Marcellina, quae Romam sub Aniceto
venit ..." (1,210); dazu A.HARNACK, Die Chronologie der altchristlichen Literatur bis Eusebius Bd. 1 (Leipzig 1897) 164ff; E.CASPAR, Die
älteste römische Bischofsliste. Kritische Studien zum Formproblem des
eusebianischen Kanons sowie zur Geschichte der ältesten Bischofslisten
und ihrer Entstehung aus apostolischen Sukzessionsreihen (Berlin 1926)
207-472, 439; E.SCHWARTZ, in: PW 6,1,1398f. Offenbar von IREN. beeinflußt ist PS-TERT., adv.Marc. 3,285ff; vgl. TH.KLAUSER, Die Anfänge
der römischen Bischofsliste, in: BZThS 8 (1931) 193-213, 198f.

112) Panar. 9,7 (GCS 26,240f); vgl. CASPAR, a.a.O. 439 u. E.SCHWARTZ,
Zwei Predigten Hippolyts (München 1936) bes. 30f., der betont, daß
sich Hippolyts Angriffe gegen die Noetianer letztlich gegen seinen
Widersacher Kallist richten.

schließlich die Tendenz eines solchen Schemas, die Reklamierung des Altersarguments für die Orthodoxie klar hervortreten:

"Ubi tunc Marcion, Ponticus nauclerus, Stoicae studiosus?
ubi Valentinus Platonicae sectator? Nam constat illos neque adeo olim fuisse, Antonini fere principatu, et in
catholicae primo doctrinam credidisse apud ecclesiam Ro-
manensem sub episcopatu Eleutheri benedicti ... Si et
Apellis stemma retractandum est, tam non vetus et ipse
quam Marcion institutor et praeformator eius ... Adhuc in
saeculo supersunt qui meminerint eorum, etiam proprii dis-
centes et successores ipsorum ne posteriores negare possint."[113]

Das fehlende Alter und damit die fehlende Verbindung mit
dem apostolischen Zeitalter wird also den Ketzern vorgehal-
ten und der Versuch des "interserere se aetati apostolicae"[114] durch die Prüfung[115] des jeweiligen Stammbaums abge-
blockt. Denn das "Apellis stemma" müßte durch einen "ordo
episcoporum ... per successionem ab initio decurrens"[116] ab-
gesichert werden.

In diesen Gedanken, nämlich "daß die Überlieferung der
reinen Lehre älter sei als die Ketzerei, und daß der apostolischen Sukzession der reinen Lehre eine Sukzession der Ketzer parallel gehe" sieht E. CASPAR[117] "die Leitideen der
christlichen Geistesentwicklung" der ersten Jahrhunderte.

---

113) Praescr. 30,1.2.5.7 (REFOULE 126-128 mit Anm.); vgl. CASPAR 438f.

114) Praescr. 32,1 (REFOULE 130).

115) Zur juristischen Bedeutung von "retractare" (praescr. 30) = anfechten vgl. HEUMANN 517.

116) Praescr. 32,1; diesen "ordo ..." und ebenso die "origines ecclesiarum suarum" (ebd.) muß man in engem Zusammenhang mit dem Ausdruck
"stemma" sehen; vgl. A. 67.

117) A.a.O. 453; vgl. zu Irenäus D.B.REYNDERS, La polémique de Saint
Irénée. Méthode et principes, in: RThAM 7 (1935) 5-27; "Car il
existe deux 'successions': celle qu'amorcent les apôtres 'successio
principalis', et celle qui part de Simon." (22).

Nachgerade eine Zuspitzung dieser Parallelisierung und nicht
minder der darinliegenden Tendenzen könnte man in der von der
Agonistik geprägten Gegenüberstellung des "Erzketzers" Simon
Magus und des "Erzapostels" Petrus erblicken, wie sie uns besonders die PSEUDOKLEMENTINISCHEN HOMILIEN und REKOGNITIONEN[118]
vermitteln. Diese selbst bis in die christliche Kunst[119] ein-
gedrungene Legende vom Kampf und Sieg des Petrus über Simon
in Rom verdichtet mit romanhaften Mitteln den Kampf von Orthodoxie und Häresie und läßt in Simon die Häresien insgesamt eine Niederlage erleiden.

Als erkennbare T e n d e n z e n der oben angeführten
Terminologie, Bilder und Schemata seien abschließend genannt:[120] 1. Die Realisierung einer aus dem Altersargument
gespeisten Dekadenztheorie[121], nach der sich die Abspaltung
der Häresien als Abfall vom reinen, orthodoxen Ursprung voll-
zog; 2. die Disqualifizierung durch Herstellung von Verbindungen mit bereits disqualifizierten Personen und Richtungen[122], 3. die Modifizierung überkommener Schemata zum Zwek-
ke aktueller Kampfinstrumente; 4. die Rückführung häretischer
Bestrebungen auf ein Ketzerhaupt im Sinne einer Pseudo-Sukzession als Antwort auf die Reklamierung echter apostolischer
Tradition und Sukzession durch die Häretiker; 5. das Bestreben, in der Vielfalt der Häresien eine einzige genealogische

---

118) RECOGN.CLEM. 3,63,64 (GCS 51,138f); 1,74 (ebd. 50); dazu BEYSCHLAG,
  bes. 60ff u. PW 4,17ff; vgl. CONST.APOST. 6,9; AUG. ep. 36,21; R.A.
  LIPSIUS, Chronologie der römischen Bischöfe bis zur Mitte des vierten Jahrhunderts (Kiel 1869) 163 (weitere Stellen); PW II 3,1,182f;
  LThK 9,768f.

119) Vgl. das Motiv des sogen. "redenden Hundes" auf frühchristlichen
  Sarkophagen; dazu G.STUHLFAUTH, Die apokryphen Petrusgeschichten in
  der altchristlichen Kunst (Berlin-Leipzig 1925) 6ff.

120) Unter negativen Vorzeichen sind hierzu auch die Tendenzen in der
  Darstellung der Schulgeschichten zu vergleichen; zum großen Einfluß
  der Doxographen auf die antihäretische Literatur vgl. RAC 4,203ff.

121) Vgl. bes. HEGESIPP (SCHOEPS 284; BLUM, Tradition 79f); WINKELMANN
  245 u. bes. BAUERs historischen Widerlegungsversuch.

122) KEMLER, Bischofsliste 191 gibt mit Recht die Logik des Hegesippschen
  Ketzerstammbaumes so wieder: "Da die Juden aber in einer Unheilsge-

Linie des Bösen[123] zu sehen.

Will man nun kurz ein Fazit dieses Abschnitts ziehen, so ergaben sich bei dem Versuch, diese genealogische Linie des Bösen und ihre Konkretisierung in Ketzerstammbäumen als Pendant und allgemeinen Horizont für eine "Erbfolge der Ketzer" darzustellen, überraschenderweise noch weitere Aspekte einer "Erbfolge": Die für Häresie und Orthodoxie relevante Anwendung des Erbgedankens in den antiken Philosophenschulen und der - freilich nicht durch den Terminus technicus ausgedrückte - Gedanke einer Erbfolge zwischen Philosophie und Häresie[124].

§ 14. Die Disqualifizierung der Heterodoxie im allgemeinen

Analog zu der bereits im 2. Kapitel betrachteten Anwendung der "hereditas"-Terminologie auf Glaube und Lehre soll nun geprüft werden, inwieweit die Väter auch vom "Erbe" einer häretischen Glaubenslehre sprechen und welche Repräsentanten dieser Lehre sie in einer "Erbfolge" sehen. Diese Sprechweise muß dabei immer im Zusammenhang mit den schon vorab skizzierten Ketzerstammbäumen und unter Berücksichtigung des bereits aufgezeigten Stellenwerts der Erbvorstellung in den antiken Philosophenschulen gesehen werden, so daß die aus diesen Vorstellungen erschlossenen Tendenzen zunächst auch für die zu betrachtenden Texte relevant sein dürften, obgleich natürlich jeweils erneut darnach zu fragen sein wird. Dies gilt umso mehr für die erste Reihe der Texte (§ 14), die die Anwendung der "hereditas"-Terminologie auf sehr verschiedene "häretische" Bestrebungen vor Augen führen.

---

schichte stehen und nicht wie die Christen in einer Heilsgeschichte, sind auch die christlichen Sekten der Verdammnis anheimgegeben."

123) Vgl. hierzu auch A. 417.

124) Vgl. auch B.WYSS: "Der schon beim Begründer der antihäretischen Literatur, bei Irenaeus, sich findende Gedanke, die Lehren der Sekten seien Erbstücke heidnischer Philosophie ..." (RAC 4,204).

1. Am Anfang soll eine Stelle aus dem ca. 353 - 355 verfaßten Matthäus-Kommentar des gallischen Bischofs HILARIUS
VON POITIERS[125] stehen, die sich mit dem Unglauben der Juden
beschäftigt.

Nachdem Hilarius bereits die Rückkehr Josephs nach Gali-
läa als "transire ad regionem gentium" interpretiert hat,
fährt er fort:

"Ioseph enim apostolorum habet speciem, quibus Christus cir-
cumferendus est creditus. Hi tamquam Herode mortuo, id est,
populo eius in passione Domini deperdito, Iudaeis praedicare
sunt iussi; missi enim erant ad oves perditas domus Israel;
sed manente haereditariae infidelitatis dominatu metuunt et
recedunt. Admoniti per visum, sancti scilicet Spiritus donum
in gentibus contemplantes, ad eas transferunt Christum."[125a]

Die Apostel, typologisch mit Joseph verglichen, wenden
sich also aus Furcht vor dem "dominatus haereditariae infidelitatis" der Juden der Heidenwelt zu. Der die - aus der APG.
bekannten - Verfolgungen implizierende Ausdruck "dominatus"[126]
wird hier mit dem Genitivus subiectivus "haereditariae infidelitatis" verbunden. Zunächst erscheint die Verbindung "haereditaria infidelitas" als totaler Kontrastbegriff zu der viel
geläufigeren Verbindung "hereditas fidei"[127], die Hilarius
in der Tat ein kleines Stück weiter unten der "successio carnis"[128] gegenüberstellt. "Infidelitas"[129] für sich betrach-

---

125) Zum MT.-Kommentar vgl. CH.KANNENGIESSER, L'exégèse d'Hilaire (in:
o.c.A. 229) 130ff; DOIGNON, bes. 159ff.

125a) In Matth. 2,1 (PL 9,924B).

126) Meist als Gewalt- oder Zwangsherrschaft zu verstehen; oft Ersatz
für das seltenere "tyrannis"; zur Stelle ThLL V,1886, Z.30f; bei
den Kirchenschriftstellern bes. gerne mit "diabolus", "daemones",
"mors" verbunden (ThLL ebd. Z.53ff).

127) Vgl. Kap. 2.

128) In Matth. 2,3: "Non enim successio carnis quaeritur, sed fidei haereditas. Dignitas igitur originis in operum consistit exemplis: et
prosapiae gloria fidei imitatione retinetur" (PL 9,925C).

129) ThLL VII,1,1147f; "infidelitas" wird bei vielen Kirchenschriftstellern mit den Juden verbunden; vgl. H.SCHMECK, Infidelis. Ein Bei-

tet soll das schon zum Zustand gewordene Verhalten der "infideles" (der Juden) kennzeichnen. Doch weshalb dann noch "haereditaria"?

Man könnte zuerst an eine Anspielung auf die Herrschaft des vorher erwähnten Herodes-Sohnes Archelaus denken, spräche nicht der weitere Kontext dagegen. Weit eher wird damit die jüdische Eigenart der Beharrung[130] und der Verstockung unterstrichen, wobei man auch auf die naheliegende Assoziation von der Enterbung Israels[131] mit der Konsequenz eines unseligen Erbes verweisen könnte. Die entscheidende Erklärung liefert aber Hilarius selbst durch die raffinierte Antithetik von "diabolus infidelis" und "Abraham fidelis", aus der sich ergibt, "ut qui fideles sunt, Abrahae propago per fidem sint; qui autem infideles sunt, in diaboli progeniem infidelitate mutentur."[132] Die "haereditaria infidelitas" beinhaltet also, daß die "infidelitas" vom "diabolus" ausgeht und zu Söhnen des "diabolus" macht[133]. Von welcher heilsgeschichtlichen Tragweite diese Sicht des "diabolus" als "Stammvater"[134] der Juden ist, kann nur aus der heilsgeschichtlichen Rolle

---

trag zur Wortgeschichte, in: VigChr 5 (1951) 129-147 (bes. 132; 138f), der Anm. 21 von einem "Topos von der 'infidelitas Iudaeorum'" spricht; DOIGNON 345-353.

130) Ähnlich ausgedrückt in in psalm 118 mem 4: "mandatum legis Iudaei tamquam proprium et hereditarium sibi vindicant" (CSEL 22,469). Vgl. TERT., ieiun, 13,6: "Aspice ad Iudaicos fastos et invenies nihil novum, si, quae patribus sunt praecepta, omnis deinceps posteritas hereditaria religione custodit" (CChrL 2,1272).

131) Vgl. § 3.2.

132) In Matth. 2,3 (PL 9,925C-926A); voranging: "Nam ille in hominis transgressione fuit perfidus, hic vero iustificatus ex fide est. Igitur uniuscuiusque mores atque vita propinquitatem cognationis acquirit"; vgl. auch in Matth. 24,5 (PL 9,1049C) u. DOIGNON 346f.

133) Eine bündige Zusammenfassung liefert die Überschrift der Mauriner: "Filios Abrahae vel diaboli facit fides aut infidelitas".

134) In Matth. 2,3: "... ut qui diabolum patrem habere coeperant, cum eis, qui de lapidibus excitarentur, rursum Abrahae filii per fidem fiant" (PL 9,926A); nachgerade eine Identifizierung von "Iudaeus" u. "diabolus" ergibt sich aus AMBR., obit.Theod. 44f; 49; vgl. I.M.SANS, La envidia primigenia del diablo segùn la patristica primitiva (Madrid 1963).

der Gegenfigur Abraham[135] hinreichend ermessen werden. Damit
ordnet Hilarius die Juden - freilich noch nicht endgültig -
ganz im Geiste der damals weithin fehlenden Differenzierung
in der Beurteilung von Heiden, Juden und Häretikern[136] in
die vom Satan anhebende Erbfolge des Unglaubens ein.

2. Einen ähnlichen Bezug sieht EUSEBIOS VON CAESAREA zwischen dem Simon Magus[136a] der APG. und der ἀπ' ἐκείνου
μιαρωτάτη αἵρεσις seiner Tage gegeben. Uns soll dabei aber
primär nicht der griechische Urtext beschäftigen, sondern
die in RUFINs Übertragung (ca. 402/03) erkennbare Modifizierung und die zusätzliche Anwendung der "hereditas"-Termino-
logie, wie sie sich im folgenden Text findet:

"sed is (sc. Simon magus) ... credere se in Christum, usque quo etiam baptismum acciperet, simulavit. quod re vera mirari dignum est hodieque eodem ordine fieri ab his,
qui velut hereditariam ab illo simulationem sectae impu-
rissimae susceperunt quique auctoris sui artibus instituti ecclesiam fraude qualibet ingressi lavacrum furantur
et sancta nostra velut alicuius morbi contagione commacu-
lant."[137]

Verglichen mit dem griechischen Text[138] ist bis etwa "ar-

---

135) Vgl. § 6.

136) Zu den Juden vgl. das grundlegende Werk von M.SIMON; AMBR. bringt
Juden u. Arianer in Zusammenhang: fid. 2,15,130: "Namque more Iudaei-
co aures suas Arriani claudere solent" (CSEL 78,102); ähnlich schon
LUCIF., non parc. 9: "apud Iudaeos coapostatas tuos (sc, Constantii)"
(CSEL 14,227); aufschlußreich ist auch das Bezugsschema von "infi-
delis" bei SCHMECK 147; zur staatlichen Einschätzung vgl. K.L.
NOETHLICHS, Die gesetzgeberischen Maßnahmen der christlichen Kaiser
des vierten Jahrhunderts gegen Häretiker, Heiden und Juden (Diss.
Köln 1971) u. ANTON.

136a) Zum Simonbild bei EUS. vgl. hist.eccl. 2,13,1 - 2,15,1; 3,26,1-3;
4,22,5; BEYSCHLAG 75f.

137) RUFIN., hist. 2,1,11f (GCS 9,1,107/109); dazu BEYSCHLAG 71.

138) EUS., hist.eccl. 2,1,11f: τότε δ'οὖν καὶ οὗτος ... ὑποδύεται
καὶ μέχρι λουτροῦ τὴν εἰς Χριστὸν πίστιν καθυποκρίνεται.
ὃ καὶ θαυμάζειν ἄξιον εἰς δεῦρο γινόμενον πρὸς τῶν ἔτι
καὶ νῦν τὴν ἀπ' ἐκείνου μιαρωτάτην μετιόντων αἵρεσιν, οἳ

tibus instituti" eine auffallend wörtliche Übersetzung festzustellen[139], wobei einzig der Zusatz "velut hereditariam
simulationem" absticht. Damit sieht Rufinus parallel zum "si-
mulare" des Simon - in Übersetzung von καθυποκρίνεσθαι - in
der späteren "Sekte" ebenfalls eine "simulatio" gegeben, ein
Gedanke, der auch in "artibus" und besonders in "fraude qualibet" mitschwingt. Die Begründung für diese Sicht und insbesondere für die weitere Präzisierung der "simulatio" als
"hereditaria"[140] liefert der zweite im Vergleich zum Euse-
bios-Text auffallende Zusatz "lavacrum furantur". Die "Simonianer" bedienen sich also nach Rufinus der von ihrem Stammvater ererbten "simulatio", um auf dieselbe Weise wie er
dasselbe Ziel zu erreichen, nämlich das "lavacrum"[141].

Angesichts dieser schwerwiegenden Textmodifizierung erhebt sich die Frage nach der Herkunft dieser neuen Nachricht
von einer Erschleichung[142] der Taufe bzw. einer häretischen
Taufpraxis und nach der Einordnung der so qualifizierten und
zusätzlich noch mit Simon Magus in einen Erbzusammenhang ge-
brachten "Sekte". Zweifelsohne will auch bereits EUSEBIOS

τῇ τοῦ σφῶν προπάτορος μεθόδῳ τὴν ἐκκλησίαν λοιμώδους
καὶ ψωραλέας νόσου δίκην ὑποδυόμενοι ... (GCS 9,1,106/108).

139) Z.B. εἰς δεῦρο u. ἔτι καὶ νῦν wird in "hodieque" zusammengezo-
gen; αἵρεσις -"secta"; μιαρωτάτη - "impurissima"; μετιέναι-
"suscipere"; μεθόδῳ- "artibus"; προπάτωρ (=Stammvater) wird durch
die Wiedergabe mit "auctor" etwas "verwässert".

140) Vgl. dazu RUFIN., Basil.hom. 6,2: "haereditaria divisio" (PG 31,
1783B); hist.mon. 7: "haereditatem sibi virtutum et gratiae reli-
quisse" (PL 21,413A); "hereditarius ecclesiae principatus" (vgl.
§ 19 II 2).

141) Dieses lateinische Wort bildet die genaue Entsprechung zum griechischen λουτρόν, das Eusebios für die Taufe Simons verwendet.

142) Mit der Vorstellung vom Einschleichen in die Kirche und dem heimli-
chen Diebstahl der Taufe kann auch nur die Häretikertaufe an sich
gemeint sein, wie ja die Parallelen zwischen Christen und Heiden
bzw. Häretikern gerne mit dem Topos des Diebstahls oder der Nachäffung erklärt wurden; vgl. A. 3. Ebenso wäre zu berücksichtigen,
daß sich die Simonianer auch Christen nannten u. so in die Kirche
"einschlichen"; vgl. JUST., apol. 26,6 (GOODSPEED 44).

der mit Simon verbundenen αἵρεσις seiner Zeit - freilich sehr allgemein ausgedrückt[143] - ein dem Simon ähnliches Verhalten anlasten, aber damit ist die Fragestellung nur vom Beginn des 5. Jahrhunderts um hundert Jahre zurückverlegt, ohne daß die wohl nicht zufällige Textmodifizierung bei Rufinus[144] aus der Welt geschafft wäre. Ohne hier eine Lösung anbieten zu können, sei auf die zentrale Rolle der Taufe bei Simon und Menander verwiesen, die durch ihre Taufe auf magische Weise die Auferstehung mitzuteilen versprachen[145]. Trotz ORIGENES' Behauptung[146], es gebe nur noch etwa 30 Simonianer auf dem ganzen Erdkreis, muß sich noch etwa ein Jahrzehnt später um die Mitte des 3. Jahrhunderts PSEUDO-CYPRIAN[147] in Afrika mit Simonianern[148] auseinandersetzen, die behaupten, bei einem "integrum atque perfectum baptisma" müsse ein magisches Feuer über dem Wasser erscheinen.

---

143) Bes. durch die moralische Minderwertigkeit und Ansteckungsgefahr implizierenden Ausdrücke, die RUFIN. noch erweitert (vgl. auch den Kontext) und das schon feststehende Epitheton für diese "Sekte"; vgl. IREN., adv.haer. 1,16,3 (A. 75); zum "von Simon gepredigten Libertinismus" MEYER 290 bzw. zur Wurzel dieses Topos' WINKELMANN 246; SCHIRR 106f.

144) Zur Beurteilung der Relevanz von Zeiteinflüssen auf die lateinische Übertragung fehlen entsprechende vergleichende Untersuchungen; vgl. J.E.L.OULTON, Rufinus's translation of the Church History of Eusebius, in: JTS 30 (1929) 150-174.

145) IREN., adv.haer. 1,17: "Ressurectionem enim per id quod est in eum baptisma accipere eius discipulos, et ultra non posse mori" (1,195); zur vom lateinischen Irenäus-Text ausgehenden Fehlinterpretaion im Sinne von "in nomine eius" statt des richtigen διὰ τοῦ μεταδιδομένου πρὸς αὐτοῦ βαπτίσματος (EUS., hist.eccl. 3,26, 1f/GCS 9,1,254) vgl. MEYER 297 Anm. 1; ansonsten HILGENFELD 188; BEYSCHLAG 68.

146) C.Cels. 1,57 (SourcesChr 132,234); zum möglichen Mißverständnis der "Dreißig" BEYSCHLAG 62f.

147) Rebapt. 16 (CSEL 3,3,89f).

148) Rebapt. 16: "qui originem iam exinde trahunt a Simone mago ..." (89); vgl. auch das Täuschungsmotiv: "et agunt isti haec omnia dum fallere cupiunt eos qui sunt simpliciores aut curiosiores" (89f); BEYSCHLAG 70 Anm. 146 bestreitet - in der sprachlichen Argumentation jedenfalls zu Unrecht -, daß es sich hier um "Simonianer" handelte.

In Anbetracht dieser - allerdings spärlichen - Nachrichten, von denen Eusebios ein gutes Stück und Rufinus noch viel weiter getrennt ist, kann man wohl nur vermuten, daß sich beide neben der Verwendung uns unbekannter literarischer Quellen auch noch auf eigene Anschauung[149] stützen konnten. Gegen diese Vermutung lassen sich der Befund bei Origenes oder bei Epiphanios nur ins Feld führen[150], wenn man den doch sehr schillernden Begriff der "Simonianer"[151] - letztlich ein Reflex der allgemein anerkannten Erzketzerstellung des Simon - nicht berücksichtigt.

Obwohl weder EUSEBIOS noch RUFINUS diesen Begriff hier verwenden, sehen beide den bereits für Eusebios staunenswerten Zusammenhang zwischen dem Erzketzer Simon und einer häretischen Gruppierung ihrer Zeit, wobei Rufinus die Identität im Verhalten durch den - vielleicht durch das griechische προπάτωρ angeregten - Gedanken einer Erbfolge entscheidend unterstreicht und so mit der eindeutigen Offenlegung der Ursprünge die Verurteilung noch verschärft.

3. Mit den Übersetzungstheorien desselben Rufinus rechnet der große Bibelübersetzer HIERONYMUS in wenig taktvoller Weise ab, wenn er in seinem erst nach dessen Tod (410) verfaßten Ezechielkommentar[152] seine eigene Vorliebe für den he-

---

149) Zu fragen wäre dabei auch nach dem Stellenwert des "hodieque" bei RUFIN.; vgl. HILGENFELD 183: "Und Eusebius schreibt von Anhängern Simon's so, wie wenn sie noch zu seiner Zeit beständen." BEYSCHLAG 71 führt zu leichtfertig die Anwendung eines großkirchlichen Häresieschemas als Argument gegen die Historizität an.

150) So bei G.BARDY in seiner Euseb.-Ausgabe: SourcesChr 31,51 Anm. 19 mit Berufung auf panar. 21.

151) Ähnlich schillernd wie "die Gnosis"! Vgl z.B. BEYSCHLAGs Bemühen (69f), den "unsimonianischen" Inhalt der Nachrichten über die "Simonianer" nachzuweisen oder das historische Faktum, daß Theodosius II. per Edikt von 435 verfügte, alle Nestorianer seien als Simonianer zu behandeln.

152) Verfaßt 410-415; G.GRÜTZMACHER, Hieronymus. Eine biographische Studie zur alten Kirchengeschichte Bd. 3 (Leipzig 1908) 199ff; J. BROCHET, Saint Jérôme et ses ennemis. Etude sur la querelle de Saint Jérôme avec Rufin d'Aquilée et sur l'ensemble de son Oeuvre polémique (Paris 1906) 445ff.

bräischen Urtext verteidigt und dann fortfährt:

"Et latini nostri, immo invidi christiani, et, ut apertius dicam, Grunnianae factionis heredes, adversum nos latrant: cur iuxta hebraicum disseramus ..."[153].

In dem offenbar die beiden ersten Glieder erklärenden und als Höhepunkt gedachten Ausdruck "Grunnianae factionis heredes" ist "factio"[154] im Sinne von "secta" als "Anhang", "Verwandtschaft" und eindeutig negativ zu verstehen, was auch durch das - schon auf Grund seiner Lautmalerei - erhellende Beiwort "Grunniana"[155] unterstrichen wird. Dieses nur bei Hieronymus vorkommende Adjektiv ist von dem für Rufinus gebrauchten Pseudonym und onomatopoietischen Schimpfwort "Grunnius"[156] abgeleitet, das im Kreise der übrigen polemisch motivierten "Tier-Metaphern"[157] in der Sprache unseres Kirchenvaters das veränderte Verhältnis zum einstigen Jugendfreund widerspiegelt.

Die seit der offenen Parteinahme im Gefolge des Origenistenstreits vehement ausgetragene Fehde zwischen Hieronymus

---

153) In Ezech. 10,33,23-33 (CChrL 75,475); die Auseinandersetzung erstreckt sich bis: "Haec contra invidos" (475,Z.1307).

154) Vgl. "Ariana factio" (HIER., vir.ill. 94); "Arianae signifer factionis" (adv. Rufin. 1,8).

155) Vgl. A. 163.

156) In Ier.Prol. 4 (A. 178); 4,1,2; 4,41,4; vgl. I.OPELT, Die lateinischen Schimpfwörter und verwandte sprachliche Erscheinungen (Heidelberg 1965) 234. Ep. 125,18: "testudineo Grunnius incedebat ad loquendum gradu et per intervalla quaedam vix pauca verba capiebat ..." (CSEL 56,137); dazu GRÜTZMACHER Bd. 3,87; P.ANTIN, Jérôme, ep. 125, 18,2-3, in: RBén 69 (1959) 342-348; D.S.WIESEN, St. Jerome as a Satirist (New York 1964) 229f u. W.SÜSS, Der heilige Hieronymus und die Formen seiner Polemik, in: Gießener Beiträge zur deutschen Philologie 60 (1938) 212-238, bes. 221, der die Eigenart hieronymianischer Satirik am treffendsten charakterisiert.

157) Vgl. SÜSS 217ff; ANTIN 343f; WIESEN 229 Anm. 100 u. bes. I.OPELT, Hieronymus' Streitschriften (Heidelberg 1973) (Indices!); das dem "latrare" entsprechende Subjekt in Ezech.lib.6 praef.: "Scyllaei canes" (vgl. A. 166); zur Hundemetapher OPELT 206 (Index).

und Rufinus[158], verbunden mit konträrer Einschätzung des Sep-
tuaginta-Textes[159], konzentrierte sich nach dem Tod des Kontrahenten auf dessen Anhänger. Die Bezeichnung als "heredes"
aus der "Grunniana factio"[160] kann man sich verschieden motiviert denken: Angesichts der anderen Umschreibung, nämlich
als "Calpurniani discipuli"[161], ist auf die auch sonst gebräuchliche Sinnbeziehung von "heredes" und "discipuli" zu
verweisen[162]. Ebenso liegt "heres" im Zusammenhang mit "factio" nicht fern. Von großer Bedeutung für das Verständnis
von "factio" wie auch für die Verwendung der "hereditas"-Ter-
minologie ist schließlich die Bezeichnung der Anhänger als
"Grunnianae familiae stercora"[163].

Ganz zu der satirisch geprägten Auseinandersetzung aber
würde es passen, wenn Hieronymus bei der "Titulierung" als
"Grunnianae factionis heredes" primär an das berühmte paro-
distische "Testamentum Porcelli"[164] gedacht hätte, demzufolge das arme Tier vor der Schlachtung die letzten Verfügungen
über sein Futter und die eigenen Innereien trifft. Nach diesem amüsanten Hinweis auf das breite Spektrum unserer "hereditas"-Stellen bleibt festzuhalten, daß durch die Beschimp-

---

158) Dazu GRÜTZMACHER Bd. 3; S.SELIGA, De invectiva Hieronymiana, in:
Collectanea Theologica 16 (1935) 145-181, bes. 162ff; WIESEN 225ff;
P.ANTIN, Rufin et saint Jérôme après la controverse origéniste, in:
Recueil sur saint Jérôme (Bruxelles 1968) 131-135; OPELT, Hierony-
mus 83ff; zu antiorigenistischen Tendenzen in in Ezech. GRÜTZMACHER
3,200f.

159) GRÜTZMACHER 3,204f.

160) Zu verstehen als genitivus obiectivus-Verbindung: die Erben der
"Grunniana factio" oder eventuell noch als genitivus identitatis:
die Erben, d.h. die Anhänger des Grunnius.

161) Adv.Rufin. 3,28 (PL 23,500A); vgl. A. 163; SÜSS 225.

162) Vgl. § 13 I 1.

163) In Ier. 29,14-20: "quae cum audiunt discipuli eius (sc. Rufini) et
Grunnianae familiae stercora..." (CSEL 59,359).

164) Er kannte es sicher noch aus der eigenen Schulzeit: "Testamentum
autem Grunii Corocottae Porcelli decantant in scholis puerorum ag-
mina cachinnantium" (in Is. 12 prol./PL 24,409/10D); adv.Rufin. 1,
17: "testamentum suis" (PL 23,430C); vgl. W.KROLL, in: PW II 5,1,
1020f; L.HERRMANN, Le testament du cochon, in: Studi in onore di
U.E.Paoli (Firenze 1955) 385-391.

fung als "Grunnianae factionis heredes" in den Anhängern gerade auch der Meister (Rufinus) getroffen werden sollte.

4. Seine "Häresie" hat in den Augen des HIERONYMUS seinen
Tod überdauert und ihre neue Ausprägung schreckt den Kirchenvater jäh aus seiner "expositio scripturarum"[165] auf:

"Putabam quod, medio serpente confosso, non reviviscerent
hydrae novellae plantaria et, iuxta fabulas poetarum,
Scylla mortua, nequaquam in me Scyllaei saevirent canes
qui latrare non cessant, et, haereticis Dei percussis manu ne tentarentur, 'si fieri potest, etiam electi Dei',
haeresis ipsa non moritur, haereditariis contra nos odiorum suorum catulis derelictis, qui, nostra simulantes,
genitricis antiquae et pellacis Ulixi venena non dese-
runt ...".[166]

In den mit mythologischen Gestalten bzw. Ungeheuern[167]
gespickten und ganz und gar unklassisch[168] geprägten Satzgefüge - gleichzeitig ein Spiegel spätantiken Bildungsbewußt-
seins[169] und kunstvoller Sprachbeherrschung[170] - stehen die
"hydra novella" und die "Scyllaei canes"[170a] für die "Häresie", während mit "serpens confossus" und "Scylla mortua"

---

165) Vgl. A. 171.

166) In Ezech.lib.6 praef. (CChrL 75,225); GRÜTZMACHER 3,199; BROCHET 448.

167) Weitere vergleichbare Stellen bei P.ANTIN, Les Sirènes et Ulysse
dans l'ouevre de Saint Jérôme, in: REL 39 (1961) 232-241; ANTIN (o.
c. A. 156) 344 Anm. 1; vgl. auch AMBR., fid. 3,1,3 (CSEL 78,108f).

168) Zu "putare quod" (Konjunktiv) H.GOELZER, Etude lexicographique et
grammaticale de la latinité de Saint Jérôme (Paris 1884) 379; vgl.
ebd. 96, 158 (plantarium, novellus).

169) Einen ersten Eindruck davon vermittelt OPELTs kundige Kommentierung
von Hieronymus' Streitschriften; vgl. R.EISWIRTH, Hieronymus' Stellung zur Literatur und Kunst (Wiesbaden 1955).

170) Vgl. die anapherartige Folge von Alliterationen: haereticis ...,
haeresis ipsa ..., haereditariis contra nos ... .

170a) Sicherlich eine Anspielung auf die Anhängerschaft Rufins" vgl. dazu
adv.Rufin. 1,1 (lingua canum meorum); eine ganz ähnliche Verwendung
von "hydra" u. "Scylla" in der Ketzerpolemik bei AMBR., fid. 1,6,
46f (CSEL 78,20f).

offenbar der Tod Rufins umschrieben wird, der in Hieronymus
die Hoffnung auf "Waffenruhe" bestärkt hatte[171]. Mit adver-
sativem "et"[172] wird dann die rauhe Wirklichkeit eingeführt,
die trotz der Vernichtung der "haeretici"[173] lautet: "haeresis ipsa non moritur".

Die Begründung dafür liefert der sich anschließende Abla-
tivus-absolutus-Ausdruck, der nur schwer zu erkären ist. Unter Verzicht auf eine wörtliche Übersetzung[174] könnte man
den Sinn etwa so wiedergeben: "da sie (die Häresie) Junge
hinterlassen hat, die ihren Haß gegen uns als eine Erbschaft
übernehmen." Diese Paraphrasierung hat bereits die zwei Haupt-
schwierigkeiten des lateinischen Ausdrucks umgangen, nämlich
die Verbindung von "haereditarius" und "catulus" und die Verbindung von "catulus" und "odium". Sinnmäßig ließe sich "haereditarius" eher mit "odiorum" verbinden, wie es auch mit
Beispielen zu belegen ist[175] oder man beläßt es in seiner
Stellung und versteht es als "heres" mit folgendem genitivus
obiectivus. Damit ist bereits ein Erklärungsweg vorgezeichnet, der "haereditariis catulis" im Sinne von "heredibus"

---

171) So hieß es im Prolog noch voller Zuversicht: "Verum quia ... Scor-
piusque inter Enceladum et Porphyrionem Trinacriae humo premitur et
Hydra multorum capitum contra nos aliquando sibilare cessavit, da-
tumque tempus quo non haereticorum respondere insidiis, sed scripturarum expositioni incumbere debeamus, aggrediar Hiezechiel prophetam ..." (CChrL 75,3); dazu SÜSS 229f u. GRÜTZMACHER 3,86f; mit
"Scylla mortua" wird ebenfalls auf den Sterbeort Sizilien (Messina)
angespielt.

172) Besonders häufig gebraucht nach verneinenden Sätzen!

173) Rufinus wird also ganz offen als "Häretiker" eingestuft (vgl. auch
A. 171) wie die Pelagianer: In Ezech.lib.6 praef.: "Haec dixi, fi-
lia Eustochium, ut laborantem me in opere prophetali et haereticis
resistentem orationibus iuves" (CChrL 75,225).

174) Man findet nur ungenaue Paraphrasierungen: "die Ketzerei stirbt
nicht und hinterläßt ihren Jungen ihren Haß gegen uns" (GRÜTZMACHER
3,199).

175) NEP., Hann. 1,3: "Hic autem velut hereditate relictum paternum odium erga Romanos sic conservavit ..." (K.NIPPERDEY/K.WITTE, Dublin-
Zürich 1967, 212); VELL. 1,1,2: "Aegisthi, hereditarium exercentis
in eum odium" (F.PORTALUPI, Torino 1967, 2); vgl. PS.QUINT., decl.
9,14; HEGES.1,38,3: "nec solum ad praesens ultionem repperit, sed
etiam in reliquum hereditaria odia transmisit" (CSEL 66,78); zum
Plural "odia" vgl. HIER., ep. 26,4,2; 51,3,4; adv.Rufin. 1,12.

versteht. "Catulus"[176] wäre dann nur zur Weiterführung der Me-
taphorik von "Scyllaei canes" gedacht gewesen, obgleich sich
in dem Satzgefüge die mythologischen Reminiszenzen - berei-
chert durch Anklänge an NT und AT[177] - sowieso bunt überla-
gern.

Die naheliegende Frage nach der Gruppe, die hiermit in
einem Erbenverhältnis zu Rufinus gesehen wird, scheint aus
dem unmittelbaren Kontext des Ezechielkommentars nicht lös-
bar. Dagegen werden in dem unmittelbar danach verfaßten Kommentar zu Jeremias Pelagius bzw. die Pelagianer in klarer Abhängigkeit von Rufinus gesehen, wenn Hieronymus den "Grunnius" als "praecursor eius"[178] bezeichnet oder es von Rufinus heißt: "ipseque mutus latrat per Alpinum canem ... habet
enim progeniem Scotticae gentis ..."[179].

Angesichts dieses eindeutigen Befundes kann man es nur
noch als Bestätigung des skizzierten Zusammenhanges werten,
wenn man bedenkt, daß einerseits Pelagius bald nach 410
selbst nach Palästina kam und die Pelagianer später sogar
die Klöster des Hieronymus in Brand steckten und andererseits
auch Hieronymus in unserem Ezechiel-Kontext die "neue" Häresie als ein sehr bedrängendes Problem kennzeichnet[180], dem

---

176) Bedeutet allgemein "das Junge" bes. "das eines Tieres aus dem Kat-
   zen- und Hundegeschlecht" (GEORGES 1,1036); vgl. ThLL III, 621-623.

177) MT. 24,24 u. gegen Ende des Satzes PS. 54,22.

178) In Ier.Prol. 4: "quod non videns praecursor eius Grunnius ..." (CSEL
   59,4); vorher war die Rede vom "indoctus calumniator" Pelagius; zu
   praecursor" siehe A. 200; vgl. BROCHET 450f, der wohl zu Unrecht
   einen weiteren Text beizieht (451) (vgl. A. 163).

179) In Ier. 3,1,3f (CSEL 59,151); zu "Alpinus canis" u. "Scotticus" =
   Pelagius vgl. ebd. 479; 505; SELIGA 177f; SÜSS 228; P.ANTIN, Rufin
   et Pélage dans Jérôme, Prologue 1 'In Hieremiam', in: Latomus 22
   (1963) 792-794. Höchst beachtenswert ist es, wie in in Ier. 4,1,2
   (221) in einem kompletten Ketzerstammbaum die Pelagianer über die
   Zwischenstufen des Origenes u. seiner Schüler "Grunnius", Euagrios
   Pont., Jovinian von der "heresis Pythagorae et Zenonis" abgeleitet
   werden u. zwar auf Grund der hier bereits angelegten "inpeccantia"
   (Schlagwort des pelag. Streites!); vgl. auch 4,41,4 (267).

180) Vgl. bes. die Praefatio zum 6.Buch (A. 173).

er sich auch bereits in regelrechten Kampfschriften gestellt
hatte und noch stellte[181]. Eine ganz andere Frage ist es freilich, inwieweit auf Rufinus der Pelagianismus-Verdacht zutrifft, zumal die diesbezüglichen Hieronymus-Stellen durchwegs von polemischem Interesse bestimmt sind. Diese Tendenz
bildet sicher auch das entscheidende Motiv dafür, Rufinus
und Pelagius in einer Erbfolge zu sehen, womit wohl der ge-
fährliche Charakter, die Unüberwindbarkeit[182] und die unauf-
hebbare Verurteilung der Häresie zunächst Rufins und sekunkär des Pelagius betont werden soll. Diese somit im Erbbegriff mitschwingende "Personalunion" erscheint dann, wie wir
bereits sahen, kurze Zeit später im Jeremias-Kommentar meisterhaft formuliert als: Rufinus "latrat per" Pelagium[183].

5. In eine ganz ähnliche Erbfolge stellt HIERONYMUS die
Pelagianer in seiner Kampfschrift "Dialogus adversus Pela-
gianos"[184] aus dem Jahre 415, wo er im 2. Buch dem fingierten Vertreter der Pelagianer Critobulus die Stelle ZACH. 3
als Argument gegen die "impeccantia" entgegenhält:

"Diciturque ad eum post pugnam atque victoriam: 'Auferte
vestem sordidam ab eo', et: 'Ecce abstuli a te iniquita-
tem tuam' et haeres Ioviniani loquitur: 'Sine omni omnino peccato sum, sordida vestimenta non habeo, proprio re-
gor arbitrio, maior Apostolo sum."[185]

Hier wird die Schriftaussage durch ein adversatives "et"

---

181) Adv.Iovin. (393), adv.Pelag. (415); dazu OPELT, Hieronymus 37ff; 128ff.

182) Ansonsten bes. anschaulich ausgedrückt durch die Metapher von der
Hydra mit den vielen, stetig nachwachsenden Köpfen.

183) A. 179; vgl. zu dieser "per"-Formel auch unten § 27.4.

184) Dazu CAVALLERA 1,325ff; OPELT, Hieronymus 128ff; vgl. SELIGA 177f;
B.R.VOSS, Der Dialog in der frühchristlichen Literatur (München
1970) 191ff.

185) Adv.Pelag. 2,24 (PL 23,588C); diese Stelle verdanke ich OPELT, Hieronymus 146.

mit der Aussage des "haeres Ioviniani" konfrontiert, der voller Selbstgerechtigkeit für sich die "impeccantia" beansprucht. Für das Verständnis dieser "heres"-Bezeichnung bleibt zu berücksichtigen, daß einerseits der pelagianische Dialogpartner ein Stück vorher auch schon als "successor Ioviniani" angesprochen wurde[185a], weil er ebenso wie Jovinian die These vertrat, die Taufe schütze vor künftigen Sünden, und andererseits Jovinian als "magister" des Pelagius[185b] hingestellt wurde. Insofern also Critobulus Ansichten vertritt, die vor allem mit der zweiten These Jovinians[185c] konform gehen, scheint dieses Lehrer-Schüler-Verhältnis gerechtfertigt. Die weiterführende Bezeichnung als "haeres Ioviniani" kann man dann schon beinahe als Schimpfwort werten, das die Pelagianer in die Erblinie des Jovinian stellen soll, um so mit einem Federstrich sowohl dessen Heterodoxie als auch dessen Verurteilung[185d] auf jene zu lenken.

§ 15. Die weit verzweigte Erbfolge im Arianismus

Dieser wichtige Aspekt des Erbbegriffs, dessen Anwendung wir in einigen wenigen, ziemlich disparaten Fällen von Ketzer-Polemik betrachtet haben, begegnet uns auch relativ häufig bei den "hereditas"-Stellen der anti-arianischen Polemiker. Sie zeugen davon, wie Nikaia in kürzester Zeit zum "Zei-

---

185a) Adv.Pelag. 2,15: "Ille (sc. Christus) tentatur et successor Ioviniani audet loqui: Eos qui plena fide baptisma consecuti sunt, non posse tentari ..." (PL 23,576C). OPELT, Hieronymus 173f reiht "successor Ioviniani" unter "anklagende Täterbezeichnungen" ein u. sieht darin ein Synonym zu "haeres Ioviniani".

185b) In Ier.Prol. 1,5 (CSEL 59,5).

185c) Vgl. OPELT, Hieronymus 39, 53f.

185d) In der Streitschrift adv.Iovin. aus dem Jahre 393; vgl. OPELT, Hieronymus 37ff; 157f.

chen des Widerspruchs"[186] wurde und die stark personalisier-
ten dogmatischen Differenzen in flammenden Streitschriften
zu persönlichen Angriffen führten.

1. So kämpft etwa LUCIFER VON CALARIS in mehreren Streitschriften[186a] noch von seinem Exil aus, wohin ihn seine
Standhaftigkeit auf der Synode von Mailand (355) gebracht
hatte[187], gegen die Verurteilung und Preisgabe des Athanasios und damit des Nikänums an.

In dem dafür verantwortlichen, arianerfreundlichen Kaiser
Konstantius II. (337 - 361)[188] sieht er den Arianismus geradezu personifiziert, so daß in erster Linie ihm die durch
eine geharnischte Sprache[189] beeindruckende Abrechnung gilt.
In der 357/58 verfaßten Schrift "De sancto Athanasio"[190]
bringt Lucifer in einer für ihn typischen Weise einen Schriftbeweis[191] für die Schlechtigkeit des Kaisers vor:

"adeo nequam es, Constanti, ut cum prophetam invenio dicere: 'o qui fundat fundationem malam domui suae, ut con-
locet in altum nidum suum', tu mihi atque hereditas anti-

---

186) I.ORTIZ DE URBINA, Nicäa und Konstantinopel (Mainz 1964) 135ff;
SEEBERG 2.87ff; M.MESLIN, Les Ariens d'Occident 335-430 (Paris 1967).

186a) Vgl bes. die vorbildliche sprachliche Analyse bei I.OPELT, Formen
der Polemik bei Lucifer von Calaris, in: VigChr 26 (1972) 200-226.

187) Zur Synode von Mailand HEFELE 1,652ff; G.KRÜGER, Lucifer Bischof
von Calaris und das Schisma der Luciferianer (Leipzig 1886) 13ff;
E.STEIN, Geschichte des spätrömischen Reiches Bd.1 (Wien 1928) 234f
u. die entsprechenden Lucifer-Stellen (CSEL 14, Ind.344).

188) Vgl. STEIN 226, 232ff; J.GUMMERUS, Die homöusianische Partei bis
zum Tode des Konstantius (Leipzig 1900); PW 4,1,1044-1094. Neuerdings W.TIETZE, Lucifer von Calaris und die Kirchenpolitik des Constantius II. Zum Konflikt zwischen dem Kaiser Constantius und der
nikänisch-orthodoxen Opposition (Diss. Tübingen 1976); R.KLEIN.

189) Zum sprachgeschichtlich interessanten Vulgärlatein des LUCIF. vgl.
W.HARTEL, Lucifer von Cagliari und sein Latein, in: Archiv für la-
teinische Lexikographie u. Grammatik 3 (1886) 1-58 u. neuerdings
OPELT, Lucifer.

190) KRÜGER 32f; BARDENHEWER 3,472.

191) Die Luciferschriften strotzen von "Schriftbeweisen" dergestalt, daß
negative Verhaltensweisen aus der Schrift, bes. dem AT, auf Konstantius bezogen werden (CSEL 14, Index 344-347); vgl. KRÜGER 28; OPELT,
Lucifer 208ff.

christi, cui faves, ante oculos obversetur, cognoscens
conatus tuos illos sacrilegos. non enim potest dubitari
te conatum et conari, ut toto in regno tuo posset fundari haeresis tua, destrui vero fides catholica."[192]

Der für unsere Thematik relevante Ausdruck "hereditas antichristi" wirft innerhalb dieser Schriftargumentation, die
auf das "fundari haeresis tua"[193] zielt, die Frage auf, wer
da so eng mit dem "tu" des Kaisers verbunden wird. Auf Grund
der ausgedehnten Begriffsgeschichte von "antichristus"[194]
soll hier in erster Linie der Gebrauch bei Lucifer thesenar-
tig skizziert werden, wobei auch "diabolus"[195] zu berücksichtigen ist:

1.) Die Arianer sind die "plane filii diaboli"[196].

2.) Der "diabolus" handelt "per magistrum vestrum Arrium"[197].

3.) Die Arianer sind die "antichristi temporis nostri"[198].

4.) Kaiser Konstantius ist unter die "antichristi" zu zäh-

---

192) Athan. 1,36 (CSEL 14,130); vgl. HIL., c.Const. 27 (§ 9.3).

193) Vgl. non conv. 9: "per te Arii blasphemiae fundatorem" (CSEL 14,19
Z.29).

194) W.BOUSSET, Der Antichrist in der Überlieferung des Judenthums, des
neuen Testaments und der alten Kirche (Göttingen 1895); E.LOHMEYER,
Antichrist, in: RAC 1,450-457; die Verwendung dieses Wortes insbes.
in der Ketzerbekämpfung der Väter ist noch wenig untersucht.

195) Zur Beziehung "antichristus" - "diabolus" (Satan) BOUSSET 88ff; RAC
1,452; OPELT, Lucifer 205ff; vgl. A. 60. TIETZE stellt die Belege
für die Teufelsverfallenheit des Konstantius II. und der Arianer
systematisch zusammen (86f; 94f; 106; 123f; 135f; 157f); SCHIRR behandelt auch "Das Motiv vom satanischen Ursprung der 'Häresie'" (21-
36), jedoch nur für die früheste Zeit. Vgl. ferner RAC 9,1243f.

196) Athan. 1,34: "sacrae enim scripturae probant vos ex actibus vestris
non esse dei servos, sed plane filios diaboli" (CSEL 14,126); 2,14:
"patri vestro diabolo et vobis Arrianis filiis eius" (173).

197) Athan. 2,21: "quam (sc. fidem) contra hanc catholicam fidem diabolus per magistrum vestrum Arrium vomuerit" (187); non parc. 1: "conprehendere istam tuam novam (sc. viam) quam per Arrium instituerat
diabolus" (210).

198) Athan. 1,23: "cognoscimus etenim vos Arrianos esse temporis nostri
antichristos" (106); ebenso 1,34 (126 Z. 3); vgl. 1,33: "vosmet
vestra professione esse famulos antichristi" (124); ähnlich bei
AMBR., fid. 2,15,135: "Et Iohannes dicit haereticos esse antechri-
stos, Arrianos utique designans" (CSEL 78,104).

len[199], ja er ist sogar der "dux" bzw. "praecursor antichristi"[200].

5.) Kaiser Konstantius ist selbst (der) "antichristus"[201].

Auffallend an dieser Zusammenstellung ist neben der "Ineinssetzung" von "diabolus" und "antichristus" vor allem,
daß die Arianer zwar durchwegs "antichristi" genannt werden
und dabei der Kaiser miteingeschlossen ist[202], aber der Kaiser direkt nur sehr zurückhaltend als (der) "antichristus"
bezeichnet wird, was sicher eher in einer theologischen Differenzierung innerhalb der Antichrist-Vorstellung[203] als in
der Absicht, den Kaiser zu schonen, wurzelt. Jedenfalls können angesichts des vorliegenden Befundes mit "hereditas antichristi" nur die Arianer oder höchstens noch Arius selbst[204]
gemeint sein, der aber im ersteren Fall als miteingeschlossen zu denken ist.

---

199) Athan. 1,23: "qui merearis numerari inter antichristos" (106); vgl.
non parc. 14 (238 Z.13f).

200) Athan. 1,27: "quia sis tu praecursor antichristi" (113 Z.20); ebenso 2,11 (168,15); 2,14 (173,11); 2,19 (182,18); non parc. 6 (220,
15f); 25: "quia dicam te inmundo spiritu agi, qui dicam te antichristi praecursorem" (262,28; ebenso 263,6f). Der "spiritus antichristi" in Konstantius (vgl. non parc. 24 u.a.) liefert vielleicht
die Begründung seiner praecursor-Stellung; dazu BOUSSET 124f;
OPELT, Lucifer 205 Anm. 15; 206. Moriend. 1 (285,5); vgl. auch A.
178; Athan. 1,40: "dux antichristi" (138,10).

201) Non parc. 31: "utique probas te aut esse antichristum aut certe eius
praecursorem. neque enim poteris alius esse intellegi nisi aut praecursor antichristi aut antichristus" (276); vgl. ebd.: "scriptum est
de antichristo cui tu similaris aut ipse esse iudicaris"; "non mi-
nor es, Constanti, incredulitate ab antichristo" (Z.21f). Angesichts
dieser Stellen ist LOHMEYERs Feststellung: "Trotz der ungleich blu-
tigeren Verfolgungen ist kein römischer Kaiser als A. bezeichnet
worden" (RAC 1,455) etwas zu modifizieren; vgl. auch OPELT (o.c.
A. 228) 210f.

202) Lucifer spricht dabei durchwegs die 2.Person Plural an.

203) Zu denken wäre dabei an eine etwas vage, nur polemisch orientierte
Bezeichnung bzw. an die Identifizierung mit der klar umrissenen
eschatologischen Antichrist-Gestalt.

204) Dafür könnte u.U. sprechen Athan. 1,33: "antichristus etenim, in
quem Arrius crediderit" (124,24f) u. der enge Zusammenhang zwischen
Arius u. Konstantius: Non conv. 9: "tuus magister Arrius" (18,6);
"tibi discipulo Arrii" (19,18); aber ähnlich heißt es auch "magister vester" (vgl. A. 197).

Diese Deutung entspricht auch ganz der offenen Begünstigung der "hereditas antichristi" durch den Kaiser, die sich durch geschichtliche Fakten belegen läßt und die ebenso durch die Präzisierung im Text "cui faves" ausgedrückt wird.

Nachdem so der Sinn unseres Ausdrucks bereits feststeht, ist noch kurz seine sprachliche Seite zu betrachten: Der Herausgeber der Lucifer-Schriften, W. HARTEL, versteht dabei "hereditas" ebenso wie bei "hereditas dei"[205] im Sinne von "heredes"[206], so daß wir es also mit "heredes antichristi" zu tun hätten. Zugunsten dieser "aktiven" Deutung als Plural, womit der Bezug auf Arius allein ausscheidet, kann man auch H. KORNHARDTs[207] Interpretation des berühmten TACITUS-Ausdrucks "unius familiae quasi hereditas" anführen. Danach wäre "hereditas" "eine Spielart des Abstraktums pro concreto", wobei das Abstraktum zur Bezeichnung einer Summe von Personen dient, etwa im Sinne von "Erbenschaft", "Nachfolgerschaft". Der Genitiv, in unserem Fall "antichristi", könnte dann "den Erblasser bezeichnen oder besser als Genitiv der Herkunft aufgefaßt werden"[208]. Mit der Klassifizierung als "hereditas antichristi" sollen also die Arianer als der Anhang, die Nachfolger und Erben des "antichristus" abgestempelt werden. Dabei wird sowohl durch die "hereditas"-Terminologie als auch durch die anderweitig gebrauchte "per"-Formel[209] eine enge Bindung bis hin zur Identifizierung zwischen "antichristus" (diabolus) und Arianern (Arius) impliziert.

Als Haupttendenzen bleiben deshalb festzuhalten: 1. Die Arianer stammen als Gesamtheit vom Widersacher Christi ab und treten dessen Erbe an; 2. Kaiser Konstantius als Anhän-

---

205) Dazu § 12.

206) CSEL 14,363.

207) Beiträge aus der Thesaurus-Arbeit VI: hereditas, in: Philologus 95 (1943) 287-298; vgl. bes. 293f, 297f. Die Ablehnung von KORNHARDTs Interpretation (vgl. § 19 I) berührt unsere Stelle nicht.

208) KORNHARDT 293.

209) A. 197; vgl. dazu § 27.4.

ger und Förderer der Arianer ist in Einheit mit dieser "hereditas antichristi" zu sehen.

2. Unter der Leitung seiner ihm ergebenen Hofbischöfe Valens v. Mursa und Ursacius v. Singidunum wurde auf einer Synode am kaiserlichen Hoflager zu Sirmium im Sommer 357 eine Glaubensformel, die sogenannte zweite sirmische Formel[210], aufgestellt, die die Begriffe ὁμοούσιος und ὁμοιούσιος als unbiblisch und anstoßerregend verwarf. Damit war zu einer Zeit, da führende Vertreter des Nikänums bereits durch die Verbannung ausgeschaltet waren, der schon auf der Mailänder Synode gehegte Plan Wirklichkeit geworden. Doch auch jetzt wurde der arianische Täuschungsversuch schnell entlarvt, wie uns der 357/58 verfaßte "Liber contra Arrianos" des südfranzösischen Bischofs PHOEBADIUS VON AGEN[211] zeigt, der damit zum Bannerträger des gallischen Widerstandes wurde. Im Verlauf der weitgehend mit der katholischen Tradition argumentierenden, detaillierten Kritik der zweiten sirmischen Formel prangert er besonders die arianische Preisgabe der "una substantia" an:

"Illis, inquam, auctoribus in tantum a Patre separantibus Filium ut ore sacrilego protulerint: Filium Dei ante saecula quidem creatum et fundatum, sed vivere et esse a Patre suscepisse et fuisse antequam nasceretur et Deum quidem esse sed non esse verum Deum. Successoribus igitur huius perfidiae, non fidei, per quos malorum serpit haereditas, merito una substantia displicet ..."[212]

Für die an Tertullian geschulte Sprache des Phoebadius

210) Zu Synode u. Formel vgl. HIL., syn.; HEFELE 1,676f; GUMMERUS 52ff; SEEBERG 2,106; MESLIN, Les Ariens 276ff.

211) J.DRÄSEKE, Phöbadius von Agennum und seine Schrift gegen die Arianer, in: Zeitschr. f. kirchl. Wissenschaft u. kirchl. Leben 10 (1889) 335-343, 391-407; GUMMERUS 59ff, 174f; BARDENHEWER 3,395f; SEEBERG 2,107; DThC 12,1,1369-1374.

212) C.Arrian. 8 (PL 20,18D); zit. nach A.DURENGUES, Le Livre de Saint Phébade "Contre les Ariens" (Agen 1927) 44; vgl. DThC 12,1,1371.

erscheint es höchst bemerkenswert, daß hier mit dem Ausdruck
"successores perfidiae" der dem Erbrecht entstammende Terminus technicus der apostolischen Sukzession[213] angewandt wird,
um in Verbindung mit "perfidia"[214] gleichsam eine häretische
Sukzession zu kennzeichnen. Sowohl der vorangehende Kontext
- zweite sirmische Formel - , auf den offenbar "haec perfidia" verweist, als auch eine ganz ähnliche Antithetik zwischen
"perfidia" und "fides"[215] legen es nahe, "perfidia" hier analog zur Entwicklung bei "fides"[216] objektiv als "häretische
Glaubensformel" zu verstehen, wobei freilich die subjektive
Bedeutung mitschwingen kann.

In den "successores" wären dann, wie sich auch aus der
Aussage des Satzes ergibt, die Autoren bzw. Vertreter der
zweiten sirmischen Formel zu sehen. Aber inwiefern stehen
diese in einer Sukzession? Die Erklärung ergibt sich m.E.
aus dem folgenden Relativsatz und insbesondere dem Ausdruck
"malorum haereditas", der wohl eher als genitivus relinquentis von "mali" zu verstehen ist als im Sinne eines von "mala" gebildeten genitivus identitatis[217]. Damit wollte also

---

213) Vgl. dazu § 22.1.

214) Dazu G.KOFFMANE, Geschichte des Kirchenlateins (Breslau 1879) 54;
vgl auch A. 307-310.

215) C.Arrian. 2: "Incipientes igitur ab ipso capite perfidiae, non fidei, ac deinceps per totum corpus decurrentes ..." (PL 20,14C); hier
steht "perfidia" ganz klar für die zweite sirmische Formel, so daß
DURENGUES mit Recht bemerkt: "FIDES signifie une formule de foi orthodoxe et PERFIDIA une formule hérétique" (97); vgl. c.Arrian. 3 (PL
20,15C). Beachte auch dieselbe Terminologie hinsichtlich der zweiten sirmischen Formel in Collect.Antiar.Par. B VII 9 (CSEL 65,170);
dazu bes. A.HAMMAN, Saint Hilaire est-il témoin à charge ou à dé-
charge pour le pape Libère? in: Hilaire et son temps ... (Paris
1969) 43-50, 49 mit Anm. 38, der zutreffend von einer "gravité doctrinale" des Wortes "perfidia" spricht. Das Zettelmaterial des ThLL
notiert zu dieser Stelle: "häretisches Glaubensbekenntnis".

216) Vgl. § 5 I 2 u. bes. ThLL VI,1,690.

217) "Mala" ließe sich vom Kontext her schwer erklären und man würde
außerdem eher den Singular erwarten: vgl. c.Arrian. 1: "ut et malum
quod sub opinione verborum simplicium latet, deprehendatur" (PL 20,
13D) u. bes. CIC., c.Verr. 2,3,177: "Ita serpit illud insitum na-
tura malum consuetudine peccandi libera ..." (A.KLOTZ, Leipzig 1923,
321). Die Übertragung bei DURENGUES 79: "qui propagent cette doc-

Phoebadius ausdrücken, daß die "haereditas" der "mali" in[218]
den "successores perfidiae" wirksam ist und diese auf Grund
dessen Nachfolger und Erben sind. Die etwas im Dunkeln blei-
benden "mali" - allgemein wohl die Vorgänger im arianischen
Bekenntnis - könnte man näherhin mit den kurz vorher genannten "mortuis ... auctoribus huius veneni"[219] identifizieren,
zumal man die moralische Qualifizierung als "mali" auch in
"venenum"[220], "scelera", "ore sacrilego" vorbereitet sehen
könnte.

Als Fazit bleibt demnach festzuhalten, daß Phoebadius die
Vertreter der zweiten sirmischen Formel in eine Kontinuität
der Häresie einordnet. Wenn er in ihnen die unheilvolle "haereditas" der "auctores" des arianischen "Giftes" am Werke
sieht, so will er damit offensichtlich auch betonen, daß es
sich bei den verschiedenen Formeln und Ausprägungen des Arianismus um ein und dieselbe "malorum haereditas" handelt.

3. Nach dieser literarischen Abrechnung mit den Antikä-
nern wurde Phoebadius im Jahre 359 auf der abendländischen
(Teil-) Synode in Rimini[221] auch kirchenpolitisch aktiv, in-

---

trine impie" legt offenbar trotzdem ein Neutrum zugrunde. Ebenso J.
DRÄSEKE, Die Schrift des Bischofs Phoebadius von Agennum "Gegen die
Arianer" (Wandsbek 1910): "Den Nachfolgern also dieses Unglaubens,
nicht Glaubens, durch deren Tätigkeit des Unheils Erbe schleichend
fortwuchert, mißfällt mit Recht die Wesenseinheit ..." (10); HIL.,
c.Const. 7 bezeichnet die vom Kaiser ernannten Bischöfe als "mali"
(PL 10,584A). Zum genitivus relinquentis ThLL VI,2632 Z.44ff.

218) Zu "per quos" vgl. § 27.4.

219) C.Arrian. 8: "Hic ergo blasphemiae, hic dictus sacrilegus dolor,
quo in Patre et Filio recipitur Deus unus. Mortuis enim auctoribus
huius veneni, scelera tamen eorum et doctrina non moritur" (PL 20,
18D); vgl. dieselbe Antithetik bei HIER., in Ezech.lib. 6 praef.
(§ 14.4).

220) Eine in der Ketzerpolemik gerne verwendete Metapher: vgl. c.Arrian
3 (PL 20,15B) u. OPELT, Hieronymus (Index 219); DIES., Schimpfwörter 218f; bereits bei Horaz u. Catull für beißende Reden u. schlech-
te Gedichte verwendet. - Damit korrespondiert die Vorstellung von
der "giftigen Schlange", die ausgehend vom AT auch auf die Häretiker übertragen wurde, und in unserem Text "serpere". Dabei könnte
man nach der Identifizierung von "mali" u. "auctores" auch an einen
Bezug von "haereditas" zu "venenum" denken, wofür auch "serpit"
spräche.

dem er sich aufs heftigste der in Hofkreisen im voraus verfaßten sogenannten vierten sirmischen Formel[222], die von Valens, Ursacius, Germinius, Auxentius und Gaius eingebracht
wurde, widersetzte. Doch schließlich wurde sowohl in Rimini
als auch auf der morgenländischen Synode in Seleukia[223] die
Formel von Nike[224], die durch kaiserliches Eingreifen zustan-
de gekommen war und noch stärker die Anhomöer begünstigte,
angenommen, nachdem man durch Anfügung verschiedener folgen-
schwerer Bekenntniszusätze und Ergänzungen[225] die eigene Position hineininterpretieren zu können glaubte. Das vorherrschende Bewußtsein, mit List und Tücke den anderen getäuscht
zu haben, machte später der Einsicht eines HIERONYMUS Platz:
"Ingemuit totus orbis et Arrianum se esse miratus est"[226].
An der Spitze des Kampfes, der besonders nach dem juliani-
schen Umschwung erneut entbrannte und vor allem der Entlarvung täuschender Formeln galt, stand nun im Westen der Landsmann des Phoebadius HILARIUS VON POITIERS, 359 noch - als Ver-
bannter in Phrygien - Teilnehmer der Synode von Seleukia[227].
War er bereits vor und während der Verbannung - in vielem
ein Pendant zu Lucifer von Calaris[228] - mit Streitschriften
aktiv geworden[229], so widmete er sich nach seiner Heimkehr
(360) der Rückgewinnung Galliens für den katholischen Glau-

221) HEFELE 1,697ff; GUMMERUS 134f; MESLIN, Les Ariens 285ff.

222) GUMMERUS 116ff; MESLIN, Les Ariens 282ff.

223) HEFELE 1,712ff; GUMMERUS 137ff.

224) HEFELE 1,707ff; 722; GUMMERUS 135.

225) HEFELE 1,710f; HHKG II/1,50.

226) C.Lucif. 18 (PL 23,172B).

227) HEFELE 1,712f; SEEBERG 2,111; C.F.A.BORCHARDT, Hilary of Poitiers'
     Role in the Arian Struggle ('S-Gravenhage 1966) 165ff.

228) I.OPELT, Hilarius von Poitiers als Polemiker, in: VigChr 27 (1973)
     203-217, bes. 203-205.

229) BORCHARDT; M.MESLIN, Hilaire et la crise arienne, in: Hilaire et
     son temps. Actes du Colloque de Poitiers 29 septembre - 3 octobre
     1968 (Paris 1969) 19-42; Y.-M.DUVAL, La "manoeuvre frauduleuse" de
     Rimini. A la recherche du "Liber adversus Ursacium et Valentem",
     ebd. 51-103; DOIGNON, Hilaire 423ff; OPELT, Hilarius.

ben [230], wobei er 364/65 - unterstützt von Eusebius von Vercelli - durch die Anklage des Mailänder Arianer-Bischofs
Auxentius[231] bei Kaiser Valentinian auch personelle Konsequenzen erreichen wollte.

Doch der schlaue Kappadokier, der nach der Synode von Mailand (355) die Nachfolge des verbannten Dionysius[232] angetreten hatte und bald zur Hauptstütze des Arianismus im Abendland geworden war, wußte sich so geschickt vor der eingesetzten Kommission zu verteidigen und durch ein zweideutiges Pro-
tokoll aus der Affäre zu ziehen[233], daß Valentinian Hilarius
zur Heimkehr veranlaßte.

In dieser Situation legte nun unser Ketzerbekämpfer in der
eleganten Streitschrift "Contra Auxentium"[234], einem warnen-
den Rundschreiben an die "in fide paterna"[235] verharrenden
Bischöfe Italiens, eine Entlarvung des protokollierten Credos
des Auxentius vor. Auf Grund eines Vergleichs der in apostolischer Zeit "tradita nobis" und "nunc deperdita Ecclesia"[236]
glaubt er mit Auxentius die Zeit des "antichristus"[237] ange-
brochen und fährt dann fort:

"ac necesse est in ipsam nos aetatem antichristi incidis-
se, cuius, secundum Apostolum (II Kor XI,14), ministris
in lucis se angelum transformantibus, ab omnium fere sensu et conscientia is qui est Christus aboletur. Ut enim
erroris affirmatio certa sit, incerta veri opinio antefe-
retur: sitque antichristo iam pervium, Christum eum esse

---

230) BORCHARDT 178ff.

231) Zu AUXENTIUS, dem Vorgänger des Ambrosius, vgl. HEFELE 1,658f; 739;
A.PAREDI, Sant' Ambrogio e la sua età (Milano 1941) 135f; MESLIN,
Les Ariens 41ff; 291ff; 326ff; WETZER-WELTE 1,1737-1739; BUCHBER-
GER 1,861.

232) Vgl. unten § 23 I 3.

233) Vgl. dazu BORCHARDT 179ff; MESLIN, Hilaire 39f u. A. 231.

234) PL 10,609B - 618C ; BARDENHEWER 3,386; OPELT, Hilarius 214f.

235) Vgl. zu dieser aussagekräftigen Formulierung § 15.6.

236) C.Aux. 4 (PL 10,611B); vgl. c.Aux. 3.

237) Zu "antichristus" bei HIL. vgl. OPELT, Hilarius 210f, 215.

se fallere, de quo nunc usque dissensum sit. Hinc illae
variae opiniones, hinc sub unius Christi fide praedicatio
plurimorum, hinc nuper Arii spiritus ex angelo diaboli in
lucis angelum transfiguratus: cuius haereditas omnis ad
Valentem, Ursacium, Auxentium, Germinium, Gaium successit
atque defluxit. Nam ipsi nunc Christum novum, per quem
antichristus subreperet, intulerunt."[238]

In dem durch das Stichwort "antichristus" weit gespannten
Gedankengang sieht Hilarius die Gegenwart als "aetas antichristi", ohne daß damit Arius oder der Antichrist[239] selbst klar
zu identifizieren wären. Jedenfalls werden die "antichristi
ministri", die sich in den Engel des Lichts verwandeln[240],
für die "Auslöschung" Christi verantwortlich gemacht, so daß
man darunter die Arianer, wahrscheinlich speziell die Vertreter der vierten sirmischen Formel verstehen könnte. Dazu
würde auch gut die Redeweise von der "incerta opinio" und
den "variae opiniones" passen ebenso wie das den ganzen Gedankengang durchziehende Täuschungsmotiv[241]. In der kunst-

---

238) C.Aux. 5 (PL 10,611C-612A); zum christologischen Kontext dieser
Stelle vgl. DUVAL 87f.

239) Wahrscheinlich ist der "Antichrist" selbst damit gemeint, wofür der
ganze Kontext von c.Aux. 5 spricht: "coarctata sunt tempora"; "per
quem antichristus subreperet" u.ä. Andererseits ist in c.Aux. 2
von "Antichristi plures" die Rede, was mit der Definition "Nominis
antichristi proprietas est, Christo esse contrarium" begründet
wird. - Auch Kaiser Konstantius scheidet zu dieser Zeit - zumindest
als aktueller Gegner - bereits aus, trotz der sehr ähnlichen Stelle c.Const. 1 (vgl. A. 240); zum Konstantius-Bild BORCHARDT 170ff.

240) Bei der Rezeption von 2 Kor. 11,14 tritt an die Stelle des paulinischen Satans der "antichristus", was man aus dem aktuellen Interesse erklären könnte; zur Paulusstelle vgl. auch c.Const. 1 (PL 10,
577C); TERT., praescr. 6,6 (REFOULE 95): gegen Apelles; LUCIF., non
parc. 27 (CSEL 14,267f): gegen Konstantius; AMBR., c.Aux. 16 (PL
16,1054): gegen Auxentius-Merkurinus; zu "antichristi ministri" vgl.
OPELT, Lucifer 205f.; AUG., ep. 53,7 (CSEL 34,157).

241) Dieser allgemeine Topos der Häretiker-Bekämpfung wird verstärkt in
den arianischen Auseinandersetzungen angewandt (vgl. LUCIF. u. HIL.);
vgl. c.Aux. 5 bes. das "transformatio"-Motiv von 2 Kor. 11,14,
"fallere" u. die kunstvollen Antithesen wie "sub unius Christi fide praedicatio plurimorum" (mit Chiasmus!) u. bes. DUVAL.

vollen dreigliedrigen Anapher und Klimax des "hinc ... hinc
... hinc" wird im dritten und längsten Glied die Verwandlung
des "Arii spiritus ex angelo diaboli in lucis angelum" betont, gleichsam als Spezialfall der vorher angesprochenen
"allgemeinen" Verwandlung. Der sich an das dritte Glied anschließende Relativsatz bringt dann die entscheidende Aussage, daß "haereditas omnis"[242] des Arius bzw. "Arii spiritus"
auf Valens von Mursa[243], Ursacius von Singidunum[244], Auxentius von Mailand, Germinius von Sirmium[245] und Gaius von Sa-
baria[246] übergegangen sei.

Behält man die Lesart "omnis" bei, so werden damit die
arianischen "Drahtzieher" der Synode von Rimini und der damit zusammenhängenden Auseinandersetzungen als die Nachfolger[247] und Universalerben des Arius hingestellt. Nicht ohne
Absicht dürfte dabei Hilarius seinen damaligen Hauptkontra-
henten Auxentius in die Mitte dieser - ansonsten nach dem
Alliterationsprinzip angeordneten - Arius-Erben gestellt haben. Begründet wird diese Erbfolge im letzten Satz unseres
Textzusammenhangs damit, daß die Arianer-Häupter auf Grund
ihrer "neuen" Christologie dem geheimen Eindringen des "Antichristus" Vorschub leisten, womit sich der Kreis mit der

---

242) "Omnis" ist m.E. gegenüber "haereditas nominis" (vgl. Note PL 10,
   612C) beizubehalten. Zum genitivus relinquentis "cuius" vgl. ThLL
   VI,2632 Z.44ff.

243) MESLIN, Les Ariens 71ff; 261ff; LThK 10,568 (A.HAMMAN).

244) MESLIN, Les Ariens 71ff, 261ff, 283ff; vgl. zu Ursacius u. Valens
   auch die erhaltenen Teile des "Liber adversus Ursacium et Valentem"
   des HIL.; dazu DUVAL. - Eine ähnliche Aussage wie unsere Hilarius-
   Stelle macht auch MAR.VICTORIN., adv. Arrium 1,28: "Et nunc, Valens
   et Ursatius, reliquiae Arii" (CSEL 83,104).

245) MESLIN, Les Ariens 67ff; 294ff; DUVAL bemerkt zu Germinius: "...Hi-
   laire associait son nom aux héritiers d'Arius que sont, selon lui,
   les Valens, Ursace, Auxence et Gaius" (94).

246) MESLIN, Les Ariens 64ff; 80ff.

247) Die Formulierung "succedere ad" ist ansonsten völlig ungebräuchlich, hier jedoch durch "defluere ad" = "einem zufallen, zuteil werden" leicht verständlich. Jedenfalls schwingt in "haereditas successit ad" auch eine juridische Sicht mit.

anfangs skizzierten Vorstellung der "antichristi ministri"
schließt.

Als Fazit dieser Stelle läßt sich also festhalten: Die
genannten Vertreter haben das Erbe des Arius übernommen und
zwar in jeder Beziehung. Sie bedienen sich dabei derselben
Verwandlungs- und Täuschungskünste, da letztlich der "Arii
spiritus" in ihnen am Werke ist[248]. Welche Tendenz dieser
Qualifizierung als Arius-Erben innewohnt, läßt sich leicht
daraus ersehen, mit welcher Hartnäckigkeit zu dieser Zeit
jede "Arius-Nähe" abgelehnt wurde[249].

4. Da auch Auxentius behauptet, er kenne Arius überhaupt
nicht und sich sogar das Gerücht verbreitet, er habe die
Konsubstantialität von Vater und Sohn bekannt, muß HILARIUS
im Detail die trinitarische Irrlehre des schriftlichen Bekenntnisses[250] aufdecken:

"Imago quidem Dei Christus est: sed et hominem imaginem
Dei esse non dubium est, cum ad imaginem et similitudinem
Dei Adam factus sit. Quid tu, haeres Arii, Christo tantum
nostra concedis? Quid Regem, quid Comites, quid Dei Ecclesiam, patris tui, id est, satanae arte circumvenis? Christum Deum dicis: quid fallis in nomine?"[251]

Der zentrale Vorwurf lautet hier, die Arianer und speziell
Auxentius und die Homöer würden Christus nur nach Art aller
Menschen als "imago Dei" sehen und so bei der bloßen Gott-
ebenbildlichkeit stehen bleiben. Damit ist wohl mit polemischer Verschärfung die von den Eusebianern ausgehende Umdeu-

---

248) Der Ausdruck "nuper Arii spiritus ..." könnte diese Vorstellung
eines Fortwirkens bis in die Gegenwart nahelegen, obgleich "nuper"
auch einen weiter zurückliegenden Zeitpunkt bezeichnen kann.

249) MESLIN, Les Ariens 292; vgl. A. 257; 324.

250) Zur Differenz von mündlicher Aussage vor der Untersuchungskommis-
sion und schriftlichem Bekenntnis und dem möglichen Anteil des Hilarius daran vgl. MESLIN, Les Ariens 293f.

251) C.Aux. 11 (PL 10,615C-616A); vgl. zur Stelle OPELT, Hilarius 215.

tung der athanasianischen Lehre vom Wort als Bild des Vaters
gemeint[252]. Für den - allerdings auch mit den Homoiusianern
sympathisierenden[253] - von Auxentius aber das Bekenntnis der
"una divinitas ac substantia" fordernden Hilarius steht diese Umdeutung auf der Linie des Arius. So wird hier Auxentius
schon beinahe selbstverständlich als "haeres Arii"[254] angesprochen, da, wie vorher begründet wurde, die "haereditas
Arii" auf ihn und seine Genossen übergegangen ist. Ebenfalls
in Zusammenhang mit der dort sich findenden Antichrist-Be-
zeichnung[255] und dem "transformatio"-Motiv steht der Vorwurf
der "satanae ars", deren sich der "haeres Arii" bediene. Deshalb lautet die Warnung vor ihm: "Absistite itaque ab Auxen-
tio satanae angelo ..."[256]

So dient die Titulierung des Auxentius als "haeres Arii"
- besonders angesichts dessen Beteuerung "quia numquam scivi
Arium, non vidi oculis, non cognovi eius doctrinam"[257] - an
sich schon zur Disqualifizierung und liefert darüber hinaus
noch die Begründung für die Teufelsmetapher: "mihi certe ille
numquam aliud quam diabolus erit, quia Arianus est."[258]

5. Daß sich dieses Bewußtsein von einer erbmäßigen Abkunft
der Sieger von Rimini-Seleukia vom "Stammvater" Arius länge-
re Zeit durchgehalten hat, zeigt uns auch noch eine Stelle
aus dem 380 veröffentlichten 3. Buch von "De fide" des AM-
BROSIUS[259]. Geradezu als Gegenbild zu den bereits skizzier-

---

252) Vgl. dazu R.BERNHARD, L'image de Dieu d'après St.Athanase (Paris
 1952), bes. 91ff u. G.B.LADNER, Eikon, in: RAC 4,771-786, bes. 774;
 780.

253) Vgl. BORCHARDT 139ff.

254) Der Genitiv "Arii" ist hier als genitivus relinquentis zu verstehen
 (so auch eine Notiz im Zettelmaterial des ThLL).

255) Vgl. A. 237.

256) C.Aux. 12 (PL 10,616C).

257) C.Aux. 14 (PL 10,617C); vgl. 8 (614B); A. 324.

258) C.Aux. 12 (PL 10,617A).

259) Vgl. ALTANER-STUIBER 382f.

ten "hereditaria signacula"[260] und der dahinter stehenden
orthodoxen Erbfolge kann man die sich unmittelbar daran anschließende Entlarvung der "perfidia" und "nefanda fraus"[261]
der häretischen Kontrahenten werten, in deren Verlauf Ambrosius die wahre Konsequenz des Anathematismus auf die Krea-
türlichkeit[262] aufdeckt:

> "Satis fuerat dicere: 'Qui dicit creaturam Christum, ana-
> thema sit.' Cur bonae confessioni, Arriane, venena per-
> misces, ut totum corpus contamines? Addendo enim 'secun-
> dum ceteras creaturas' non creaturam Christum negas, sed
> creaturam dicis esse dissimilem. Creaturam enim dicis,
> etsi praestantiorem ceteris adseras creaturis. Denique
> Arrius huius impietatis magister, dei filium 'creaturam'
> dixit esse 'perfectam, sed non sicut ceteras creaturas'.
> Vides igitur hereditario patris vestri vos usos esse ser-
> mone."[263]

Betrachtet man die logische Struktur dieser Gedankenfüh-
rung, so sieht man sehr leicht, wie aus dem Vergleich des
trügerischen Anathematismus von Rimini und der Position des
Arius[264] auf den "hereditarius sermo" des Verfassers geschlossen wird[265]. Der Verfasser wird hierbei mit "Arriane"
angesprochen, womit höchstwahrscheinlich Valens stellvertre-

---

260) Vgl. § 8.3.

261) Fid. 3,16,129f (CSEL 78,153f); vgl. ebd.: "id quod negant, praedi-
     care se simulant"; simplices - serpentes; decipere u.ä.; fid. 3,15,
     128: "damnata fraude" (CSEL 78,153).

262) Vgl. CSEL 78,153f: Testimonienapparat; HIER., c.Lucif. 18 (PL 23,
     171C); HIL., Coll.Antiarian.Paris. B VIII 2 (CSEL 65,176,5-12); an-
     sonsten c.Aux. 6 (PL 10,612B); HEFELE 1,710f; GUMMERUS 151.

263) Fid. 3,16,132 (CSEL 78,154f).

264) Ep.Arii ad Alexandr. 2: κτίσμα τοῦ θεοῦ τέλειον, ἀλλ'οὐχ ὡς
     ἕν τῶν κτισμάτων (H.G.OPITZ, Athanasius Werke Bd. 3,1, Berlin-
     Leipzig 1934, 12, Z.9f); zur Gegenüberstellung von Anathematismus
     u. Ariusbrief bei AMBR. vgl. DUVAL 92f.

265) Beachte bes. "Vides igitur".

tend für seine Genossen[266] bzw. die Arianer insgesamt gemeint ist. Sein Verhältnis zu Arius wird durch dessen Bezeichnung als "huius impietatis magister"[267] und "pater vester" in ein Licht gerückt, das der folgenden Anwendung der
"hereditas"-Terminologie schärfere - andernorts bereits
skizzierte[268] - Konturen verleiht. Damit vermag Ambrosius
die trügerische Formel meisterhaft zu Arius in Beziehung zu
setzen, indem er in einem Entlarvung und Polemik liefert:
Ihr handelt ebenso verschlagen wie Arius, ihr sprecht seine
Sprache und er ist euer Vater und Lehrer, so daß ihr in seiner Erbfolge steht und nicht in der Linie der "hereditaria
signacula" von Nikaia, so kann man die Tendenz seiner Aussage paraphrasieren. Sie trifft ebenso auf die beiden vorausgegangenen HILARIUS-Stellen zu, so daß man die Formulierungen "Arii haereditas omnis", "haeres Arii", "hereditarius
patris vestri sermo" als späte Rache für Rimini werten kann.

6. Wie man die Folgen von Rimini-Seleukia zu beseitigen
suchte, zeigt uns ein BRIEF DER ITALISCHEN BISCHÖFE aus
dem Jahre 363, der in der sogenannten "Collectio Antiariana
Parisina" überliefert ist[269]. Adressiert an die Brüder in
Illyrien, die die "fides paterna" hochhalten, enthält er
gleichsam die Bedingungen für die Gewährung des "consortium
unanimitatis"[270], nachdem Illyrien das "consortium infidelitatis" aufgegeben habe[271]:

"nostram igitur, dilectissimi fratres, unam eandemque

---

266) Auffällig ist der plötzliche Numeruswechsel: "patris vestri vos
usos esse sermone". - DUVAL 93 wendet sich zu Recht gegen MESLIN,
Les Ariens 318, der Palladius von Ratiara in Vorschlag bringt.

267) Zu "impietas" bei AMBR. vgl. DASSMANN 84ff.

268) Zu "magister" u. "pater" vgl. oben § 13 I.

269) Series B IV 2 (CSEL 65,158f); vgl DUVAL 55f.

270) Zu "consortium" vgl. HEUMANN 97.

271) Vgl. DAMAS., ep. 5: "consortium integrae fidei" (PL 13,367A). Zur
Heterodoxie in Illyrien MESLIN, Les Ariens 59ff.

accipite firmam subscriptione sententiam. Nicheni tractatus adversus Arrium Sabelliumque, cuius Fotinus partiaria
hereditate damnatur, decreta servamus. Ariminensis concilii statuta quorundam tergiversatione corrupta consensu
omnium provinciarum iure rescindimus."[272]

Mit der Berufung auf die "Nicheni tractatus decreta" ist
wiederum die wenige Zeilen vorher als "apud Nicheam scripta"
erläuterte "fides paterna" gemeint, die mit dem Terminus
technicus "tractatus"[273] ganz in die Sphäre des Rechts gerückt
wird. Dagegen werden die "Ariminensis concilii statuta" als
rechtlich wirkungslos abgetan[274].

Mit der Erläuterung, schon die "decreta" von Nikaia seien
gegen Arius und Sabellius gerichtet, wird die Glaubensformel
des ersten allgemeinen Konzils in einer Weise uminterpretiert,
die den Sabellianismusvorwurf gegenüber Bischof Alexander und
dem Konzil von Nikaia von Seiten der Origenisten[275] im nach-
hinein als unverständlich erscheinen läßt. In Wirklichkeit
spielt bei dieser Interpretation neben dem Einfluß der sogenannten "Formula macrostichos"[276] wohl das Bestreben mit, in
Nikaia die endgültige, unantastbare Glaubensformel zu sehen,
mit der vorweg schon alle nur möglichen Irrtümer verurteilt
sind. So will auch der Brief, indem er den Vätern von Nikaia
gleichsam die Beherrschung des Kurses zwischen Scylla und
Charybdis unterstellt, Munition gegen den dynamistischen Mo-
narchianismus des Bischofs Photinos von Sirmium[277] gewinnen.

---

272) CSEL 65,158,11-16.

273) Vgl. HIL., c.Aux. 12: "secundum patrum nostrorum apud Nicaeam trac-
tatum" (PL 10,617A); AMBR., fid. 3,15,125: "hoc verbum in tractatu
fidei posuerunt patres" (CSEL 78,151); A. 215; zu "tractatus" HEU-
MANN 588.

274) Beachte "iure rescindimus"; dazu HEUMANN 512.

275) Vgl. zu diesem Vorwurf SEEBERG 2,49f; 89.

276) Bereits auf der Kirchweihsynode zu Antiochien (341) begann die von
den Eusebianern erzwungene Abgrenzung der Nikäner gegen den Sabellia-
nismus, die sich in der sogen. "Formula macrostichos" fortsetzt; vgl.
SEEBERG 2,90f; 94f; ORTIZ DE URBINA 150.

277) Vgl. HEFELE 1,634ff; 647; SEEBERG 2,95ff; BARDENHEWER 3,123f; MESLIN,
Les Ariens 69.

Diesem, einem Schüler Markells von Ankyra, war - nach verschiedenen Verurteilungen und Absetzungsversuchen - durch
Kaiser Julian die Rückkehr aus dem Exil ermöglicht worden.
Indem ihn nun - wahrscheinlich war er gerade wieder in Amt
und Würden - unser Brief als Erben des Sabellius[278] abquali-
fiziert, begibt er sich freilich in die unliebsame Bundesge-
nossenschaft eines Palladius von Ratiara[279].

Diese disqualifizierende Erbfolge Sabellius-Photinos wird
in dem mit "cuius" eingeleiteten, von "Sabellium" abhängigen
Relativsatz hergestellt. Das mit diesem genitivus relinquentis[279a] verbundene "partiaria hereditate" liefert als "Ablativ des Grundes" oder näherhin "der Beschuldigung" die Begründung dafür, daß der Brief bereits in Nikaia das "damnatur" über Photinos ausgesprochen sieht. Eine "partiaria hereditas"[280], also eine "Teil"-Erbschaft, habe Photinos von
Sabellius übernommen und deshalb sei der (Teil-)Erbe mit dem
oder besser "im Erblasser" auch bereits verurteilt, etwa so
könnte man den Satz paraphrasieren.

Für den Stellenwert der "hereditas"-Terminologie bleibt
hier noch besonders die auffallende Dominanz juristischer
Termini[281] zu berücksichtigen, die auch bei dem eigenartigen
und so wohl mit Bedacht gewählten Ausdruck "partiaria hereditas" einen Einfluß römischen Erbdenkens vermuten läßt[282].

---

278) Vgl. SEEBERG 1,573ff.

279) Zur Polemik des Palladius an Photinos vgl. MESLIN, Les Ariens 86,
123f; ansonsten A. 297.

279a) Vgl. A. 217; 242.

280) Zu "partiarius" = "zu Teilen gehend" vgl. GEORGES 2,1488; HEUMANN
407; ein juristischer Terminus technicus, fast nur bei CATO, agr.;
GAIUS, inst.; APUL.; TERT.; z.B. adv. Marc. 3,16: "cum partiariis
erroris tui, Iudaeis" (substant.!); COD.IUST.

281) Vgl. außer A. 270; 273; 274; 280 z.B. gravare (CSEL 65,158 Z. 10;
HEUMANN 232), firma suscriptione sententia (12; 217), damnare (14;
119), decreta (14; 123f), statuta (15; 553f) tergiversatio (15;
583), retinere (17; 516f), confutare (17; 93), fidei memoratae sub-
scriptio (21; 562), rescissio (22; 588), auctores heresis Arrianae
(24; 43), eorundem consortes (25; 97), condemnare (159 Z.1; 87).

282) Vgl. §§ 4.2; 26.

7. Eine ganz ähnliche Zuordnung von Arius und Sabellius begegnet uns in dem schon einige Male gestreiften Werk "De fide" des AMBROSIUS, der im 5.Buch (380) mit Schriftzitaten gegen die verschiedenen trinitarisch-christologischen Häresien zu Felde zieht:

"Nam filius dei est contra Hebionem, filius David est contra Manichaeos, filius dei est contra Fotinum, filius David est contra Marcionem, filius dei est contra Paulum Samosatenum, filius David est contra Valentinum, filius dei est contra Arrium atque Sabellium, gentilis erroris heredes, dominus David est contra Iudaeos, qui dei filium in carne cernentes hominem tantummodo impio furore credebant."[283]

Nachdem Ambrosius mit der dreifachen Anapher von "filius dei" - "filius David" bereits sechs Ketzerhäupter "ausgeschaltet" hat, wendet er sich abschließend mit einem erneuten "filius dei" gegen Arius und Sabellius und mit einem "dominus David" gegen die Juden, wobei diese beiden Glieder im Unterschied zu allen anderen durch eine Apposition bzw. einen Relativsatz näher erläutert werden. Dieses Beispiel zeigt anschaulich die Methode des Ambrosius, durch Anwendung einer bestimmten Schriftstelle - hier geradezu im Sinne eines Gesetzestextes oder juristischen Satzes[284] - gegen verschiedene Häresien vorzugehen[285]. Während die Auswahl und Zusammenstellung der Häresien und Ketzerhäupter[286] neben aktuellen Implikationen wohl stärker einer bestimmten Tradition folgt[287],

---

283) Fid. 5,8,105 (CSEL 78,255).

284) Vgl. ebd. 104: "Una autem quaestione et Sabellianos et Fotinianos et Arrianos dominus exclusit" (254); zu "quaestio" u. "excludere" HEUMANN 481; 186.

285) IS. 9,6(5) in fid. 3,8,57: "Sed videte, quemadmodum hic locus multas hereses extinguat" (CSEL 78,128f); gegen Juden, Manichäer, Markioniten, Photinianer, Sabellianer, Arianer.

286) Eine ganz ähnliche Auswahl in in Luc. 8,13 (vgl. A. 101).

287) Neben Epiphanios kommen Athanasios u. Didymos in Frage.

wird aus der Schriftstelle meist ein einprägsames Schlagwort
- im vorliegenden Fall "filius dei" - herausgelöst oder auch
nur erschlossen[288] und gegen die als Gesetzesbrecher verstan-
denen Ketzerhäupter geschleudert.

Wie bereits erwähnt gibt unsere Stelle bei Arius und Sabellius gleichsam auch noch das Vergehen an, indem beide als
"gentilis erroris heredes"[288a] bezeichnet werden, obwohl sie
doch zwei gegensätzliche theologische Extreme personifizieren. Das meist als "heidnisch" übersetzte "gentilis"[289]
rückt auch das zugehörige Substantiv "error" in ein inter-
essantes Licht, insofern es gerne mit diesem Wort[290] und verschiedentlich auch mit "philosophia"[291] verbunden wird. Berücksichtigt man zudem das im Satzaufbau mit dem Arius-Sa-
bellius-Glied korrespondierende "contra Iudaeos ..." und
auch die anderweitig begegnende Gegenüberstellung "gentilis"
- "Iudaeus"[292], so ist mit "gentilis error" sicher die heidnische Philosophie gemeint, insofern sie Häresien innerhalb
des Christentums heraufbeschwor. In diesen Kontext würde
auch sehr gut die Bezeichnung des Arius und Sabellius als
"heredes" passen. Denn damit soll offenbar ihre geistige Abstammung gekennzeichnet werden, die sowohl auf Grund von

---

288) Bei "filius dei" ist die Beweisführung nicht ganz genau; vgl. MT.
22,42-46 in fid. 5,8,100; vgl. noch 7,96; 8,102.

288a) Hierbei handelt es sich um einen genitivus obiectivus.

289) I.OPELT, Griechische und lateinische Bezeichnungen der Nichtchristen, in: VigChr 19 (1965) 1-22, 17f.

290) AMBR., in psalm. 118 serm. 8,23: "ad errorem gentilium" (CSEL 62,
164); TRACT.C.ARRIAN. p. 11,16: "si duos (sc. deos credant) gentilis est error"; RUFIN., Orig. in num. 16,1: "secundum gentilium ...
errorem" (GCS 30,138); fid. 3,2,12 ist dagegen von der "Sabelliana
impietas" die Rede.

291) RUFIN., Orig.in exod. 4,9: "auctores gentilium philosophorum" (GCS
29,182); AUG., civ. 18,37: "Quod prophetica auctoritas omni origine
gentilis philosophiae inveniatur antiquior" (Überschrift; CSEL 40,
2,326).

292) LUCIF., Athan. 2,31: "primo quia sis negans dei filium, gentilis
aut Iudaeus nobis es" (CSEL 14,203); dazu OPELT, Lucifer 212ff; PS.
HIL., libell. 1: "inter Iudaeos et Graecos, id est gentiles" (PL 10,
733B).

"gentilis" als auch von "error" nur als Diskriminierung emp-
funden werden kann. Diese Herkunftsbezeichnung wird durch
die gängige Vorstellung von den Philosophen als Patriarchen
der Häretiker nur unterstrichen.

8. Gegen die Nachfahren des Arius wendet sich AMBROSIUS
besonders im 1.Buch von "De fide" (380), wo er nach der "Expositio fidei" eine "Expositio dogmatis Arriani" gibt. Um
die sinnlose Zerrissenheit - antithetisch ausgedrückt als
"plura nomina" und "una perfidia"[293] - der arianischen Bewegung anzuprangern, stellt er die wichtigsten Parteien vor:

"Eunomi personam defugiunt Arriani, sed eius perfidiam adserunt, impietatem exsecuntur. Aiunt eum prodidisse effu-
sius, quae Arrius scripserit. Magna caecitatis effusio!
Auctorem probant, exsecutorem refutant. Itaque nunc in
plures sese divisere formas: alii Eunomium vel Aetium,
alii Palladium vel Demophilum adque Auxentium vel perfidiae eius heredes secuntur, alii diversos."[294]

Als erste "forma" nennt hier Ambrosius die neuarianische
Gruppe der Anhomöer, die sich besonders um Eunomios[295], den
Hauptschüler des Aetios[296], scharte. Als Vertreter der ge-
mäßigteren Gruppe, der Homöer, werden Palladius von Ratiara[297],

293) Fid. 1,6,44 (CSEL 78,19); vgl. dazu Theodosius II. (423): gegen verschiedene Ketzereien, "quorum et errorem execramur et nomen ...,
quibus cunctis diversa sunt nomina, sed una perfidia" (COD.THEOD.
16,5,60; MOMMSEN I/2,876); ANTON 61.

294) Fid. 1,6,45 (ebd.); zum politischen Hintergrund vgl. K.K.KLEIN, Die
Dissertatio Maximini als Quelle der Wulfilabiographie, in: Zeitschr.
f. deutsches Altertum u. deutsche Lit. 83 (1951/52) 239-271, 255f.

295) Vgl. Apparatus fontium zur Stelle; HEFELE 1,667ff; SEEBERG 2,104ff;
ORTIZ DE URBINA 165f; DThC 5,1501-1514.

296) Bereits ca. 370 gestorben; SEEBERG 2,104ff; vgl. fid. 1,6,44: "Sed
quem potissimum legam, Eunomiumne an Arrium vel Aetium, eius magi-
stros?" (CSEL 78,18).

297) F.KAUFFMANN (o.c. A. 300) L-LIII; MESLIN, Les Ariens 85ff; 330ff.

Demophilos von Konstantinopel[298], ein gewisser Auxentius und die "perfidiae eius heredes" aufgeführt, während die letzte "Partei" der "diversi" nicht näher beschrieben wird.

Für die schwierige prosopographische Einordnung des Auxentius und damit auch seiner "heredes" ist vorweg neben der geographischen Nähe von Ratiara, Durostorum und Konstantinopel auch zu berücksichtigen, daß sowohl Palladius als auch Demophilos im Jahre 378 noch lebten. Trotzdem glaubt G. GOTTLIEB[299], offenbar fixiert auf eine wortwörtliche Auslegung von "heredes" und im Anschluß an F. KAUFFMANN[300], Ambrosius habe Auxentius (+374), seinen Vorgänger auf dem Mailänder Bischofsstuhl, den, wie wir sahen, schon HILARIUS als "haeres Arii" bekämpfte, gemeint. Dagegen spricht sich O. FALLER, der Herausgeber von "De fide", und auch K. K. KLEIN, der die im großen und ganzen überzeugende Gleichung: der Wulfilabiograph Auxentius von Durostorum = der Gegner des Ambrosius "Auxentius-Mercurinus" aufstellte[301], für den Bischof von Durostorum aus[302].

Dies fügt sich bedeutend eher in die Stoßrichtung von

---

298) Er wurde im Jahre 380 von Kaiser Theodosius vertrieben; vgl. HEFELE 1,705; 2,42; KAUFFMANN XLIV; MESLIN, Les Ariens 81.

299) Ambrosius von Mailand und Kaiser Gratian (Göttingen 1973) 22 mit Anm. 58. - GOTTLIEB 21f spricht in einem eigenartigen Widerspruch zunächst von den führenden Arianern der Donauprovinzen, unter anderem auch von A. v. Durostorum, gegen die sich AMBR. wende, um dann unvermittelt fid. 1,6,45 auf A. v. Mailand zu beziehen.

300) Aus der Schule des Wulfila. Auxenti Dorostorensis Epistula de fide vita et obitu Wulfilae im Zusammenhang der Dissertatio Maximini contra Ambrosium (Straßburg 1899) 118; vgl. hierzu K.K.KLEIN (o.c. A. 301) 176.

301) Ist der Wulfilabiograph Auxentius von Durostorum identisch mit dem mailändischen Arianerbischof Auxentius Mercurinus?, in: BGDSL 74 (1952) 165-191; zu fid. 1,6,45 vgl. 172; 180f. KLEIN 176, der sich für die Lesart von PL 16,561A: "perfidiae huius haeredes" ausspricht, glaubt allerdings, es sei Auxentius v. Mailand gemeint, wenn nur die Lesart "eius heredes" stimmen würde.

302) CSEL 78,19: Apparatus fontium, wo er allerdings etwas irreführend auf KAUFFMANN LVIII verweist, der sich doch S. 118 für Auxentius v. Mailand ausspricht. MESLIN, Les Ariens 47 Anm. 93 läßt die Frage offen.

Buch I/II[303] und - vom Kontext her gesehen - in die Reihe
der Bischöfe Palladius und Demophilos. Ein weiteres Argument
liefert m.E. die Aufnahme unseres Ambrosiustextes in die zwischen 381 und 384 verfaßte sogenannte "Oratio contra Ambrosium"[304] des Palladius, die sich gegen "De fide" I/II und gegen das Konzil von Aquileia wendet, das Palladius verurteilt
hatte. Fragmentarisch erhalten blieb uns diese "Oratio", die
auch sonst Palladius, Demophilos und Auxentius (von Durostorum) als eine Einheit sieht[305], in der sogenannten "Dissertatio Maximini contra Ambrosium"[306], einer von dem Gotenbischof
MAXIMINUS redigierten, posthumen Verteidigung seines Meisters
Palladius.

Nachdem wir nun Auxentius als den Bischof von Durostorum
einzuordnen versuchten, bleibt noch nach der Aussage des
"perfidiae eius heredes" zu fragen: AMBROSIUS verwendet hier
"perfidia" in enger Nachbarschaft zu "impietas"[307] und charakterisiert damit die ganze Haltung einer Person[308], wobei

---

303) Vgl. MESLIN, Les Ariens 45f; GOTTLIEB 20ff; 50 (neue Datierung: 380).

304) C.Ambr. 83 (KAUFFMANN 79 = PLS 1,712); vgl. KAUFFMANN XXXV-XLII;
BARDENHEWER 3,534; PALANQUE 62f (datiert auf 379); bes. MESLIN, Les
Ariens 85ff; 111f; 124ff u. K.K.KLEIN, Wulfilabiographie 255ff, der
innerhalb dieser sogen. "oratio" (MESLIN, a.a.O. 85) eine "Diatri-
be des Palladius" (=c.Ambr. 81-87) u. eine spätere "Refutatio des
Palladius" (=c.Ambr. 88-140) von Seiten der "Palladiuspartei" unterscheidet. - Bereits in c.Ambr. 140 wird AMBR. Unklarheit vorgewor-
fen: "et quamvis Auxenti ita meministi, ut non indicares de quo
dixeris utrum de superstite, id est Dorostorensi, an de Mediolanen-
si, qui sine successore decessit ..." (KAUFFMANN 90 = PLS 1,727).

305) C.Ambr. 140 (KAUFFMANN 90 = PLS 1,727). Schon W.BESSELL, Ueber das
Leben des Ulfilas und die Bekehrung der Gothen zum Christenthum
(Göttingen 1860) hatte sich aus diesem Grund für A. v. Durostorum
entschieden (7).

306) Vgl. KAUFFMANN; MESLIN, Les Ariens 92ff; 104f; 335ff; LThK 7,206f
(W.WISSMANN): zur Analyse dieser "Collectio scriptorum" K.K.KLEIN,
Wulfilabiographie.

307) Vgl. auch fid. 1,6,44: "Plura enim nomina, sed una perfidia, impietate non dissonans" (CSEL 78,19) u. A. 336a.

308) Beachte die Korrespondenz in Inhalt und Stellung zwischen "persona"
u. "perfidia" in: "Eunomi personam defugiunt Arriani, sed eius perfidiam adserunt ...".

für ihn wie auch für andere "perfidia" der große Gegenbegriff zu "fides" ist[309]. Die "una perfidia", charakteristisch
für alle genannten Arianerhäupter, ist auch in der Person des
Auxentius präsent und zwar in einem Maße, daß selbst seine
Anhänger, Nachfolger oder Erben die Erbschaft eben dieser
"perfidia" übernehmen.

Auch ATHANASIOS bezeichnet mit frappierend ähnlichen Worten die Anhänger der Eusebianer als κληρονόμοι τῆς ἀσεβείας
καὶ τῆς προαιρέσεως αὐτῶν[310].

Weniger einfach läßt sich aber an unserer Ambrosiusstelle
die Identität dieser "heredes" feststellen: G. GOTTLIEB[311]
sieht darin die Gemeinde, die Auxentius von Mailand hinterlassen habe und die ein wichtiger Rückhalt für die Gegner
des Ambrosius gewesen sei. Geht man dagegen von Auxentius
von Durostorum aus, der auch am Kaiserhof in Sirmium Einfluß
besessen haben dürfte[312], so könnte das "perfidiae eius heredes" auf Arianer (Homöer) in Durostorum, arianische Günst-
linge am Kaiserhof oder auch auf Kaiserin Justina selbst ge-
münzt sein. Will man jedoch Ambrosius die nähere Kenntnis
der dortigen Situation[312a] nicht zutrauen, so kämen als sehr
wahrscheinlich auch homöische Emigranten in Frage, die im
Zuge der Verlegung des Hofs nach Mailand kamen[313]. Auxentius

---

309) Fid. 2,16,139: "Nec ambiguum, sancte imperator, quod, qui perfidiae
    alienae poenam excipimus, fidei catholicae in te vigentis habituri
    sumus auxilium" (CSEL 78,106). Zu beachten ist dabei immer der ver-
    schiedene Schwerpunkt auf subjektiver oder objektiver Bedeutung;
    vgl. A. 214; 215.

310) Hist.Arian. 19 (PG 25,716A). Diese Stelle verdanke ich OPELT, Hila-
    rius 215 Anm. 48. - Noch genauer entspricht der ἀσέβεια wohl die
    "impietas" (vgl. A. 336a) wie der εὐσέβεια die "pietas"; dazu P.
    OKSALA, "Fides" und "pietas" bei Catull, in: Arctos N.S. 2 (1958)
    88-103, 92; OPELT, Nichtchristen 10.

311) A.a.O. 22. Die Argumentation in Anm. 58 verkennt offenbar die Weite
    des "heres"-Begriffs.

312) WETZER-WELTE 1,1738f.

312a) Zur Lage in den Donauprovinzen vgl. das umfassende Werk von J.
    ZEILLER, Les origines chrétiennes dans les provinces danubiennes
    de l'Empire romain (Paris 1918).

313) Zur Hofverlegung PALANQUE 60; MESLIN, Les Ariens 47; ansonsten ebd. 45f;
    66; GOTTLIEB 22.

selbst kam jedoch, die Richtigkeit von K.K.KLEINs Gleichung
vorausgesetzt, erst einige Jahre später nach Mailand, wo er
dann mit Unterstützung Justinas Ambrosius das Leben schwer
machte[314]. Da der Text von einem "sequi" hinsichtlich dieser
"heredes" spricht, müssen jedenfalls irgendwelche führenden
Homöer gemeint sein, die Ambrosius im Jahre 380 bereits in
enger Nachfolge zu Auxentius sehen konnte.

Die Verwendung der "hereditas"-Terminologie soll offen-
sichtlich - polemisch motiviert - diese enge Nachfolge und
Anhängerschaft als eine homöische Erbfolge erscheinen lassen.
Diese häretische Erblinie bildet das totale Gegenstück zur
Erbfolge orthodoxer Bischöfe[315], da in ihr die immer gleiche
"una perfidia" virulent bleibt, was auch durch den "heres"-
Begriff noch betont wird.

9. Palladius, der arianische Bischof aus Illyrien, mit
dem der Mailänder Bischof, wie wir sahen, zunächst eine literarische Fehde austrug, wurde schließlich im Jahre 381 zusammen mit seinem Landsmann Sekundianus[316] vor eine Synode
in Aquileia[317] zitiert und nach kurzem Verhör von den Partei-
gängern des Ambrosius verurteilt. Auch Bischof PROKULUS VON
MARSEILLE[318] schloß sich mit folgenden Worten seinen Kollegen an:

"Palladium, qui Arii blasphemias sub quadam impia haereditate non condemnando defendit, sicut hunc et plurimorum
iam venerabilium sacerdotum sententia blasphemum designa-
vit, atque a sacerdotio alienum dixit, ita mea pariter
sententia in perpetuum condemnatum designat."[319]

---

314) Vgl. unten § 23 I 3.
315) Vgl. unten Kap. 6.
316) Vgl. KAUFFMANN L-LIII.
317) HEFELE 2,34ff; KAUFFMANN XXX-XXXV; ZEILLER 328ff; MESLIN, Les Ariens
89ff; 330ff.
318) Vgl. DACL 10,2217f (H.LECLERCQ).
319) GESTA AQUIL. 63 (PL 16,975C).

In dieser ganz von juristischer Diktion[320] geprägten Ver-
urteilungsformel werden mit dem Ausdruck "sub quadam impia
haereditate" die "näheren Umstände" bezeichnet, unter denen
Palladius den Arius verteidigte. Dem Sinne nach steht das Adjektiv "impius" wohl an Stelle eines genitivus identitatis
von "impietas", so daß man auch "sub impietatis haereditate"
sagen könnte, während das eingefügte "quadam" die Kühnheit
des Ausdrucks "impia haereditas" mildern sollte. Ähnlich wie
an der vorher betrachteten Ambrosiusstelle wird also auch
hier Palladius "impietas" und - zieht man auch andere Verur-
teilungsformeln bei - "perfidia"[321] und "blasphemia"[322] vor-
geworfen. Diese Kennzeichnung als "blasphemus" wird von Prokulus mit Palladius' Verteidigung der "Arii blasphemiae" begründet, so daß damit die prägende Kraft klar zu Tage tritt.
Wenn man die die Verteidigung motivierende Haltung mit "sub
impietatis haereditate" umschreiben kann, so kann nur Arius
als der Erblasser für diese Erbschaft in Frage kommen.

Auch der Gang der Verhandlung[323], d.h. die Verlesung des
Arius-Briefs an Bischof Alexander und die Frage an Palladius,
ob er diesen "Blasphemien" beistimme oder nicht, illustriert
diesen im Text als eine regelrechte Erbfolge gesehenen Zusammenhang. Schließlich muß man diesen Vorwurf einer Erbfolge
Arius - Palladius mit der dezidierten Ablehnung jeder Arius-
Nähe und der Beanspruchung des Christen-Namens - natürlich
kann hier auch ein literarischer Topos vorliegen - durch
den Angeklagten[324] konfrontieren, um die ganze Brisanz der

---

320) Beachte die formelhafte Sprache wie in "non condemnando defendit"
oder den Terminus "sententia" (HEUMANN 534).

321) Vgl. GESTA AQUIL. 62: "Palladium in perfidia Arii permanentem ..."
(PL 16,975B).

322) Vgl. GESTA AQUIL. 93; 95 (PL 16,975A); dabei ist allerdings durchwegs von "blasphemiae" die Rede, so daß nur die objektive Bedeutung
in Frage kommt. Vgl. auch OPELT, Lucifer 213.

323) KAUFFMANN XXXIII-XXXV.

324) GESTA AQUIL. 14: "Arium nec vidi, nec scio qui sit" (PL 16,959C);
vgl. ebd. 25; 65 u. A. 257.

"hereditas"-Terminologie in diesem Zusammenhang erfassen zu
können. Sie läßt sich zusammenfassen in dem Vorwurf: Palladius ist ein Erbe des Arius, da die sein Handeln motivierende Geisteshaltung die "Arii impietatis haereditas" ist.

10. Daß sich diese Terminologie nicht nur in offiziellen
Dokumenten und bei großkirchlichen Schriftstellern findet,
zeigt uns eine Stelle aus der an die Kaiser Valentinian,
Theodosius und Arkadius gerichteten Bittschrift "De confes-
sione verae fidei" der beiden Presbyter FAUSTINUS UND MARCEL-
LINUS[325]. Sie hatten Bischof Ephesius[326], das römische Haupt
der als schismatisch geltenden Luciferianer, auf einer Reise nach Palästina begleitet und wurden - dort zurückgeblie-
ben - auf Grund ihres einflußreichen Wirkens dem Bischof
Turbo von Eleutheropolis[327] zunehmend ein Dorn im Auge. Als
dieser zu verschiedenen Gewaltmaßnahmen griff, wandten sie
sich 383/84 im Bewußtsein, die wahren Hüter des nikänischen
Glaubens zu sein, an die Kaiser um Hilfe und klagten den
"piissimi imperatores" ihr Leid:

" sed licet Arrius sit sepultus in stercoribus, reliquit
tamen suae impietatis heredes; denique non defuerunt ver-
mes, qui de eius putrido cadavere nascerentur. per quos
quae gesserit diabolus artifex erroris, longum est exsequi, etiamsi exsequi possemus;"[328]

Sowohl die als "stercora" umschriebene "Ruhestätte" des
Arius als auch die phantastisch-makabre Beschreibung seines
Endes[329] lassen die ungeheure Animosität erahnen, die die
rigorosen Anhänger und Nachfolger des Lucifer von Calaris
gegen die - auf Grund der in Alexandrien (362) gezeigten

---

325) Vgl. KRÜGER 62f.; WETZER-WELTE 4,1277f; PW 6,2088-2090; BARDENHE-
WER 3,475f.

326) KRÜGER 87ff.

327) KRÜGER 94.

328) Ep. II 12 (CSEL 35,1,9f).

329) Ep. II 7 (ebd. 8). Vgl. auch A.GRILLMEIER, Mit ihm und in ihm.
Christologische Forschungen und Perspektiven (Freiburg-Basel-Wien
1975) 238 Anm. 31.

Nachsicht[330] - als arianisch eingestufte Großkirche hegten.
Arius ist zwar tot, aber er hinterließ - war doch sein Herz
das "thesaurum impietatis"[331] - die "suae impietatis heredes". Damit ließen sich gleichermaßen die Anhänger von Rimini-Seleukia, die Verfolger der Luciferianer insbesondere in
Palästina, Bischof Turbo oder auch die Großkirche insgesamt
in Zusammenhang bringen. Jedenfalls wirkt durch diese "ver-
mes" aus dem Kadaver des Arius der "diabolus" als "artifex
erroris". Welches schlimme Erbe diese Leute angetreten haben, wird in dem Schreiben immer wieder neu unterstrichen,
indem die "Arrii impia doctrina"[332] gegen die "pia Christianae religionis fides"[333], die "Arriana impietas" gegen die
"sacra religio"[334] oder die "Arrii impietas" gegen die "apostolica fides"[335] gesetzt wird.

Diese einseitige Sicht der Erbfolge erfährt, wie wir noch
sehen werden, eine Korrektur durch Ambrosius, der seinerseits
Vorbehalte anmeldet gegenüber den in unserer Bittschrift die
"apostolica fides" beanspruchenden "fidei (Luciferi) heredes"[336].

Überblickt man nun die drei zuletzt behandelten Stellen,
so wird in ihnen mit fast gleichen Formulierungen ("perfidiae eius heredes", "sub quadam impia haereditate", "suae

---

330) Zu dieser Synode u. den Luciferianern allgemein HEFELE 1,727f;
GRÜTZMACHER 1,201ff; KRÜGER 58ff.

331) Ep. II 7 (CSEL 35,1,8, Z.15).

332) A.a.O. 14 (ebd. 10 Z.21f); vgl. 9 (9 Z.8); 10 (9 Z.12).

333) A.a.O. 2 (ebd. 6 Z.7f), wo betont wird, daß die als "piissimi imperatores" (5 Z.7; vgl. 41 Z.27) apostrophierten "principes Romani
imperii" sich für diese "pia fides" (vgl. 6 Z.14; 21; 24) engagieren.

334) A.a.O. 13 (ebd. 10 Z.11).

335) A.a.O. 19 (ebd. 12 Z.1f).

336) Vgl. dazu § 24 I 1.

impietatis heredes"[336a]) versucht, den Gegner mit dem Vorwurf der "per-fidia" bzw. "im-pietas" zu belegen, um ihn
durch den "heres"-Begriff quasi als Neuauflage des Urhebers
dieser Negativhaltungen[337] zu charakterisieren.

Standen im vorangegangenen Abschnitt mit Simon Magus, Rufinus und Jovinian und ihren jeweiligen Erben eher Einzel-
fälle zur Debatte und war mit der "hereditaria infidelitas"
bzw. der "hereditas antichristi" in einer höchst disqualifi-
zierenden Form gleichsam der Ur-Stammvater von Juden bzw.
Arianern anvisiert, so muß innerhalb der weit verzweigten
Erbfolge im Arianismus, wo Arius einerseits selbst in einer
Erbfolge steht und andererseits der Erblasser für verschiedene Erben ist, primär der bewußte Gegensatz zur "hereditas
fidei"[338] und zu deren Repräsentanten[339] beachtet werden, so
daß man deshalb wie die "hereditas fidei" in Nikaia so die
"hereditas perfidiae" gleichsam in "Anti-Nikaia" wurzelnd
denken könnte.

§ 16. Die Erbverflechtung der Donatisten

Im Gegensatz zum Arianismus-Komplex, wo es sich in erster
Linie um das Problem der "falschen" Lehre und ihrer Weiter-

336a) Von der sprachlichen Seite her mag man auch FILASTR. 132,7 vergleichen, wo es im Zusammenhang mit den Kainiten von Kain heißt: "Sed
non invenimus fructum bonum in eo paenitentiae usquam fuisse, quanto magis de genere illius omnem impietatem potius pullulasse. Qui
post eum heredes impietatis paternae et inmanitatis tanti sceleris
exsistentes ..." (CSEL 38,102); außerdem SULP.SEV., chron. 1,51,5.
Zur "impietas" A. 310; OPELT, Nichtchristen 19f; ThLL VII,1,612-614.
Zum heidnisch-antiken Hintergrund vgl. R.A.BAUMAN, Impietas in
principem. A study of treason against the Roman emperor with spe-
cial reference to the first century A.D. (München 1974).

337) Zur Kontrastierung vgl. "fides" und "pietas" im Rahmen der Erbterminologie (Kap. 2).

338) Dazu Kap. 2.

339) Dazu Kap. 6.

gabe handelte, geht es beim Phänomen des Donatismus[340] neben
dem Sakramentsverständnis vor allem um den Kirchenbegriff,
nämlich die postulierte Heiligkeit der Mitglieder und schließlich die Einheit und Universalität der Kirche, was im Zusammenhang von PS. 2,8 schon anzusprechen war[341].

Die sprachliche Konkretisierung des aus dem Versagen -
insbesondere von Repräsentanten - erwachsenden theologischen
Dilemmas von überzeitlicher Schuld und persönlicher Unschuld
eröffnet eine neue Dimension für die Anwendung der "hereditas"-Terminologie.

1. Bevor wir uns den einschlägigen Passagen aus dem Werk
des Optatus von Mileve zuwenden, soll noch kurz ein Text aus
der Spätphase des Donatismus zur Sprache kommen, der die Positionen beider Seiten zu illustrieren vermag. Der geistige
Überwinder des Donatismus, AUGUSTINUS, setzt sich im 2.Buch
seines Werks "Contra litteras Petiliani Donatistae Cirten-
sis" (401 - 405)[342] in Form eines fingierten Dialogs Punkt
für Punkt mit einem Schreiben des donatistischen Bischofs
Petilianus von Cirta[343] an seinen Klerus auseinander. Ausgehend von der in der APG. berichteten Ersetzung des Verräters
Judas durch Matthias frägt Petilianus Augustinus bzw. die
Großkirche:

"hoc igitur facto episcopatum tibi quid vindicas, heres
nequioris traditoris? Iudas Christum carnaliter tradidit,
tu spiritaliter furens evangelium sanctum flammis sacri-
legis tradidisti. Iudas legislatorem tradidit perfidis,

340) Vgl. hierzu E.ALTENDORF, Einheit und Heiligkeit der Kirche (Berlin-
    Leipzig 1932), bes. 117ff; G.G.WILLIS, Saint Augustin and the Dona-
    tist controversy (London 1950). W.H.C.FREND, The Donatist Church.
    A movement of protest in Roman North Africa (Oxford 1952); DERS.,
    Donatismus, in: RAC 4,128-147; E.L.GRASMÜCK, Coercitio. Staat und
    Kirche im Donatistenstreit (Bonn 1964).

341) Vgl. § 12.

342) Dazu WILLIS 44; GRASMÜCK 198ff.

343) LThK 8,322 (J.MARTIN).

tu quasi eius reliquias legem dei perdendam hominibus tradidisti."[344]

Der donatistische Bischof sieht hier offensichtlich die
"katholischen" Bischöfe in der Nachfolge des Herrenverräters
Judas stehen, während er für die eigene Partei - freilich nur
unterschwellig - den Ersatz-Apostel Matthias quasi als Ahn-
herrn oder Erblasser zu reklamieren scheint[345]. Begründet
wird diese Gleichstellung mit Judas mit der Preisgabe bzw.
Vernichtung des Evangeliums. In ähnlicher Weise wie hier -
paradigmatisch für die Argumentation der Donatisten[346] - die
Partei des Augustinus mit der "Traditio"[347] der Vorfahren
identifiziert[348] und belastet wird, erfolgt durch die Anrede
"heres nequioris traditoris" gewissermaßen eine Identifizierung mit Judas, dem ersten "traditor"[348a].

Die raffinierte Frage, mit welchem Rechtsgrund ein derartiger "heres" den "episcopatus", den doch Matthias übernommen habe[349], beanspruchen könne[350], zeigt m.E. vortrefflich die
Struktur dieses Denkens, das die Auseinandersetzung der Gegenwart mit der Untersuchung der Ursprünge zu entscheiden
pflegt.

AUGUSTINUS weist diese Erbfolge geschickt zurück, indem
er seine Argumentation ganz auf das Verhalten in der Gegenwart abstellt. Es komme nämlich nicht auf die formale Erhal-

---

344) C.Petil. 2,8,17 (CSEL 52,29f).

345) C.Petil. 2,8,17: "denique ut dicta sententia compleretur,episcopa-
tum eius apostoli perditi sanctus Mathias accepit" (CSEL 52,29).

346) Dazu ALTENDORF 121ff.

347) Vgl. A.MANDOUZE, Saint Augustin. L'aventure de la raison et de la
grâce (Paris 1968) 340ff. Zum rechtlichen Aspekt einer "traditio"
HEUMANN 588.

348) Beachte die 2.Person, in der die Vorwürfe vorgebracht werden.

348a) Vgl. die polemische "Ineinssetzung" (unum vos esse te et Iudam Sca-
riotham) des "Traditors" Konstantius mit dem "Traditor" Judas bei LU-
CIF., non parc. 26 (CSEL 14,265-267; zit. 265 Z.6f); dazu OPELT,Lucif.210.

349) Vgl. A. 345.

350) Zur juristischen Valenz des Terminus "vindicare" vgl. HEUMANN 626f,
bes. 1b)ee); 2a.

tung des als "testamentum" bezeichneten "evangelium"[351] und
damit auf die "traditio" irgendwelcher Vorfahren, sondern
auf das "communicare" mit der in diesem "testamentum" zugesagten "hereditas"[352] an. So gibt er den Vorwurf des "traditoris heres" mit neuer Begründung an den Gegner zurück:

"... arbitror me iustissime dicere, ut ille iudicetur socius eius qui tradidit Christum, qui cum toto orbe non se
tradidit Christo. 'ergo', inquit apostolus, 'Abrahae semen estis, secundum promissionem heredes', et iterum dicit: 'heredes quidem dei, coheredes autem Christi,' idem-
que semen Abrahae ad omnes gentes pertinere demonstrat ex
illo quod Abrahae dictum est: 'in semine tuo benedicentur
omnes gentes'. quapropter puto iustum esse quod postulo,
ut testamentum dei, quod iam olim apertum est, aliquantum
advertamus et, quem non invenerimus traditi coheredem,
ipsum iudicemus traditoris heredem, ille pertineat ad
Christi venditorem, qui Christum negat orbis emptorem."[353]

Die die Argumentation stützenden Stichwörter aus der
Schrift[354] "coheredes Christi" und "omnes gentes" bilden für
Augustinus das Mittel, um den eigentlichen "traditoris heres" zu überführen. In dem kunstvollen[355] und gleichzeitig
juristisch geprägten Satzgefüge, das er mit "quapropter" ein-
leitet, beurteilt er den als "traditoris heres", der nicht
als "traditi coheres" erfunden wird und der die Realisierung
der - zunächst Abraham und in ihm den "omnes gentes" gegebenen - universalen Heilszusage durch den "orbis emptor" leug-

---

351) C.Petil. 2,8,20 (CSEL 52,31 Z.23ff); vgl. 2,8,17 (A. 344).

352) 2,8,20 (ebd. Z.30); dazu oben § 3.2.

353) C.Petil. 2,8,20 (CSEL 52,32f).

354) Röm. 8,17 u. GN. 22,18 angewandt auf Gal. 3,29; im Hintergrund
steht dabei natürlich auch die als "hereditas" angesprochene Aussage von PS. 2,8 (vgl. A. 352).

355) Beachte den Chiasmus innerhalb der sich entsprechenden Kola: quem
..., ipsum ... - ille ..., qui; das Homoioteleuton: coheredem - heredem - venditorem - emptorem; bes. kunstvoll die Antithese: traditi coheredem - traditoris heredem.

net. So versteht es Augustinus, in meisterhafter Sprachbeherrschung den Gegensatz zwischen den Katholiken und den sich
von der universalen katholischen Kirche absondernden Donatisten in der Antithese von "traditi coheres" und "traditoris
heres" zu konzentrieren, indem er das vom Gegner gelieferte
Schlagwort geschickt aufnimmt, um dann in den beiden "Häup-
tern": "traditus" und "traditor" Heils- und Unheilslinie eindeutig zu personifizieren.

Im Hinblick auf die "hereditas"-Vorstellung könnte man
* die unterschiedlichen Schwerpunkte bei Petilianus und Augustinus als historisch-juristisch gegenüber stärker heilsge-
schichtlich charakterisieren, wobei sicher im ersten Fall
eine größere Identifizierungstendenz mitschwingt.

2. Bereits einige Jahrzehnte vor Augustinus wandte sich
Optatus von Mileve[356] in 6 (7) Büchern "Contra Parmenianum
Donatistam" gegen die literarischen Angriffe des Donatisten-
bischofs Parmenianus[357], der um 362 aus der Verbannung zurückgekehrt war.

Im ersten Buch, das Ursprung und Anlaß des Schismas schil-
dert und die alleinige Schuld für die Zustände in Afrika den
Donatisten anlastet, bemerkt OPTATUS:

"de divisione agitur: et in Africa sicut et in ceteris
provinciis una erat ecclesia, antequam divideretur ab ordinatoribus Maiorini, cuius tu hereditariam cathedram sedes. videndum est, quis in radice cum toto orbe manserit,
quis foras exierit, quis cathedram sederit alteram, quae
ante non fuerat, quis contra altare altare erexerit, quis
ordinationem fecerit salvo altero ordinato ...".[358]

Diese Ausführungen stehen im Rahmen einer größeren Beweis-

356) BARDENHEWER 3,491ff; PW 18,765-771 (E.DINKLER); O.R.VASSALL-PHILLIPS,
The work of St.Optatus Bishop of Milevis against the Donatists (London 1917); GRASMÜCK 142ff.

357) PW 18,3,1549-1553 (E.DINKLER); GRASMÜCK 140f.

358) 1,15 (CSEL 26,17f); VASSALL-PHILLIPS 30.

führung, in deren Verlauf die "duo mala"[359] von "traditio" und "scisma" auf "iidem auctores"[360] zurückgeführt werden. Denn die "traditores" sind durch die "ordinatio" des Maiorinus zu "auctores scismatis" geworden[361]. Damit rekapituliert Optatus die diffizile Lage[362] aus dem Jahre 312, wo nach dem Tode des Bischofs Mensurius von Karthago (+311) numidische Bischöfe gegen dessen Nachfolger Caecilian verschiedene Anschuldigungen - so auch die Weihe durch einen angeblichen "traditor" - vorbrachten und Maiorinus zum Bischof weihten. Optatus, der natürlich ganz klar Partei ergreift, sieht das durch diese "ordinatio" erregte "scisma"[363] als ein "foras exire"[364], ein "exire de ecclesia"[365] und eine "divisio" der "una ecclesia". Dem "contra altare altare erigere"[366] der Urheber entspricht das "Maiorini cathedram sedere"[367] seines Kontrahenten Parmenianus.

Im Hinblick auf den beachtenswerten Ausdruck "Maiorini cathedra"[368] ist daran zu erinnern, daß Optatus allgemein die

---

359) 1,13: "in Africa duo mala et pessima admissa esse constat, unum in traditione, alterum in scismate, sed utraque mala et uno tempore et iisdem auctoribus videntur esse commissa" (15).

360) 1,15: "... consequens erit eosdem fuisse auctores scismatis" (17); vgl. A. 359.

361) 1,15: "Deinde non post longum tempus iidem ipsi, tot et tales ad Carthaginem profecti traditores, turati, homicidae Maiorinum, cuius tu cathedram sedes, post ordinationem Caeciliani ordinaverunt scisma facientes. ... auctores huius mali ..." (17); vgl. 1,13: "et plenius auctores scismatis disce" (15).

362) Dazu GRASMÜCK 17ff.

363) OPTATUS versucht "haeretici" u. "scismatici" genau zu scheiden (vgl. bes. 1,10; CSEL 26,11ff), worin auch seine Anrede "frater Parmenianus" gründet (vgl. 1,3f; CSEL 26,5f).

364) Die Kirchengemeinschaft wird dabei gleichsam als ein "Haus" gesehen.

365) 1,19: "manifestum est ergo exisse de ecclesia et ordinatores, qui tradiderunt, et Maiorinum, qui ordinatus est" (21).

366) Vgl. dieselbe Formulierung: AUG., ep. 43,4 (CSEL 34,87 Z.15f).

367) Sehr seltene Konstruktion von "sedere"; vgl. bei OPTATUS noch CSEL 26,12 Z.22; 17 Z.11 (A. 361); 36,9; 36,20f.

368) Vgl. auch § 16.3; A. 361; 389.

"cathedra" als "prima de dotibus"[369] einordnet und die "cathedra" als "cathedra alicuius" sehr gerne nach ihrem Urheber bzw. ersten Inhaber benannt wurde[370]. Maiorinus wird also auch hier, Jahrzehnte nach seinem Tod (+313), noch als der
Urheber der "cathedra altera, quae ante non fuerat"[371] ins
Spiel gebracht, weil offensichtlich auch dieses Denkschema
- Ähnliches sahen wir bei Petilianus - die Legitimation der
Gegenwart nach dem Alter[372] und dem "quis in radice ... manserit"[372a] bemißt. Wie diese Prüfung ausfiel, zeigt die andere Bezeichnung: "cathedra pestilentiae"[373].

In diesen geistigen Horizont ist nun auch der überaus be-
merkenswerte Ausdruck "hereditaria cathedra"[374] einzuordnen.
Wenn Optatus von Parmenianus sagt, er sitze auf der "hereditaria cathedra" des Maiorinus, so wird sowohl durch das Adjektiv "hereditaria" als auch durch den genitivus possessivus "cuius" dieselbe Aussage intendiert: Es ist die "cathedra Maiorini", auf der du sitzt. Der Erblasser Maiorinus hat
sie quasi geschaffen und weitervererbt. Recht betrachtet ist
sie eine "cathedra pestilentiae", da es auf ihren Ursprung
ankommt.

---

369) 2,2,3 (CSEL 26,36 Z.7.20); vgl. zu dieser eigenartigen Vorstellung
von den "dotes ecclesiae" auch VASSALL-PHILLIPS 18ff; 64ff; 85.

370) Vgl. dazu § 22.6.

371) Ganz ähnlich 1,10 (CSEL 26,12 Z.22 - 13 Z.1); vgl. § 16.3.

372) Zum sogen. Altersargument vgl. § 4.1.

372a) Zum richtigen Verständnis dieser Stelle vgl. dieselbe etwas ausführ-
lichere Formulierung in 1,28: "qui et in radice manemus et in toto orbe terrarum cum omnibus sumus" (CSEL 26,31); hier ist auch bereits
der heidnisch-antikem Denken entstammende Ternar des VINCENT.LER.:
antiquitas, universitas, consensio vorgezeichnet.

373) PS. 1 wird in 2,5 gegen die Donatisten gewendet, wobei Vers 1: "cathedra pestilentiae" offenbar bes. den (schismatischen) Sukzessions-
anspruch in Rom treffen sollte; vgl. VASSALL-PHILLIPS 72-75; AMBRO-
SIAST., quaest. 110,7 (CSEL 50,274; vgl. unten Kap. 6 A. 145); zur
polemischen Verwendung der Bezeichnung gegen "Bischöfe auf dem Richterstuhl" vgl. TH.KLAUSER, in: JAC 5 (1962) 172-174.

374) ThLL VI,2629 Z.77-79 sieht "hereditarius" hier "de successione in
munere fungendo" verwendet ebenso wie CIC., Verr. 2,3,177: "(Verres)
gessit hereditariam quaesturam" (A.KLOTZ, Leipzig 1923, 321).

Die (schismatische) Sukzession der Donatisten, die bezeichnenderweise auch in Rom eine "cathedra" unterhielten[375], wird
also hier im Sinne einer Erbfolge dargestellt, wobei die "filii" - "parentes"-Terminologie[376] diese Konzeption noch ab-
rundet.

3. Die "cathedra" steht ebenfalls im Zentrum der Argumentation, wenn OPTATUS Parmenianus und seine Gemeinde - als Antwort
auf dessen gegen die Großkirche gerichtete Gleichsetzung von
"scismatici" und "haeretici" - als "scismatici" zu erweisen sucht:

> "sed video te adhuc ignorare scisma apud Carthaginem a vestris
> principibus factum. quaere harum originem rerum et invenies
> te hanc in vos dixisse sententiam, cum scismaticis haereti-
> cos sociasti. non enim Caecilianus exivit a Maiorino avo
> tuo sed Maiorinus a Caeciliano; nec Caecilianus recessit
> a cathedra Petri vel Cypriani sed Maiorinus, cuius tu ca-
> thedram sedes, quae ante ipsum Maiorinum originem non ha-
> bet. et cum haec ita gesta esse manifestissime constet,
> et vos heredes traditorum et scismaticorum esse evidenter
> adpareat, satis te miror, frater Parmeniane, cum scisma-
> ticus sis, scismaticos haereticis iungere voluisse."[377]

In den beiden, nach einem klaren Parallelismus aufgebau-
ten Sätzen "non enim ..." und "nec ..." wird schon rein sprachlich[378] ganz stark auf Maiorinus abgehoben. Mit der Bezeichnung als "avus tuus" wird die bereits erwähnte Termi-

---

375) 2,2-6; AUG., ep. 53,2: "in hoc ordine successionis nullus Donatista
episcopus invenitur. sed ex transverso ex Africa ordinatum miserunt,
qui paucis praesidens Afris in urbe Roma Montensium vel Cutzupita-
rum vocabulum propagavit" (CSEL 34,2,154); dazu CASPAR 1,201; PW
18,3,1552 (E.DINKLER); PW 18,1,770 (E.DINKLER).

376) Z.B. CSEL 26,23, Z. 2; 30,18; 40,6; 40,16; 41,1; 160,28f; "filii
traditorum": 92,6; 159,2; 163,23; 173,23; "patres": 23,4; 42,1;
164,6; 165,8; vgl. auch den Vorwurf der Donatisten gegen die Katholiken: "progenies traditorum" (ALTENDORF 120 Anm. 12).

377) 1,10 (CSEL 26,12f); VASSALL-PHILLIPS 20f.

378) So erscheint das betonte "sed Maiorinus" jeweils an genau derselben Stelle im Satz (nach 20 Silben).

nologie in erstaunlicher Konsequenz ergänzt. Auf Maiorinus, den "avus" des Parmenianus, folgte nach seinem Tod im Sommer 313 der berühmte Donatus[379], den Optatus ohne Zögern als "pater" des Parmenianus vorstellt[380]. Da Parmenianus, wie wir wissen, um etwa 360 tatsächlich Nachfolger des Donatus wurde[381], haben wir es hier mit einer in ihrer Konsequenz auffallenden Übertragung genealogischer Terminologie auf die Bischofsabfolge[382] zu tun. Die inhaltliche Entsprechung in den beiden genannten Sätzen aber rückt den entscheidenden Aspekt in dem vorliegenden "cathedra"- und Sukzessionsverständnis in den Mittelpunkt, insofern das "exire a Caeciliano" gleichgesetzt wird mit einem "recedere a cathedra Petri vel Cypriani". Die Trennung von dem rechtmäßigen Nachfolger des Mensurius, Caecilian, bedeutet also für Optatus soviel wie das Verlassen der den orthodoxen Ursprung verkörpernden "cathedra Cypriani"[383]. Die Einbeziehung, ja Voranstellung der "cathedra Petri" in die doch auf Karthago zielende Argumentation zeigt anschaulich, wie weit sich das "cathedra Petri"-Verständnis des Optatus[384] bereits vom sogenannten cyprianischen Episkopalismus entfernt hatte, freilich auf der theologischen Linie jenes berühmten Cyprian-Wortes: "qui cathedram Petri, super quem fundata est ecclesia, deserit, in ecclesia se esse confidit?"[385].

Angesichts dieser gegen Parmenianus gerichteten Vorwürfe darf man mit Recht vermuten, daß dieser die "cathedra Cypriani" für sich beansprucht hat. Doch ihm wird entgegengehalten,

---

379) Dazu FREND (Index 354); vgl. GESTA AP.ZENOPH.: "Incipiunt gesta, ubi constat traditorem Silvanum, qui cum ceteris ordinavit Maiorinum, cui Donatus successit" (CSEL 26,185).

380) 3,3: "qui (sc. Paulus et Macarius) cum ad Donatum, patrem tuum, venirent et, quare venerant, indicarent, ille solito furore succensus in haec verba prorupit: 'quid est imperatori cum ecclesia?'" (CSEL 26,73).

381) Vgl. FREND, bes. 193-207; GRASMÜCK 139ff.

382) Vgl. hierzu Kap. 6 u. bes. unten S. 444f (zu WISCHMEYER).

383) VASSALL-PHILLIPS 21 Anm. 1.

384) Zur Stelle vgl. VASSALL-PHILLIPS 20 Anm. 4; ansonsten unten § 22.6.

385) Unit.eccl. 4; vgl. dazu ALTANER-STUIBER 175 (mit Lit.).

er sitze vielmehr auf der "cathedra Maiorini", die noch dazu
vor Maiorinus keine "origo"[386] aufzuweisen habe. Damit wird
Parmenianus erstens in eine völlig andere, völlig neue (Pseu-
do-)Sukzession und Erbfolge gestellt, die zweitens gegenüber
der Aufforderung "vestrae cathedrae vos originem reddite"[387]
nicht bestehen kann. Die Bedeutung von "origo", das ansonsten in der Vätersprache auch als Synonym für "caput" und
"radix" vorkommt[388], könnte in der Verbindung "cathedrae origo"[389] dem juristischen Bereich entstammen[390] und "Abstammung","Herkunft" und "Stammvater" implizieren. So könnte

---

386) Dieselbe Aussage wie in 1,15: "quae (sc. cathedra) ante non fuerat"
(CSEL 26,18, Z.5); zu "origo" bei OPTATUS vgl. CSEL 26 (Index 299).
Die Ähnlichkeit der Problematik im novatianischen Schisma machen die
folgenden Texte von CYPRIAN deutlich: Ep. 69,3: "Novatianus in ecclesia non est nec episcopus conputari potest, qui evangelica et apostolica traditione contempta nemini succedens a se ipso ortus est";
Ep. 69,5: "pastor haberi quomodo potest qui manente vero pastore et
in ecclesia Dei ordinatione succedanea praesidente nemini succedens
et a se ipse incipiens alienus fit et profanus ...?" (CSEL 3,2,752/
753). Vgl. auch Kap. 6 A. 124; 131a u. den Artikel "origo" im ThLL (der
Verfasser, Dr.H.WIELAND, überließ mir freundlicherweise eine Kopie
des fertiggestellten Artikels).

387) 2,3: Forts. "... qui vobis vultis sanctam ecclesiam vindicare" (CSEL
26,37 Z.13-15); vgl. damit TERT., praescr. 32: "edant ergo origines
ecclesiarum suarum ..." (REFOULE 130); AMBROSIAST., quaest. 110,7:
"... ordinem sibi sine origine vindicantes, hoc est corpus sine capite profitentes" (CSEL 50,274); zu "vindicare" vgl. HEUMANN 626f,
bes. 2b.

388) Vgl. AMBROSIAST. (A. 387); AUG., c.Petil. 1,4,5 - 1,7,8 (CSEL 52,
6ff) (Sakramentsverständnis); P.BATIFFOL, Petrus initium episcopatus, in: RevSR 4 (1924) 440-453; 446-448 (weitere Stellen!).

389) Sowohl die synonyme Aussage "quae ante non fuerat" (A. 386) als auch
die einschränkende Präzisierung "ante ipsum Maiorinum" deuten darauf hin, daß Maiorinus als die "cathedrae origo" angesehen u. deshalb von der "cathedra Maiorini" gesprochen wird; eine interessante Parallele bietet der VERGIL-Vers: "pater Aeneas Romanae stirpis
origo" (Aen. 12,166); vgl. ferner H.WIELAND, origo, in ThLL (Manuskript, unter I B 1.b IV).

390) Vgl. HEUMANN 398; GEORGES 2,1399; PW Suppl. 10,433ff (D.NÖRR) u. bes.
D.NÖRR, Origo. Studien zur Orts-, Stadt- und Reichszugehörigkeit in
der Antike, in: Revue d'histoire du droit 31 (1963) 525-600, der ausführlich die Zusammenhänge der origo-Lehre mit dem antiken Bürger-
recht behandelt. Man müßte auch der Möglichkeit von derartigen Reminiszenzen beim Juristen Tertullian (vgl. A. 391) nachgehen, zumal ja "origo" die "Zugehörigkeit zu einer bestimmten Gemeinschaft
oder zu einem bestimmten Orte" (a.a.O. 526) bezeichnet.

auch der Zusammenhang, der an jener berühmten TERTULLIAN-Stelle[391] unter positiven Vorzeichen zwischen den "origines firmae ab ipsis auctoribus" und dem "heres apostolorum"-Anspruch besteht, bei OPTATUS unter negativen Vorzeichen wiederkehren, indem der "cathedra sine origine" der Vorwurf "heredes traditorum et scismaticorum"[392] entspricht. Diese für Parmenianus und seine Gemeinde gedachte Bezeichnung identifiziert diese mit einem ein halbes Jahrhundert zurückliegenden Tun[393], der Weihe des Maiorinus durch "traditores" und der in dieser Weihe manifestierten Abspaltung von der "cathedra Cypriani", in einer Weise, daß diese Erbfolge als "evidens" bezeichnet werden kann. Daß auch trotz des Plurals "heredes" in erster Linie Parmenianus gemeint ist, zeigt nicht nur der oben skizzierte Zusammenhang mit der "cathedra"-Argumentation, sondern auch die zusammenfassende Bemerkung des Optatus: "paulo ante docuimus vestros parentes fuisse traditores et scismaticos; et tu ipsorum heres nec scismaticis... nec traditoribus parcere voluisti"[394], in der Parmenianus als "heres" von "traditores" und "scismatici" herausgestellt wird.

Seine Gemeinde besteht aus "heredes traditorum et scismaticorum", weil er für sie auf seiner "cathedra sine origine" quasi als oberster "heres" nicht den Zusammenhang mit der "cathedra Cypriani", sondern die Trennung von ihr und die schuldhafte "traditio" der Vorfahren repräsentiert. Festzuhalten bleibt außerdem wieder das Legitimations- bzw. Disqualifikationsprinzip, das die Häresie (Schisma) der "Gegenwärtigen" durch Aufweis der einem häretischen (schismatischen) Ursprung entspringenden Erbfolge zu erweisen sucht,

---

391) Praescr. 37 (vgl. § 5 II; § 22.4).

392) Nach der Terminologie des ThLL (Zettelmaterial) wieder ein genitivus relinquentis.

393) Freilich darf man daneben nicht das aktuelle Versagen u. die teilweise fürchterlichen Ausschreitungen gerade zur Zeit Julians übersehen; vgl. hierzu GRASMÜCK, bes. 132ff.

394) 1,28 (CSEL 26,31).

so daß der Angriff auf den Ursprung eigentlich den daraus
"Entsprungenen" gilt. Dies erklärt auch die - angesichts der
historisch kurzen "Episode" - auffallend wichtige Rolle, die
Optatus Maiorinus beimißt.

4. Nachdem OPTATUS zu Beginn des 2.Buches den Donatisten
jeden Anteil an der "cathedra Petri" abgesprochen hat, verweist er sie mit PS. 1,1 auf die "cathedra pestilentiae" und
das "consilium impietatis"[395] und fährt dann fort:

> "sederunt etiam in cathedra pestilentiae, quae, ut supra
> diximus, seductos mittit ad mortem. sed dum et vos paren-
> tum errorem colentes studiose defenditis, heredes scele-
> ris esse voluistis, cum filii pacis vel sero esse posse-
> tis."[396]

Zur Charakterisierung der Beschuldigten, d.h. der Donatisten besonders in Karthago, greift er zu dem Gegensatzpaar
"heredes sceleris" - "filii pacis", um so seine Gegner auf
Grund ihres Einsatzes für den "parentum error" mit dem "scelus"-Vorwurf zu belasten. Mit der Wahl dieses überaus scharfen Terminus[397] sollten wohl das "scisma" und die daraus resultierenden Umtriebe angeprangert werden, was auch aus dem
Gegenbegriff "pax" hervorgeht.

Der Möglichkeit einer Existenz als "filii pacis"[398] haben es die Donatisten nach Auskunft des Textes jedoch vorge-
zogen, sich aktiv für das Erbe der "parentes" zu engagieren,
so daß das bewußte Wollen und die persönliche Schuld im eng-
sten Umkreis des Ausdrucks "heredes sceleris" stehen[399]. Das

---

395) (CSEL 26,39, Z.23). In der polemischen Rezeption von PS. 1,1 bei den
   Vätern könnte man u.U. eine Einflußlinie auf das "impietas"-Ver-
   ständnis sehen.

396) 2,5 (CSEL 26,40); VASSALL-PHILLIPS 75.

397) Vgl. GEORGES 2,2522f; weitere Optatus-Stellen: Index 316.

398) Dazu oben § 11.

399) Beachte "colentes studiose defenditis","voluistis".

betonte "et vos" und der im genitivus obiectivus[400] erschei-
nende Erbinhalt implizieren die Identifizierung mit Verhalten und Schuld der "parentes" und die freiwillige Aktivierung
der Spaltung in der Gegenwart.

5. Auf eine ganz ähnliche Antithese spitzt OPTATUS den Gegensatz der Parteien im 3.Buch zu, um dadurch die Vorwürfe
der Donatisten gegen die Katholiken[401] abzuwehren:

"quid hoc ad nos, quid ad ecclesiam catholicam pertinet?
quicquid obiecistis, vos fecistis, qui pacem a deo commen-
datam noluistis libenter excipere cariorem aestimantes hereditatem scismatis quam praecepta proposita salvatoris."[402]

Die Ablehnung der "pax a deo commendata" vollzieht sich
bzw. ist begründet in der höheren Einschätzung der "hereditas scismatis" gegenüber den "praecepta proposita salvatoris".
Auf Grund der Gegenüberstellung zu "scisma" und im Hinblick
auf den folgenden Kontext muß mit den "praecepta"[403] die
"unitas" bzw. "pax" gemeint sein, wobei man sogar eine Anspielung auf JO. 14,27[404] nicht ausschließen kann. Wie jedoch weitere Optatus-Texte zeigen[405], beziehen sich die "praecepta" offenbar auf biblische Warnungen vor dem "scisma"
und die Aufforderung zur "pax".

Angesichts der juridischen Valenz von "praeceptum" mag in

---

400) Das Zettelmaterial des ThLL spricht hier von einem "Genitivus rei";
    vgl. auch ThLL VI,2648 Z.36ff.

401) Der Hauptvorwurf war die Einschaltung der staatlichen Macht; vgl.
    3,4; PW 18,766 Z.45ff.

402) 3,4 (CSEL 26,85); VASSALL-PHILLIPS 149.

403) HEUMANN 445f; zur Verwendung in der gratianischen Gesetzgebung u.ä.
    vgl. GOTTLIEB 58f mit Anm. 40; weitere Optatusstellen: Index 306.

404) Vgl. dazu auch oben § 11.

405) 1,21: "denique inter cetera praecepta etiam haec tria iussio divi-
    na prohibuit: 'non occides, non ibis post deos alienos' et in capi-
    tibus mandatorum: 'non facies scisma'" (CSEL 26,23); 3,7: "idem
    deus locutus est et: 'non facies scisma et: quaere pacem et conse-
    queris eam' eiusdem dei praeceptum est" (88f); vgl. 1 Kor. 1,10;
    12,25.

dem Ausdruck "praecepta salvatoris"[406] auch noch die Vorstellung von Christus als Gesetzgeber[407] mitschwingen; jedenfalls wird damit die Warnung vor "scisma" und die Verordnung von "pax" umschrieben[408].

Mit der Verbindung "hereditas scismatis" - zu vergleichen mit den "heredes (traditorum et) scismaticorum" - soll in polemischer Weise das als Erbverpflichtung interpretierte Festhalten der Donatisten am "scisma" der Vorfahren gekennzeichnet werden, zumal die "praecepta salvatoris", wie erwähnt, auch im Horizont des Herrentestaments gesehen werden können.

6. Eine weitaus versöhnlichere Haltung begegnet uns dagegen im 7.Buch[409], das OPTATUS, nachdem seine schroffe Haltung keine Erfolge gezeitigt hatte, um 383 gleichzeitig mit einigen Zusätzen zu den anderen Büchern anfügte. Da er nun zwischen "traditores" und "filii traditorum" genau unterscheidet[410], bemerkt er:

"ergo hodie negotium novum est, dum vobiscum res, non cum illis agenda est, quamvis ab ipsis ad vos videatur hereditaria macula esse transmissa, tamen in hoc titulo non potestis rei esse cum patribus vestris ... "[411].

Um die donatistischen Nachfahren von der Schuld ihrer Väter zu entlasten, ist hier von einer "hereditaria macula" die Rede, wodurch gleichzeitig das mit "macula"[412] umschrie-

---

406) Vgl. dazu 7,2: "Christus, qui praecepta dat salutaria" (CSEL 26,169).

407) Vgl. die sogen. "Dominus legem dat" - Darstellung (dazu § 11 Exkurs) u. den gesamten Komplex einer juridischen Interpretation von Glaube u. Evangelium.

408) Zum Verhältnis von "scisma" und "pax" vgl. § 10.

409) Dazu PW 18,1,767; VASSALL-PHILLIPS 269ff.

410) 7,1: "igitur si parentes vestri ad tempora unitatis occurrerent tot exemplis rationabiliter redditis et ipsi a communione repelli non possent, quanto vos, quos constat traditores non esse sed filios traditorum ..." (CSEL 26,163).

411) 7,1 (CSEL 26,164); VASSALL-PHILLIPS 277.

412) Vgl. dagegen "scelus" (A. 396).

bene "scisma" abgeschwächt und auf eine geradezu passivisch
überkommene Schuld reduziert werden sollte. Und auch diese
Schuld wird durch Gottes "providentia" noch getilgt, weil
"necessitas, non voluntas"[413] - eine erstaunliche Modifizierung gegenüber dem betonten "velle" von Buch 2[414] - sie ver-
ursacht habe:

"temporibus unitatis principes vestri, qui probantur ista
fecisse, iam e vivis excesserant vobis quasi hereditariam
maculam relinquentes, quam prius deus a vobis providentia
sua sic diluit, dum inter patres et filios, sicut supra
diximus, separavit."[415]

In beiden Texten begegnet uns die Scheidung "inter patres
et filios"[416] und der Ausdruck "hereditaria macula", der hier
sicher eine Entlastungsfunktion erfüllt. Von ganz anderer
Tendenz waren dagegen die anderen betrachteten "hereditas"-
Stellen getragen, die ganz offen eine Belastung der jeweiligen Person(en) intendierten.

Mag man auch eher an Belastung denken, wenn man das Problem der Erbsünde heranzieht, so ließe sich doch am besten
von der "hereditaria macula" aus die Linie in diese Richtung ausziehen[417], was jedoch nicht mehr im Rahmen der Thematik liegt.

---

413) 7,1 (CSEL 26,167 Z.34).

414) Vgl. A. 396.

415) 7,1 (CSEL 26,168); VASSALL-PHILLIPS 279.

416) Vgl. auch A. 410.

417) Zu betonen ist dabei der uns nicht mehr geläufige, enge Zusammenhang zwischen Sünde und Häresie, Bußverfahren und Exkommunikation;
vgl. dazu GOPPELT 112ff. - Auf unsere Thematik bezogene Analogien
könnte man in der Schwierigkeit der Ausrottung der Häresie (ähnlich
wie im Falle der Erbsünde) und in der Schlangenmetapher (vgl. A.
166; 220; P.FRAENKEL 187 mit Anm. 4) sehen. Hinsichtlich der "hereditas"-Terminologie wäre der Gegensatz wohl als passive Weitervererbung gegenüber einer aktiven Erbübernahme zu charakterisieren.

ZUSAMMENFASSUNG:

Frägt man dagegen zusammenfassend und nicht wiederholend
nach dem Ertrag des Häretiker-Kapitels für diese Thematik,
so können wir uns auf einige daraus abstrahierte Thesen beschränken, da wir ja bereits die einzelnen Texte in einen
größeren Zusammenhang einzuordnen versuchten:

Es besteht ein sich gegenseitig illustrierender Zusammenhang zwischen dem Phänomen der Ketzerstammbäume und der Anwendung der "hereditas"-Terminologie im Ketzerbereich. Die
"hereditas"-Terminologie stellt dabei eine Fortführung und
teilweise juristische Explikation auch ansonsten verwendeter
Generationsbezeichnungen dar.

Sie ist ein wichtiges Mittel, um die Kontinuität von Irrtum und Häresie auszudrücken, wobei die soziologische und
terminologische Analogie und möglicherweise Abhängigkeit hinsichtlich der Philosophen bzw. Philosophenschulen auffällt.

Durch diese Terminologie kann sowohl die direkte Verbindung zum Ursprung als auch zu den Vorgängern ausgedrückt werden, so daß sie ein willkommenes Legitimierungs- bzw. Dis-
qualifizierungsinstrument bildet. Dabei handelt es sich im
Rahmen des vorliegenden Kapitels durchwegs um eine Identi-
fizierungs- und gleichzeitig eine Disqualifizierungsten-
denz[418].

Besonders im ersten Teil der Texte könnte die "hereditas"-
Terminologie teilweise auch Ausdruck eines Formgesetzes sein,
nach dem es - allerdings im gehobenen Stil - verboten war,
lebende Personen mit Namen zu nennen[419]. Im folgenden Abschnitt sollten dann mit dieser Terminologie verschiedene
Arianerhäupter als Repräsentanten des Stammvaters Arius angeprangert werden, während im dritten Abschnitt damit die
Präsenz des schismatischen Ursprungs in den späteren Repräsentanten der bischöflichen Sukzession bezeichnet wurde. Eine

---

418) Zur gleichen Methode der Polemik bei HIPPOL. vgl. H.GÜLZOW, Christentum und Sklaverei in den ersten drei Jahrhunderten (Bonn 1969) 147
mit Anm. 2 u. 3.

419) Dazu SCHWARTZ, Zwei Predigten 31f.

in gewisser Weise umgekehrte Methode der Ketzerbekämpfung
bestand darin, die Häretiker oder vergleichbare "Dissidenten" als "enterbt" (exheres; exheredatus)[420] hinzustellen
und ihnen so die Teilhabe an der "fides" bzw. am Heil abzusprechen.

So leistete das Häretiker-Kapitel sowohl eine Erhellung
des Glaubens- und Traditionsverständnisses, wenn auch unter
negativen Vorzeichen, als auch einen Beitrag zum Amts- und
Sukzessionsverständnis, dem insbesondere der zweite Hauptteil der Untersuchung gilt.

---

420) Vgl. dazu TERT., praescr. 37,6 (§ 5 II); CYPR., ep. 30,2 (Kap. 2 A.
132); AUG., in psalm. 124,10 (§ 11.3); ep. 43,25 (§ 12.5); weitere
Belege oben § 3.2 (bes. Juden!).

ZWEITER HAUPTTEIL

5. Kapitel: "Hereditarius ecclesiae principatus".

    Zur Vererbung kirchlicher Ämter

Auf den ersten Blick könnte man meinen, ein Kapitel über die dynastisch verstandene Vererbung kirchlicher Ämter an die Spitze unserer Untersuchungen zum kirchlichen Amt zu stellen, hieße, den zentralen Punkt des zweiten Teils gleich vorwegzunehmen. Doch damit wäre der Titel der Arbeit ebenso wie die Intention dieses Kapitels im Sinn eines Beitrags zum Nepotismus gründlich mißverstanden. Was soll dann - hier und überhaupt - dieses Kapitel? - Es geht um eine Erhellung des Erbgedankens im kultischen Bereich, die mir ähnlich wie der kurze Überblick des 1. Kapitels - dort funktional bezogen auf die "hereditas fidei" - als Verständnishorizont für die Anwendung der "hereditas"- Terminologie auf das Amt notwendig erscheint.

Dabei ist zunächst die Vererbung von Priestertümern in der Antike allgemein (§ 17) zu berühren und es sind einige Beispiele frühchristlicher "Priesterdynastien" (§ 18) vorzuführen. Sodann gilt es, ein paar Zeugnisse für die aufkommende Kritik am Erbdenken und am dynastischen Prinzip sowohl im staatlichen wie auch im kirchlichen Bereich (§ 19) beizubringen und schließlich ist zu fragen, inwiefern man das so verstandene und mitunter mißbrauchte Erbprinzip als förderndes Moment zölibatärer Bestrebungen und als Ausgangsstufe für die Spiritualisierung natürlicher Generationsbezeichnungen ansehen könnte (§ 20). Methodisch bleibt noch zu bemerken, daß hier der für die gesamte Arbeit gewählte zeitliche oder geographische Rahmen aus sachlichen Gründen nicht so streng beachtet werden kann und in unserem Kontext keine eingehende Behandlung des Themas, sondern lediglich ein unvollständiger Überblick möglich ist, der sich zudem auf einschlägige Hinweise und Vorarbeiten stützen muß.

§ 17. Von der Vererbung und Verlosung antiker Priestertümer
zur "klerus"-Terminologie der frühen Kirche

1. Hält man sich vor Augen, in welchem Maße die Antike im
politischen wie im kultischen Bereich familienrechtlich und
traditionsgebunden ausgerichtet war, so scheint es nur lo-
gisch, wenn aus der Reihe der Möglichkeiten, ein kultisches
Amt zu vergeben (freie Bestimmung, Wahl, Verlosung, Vererbung, Verkauf), weithin die Vererbung dominiert. Im Grunde
nicht anders als im Ä g y p t e n [1] der Pharaonenzeit ver-
macht auch noch im Jahr 128/27 v. Chr. ein Priester seiner
Tochter den siebten Teil der priesterlichen Einkünfte aus
zwei Tempeln[2]. Darf man hier gleich die Linie bis ins Christentum ausziehen, so gedenkt auch Abraham, Bischof von Hermonthis[3], in seinem Testament am Ende des 6. Jahrhunderts
seines ἅγιον τόπιον[4]. In gleicher Weise waren die Priestertümer in Sidon, Chalkis, Emesa, Palmyra erblich[5]. Bei den
g r i e c h i s c h e n Priestertümern ist die Vererbung
allgemein verbreitet[6], wobei die Bruderfolge, auf die H. VOLK-

---

1) H.KRELLER, Erbrechtliche Untersuchungen aufgrund der graecoaegypti-
   schen Papyrusurkunden (Leipzig 1919) 6. Auch ATHENAG., suppl. 28
   (GOODSPEED 349) berichtet von einem Forterben (διαδέχοσθαι) des
   Priestertums (ἱερωσύνη) vom Vater auf den Sohn bei den Ägyptern
   (diese Stelle verdanke ich dem freundlichen Hinweis von Prof. P.Stock-
   meier).

2) KRELLER 6.

3) KRELLER 6. Der Bischofssitz Hermonthis (ab 4.Jh.) liegt in der Thebais; vgl. die Karte in: ThRE 1,512/13 (unter Thebais II).

4) Vgl. dazu τόπος/κλῆρος bzw. "locus" (§ 17.2). - Bestimmungen über
   das Forterben eines Priesteramtes gehören auch zum gängigen Inhalt
   griechischer Testamente (PW 5,1,352).

5) E.STAUFFER, Zum Kalifat des Jacobus, in: ZRGG 4 (1952) 193-214,194.

6) F.POLAND, Geschichte des griechischen Vereinswesens (Leipzig 1909)
   418. - Verlosung und Verkauf tritt vor allem später in den Vordergrund: ebd. 416; 418; VOLKMANN (o.c.A. 7) 65. Dagegen ergänzen sich
   die römischen Priesterschaften neben gelegentlicher Wahl oder Bestimmung vor allem durch Kooptation; dazu K.LATTE, Römische Religionsgeschichte (München 1960) 394ff. Lediglich für die Haruspices
   spielte die Familientradition eine größere Rolle (ebd. 396f). - Allgemein zur Erbfolge von Sehern, Priestern, Sängern und Ärzten vgl.
   RAC 9,1177-1180 (W.SPEYER).

MANN[7] aufmerksam macht, eine interessante Variante für die
Vererbung der Priesterwürde darstellt. Man findet sie z.B.
bei den Priestern des Poseidon Isthmios von Halikarnaß und
den Zeuspriestern von Korykos in Kilikien, so daß vielleicht
auch jene berühmte Stelle bei Polykrates von Ephesos[8] in diesem Lichte neu zu interpretieren ist.

Will man sich bei der Erklärung dieser Vorliebe für das
Erbprinzip nicht mit dem Stichwort "Vetternwirtschaft" oder
"Pfründe" begnügen, so kann man auf den Vorschlag von F.
PFISTER[9] zurückgreifen, der auf die Vererbung der für den
Kult notwendigen "Dynamis" vom Vater auf den Sohn abhebt. In-
soweit ja hier Bluts- und Erbprinzip zusammenfallen, erscheint
der Vorschlag ganz plausibel, zumal wir auch aus dem A l -
t e n   T e s t a m e n t nicht nur die enge Verknüpfung von
Segen und Verheißung mit Abrahams Samen kennen[10], sondern
dort auch eine enge Bindung kultischer Ämter an Stamm oder
Familie vorfinden[11]. Die Würde des Priesters und Leviten vererbte sich fort und konnte "auf keinem anderen Wege als durch
Vererbung gewonnen werden"[12]. In einem eigenen Archiv wurden
die Stammbäume der Priesterschaft[13] aufbewahrt, um so die
Reinerhaltung und Legitimität überprüfen zu können. Diese

---

7) Die Bruderfolge griechischer Priestertümer im Licht der vergleichenden Rechtsgeschichte, in: Klio 34 (1941) 62-71.

8) Vgl. unten § 18.2.

9) Berliner Philologische Wochenschrift 41 (1921) 396f (Besprechung).

10) Dazu auch oben § 1.

11) R.de VAUX, Das Alte Testament und seine Lebensordnungen Bd. 2 (Freiburg-Basel-Wien 1962) 193f; G.FOHRER, Geschichte der israelitischen
Religion (Berlin 1969) 209ff; O.SCHILLING, Amt und Nachfolge im Alten Testament und in Qumran, in: Volk Gottes. Zum Kirchenverständnis
der kath., evang. und anglikan. Theologie (Festgabe f. J.Höfer),
hrsg. v. R.Bäumer u. H.Dolch (Freiburg-Basel-Wien 1967) 199-214;
HAAG 1403-1406.

12) J.JEREMIAS, Jerusalem zur Zeit Jesu. Eine kulturgeschichtliche Untersuchung zur neutestamentlichen Zeitgeschichte (Göttingen 1963³) 241.

13) JEREMIAS 242ff; G.KITTEL, Die γενεαλογίαι der Pastoralbriefe, in:
ZNW 20 (1921) 49-69, bes. 54f; RAC 9,1211; vgl. ebd. 1207.

"genealogische Apologetik"[14] blieb lebendig bis hin zu den
Stammbäumen Jesu. Während beim Presbyterat zumindest eine
Neigung zur Erblichkeit[15] festzustellen ist, war das Amt des
Hohenpriesters[16] an das Haus Aaron bzw. an die Familie Sadoks
gebunden. Die jüdischen Sondergemeinschaften, so auch
Qumran[17], bestimmten ihre führenden Männer dagegen schon in
vorchristlicher Zeit durch Wahl oder Losung[18]. Paradigmatisch trat schließlich in der makkabäischen Bewegung "die
enge Verbindung zwischen der Familienpolitik und dem heilsgeschichtlichen Erwählungsbewußtsein eines ganzen Hauses"[19]
zutage. Es erscheint mir als eine interessante Parallele zu
den griechischen Priestertümern, wenn auch hier jeweils der
älteste Bruder als Retter und Hoherpriester fungiert. So
heißt es im sogenannten "HEGESIPPUS" über den Nachfolger des
Jonathan ((160 - 143): "in cuius locum Simon frater germanus
tamquam iure hereditario per electionem successit"[20].

2. Wie wir aus dem A l t e n T e s t a m e n t wissen,
war der Stamm Levi zum besonderen Dienst für Jahwe auser-
wählt worden und erhielt deshalb keinen Anteil am Land, kein

14) KITTEL 59.

15) D.A.SCHLATTER, Die Kirche Jerusalems vom Jahre 70-130 (Gütersloh
1898) 22f.

16) STAUFFER, Kalifat 194f; 207f; SCHILLING 206f; PW 12,2191ff; VAUX 2,
241ff; HAAG 750f.

17) SCHILLING 212. Abgesehen davon findet sich in der sadokidischen Linie die Erbfolge.

18) STAUFFER, Kalifat 210f.

19) STAUFFER, Kalifat 196; vgl. HAAG 1078-1080.

20) HEGES. 2,13,1 (CSEL 66,167 Z. 25f); vgl. auch 2,12,3: "namque a prin-
cipio Aaron summus sacerdos fuit, qui ad filios suos ex voluntate
dei unctione legitima transmisit(!) sacerdotii praerogativam , a
quibus per ordinem successionis (!) constituti sunt sacerdotii principatum (!) gerentes, unde patrio more convaluit neminem fieri principem (!) sacerdotum, nisi qui esset ex sanguine Aaron, cui primum
ius istius modi delatum est sacerdotii, alterius autem generis viro
ne regi quidem licere succedere" (165f); 2,13,1: "officio functi sunt
per ordinem successionis et principatum sacerdotii repraesentarunt
..." (167). Diese terminologischen Parallelen mit dem frühchristlichen Sukzessionsprinzip sprechen für sich selbst! Man mußte ledig-

"Landlos"[21]. Dafür galt Jahwe selbst als das "Los" und "Erbe" der Leviten[22]. Diese eigenartige Terminologie resultiert aus dem in der Antike allgemein verbreiteten Brauch, mittels L o s u n g [23] den neu eroberten Grund und Boden zu verteilen. Außerdem ist für die weitere Bedeutungsgeschichte des Wortes κλῆρος[24], womit das Griechische das "Los" selbst (ein Stück Holz o.ä.) und auch das "Erloste" bezeichnete, zu berücksichtigen, daß in vielen Fällen auch die Erbteilung[25] durch Losung vonstatten ging. Im Alten Testament konnte aber "Los" auch noch das persönliche Geschick bzw. den Anteil am messianischen Heil bezeichnen. Dies verweist ganz offensichtlich auf jene Vorstellung, die überhaupt in der Losung die

---

lich die "blutsmäßige" Deutung von "ordo successionis" oder "genus" beiseite lassen, das Prinzip aber blieb dasselbe. - Vermutlich würde es sich lohnen, den HEGESIPPUS, eine Ende des 4.Jh. enstandene lateinische Übersetzung des "Jüdischen Krieges" von FLAVIUS JOSEPHUS, auf diese Terminologie hin näher zu untersuchen. - Zu Jonathan und Simon vgl. HAAG 1079f; PW 12,2200 Z. 41ff (Erblichkeit des Hohepriesteramtes im Geschlecht der Hasmonäer).

21) DT. 10,8f; 14,29; vgl. VAUX 2,192ff; HAAG 1062.

22) DT. 10,9; 18,1f; vgl. PW 13,2,1466f.

23) V.EHRENBERG, Losung, in: PW 13,2,1451-1504; G.GLOTZ-CH.LECRIVAIN, Sortitio, in: DAREMBERG-SAGLIO 4,2,1401-1418; ThW 3,757.

24) ThW 3,757-763; CREMER 603f; BOISACQ 469f; PW 11,1,810-813; KRELLER 62 (Erbschaft und Erbteil bei den griechischen Rednern; Grundstück vom Lehnsland im hellenistischen Recht); F.UEBEL, Die Kleruchen Ägyptens unter den ersten sechs Ptolemäern (Berlin 1968). - Zu beachten ist auch, daß κλῆρος in der Septuaginta sowohl für das hebräische גּוֹרָל (Los) als auch für נַחֲלָה (Erbanteil) verwendet wird (ThW 3,758 Z. 22ff), wobei der neutestamentliche Sprachgebrauch in erster Linie an גּוֹרָל anschließt. Vgl. auch D.POWELL, Ordo presbyterii, in: JThS N.S. 26 (1975) 290-328, bes. 312ff.

25) KRELLER 88; PW 13,2,1492 Z. 21ff. Zum Verhältnis von κλῆρος und κληρονομία vgl. ThW 3,757 Z. 29ff u. bes. 758f; CREMER 603f; KRELLER 58 Anm. 1 (κλῆρος + νέμεσθαι zu κληρονομία). O.EGER, Rechtswörter und Rechtsbilder in den paulinischen Briefen, in: ZNW 18 (1917/18) 84-108,100 Anm. 1: "Bei einer Untersuchung des Gebrauchs von κληρονομεῖν durch die 70 Dolmetscher wäre wohl auch die Frage zu prüfen, wie weit vielleicht speziell der Gebrauch von κληρονομεῖν bei dem Erwerb des Landes auf Grund der Verheißung in Zusammenhang stehen könnte mit der Verteilung von erobertem Land in einzelnen κλῆροι, wie wir dies ja von den Ptolemäern aus der Zeit der LXX aus den Papyri kennen".

Entscheidung Gottes[26] erblicken will.

Wohl geleitet durch solche Motive und gestützt auf eine alte Tradition erwählte auch die Jerusalemer Urgemeinde aus zwei nominierten Kandidaten den Matthias mittels Losung[27]. Matthias sollte danach τὸν τόπον τῆς διακονίας[28] übernehmen, ähnlich wie es später von den Neubekehrten in Thessalonike heißt, daß sie Paulus und Silas "zugelost" wurden[29]. Es erscheint höchst bemerkenswert, daß W. NAUCK[30] im Hinblick auf die umstrittene Stelle 1 PT. 5,3 für κλῆρος unter anderem τόπος[31] und τάγμα als Äquivalente anführt, da dann auch HIPPO-LYT[32] es zu den Aufgaben eines Bischofs zählt, διδόναι κλήρους, d.h. Ämter zu verleihen. Somit ist festzustellen, daß κλῆρος zunehmend einen besonderen Platz, eine besondere Stellung in der und für die Gemeinde bezeichnet. Die Absetzung von den übrigen Gemeindemitgliedern, die im Neuen Testament noch durch den Genitiv τῆς διακονίας erläutert und präzisiert werden mußte, ist später schon durch κλῆρος allein

---

26) ThW 3,759: "Dabei ist nach gleichen Gesichtspunkten das ganze Land an das Volk und die einzelnen κλῆροι an die Stämme, Geschlechter und Familien verteilt: was dem ganzen Land gegenüber Gottes Verheißung ist, ist den einzelnen κλῆροι gegenüber das Los: Ausdruck des Willens Gottes". Vgl. auch PW 13,2,1451ff: Losung als Ordal und Orakel.

27) APG. 1,23-26. Dazu E.STAUFFER, Jüdisches Erbe im urchristlichen Kirchenrecht, in: ThLZ 77 (1952) 201-206; PW 13,2,1466f.

28) APG. 1,25. Im Sinaiticus findet sich statt τόπον die Lesart κλῆρον; vgl. auch APG. 1,17: τὸν κλῆρον τῆς διακονίας. Dazu STAUFFER, Erbe 203; NAUCK (o.c.A. 30) 212 Anm. 83.

29) APG. 17,4: προσεκληρώθησαν; dazu ThW 3,765. Vgl. auch unten A. 33.

30) Probleme des frühchristlichen Amtsverständnisses (I Ptr 5,2f.), in: ZNW 48 (1957) 200-220.

31) A.a.O. 213f; anknüpfend an STAUFFER, Erbe 203; Möglichkeiten des Verständnisses von κλῆρος in 1 PT. 5,3 bei NAUCK 210. Vgl. auch oben A. 28.

32) Trad. 3,4f; dazu NAUCK 204-207; G.G.BLUM, Apostolische Tradition und Sukzession bei Hippolyt, in: ZNW 55 (1964) 95-110, spricht von "Ordinationsgewalt" (108). Zur Rezeption der κλῆρος-Terminologie bei den Christen vgl. auch A.HARNACK, Entstehung und Entwicklung der Kirchenverfassung und des Kirchenrechts in den zwei ersten Jahrhunderten (Leipzig 1910) 81f.

hinreichend klar. Wenn IRENÄUS VON LYON bei seiner Erwähnung einer römischen Bischofsliste neben διαδέχεσθαι auch κληροῦσθαι[33] verwendet und von der sukzessiven Übernahme des κλῆρος τῆς ἐπισκοπῆς[34] spricht, so scheint er dabei nicht mehr primär an eine tatsächliche Losung zu denken, sondern eher an den "locus"[35], in den der Nachfolger wie ein Erbe einrückt.

Eindeutiger als im Griechischen bezeichnet das lateinische "clerus"[36] - mit Ausnahme weniger früher Stellen - durchwegs im technischen Sinn "die Geistlichkeit"; man könnte also sagen "die Gruppe derer, die einen Anteil (ein Amt) erhalten haben"[37]. Auf diese bedeutsame Änderung des K l e r u s - Begriffs, die Ende des zweiten Jahrhunderts abge-

---

33) Adv.haer. 3,3,2 (HARVEY 2,10). Im Lateinischen steht für δ."succedere" und für κ."sortiri". Zu dieser Stelle W.ULLMANN, The significance of the "Epistola Clementis" in the Pseudo-Clementines, in: JThS N.S. 11 (1960) 295-317, bes. 296-299. Vgl. KRELLER 88 Anm. 2: "vom Erlangen des ganzen Erbteils gebraucht".

34) Adv.haer. 3,3,3 (HARVEY 2,11). Vgl. oben A. 28. G.G.BLUM, Tradition und Sukzession. Studien zum Normbegriff des Apostolischen von Paulus bis Irenäus (Berlin-Hamburg 1963) 198-200, geht näher auf diesen und ähnliche Ausdrücke bei Irenäus ein. Treffend bemerkt er: "Das Führungsamt, die 'Stelle des Amtes', das die Bischöfe von ihren Vorgängern empfingen, ist zugleich das apostolische Erbe. Die Apostel haben den Bischöfen die Kirche übergeben und anvertraut. Die Bischöfe haben als Nachfolger das Erbe und den Auftrag der Apostel übernommen" (198f). - "Die schon in Apg. 1 miteinander verwobenen Bedeutungsnuancen Los, Erbe, Amtsstelle werden, wie alle Belegstellen zeigen, von Irenäus geschickt miteinander verbunden" (199 Anm. 16).

35) Vgl. BLUM, Tradition 198-200, bes. Anm. 19. - HEUMANN 320f: "in locum alicuius succedere"; "rumpendo testamentum sibi locum facere postumus solet" (321); vgl. GAIUS, dig. 28,3,13. Hier zeigt sich der Zusammenhang von "locus" mit dem Erbrecht (Universalsukzession).

36) ThLL III,1340f; G.KOFFMANE, Geschichte des Kirchenlateins (Breslau 1879) 3; 24; HARNACK, Entstehung 81f; H.JANSSEN, Kultur und Sprache. Zur Geschichte der alten Kirche im Spiegel der Sprachentwicklung (Nijmegen 1938) 44-46; 49f; H.SIEGERT, Griechisches in der Kirchensprache. Ein sprach- und kulturgeschichtliches Wörterbuch (Heidelberg 1950) 125f.

37) HARNACK, Entstehung 82. Es ist auch darauf zu verweisen, daß die Griechen "die durch das Los bestellten Beamten" als κληρωταί ἀρχαί bzw. κληρωτοί ἄρχοντες bezeichneten (PW 11,1,813f).

schlossen war, läßt sich jedoch das Gegensatzpaar "Brüderge-
meinde" - "Hierarchie"[38] keineswegs anwenden, da es der angeblichen "charismatischen Organisation" mittels Losung eine
zu große Bedeutung zumißt.

AUGUSTINUS kennt zwar auch diesen einstigen Aspekt von
"clerus" und auch die erbrechtlichen Implikationen sehr wohl,
wenn er mit einiger exegetischer Phantasie nachweist, daß
"cleri" = "Testamenta" (AT/NT), weil 1. κλῆρος = "sors" und
"sortes" = "partes hereditatis , quae populo sunt distribu-
tae", also "cleri" = "hereditates"; 2. "quia per testamentum
datur hereditas"[39]; aber die Standesbezeichnung "cleri et
clerici" führt er ohne weitere Überlegungen einfach auf APG.
1,26 zurück[40]. HIERONYMUS dagegen theologisiert im Blick auf
das Alte Testament: "vocantur clerici, vel quia de sorte sunt
domini vel quia dominus ipse sors, id est pars, clericorum
est."[41] Doch der "Klerus" hat sich mit dieser Etymologie
nicht immer begnügt, sondern in der Praxis auch an den im
griechischen κλῆρος enthaltenen Aspekt der κληρονομία angeknüpft.

---

38) V.EHRENBERG, in: PW 13,2,1467: "Was zuerst charismatische Berufung
war, die - als Gnade - jedem zuteil werden konnte, wurde das durch
irgendwelche Leistung zu erringende Amt; an die Stelle der Brüderge-
meinde trat die Hierarchie; im Klerus der katholischen Kirche ist
von seinem Ursprung, der ihm den Namen gab, nichts mehr zu spüren".

39) In psalm. 67,19 (CChrL 39,882); vgl. 67,20. Angesichts dieser Stelle läßt sich die Behauptung von P.van IMSCHOOT: "Die lateinischen
Kirchenschriftsteller, mit Ausnahme von Augustinus (!) und Hieronymus, erkären die Bezeichnung Altes T. nach dem Sinn von 'testamentum', letztwillige, geschriebene und versiegelte Verfügung ..." (bei
HAAG 1733) so nicht aufrechterhalten.

40) In psalm. 67,19: "Nam et cleros et clericos hinc appellatos puto,
qui sunt in ecclesiastici ministerii gradibus ordinati, quia Matthias
sorte electus est, quem primum per apostolos legimus ordinatum" (882).

41) Ep. 52,5 (CSEL 54,421).

§ 18. Die Vererbung kirchlicher Ämter in berühmten "Priesterdynastien" der Antike

Erst jüngst hat W. REINHARD[42] von "der immer wieder vorkommenden faktischen Erblichkeit von Bischofsstühlen" im antiken Christentum gesprochen. Dabei habe auch die Struktur
der antiken Gesellschaft insofern eine Rolle gespielt, als
man durch die Begünstigung der Erblichkeit des geistlichen
Amtes zu verhindern suchte, daß immer mehr Angehörige verschiedener gesellschaftlicher Schichten in den privilegier-
ten geistlichen Stand überwechselten, um sich so den erbli-
chen Verpflichtungen zu entziehen[43]. Denn es besteht kein
Zweifel, "daß die Bischöfe in jedem Fall in erster Linie
aus den Oberschichten kamen"[44]. Wohl noch stärker als das
von REINHARD genannnte Motiv dürfte aber einfach die Tatsache eine Rolle gespielt haben, daß, wie schon gezeigt, in der
Antike die Vererbung kultischer Ämter im Heidentum wie im
Judentum gang und gäbe war. Auch die Methode der Familien-
bekehrung hat wahrscheinlich den Zusammenhang von Kirchen-
amt und Familie bestärkt.

1. "Eine entfernte Möglichkeit, die mit dem jüdischen
Sinn für Familie und für die Erblichkeit auch der geistlichen Würden gegeben war, darf nicht in eine Wirklichkeit um-
gedeutet werden, die niemals wirklich geworden ist." Mit die-

---

42) Nepotismus. Der Funktionswandel einer papstgeschichtlichen Konstanten, in: ZKG 86 (1975) 145-185, zit. 147; vgl. auch H.ACHELIS, Das
Christentum in den ersten drei Jahrhunderten Bd. 2 (Leipzig 1912) 7
mit Anm. 6.

43) A.a.O. 148; vgl. HHKG II/1,286. Mit dem Problem, wie man überhaupt
legal in den Klerikerstand hineinkommen konnte, befaßt sich K.-L.
NOETHLICHS, Zur Einflußnahme des Staates auf die Entwicklung eines
christlichen Klerikerstandes. Schicht- und berufsspezifische Bestimmungen für den Klerus im 4. und 5.Jahrhundert in den spätantiken Rechtsquellen, in: JAC 15 (1972) 136-153.

44) A.a.O. 149 (mit Lit.).

sen Worten wendet sich H. v. CAMPENHAUSEN[45] entschieden gegen ein vermeintliches "Kalifat" in der Dynastie Jesu. Mit dem Stichwort " K a l i f a t d e s J a k o b u s " wird die von TH. ZAHN, E. STAUFFER u.a.[46] vertretene Theorie umschrieben, daß die "Herrenbrüder"[47] oder - verwandten - JULIUS AFRICANUS nennt sie δεσπόσυνοι[48] - Jakobus der Gerechte, Simeon, Sohn des Klopas, und u.U. auch Justus[49] nacheinander eine Art monarchische Kirchenleitung in der Jerusalemer Gemeinde innegehabt hätten. Einer Notiz Hegesipps[50] zufolge - von CAMPENHAUSEN[51] als "unhistorisch" verworfen - hat Jakobus den Simeon als Bischof und Nachfolger eingesetzt. Es erscheint mir nun durchaus überzeugend, wenn STAUFFER[52] sowohl das monarchische Prinzip wie auch die Verbindung von Nachfolgeregelung und dynastischem Denken aus der zu dieser Zeit und an diesem Ort vorherrschenden jüdischen Denkweise zu erklären

---

45) Die Nachfolge des Jakobus. Zur Frage eines urchristlichen "Kalifats", in: ZKG 63 (1950) 133-144, zit. 134.

46) Vgl. z.B. TH.ZAHN, Brüder und Vettern Jesu, in: Forschungen zur Geschichte des neutestamentlichen Kanons VI. (Leipzig 1900) 225-363; STAUFFER, Kalifat. Vgl. ferner R.KNOPF, Das nachapostolische Zeitalter. Geschichte der christlichen Gemeinden vom Beginn der Flavierdynastie bis zum Ende Hadrians (Tübingen 1905) 25-28; JOH.WEISS, Das Urchristentum (Göttingen 1917) 558ff; H.J.SCHOEPS, Theologie und Geschichte des Judenchristentums (Tübingen 1949) 282ff; M.GOGUEL, La naissance du christianisme (Paris 1955²) 129-138.

47) HAAG 719-723 faßt ausführlich die Ergebnisse der Diskussion über die Art der Verwandtschaft zusammen. L.HERRMANN, La Famille du Christ d'après Hégésippe, in: Revue de l'Université de Bruxelles 42 (1936/37) 387-394, stellt, basierend auf seiner Theorie, ein Stemma auf (392).

48) EUS., hist.eccl. 1,7,14. Mit "Söhne vom Haus" übersetzt bei WEISS 558 mit Anm. 5; vgl. KNOPF 27: "zum Herrn Gehörige"; GOGUEL 154ff.

49) Dazu SCHOEPS 283: "Wenn auch der dritte Bischof Justus ... ein Verwandter gewesen ist ..., was aber nicht sicher zu entscheiden ist, ließe sich geradezu von einer Dynastie Jesu sprechen". CAMPENHAUSEN, Jakobus 142 hält dies für "gänzlich haltlos".

50) EUS., hist.eccl. 4,22,4-6 (Text bei CAMPENHAUSEN, a.a.O. 139f).

51) A.a.O. 140f. Dagegen STAUFFER, Kalifat 212: "Auch minderwertige Quellen können einige gute Überlieferungen enthalten".

52) In seinem Aufsatz über das "Kalifat" sieht er das familienpolitische Denken ebenso wie das zentralistische Amtsverständnis und das Sukzessionsprinzip in spätjüdischer Tradition verwurzelt.

versucht. Wir hätten hier also ein schönes Beispiel für den
schon vermuteten Einfluß des außerchristlichen kultischen
Erbprinzips.

2. Weitaus weniger umstritten und gleichzeitig faszinie-
rend in seiner archaisch anmutenden Argumentation ist das
Zeugnis des Bischofs P o l y k r a t e s v o n E p h e -
s o s [53]. EUSEBIOS überliefert uns den Brief, den Polykrates
kurz nach 190 im Namen der kleinasiatischen Bischöfe an Bischof Viktor I. nach Rom schrieb. In der Reihe der Argumente
für die Beibehaltung des Ostertermins der Quartadecimaner[54]
findet sich auch ein ganz persönliches:

"Schließlich auch ich, Polykrates, der ich der geringste
unter euch allen bin, (halte mich) an die Überlieferung
(παράδοσις) meiner Verwandten (συγγενεῖς), von denen ich
einigen nachgefolgt bin. Sieben Verwandte von mir waren
nämlich Bischöfe, ich (bin) der achte. Und meine Verwandten haben immer den Tag gefeiert, an dem das Volk den
Sauerteig beseitigte."[55]

Polykrates, der im Brief sein Alter[56] mit 65 angibt, benützt hier die eigene Familientradition als Legitimations-
prinzip, also eines der beliebtesten antiken Wahrheitskriterien überhaupt. Einen noch größeren Stellenwert gewinnt

---

53) LThK 8,598; RGG 5,449; DThC 12,2,2520; PW 21,2,1736. W.KÜHNERT, Der
antimontanistische Anonymus, in: ThZ 5 (1949) 436-446, weist durch
sprachliche und theologische Untersuchungen nach, daß Polykrates mit
dem von Eusebios erwähnten antimontanistischen Anonymus identisch
ist.

54) B.LOHSE, Das Passafest der Quartadecimaner (Gütersloh 1953) bes.
10ff; HHKG I,309ff.

55) EUS., hist.eccl. 5,24,6 (GCS 9,1,492); vgl. LOHSE 11; SourcesChr 41,
68.

56) EUS., hist.eccl. 5,24,7. TH.ZAHN, Apostel und Apostelschüler in der
Provinz Asien, in: Forschungen zur Geschichte des neutestamentlichen
Kanons VI. (Leipzig 1900) 1-224, deutet die Zahl 65 auf die Zeit
nach der Bekehrung und Taufe (214 mit Anm. 1). Dagegen spricht aber
die christliche Tradition seiner Familie; vgl. SourcesChr 41,69 Anm.
13; P.NAUTIN (o.c.A. 58) 72 Anm. 1.

dieses Argument dadurch, daß er sieben blutsverwandte Fami-
lienmitglieder[57] in Leitungsfunktionen, nämlich als Bischöfe,
vorweisen kann. Man kann hier bereits festhalten, daß diese
Behauptung den Tatsachen entsprechen muß, da eine solche Prah-
lerei vor den Augen der anderen kleinasiatischen Bischöfe
undenkbar wäre. Außerdem ist es unbestreitbar, daß der Hinweis auf die eigene Bischofsdynastie zu dieser Zeit und in
dieser Region noch keinerlei negativen Beigeschmack gehabt
haben kann, da die Erwähnung im Brief ansonsten geradezu pa-
radox wäre. Aus diesem Grund erscheint es mir auch völlig unverständlich, wenn P. NAUTIN[58] auf die Nachricht "que l'epis-
copat était devenu en quelque sorte la propriété de la famille de Polycrate", die angesichts der ganzen Umstände erstaunliche Hypothese gründen will, mißgünstige Gläubige und
Kleriker in Ephesos hätten versucht, Polykrates quasi der
"Vetternwirtschaft" zu bezichtigen, um ihn so durch einen
Nachfolger zu ersetzen. Da der Ausdruck: οἷς καὶ παρηκολούθησά
τισιν αὐτῶν einige Rätsel[59] aufgibt und Polykrates auch noch

57) Das griechische συγγενής (von demselben Geschlecht; bluts- oder
stammesverwandt) läßt eine eindeutige Entscheidung über die Art der
Verwandtschaft nicht zu. R.GRYSON, Les origines du célibat ecclésiastique du premier au septième siècle (Gembloux 1970) spricht sich
(4f) trotzdem zu Recht gegen eine Deutung als "ascendant en ligne
directe" (so P.AUDET) aus. Denn es wäre schon allein wegen des großen Zeitraums (7 Generationen) undenkbar, daß es sich bei diesen Bischöfen durchwegs um Vorfahren direkter Linie handeln könnte. Mir
scheint, daß am ehesten Verwandte verschiedenster Art gemeint sind:
Vater, Großvater (?), ältere Brüder, Vettern, Onkeln.

58) Lettres et écrivains chrétiens des IIe et IIIe siècles (Paris 1961)
72.

59) παρακολουθεῖν: sich anschließen; nebenhergehen, von der Seite folgen (PAPE 2,484). LOHSE 11 übersetzt: "denen ich genau gefolgt bin";
gemeint ist: in der Frage des Osterfesttermins. Dabei bleibt jedoch
das τισιν αὐτῶν unübersetzt. Bezieht man diese Ergänzung mitein,
muß man παρακολουθεῖν mit "nachfolgen" wiedergeben, nun bezogen
auf den Bischofsstuhl von Ephesos, Vgl. auch H.GROTZ, Die Stellung
der römischen Kirche anhand frühchristlicher Quellen, in: AHP 13
(1975) 7-64: "von denen einige auch meine Vorgänger waren" (49).
GROTZ übernimmt allerdings einfach - ohne Quellenangabe - die Übersetzung von BKV 2.Reihe Bd. 1,253. - SourcesChr 41,68: "dont j'ai
suivi certains"; NAUTIN 67: "ayant pris la suite de quelques-uns
d'entre eux"; GRYSON, Les origines 5: "Polycrate veut dire qu'il a
'suivi la trace' de certaines de ses parents, en ce sens que cer-

keine Bischofsliste für Ephesos anführt, stellt sich die Frage, wo diese sieben Verwandten bereits vor ihm Bischöfe waren. Entsprechend der Deutung von συγγενεῖς[60] und dem damit vorgegebenen zeitlichen Rahmen ist es am wahrscheinlichsten, daß Polykrates Bischöfe meint, die teils in Ephesos seine Vorgänger waren[61], teils andere Bischofssitze in Kleinasien[62] innehatten. E. STAUFFER will in dieser Verbindung von Bischofsamt und Familienpolitik - inwieweit dabei eine regelrechte "désignation testamentaire"[63] im Spiele war, ist nicht entscheidbar - eine "Nachwirkung jüdischen Ämterrechtes"[64] erblicken, obwohl auch im Artemisklerus von Ephesos[65] "Familienpolitik und Erbfolge" eine große Rolle spielte. Man muß D. A. SCHLATTER[66] Recht geben, wenn er meint, "wer sieben Bischöfe zu Vorfahren und Vettern hat und selbst der achte in ihrer Reihe ist" habe für damalige Auffassung ein gutes Argument für die Richtigkeit seiner eigenen Tradition gehabt, doch geht er zu sehr vom Judentum aus, wenn er gar behauptet, daß "die Kirche Wert auf die Verwandtschaft ihrer

---

tains membres de sa famille, avant lui, ont été évêques." - Eine schöne Parallele zur Verwendungsweise von παρακολουθεῖν im Polykratesbrief findet sich bei JUST.(Mart.), dial. 103,8: ἐν γὰρ τοῖς ἀπομνημονεύμασιν, ἃ φημι ὑπὸ τῶν ἀποστόλων αὐτοῦ καὶ τῶν ἐκείνοις παρακολουθησάντων συντετάχθαι, γέγραπται (GOODSPEED 220).

60) Vgl. A. 57.

61) Es ist schwer zu vertreten, wenn J.QUASTEN schreibt: "Darin beruft sich P. ... auf seine eigenen Vorgänger in Ephesos, v. denen sieben aus seiner Familie stammten" (LThK 8,598). Vgl. oben A. 57; 59.

62) Auch ZAHN, Brüder und Vettern Jesu 300 denkt an "Bischöfe in seiner Provinz".

63) R.GRYSON, Les élections ecclésiastiques au IIIe siècle, in: RHE 68 (1973) 353-404, verneint dies (392), meint dann aber: "Ces faits s' inscrivent dans une tendance générale à l'hérédité des charges et des professions qui s'affirme de plus en plus dans l'Empire romain à partir du IIIe s" (392f).

64) Kalifat 200 Anm. 6. Dabei verweist er auch auf drei Bischöfe von Seleukia am Tigris, die ihren Stammbaum auf den Vater Jesu zurückführten (200).

65) Vgl. CIG Nr. 3002, in: Forschungen in Ephesus I (1906) 282 Nr. 73.

66) A.a.O. 24 Anm. 1.

Bischöfe miteinander legte."

3. Freilich müßte man SCHLATTER vorher noch fragen: Wer ist "die Kirche"? - Ihre Repräsentanten, die Bischöfe, legten allerdings Wert auf Verwandtschaft, zumindest in vielen Gegenden. So gewinnt man auch beim Studium der "Prosopographie zu den Schriften Gregors von Nazianz" von M.-M. HAUSER-MEURY[67] immer mehr den Eindruck, daß W. REINHARD[68] mit Recht vermutet, "daß sich im ausgehenden 4. Jahrhundert die Führung der kappadokischen Kirche fest in der Hand weniger Familien befand". Da auf diese Problematik hier nicht weiter einzugehen ist, sei kurz das Beispiel des G r e g o r   v o n   N a z i a n z   herausgegriffen: Gregor (der Ältere) von Nazianz (ca. 280 - 374)[69], bis 325 noch Heide, besaß ansehnliches Vermögen und hatte auch ein höheres Amt bekleidet. Aber schon 329 wurde er Bischof in Nazianz, das zum Bereich der Metropole Kaisareia (Kayseri) gehörte. Seinen gleichnamigen Sohn Gregor (den Jüngeren) (ca. 330 - 390)[70], der ihm kurz nach seiner Bischofserhebung geboren wurde, zwang er "zu dem, was er für das Beste hielt, zu Amt und Würde, zuerst zum Priestertum ... dann zum Episkopat."[71] So wurde Gregor der Jüngere gegen seinen Willen im Jahr 372 von

---

67) (Bonn 1960).

68) A.a.O. 147.

69) BUCHBERGER 4,476; LThK 4,1209; HAUSER-MEURY 88-90.

70) BUCHBERGER 4,476-480; LThK 4,1209-1211; E.FLEURY, Hellénisme et christianisme: St.Gregoire de Nazianze et son temps (Paris 1930); P. GALLAY, La vie de saint Gregoire de Nazianze (Lyon 1943); J.BARBEL, Gregor von Nazianz: Die fünf theologischen Reden. Text u. Übersetzung mit Einleitung und Kommentar (Düsseldorf 1963). - Man kann heute noch ca. 30 Namen aus dem großen Sippenverband, dem Gregor angehörte, nachweisen. Dieser Sippenverband hat "in der 2.Hälfte des 4. Jh. das ganze staatliche und kirchliche Leben eines Teiles Kleinasiens kontrolliert" (K.G.BONES, in: ByZ 48 [1955] 211 = Erwiderung auf die Besprechung der Untersuchung von K.G.BONES durch H.M.WERHAHN in: ByZ 47 [1954] 414-418; vgl. ebd. bes. 414).

71) HAUSER-MEURY 90.

seinem Vater und von Basileios[72], dem Metropoliten von Kaisareia, zum Bischof geweiht. Der Wunsch des Vaters vereinte
sich hier mit den Interessen des Freundes Basileios - Gregor
der Ältere hatte auch ihn 370 bei seiner Wahl tatkräftig unterstützt - der in dem armseligen Fuhrmannsnest Sasima einen
neuen Bischofssitz[72a] geschaffen hatte, um sich so gegen den
erstarkenden zweiten Metropoliten Kappadokiens in Tyana die
Besitz- und Zufahrtsrechte im Taurus zu sichern. Doch der
Geweihte ging nie nach Sasima; er floh, mußte dann den Vater
bei der Verwaltung des Bistums Nazianz[73] unterstützen und
führte auch nach dessen Tod die Amtsgeschäfte noch einige
Zeit weiter. Nach längerer Zurückgezogenheit kam er nach Konstantinopel, wo ihm anläßlich des Konzils von Konstantinopel
(381) der dortige Bischofsstuhl aufgedrängt wurde. Doch schon
bald bezichtigte man ihn der "Translation"[74], so daß er
schließlich in seine Heimat zurückkehrte. Dort übernahm er
Ende Sommer 382 das Bistum Nazianz, das einst sein Vater innegehabt hatte und das inzwischen über 5 Jahre ohne Bischof
gewesen war. Schließlich hieß es aber auch hier, er verwal-
te als Bischof von Sasima zu Unrecht das Bistum Nazianz, so
daß er 383 den Bischofsstuhl für den Chorbischof Eulalios,

---

72) HAUSER-MEURY 42f; BARBEL 10. Vgl. die bitteren Klagen Gregors in
   seiner 9.-11.Rede.

72a) Zur Funktion der sogenannten "Chorbischöfe" für die Errichtung neuer Bischofssitze und zu den antiken Ansatzpunkten für die Einführung
   des Chorbischofs vgl. E.KIRSTEN, Chorbischof, in: RAC 2,1105-1114,
   bes. 1108f (Sasima!). Vgl. auch S.GIET, Sasimes. Une méprise de
   Saint Basile (Paris 1941).

73) Vorwurfsvoll fragt der Sohn seinen Vater::"Wie kommt es, daß du, der
   du doch noch viele zu stützen und zu leiten vermagst ..., für den
   geistlichen Beruf einen Stab und eine Stütze brauchst? Hast du etwa
   an jene Erzählung gedacht, wonach zugleich mit dem trefflichen Aaron
   seine Söhne Eleazar und Ithamar gesalbt worden waren?" (or. 12.2;
   BKV 59, 265). - Gregor selbst sieht also hier ähnlich wie im AT (vgl.
   LV. 8,30) das Erbprinzip am Werk.

74) Vor allem die ägyptischen und makedonischen Bischöfe fochten die Ernennung Gregors an und beriefen sich dabei auf den 15.Kanon von Nikaia. Vgl. BARBEL 17f.

seinen Freund und Vetter[75] freimachte.

Es ist natürlich ein aussichtloser Harmonisierungsversuch zwischen der kappadokischen Kirchengeschichte und entsprechenden kirchlichen Bestimmungen[76], wenn J. S. v. DREY[77] behauptet, Gregor habe nach dem Tod seines Vaters lieber die Bischofswürde in der kleinen unberühmten Stadt Sasima angenommen, "um nur dem Schein einer Beerbung des Amts auszuweichen." Ganz im Gegenteil, hätte er gegen seine geistlichen Würden nicht so stark rebelliert, wäre er sicherlich sogleich nach dem Tode seines Vaters dessen Nachfolger in Nazianz geworden und auch geblieben, wobei freilich noch das Problem der Weihe für das Bistum Sasima bestanden hätte. Die sozialen und gesellschaftlichen Hintergründe in Kappadokien, auf die neuerdings wieder hingewiesen wird[78], wie Großgrundbesitzertum[79] und enge Verwandtschaftsbeziehungen, vielleicht auch iranisch-persische Einflüsse[80] ließen eine "Beerbung des Amts" oder zumindest eine massive "Familienpolitik" auch im Christentum nicht als anstößig erscheinen.

---

75) BARBEL 19; HAUSER-MEURY 70f.

76) Vgl. dazu § 19 II.

77) Neue Untersuchungen über die Constitutionen und Kanones der Apostel. Ein historisch-kritischer Beitrag zur Literatur der Kirchengeschichte und des Kirchenrechts (Tübingen 1832) 350f.

78) B.TREUCKER, Politische und sozialgeschichtliche Studien zu den Basilius-Briefen (Bonn 1961); T.A.KOPECEK, The Social Class of the Cappadocian Fathers, in: Church History 42 (1973) 453-466, bes. 454-458 (Familie Gregors mit Stammbaum). Auch das Bischofsamt war durchaus attraktiv. "Es verschaffte Ansehen und Einfluß und durchweg auch reiche Einnahmen" (BARBEL 9).

79) E.IVANKA, Hellenisches und Christliches im frühbyzantinischen Geistesleben (Wien 1948) 39ff; vgl. KOPECEK 461ff. Hier muß natürlich auch auf die soziale Fürsorge hingewiesen werden, die den Bischöfen auf Grund ihrer Mittel erst möglich wurde; vgl. S.GIET, Les idées et l'action sociales de saint Basile (Paris 1941), bes. 417-423; HHKG II/1, 424-429; RAC 2,886f (Magnatentum; soziale Stellung; Fürsorge).

80) Vgl. KOPECEK; RAC 2,885.

4. Ähnlich wie in Kappadokien prägten auch in Gallien, vor allem aber in Südgallien, adelige Abstammung[81] und Mönchtum[81a] das Erscheinungsbild der Bischöfe des 5. Jahrhunderts. Die "Familienpolitik" als dritte Komponente läßt sich gut am Beispiel des E u c h e r i u s v o n L y o n [82] demonstrieren. Eucherius stammte aus gallisch-römischem Adel und war wahrscheinlich in Lyon zu Hause. Vertraut mit der antiken Bildung wurde er auch selbst Senator[83], zog sich aber um das Jahr 410 mit seiner Gattin Galla und seinen beiden etwa zehnjährigen Söhnen Salonius und Veranus auf die südfranzösische Klosterinsel Lerinum[84] und später mit Galla auf die Insel Léro (Ste Marguerite) zurück. Die Lehrer seiner Söhne waren so berühmte Männer wie Hilarius (v. Arles), Salvian (v. Marseille) und Vincentius (v.Lerinum?). Eucherius selbst wurde um das Jahr 434 Bischof von Lyon und nahm als sehr angesehener Inhaber seines Amtes an den Synoden von Orange (441) und Vaison (442) teil. Er unterhielt nicht nur eine ausgedehnte Korrespondenz, sondern verfaßte auch mehrere kleine Schriften, darunter zwei exegetische Abhandlungen[85], die er seinen Söhnen widmete. Daß seine beiden Söhne die "Schule für südgallische Bischöfe"[86] erfolgreich besucht hatten, zeigte sich

---

81) Grundlegend und höchst aufschlußreich hierfür ist K.F.STROHEKER, Der senatorische Adel im spätantiken Gallien (Tübingen 1948) bes. 41; 72ff. Vgl. auch den Anhang mit Prosopographie und Stammbäumen spätrömischer Senatorengeschlechter in Gallien; RAC 9,1261f.

81a) Dazu E.GRIFFE, La Gaule chrétienne à l'époque romaine vol. 3 (Paris 1965) 299ff; HHKG II/1,395-401.

82) BUCHBERGER 3,833f; LThK 3,1166; DThC 5,2,1452-1454; RGG 2,722; PW 6, 1,883f; BARDENHEWER 4,567-570; ALTANER-STUIBER 455; STROHEKER 168; GRIFFE 2 (Paris 1966) 287f; HHKG II/1,398f.

83) DThC 5,2,1453.

84) Vgl. DACL 8,2,2596-2627; HHKG II/1,397-399. EUCHERIUS selbst preist in seiner Schrift "De laude eremi" die Insel (42f; CSEL 31,192f).

85) "Formulae spiritalis intelligentiae", Veranus gewidmet; "Instructionum libri duo", Salonius gewidmet.

86) K.S.FRANK, Vita apostolica und dominus apostolicus. Zur altkirchlichen Apostelnachfolge, in: Konzil und Papst. Festgabe f. H.Tüchle, hrsg. v. G.Schwaiger (München-Paderborn-Wien 1975) 19-41, zit. 35. P.CHRISTOPHE, Cassien et Césaire, prédicateurs de la morale monasti-

inzwischen darin, daß der ältere Sohn, Salonius[87], schon seit 439 Bischof von Genf war und als solcher - an der Seite seines bischöflichen Vaters - an den Synoden von Orange und Vaison teilnahm, während sein jüngerer Bruder Veranus[88] um das Jahr 442 den Bischofssitz Vence übernahm. Man kann stark vermuten, daß dabei nicht nur die Schule, sondern auch der Einfluß und die Beziehungen des Vaters, der ja schließlich Bischof von Lyon (+ um 450) war, den Ausschlag gaben.

Solche Ansätze zur Vererbung[89] oder familieninterne Vergabe kirchlicher Ämter lassen sich in G a l l i e n auch sonst nachweisen: Eine Inschrift aus dem südfranzösischen Narbonne(5. Jh.) besagt: "Rusticus episcopus, episcopi Bonosi filius, episcopi Aratoris de sorore nepus ..."[90]. - Sim-

que (Paris 1969) bringt eine Zusammenstellung der aus Lerinum hervorgegangenen Bischöfe (47).

87) WETZER-WELTE 10,1575f; BUCHBERGER 9,133; DThC 14,1,1048f; M.BESSON, Recherches sur les origines des évêchés de Genève, Lausanne, Sion et leurs premiers titulaires jusqu'au déclin du VIe siècle (Fribourg 1906) 88-109; STROHEKER 213.

88) BUCHBERGER 10,537; LThK 10,670; PW II 8,2,2416-2418; STROHEKER 226. Vence liegt an den Ausläufern der französischen Seealpen in der Nähe von Nizza.

89) Die beiden Söhne des Eucherius wurden zwar nicht dessen Nachfolger in Lyon, sondern mit anderen Bistümern bedacht, aber es ist nicht uninteressant, daß in der Bischofsliste von Lyon (9.Jh.) neben Eucherius auch Salonius und Veranus aufgeführt sind, letzterer sogar als zweiter Nachfolger seines Vaters; dazu A.COVILLE, Recherches sur l'histoire de Lyon du Vme siècle au IXme siècle (450-800) (Paris 1928) 242-245. - Auch im benachbarten Vienne wurde der gallische Philosoph Claudianus Mamertus, der auch Eucherius gut kannte, Presbyter, während sein Bruder Bischof von Vienne war (RAC 3,169). STROHEKER 74f sieht zweifellos den richtigen Zusammenhang, wenn er schreibt: "Die Bischofswürden wurden vielfach wie die weltlichen Ämter als 'dignitas hereditaria' betrachtet und oft genug stellte die gleiche senatorische Familie in ihrem Bereich weltliche und geistliche Würdenträger".

90) Nach E.DIEHL, Inscriptiones Latinae Christianae veteres Vol. 1 (Berlin 1925) Nr. 1806 (S. 353); vgl. STROHEKER 74; GRIFFE 2,226; 265-268. Auch Bischof Rustikus selbst bestimmte den Archidiakon Hermes, den er zunächst zum Bischof von Béziers geweiht hatte, schließlich zu seinem eigenen Nachfolger auf dem Stuhl von Narbonne; dazu K.HOLDER, Die Designation der Nachfolger durch die Päpste kirchenrechtlich untersucht, in: AkathKR 72 (1894) 409-433, 414; HEFELE 2,589f.

plicius[91], Bischof der Stadt Bourges, war verheiratet und
hatte Söhne. "Beider Eheleute Väter und Vorfahren waren Bischöfe gewesen, und zwar des Simplicius Vater Eulodius ebenso wie sein Schwiegervater Palladius Bischöfe von Bourges."[92]
- Gregor von Tours (ca. 573 - 594)[93] war ein Urenkel Gregors,
des Bischofs von Langres, und fast alle vorausgegangenen Bischöfe von Tours waren Mitglieder seiner Familie, was sehr
an die Situation des Polykrates von Ephesos erinnert. Die
Worte des Venantius Fortunatus im Epitaph des Chronopius von
Périgueux "venit ad heredem pontificalis apex"[93a] kennzeichnen somit genau die Lage in vielen Bischofssitzen Galliens.

5. Da es sich von unserer Zielsetzung her erübrigt, noch
weitere Priesterdynastien darzustellen, seien hier nur einige Namen und Fakten genannt: Im italienischen Narni fand man
folgende Inschrift: "hic quiescit Pancratius episcopus, filius Pancrati episcopi, frater Herculi episcopi ..."[94]. -
PAULINUS VON NOLA feiert in einem "Epithalamium" (ca. 405)

---

91) STROHEKER 74: "Wie begehrt die Bischofswürde geworden war, zeigt die
   Nachricht, daß sich bei der Bischofswahl in Bourges 471 der vir spec-
   tabilis Simplicius gegen zwei illustres durchzusetzen hatte"; vgl.
   ebd. 219; GRIFFE 2,225f. Der berühmte APOLLINARIS SIDONIUS sprach
   persönlich für Simplicius und hob ganz besonders die "familiae dignitas" des Bewerbers hervor (STROHEKER 73f). Ihre Begründung: "Parentes ipsius aut cathedris aut tribunalibus praesederunt, industris
   in utraque conversatione prosapia aut episcopis floruit aut praefec-
   tis" (ep. 7,9,17; MG Auct.ant. 8,115).

92) J.A.-TH.A.THEINER, Die Einführung der erzwungenen Ehelosigkeit bei
   den christlichen Geistlichen und ihre Folgen Bd. 1 (Barmen 1892) 242.

93) PW 7,2,1870f; STROHEKER 118; 179f. G.RAUSCHEN, Grundriß der Patrologie (Freiburg 1926[9]) schreibt zu Gregor: Er "entstammte einer senatorischen Familie zu Clermont, in der die wichtigsten Bischofssitze
   fast erblich waren" (415). Vgl. auch K.F.STROHEKER, Die Senatoren bei
   Gregor von Tours, in: Klio 34 (1942) 293-305.

93a) Carm. 4,8,8 (PL 88,160B); vgl. STROHEKER, Adel 161 (Chronopius). Zur
   Betonung der vornehmen Abkunft in den Epitaphen des Venantius Fortunatus und zur Bevorzugung der senatorischen Geschlechter im Bischofsamt STROHEKER, ebd. 116ff, bes. 118.

94) Pancratius I. (426-455), Herculius (455-470), Pancratius II. (470-
   493); nach DIEHL 197, Nr. 1030.

die Hochzeit des Julian v. Aeclanum[95], des Sohns des Bischofs
Memor (Capua?) mit Titia, der Tochter des Bischofs Aemilius
(Benevent); Julian selbst wurde später Bischof von Aeclanum
bei Benevent. - Apollinarios, Presbyter in Laodikeia in Syrien, hatte einen Sohn, Apollinarios (d. Jüngeren)[96], der um
die Mitte des 4. Jahrhunderts Bischof in seiner Heimatstadt
wurde. - Basileios der Große[97] bestellte seinen jüngeren Bruder Gregor[98] gegen dessen Willen zum Bischof der kleinen
kappadokischen Stadt Nyssa. Sein anderer Bruder Petros[99] wurde Bischof von Sebaste. - Dem Athanasios von Alexandrien
(328 - 373) folgte sein Bruder Petros (II.) auf dem Patriar-
chenstuhl. Auf Bischof Theophilos (385 - 412) folgte sein
Neffe Kyrillos (412 - 444). Kyrillos seinerseits wurde von
seinem Neffen Dioskoros (444 - 451) abgelöst[100]. - In Antiochien erhielt Bischof Johannes (428 - 442) seinen Neffen Domnos II. (442 - 450)[101] als Nachfolger. - Ähnliche Feststel-
lungen lassen sich auch bereits für die Päpste des 6. Jahrhunderts[102] machen.

---

95) PW 10,19-22; A.BRUCKNER, Julian von Eclanum. Sein Leben und seine
Lehre (Leipzig 1897) bes. 13ff; HHKG II/1,178-181; J.A.BOUMA, Het
Epithalamium van Paulinus van Nola. Carmen XXV met inleiding, verta-
ling en commentaar (Diss. Assen 1969); P.G.WALSH, The Poems of St.
Paulinus of Nola (New York 1975) 399ff.

96) PW 1,2,2842-2844; RAC 1,520-522; J.DRÄSEKE, Apollinarios von Laodicea. Sein Leben und seine Schriften (Leipzig 1892); H.LIETZMANN,
Apollinaris von Laodicea und seine Schule (Tübingen 1904); QUASTEN
3,377-383.

97) HAUSER-MEURY 39-44.

98) ALTANER-STUIBER 303; HAUSER-MEURY 91f.

99) BUCHBERGER 8,178; LThK 8,380f.

100) Nach REINHARD 147f.

101) R.DEVREESSE, Le patriarcat d'Antioche depuis la paix de l'église
jusqu'à la conquête arabe (Paris 1945) 54; DHGE 14,645; HHKG II/1,
116. - Ein Bischof gleichen Namens (Domnos I.; um 270) war der Sohn
des Bischofs Demetrian, der im Jahr 260 ins Exil geschickt und durch
Paulos von Samosata ersetzt wurde. Dazu DHGE 14,644; GRYSON, Les
élections 392 Anm. 4.

102) Vgl. REINHARD 148.

6. Zum Schluß sei noch auf zwei Bischofsgestalten und die
von ihnen initiierte Enwicklung hingewiesen: P a t r i c i -
u s [103], als Sohn des Diakons Calpurnius und Enkel eines
Priesters um 385 im römischen Britannien geboren, lernte auf
dem Kontinent das Mönchtum kennen und kehrte 432 als Bischof
auf die Insel zurück, wo er als Apostel Irlands seine Mission
begann und 444 Armagh[104] gründete. F. HEILER[105] glaubt, daß
dann im 6. Jahrhundert die Verfassung der irischen Kirche bereits auf einer rein monastischen Hierarchie beruhte. Stam-
mesbewußtsein und Klosterorganisation verbinden sich hier
eng miteinander, so "daß die Abtswürde erblich ist in der
Familie des Stifters, daß sich durch Generationen hindurch
die Abtswürde vererbt auf den Neffen oder Vetter"[106]. Gleichzeitig verstanden sich die Äbte der wichtigsten Klöster jeweils als "co-arb" bzw. "com-arba", d.h. "Erbe" des Grün-
ders[107]. Der Abt von Armagh aber, der unter ihnen einen Primat der Ehre und moralischen Autorität besaß, galt als der
"co-arb of Patrick"[108], wobei man auch regelrechte "lists
of the Co-arbs of Patrick"[109] führte. Die Konsequenz dieses

---

103) LThK 8,178-180 (Lit.); J.H.TODD, St.Patrick Apostle of Ireland. A
Memoir of his Life and Mission (Dublin 1864). Vgl. auch HHKG II/2,
95-102 (mit neuerer Lit.!).

104) D.L.GOUGAUD, Christianity in Celtic Lands. A History of the Churches
of the Celts, their origin, their development, influence, and mu-
tual relations (London 1932) 226ff.

105) Altkirchliche Autonomie und päpstlicher Zentralismus (München 1941)
124-126.

106) S.HILPISCH, Geschichte des benediktinischen Mönchtums in ihren
Grundzügen dargestellt (Freiburg 1929) 75.

107) TODD 156. Zum sprachlichen Zusammenhang von "co-arb" (comharb, co-
marb, comarba) mit "co-heres" ebd. 155ff. Vgl. auch W.STOKES, Irish
Glosses. A Mediaeval Tract on Latin Declension, with Examples ex-
plained in Irish (Dublin 1860) 93; 163; Ancient Laws of Ireland.
Brehon Law Tracts Vol. 6 (Glossary) (Dublin 1901) 158.

108) TODD 156; HEILER 125.

109) TODD 172ff; J.F.KENNEY, The Sources for the Early History of Ireland Vol. 1 (New York 1929) 352f.

Prinzips wird auch in der Bezeichnung des Bischofs von Rom
als "co-arb of Peter"[110] deutlich. Zwar ist die Herkunft des
"co-arb"-Titels aus dem Umfeld stammesfürstlichen Landbesit-
zes[111] offenkundig, aber gleichzeitig wird die Erbterminologie hier auch in ähnlicher Weise angewandt, wie sie uns im
6. und besonders im 7. Kapitel unserer Untersuchungen begegnet, indem sich nämlich der Abt von Armagh als direkter Erbe
des hl. Patricius (Patrick) versteht, ohne daß damit eine
verwandtschaftliche Beziehung verbunden wäre.

Mit dem Namen   G r e g o r   d e s   E r l e u c h t e r s[112],
der aus königlichem Geschlecht stammte, ist die Christiani-
sierung Armeniens[113] untrennbar verbunden. Bereits um das
Jahr 280 erhob der armenische König Trdat II. die christliche Kirche zur Staatskirche und Gregor wurde zum obersten
Bischof der Armenier, zum Katholikos, geweiht. Bei der Besetzung der Bischofssitze griff Gregor offenbar auf die Söhne
der heidnischen Priester zurück. "Die Bischofswürde wurde in
deren Familien erblich, wie der Katholikat auf seine eigenen

---

110) TODD 156.

111) Vgl. TODD 160ff. - HEILER 153 sieht hierin auch einen Grund für den
späteren Zerfall der irischen Kirche: Die erbliche Abtswürde wurde
schließlich völlig laisiert. Der "comarba" war zu einem weltlichen
Herrn geworden, der Priester bzw. Bischöfe "anstellte".

112) BUCHBERGER 4,673f; LThK 4,1206f; BARDENHEWER 4,182-185; N.AKINIAN,
Die Reihenfolge der Bischöfe Armeniens des 3. und 4.Jahrhunderts
(219-439), in: Analecta Bollandiana 67 (1949) 74-86, bes 80ff.

113) H.GELZER, Die Anfänge der armenischen Kirche, in: Berichte über
die Verhandlungen der königlich sächsischen Gesellschaft der Wissenschaften zu Leipzig philol.-hist.Cl. (Leipzig 1896) 109-174; F.
HEILER, Urkirche und Ostkirche (München 1937) 510ff; G.KLINGE, Ar-
menien, in: RAC 1,678-689; F.TOURNEBIZE, Arménie, in: DHGE 4, bes.
295ff; G.AMADOUNI , L'Autocéphalie du Katholicat Arménien, in: I
patriarcati orientali (Rom 1968) 141-165. Zur heidnischen Religion
(Macht der Priesterfürsten u.ä.) in Kappadokien und der rezipie-
renden Ablösung durch das Christentum vgl. W.WEBER, Römische Kai-
sergeschichte und Kirchengeschichte (Stuttgart 1929) 38-41.

Söhne und Nachkommen überging."[114] Heidnische Gepflogenhei-
ten, Großgrundbesitz und adelige Herkunft führten also dazu,
daß hier die Vererbung von Bischofsamt und Bistum zum Prinzip erhoben wurde. Trotz des späteren Eindringens mönchischer
Virginitätsideale[115] glaubte nach Auskunft eines Geschichts-
schreibers ein gewisser Jusik heiraten zu müssen, "damit von
ihm ein Geschlecht heiliger Hirten abstamme"[116].

Daß sich ähnlich wie in Irland seit dem 6. Jahrhundert
auch in Ägypten, im Vorderen Orient und später auch auf dem
griechischen Festland und den Inseln der Brauch herausbilde-
te, "daß die Vorsteher von Klöstern die Frage ihrer Nachfolge durch Testament regeln", hat W. SELB[117] herausgestellt.
Dabei erwähnt er auch koptische Urkunden, "in denen die Sukzession in der Leitung der Mönchsgemeinschaft einer Kette
sukzessiver Erbeinsetzungen entspricht"[118]. Als mögliche Wurzeln solcher Erscheinungen zieht SELB neben klosterspezifi-
schen Umständen auch die Testamente der Häupter griechischer
Philosophenschulen[119] als Vorbild in Betracht.

---

114) HEILER, Urkirche 512. Vgl. RAC 1,684; GELZER 140-148. A.ABRAHAMIAN,
Die Grundlagen des armenischen Kirchenrechts (Diss. Zürich 1917)
spricht sich gegen die Erblichkeit des Katholikats und der Bistümer
aus (50-52). Nach der Legende veranlaßte König Trdat den hl.Gregor,
seinen (Gregors) Sohn Aristakes zum Bischof zu weihen, dem Aus-
spruch der Heiligen Schrift gemäß: "Statt der Väter seien die Söhne" (Die Bekehrung Armeniens durch den hl.Gregor Illuminator, Wien
1844, 135; ohne Angabe eines Autors).

115) Vgl. GELZER 141f.

116) GELZER 142. Vgl. zu diesem Motiv auch unten § 20.

117) Erbrecht (Nachträge zum RAC), in: JAC 14 (1971) 170-184, zit. 183f.

118) A.a.O. 184. Vgl. dazu auch die Nachfolge des Anysius gegenüber Bischof Acholius von Thessalonike (§ 23 II 1).

119) A.a.O. 184. - Dabei legt sich auch die Frage nahe, inwieweit die
antiken Philosophenschulen für die Ausprägung und Organisation des
Mönchtums da und dort vorbildhaft gewesen sein könnten.

§ 19. <u>Zeugnisse für die Kritik am Erbdenken im staatlichen</u>
<u>und kirchlichen Bereich</u>

I. <u>Kritische Stimmen zum Erbprinzipat</u>

Entsprechend der Familien- und Traditionsgebundenheit des
Römers machte auch das Erbprinzip vor dem öffentlichen Leben
nicht halt, sondern bereits in der Republik war der Konsulat
fest in den Händen weniger Familien[120], ja es kam sogar vor,
daß das höchste Staatsamt über Generationen hinweg vom Vater
auf den Sohn überging[121]. Im Unterschied zum Konsulat kam es
beim Dekurionat - trotz der prinzipiellen Unvereinbarkeit
der Erblichkeit mit der römischen Magistratur und dem Sena-
torenamt - zu einer regelrechten "rechtlichen Erbschaft"[122].
Nachdem TH. MOMMSENs These von der Unvereinbarkeit des Prinzipats mit dem Erbprinzip überwunden war[123], glaubte man die
Erscheinung des "Erbprinzipats"[124] am ehesten von der Vererbung der Klientelschaft[125] herleiten zu können.

Gleichwohl tritt eine gewisse Spannung - resultierend aus
der Idee von der Herrschaft des Besten - historisch greifbar
in dem Augenblick zutage, wo man mit großem rhetorischen
Aufwand versuchte, die Einrichtung der Adoption[126] als "elec-

---

120) J.BERANGER, L'Hérédité du Principat. Note sur la transmission du
pouvoir impérial aux deux premiers siècles, in: REL 17 (1939) 171-
187, 183.

121) Ebd. 183 Anm. 4.

122) TH.MOMMSEN, Die Erblichkeit des Decurionats, in: Gesammelte Schriften Bd. 3 (Berlin 1907) 43-49, zit. 43.

123) Vgl. BERANGER, a.a.O. 171f; J.CARCOPINO, Passion et politique chez
les Césars (Paris 1958) 144.

124) L.WICKERT, Princeps, in: PW 22,2.1998-2296, bes. 2200ff; DERS.,
Princeps und ΒΑΣΙΛΕΥΣ, in: Klio 36 (1944) 1-25; J.CARCOPINO, L'hérédité dynastique chez les Antonins, in: REA 51 (1949) 262-321;
vgl. auch BERANGER: Klio 34 (1942) 136ff.

125) BERANGER, L'Hérédité 184ff; vgl. PW 4,1.23-55; 22,2.2201; M.H.PRE-
VOST, Les Adoptions politiques à Rome sous la République et le
Principat (Paris 1949) 62ff.

126) Vgl. neben PREVOST, a.a.O.; DERS., L'adoption d'Octave, in: RIDA 5
(1950) 361-381; H.NESSELHAUF, Die Adoption des römischen Kaisers,
in: Hermes 83 (1955) 477-495.

tio" des Würdigsten und Besten zu proklamieren, obwohl sie - funktional lediglich ein Ersatzinstrument - nur die Gültigkeit des Erbprinzips unter Beweis stellte[127].

Auch TACITUS wollte wohl primär den Kontrast zwischen Schein und Wirklichkeit in seiner eigenen Zeit[128] kennzeichnen, wenn er in einer Rede Galba bei der Adoption Pisos (69) groß verkünden läßt:

"sub Tiberio et Gaio et Claudio unius familiae quasi hereditas fuimus: loco libertatis erit quod eligi coepimus; et finita Iuliorum Claudiorumque domo optimum quemque adoptio inveniet."[129]

Die aktive Deutung von "hereditas" im Sinne von "heredes" bei H. KORNHARDT[130], von der Autorin selbst schon als "außerordentlich kühn"[131] erkannt, hat W. HARTKE[132] zu Gunsten einer passiven Auffassung von "hereditas" überzeugend zurückgewiesen. Demnach will der Satz anprangern, daß früher der "populus Romanus" "so etwas wie Erbschaft einer einzigen Familie"[133] war. Herrschaft und Reich wurden unter privat-

---

127) PW 22,2,2209f; L.WICKERT, Princeps 20; NESSELHAUF, Adoption 489ff.

128) Zu dieser Auffassung der Stelle vgl. PW 22,2,2213f; NESSELHAUF, Adoption 493.

129) Hist. 1,16,1 (C.D.FISHER, repr. Oxford 1962) (Prof. W.Suerbaum wies mich dankenswerterweise sehr früh auf die Bedeutsamkeit dieser Stelle hin).

130) Beiträge aus der Thesaurus-Arbeit VI.: hereditas, in: Philologus 95 (1943) 287-298.

131) A.a.O. 298: "'Hereditas' ist an unsrer Stelle außerordentlich kühn und kommt bis zu den Kirchenvätern niemals mehr so vor". Vgl. auch oben Kap. 2 A. 157.

132) Römische Kinderkaiser. Eine Strukturanalyse römischen Denkens und Daseins (Berlin 1951) 142-145, bes. 144. Vgl. auch W.SUERBAUM, Vom antiken zum frühmittelalterlichen Staatsbegriff. Über Verwendung und Bedeutung von res publica, regnum, imperium und status von Cicero bis Jordanis (Münster 1970²) 85-87.

133) HARTKE 144. Vgl. außerdem PW 22,2,2208ff; CARCOPINO, L'hérédité 274; U.v.LÜBTOW, Das römische Volk. Sein Staat und sein Recht (Frankfurt 1955) 403f.

rechtlichen Kategorien als die "hereditas" der jeweils herr-
schenden Familie (miß-)verstanden.

Ähnlich wie Tacitus vertritt auch PLINIUS in seinem Panegyricus (100) auf Kaiser Trajan, den Adoptivsohn Nervas, die
Verwerflichkeit der dynastisch festgelegten Erbfolge, bei
der ein "summae potestatis heres" "intra domum"[134] gesucht
wird. Lediglich als Herr für die eigenen Sklaven genüge ein
"necessarius heres"[135], nicht aber als "princeps" für die
Bürger. Zu diesen in der stoisch-kynischen Philosophie wur-
zelnden und vor allem im Senatorenstand vertretenen Anschauungen bildet die öffentliche Meinung, die unter allen Umständen den Erbherrscher verlangt[136], einen auffallenden Kontrast. Selbst Plinius entgeht nicht diesem Zwiespalt, indem
er Erbprinzip und Leistungsprinzip in Einklang zu bringen
versucht, wenn er Jupiter bittet, "daß du ihm (Trajan) ...
einen Nachfolger gewährst, den er erzeugt, den er formt und
ähnlich macht einem Adoptierten."[137]

Eine neuerliche Belebung erfährt diese Problematik in der
"HISTORIA AUGUSTA"[138], einer spätantiken Sammlung von Bio-
graphien der Kaiser von Hadrian bis Numerianus. Eine präg-
nante Zusammenfassung unserer Fragestellung liefert der
Autor in der Rede des Kaisers Severus Alexander: "Augustus

---

134) Paneg. 7,5: "An senatum populumque Romanum, exercitus provincias
socios transmissurus uni successorem e sinu uxoris accipias, sum-
maeque potestatis heredem tantum intra domum tuam quaeras? (MYNORS
6). Vgl. dazu PW 22,2,2211f; KORNHARDT 287f; L.WICKERT, Princeps
21ff; NESSELHAUF, Adoption 490f; LÖBTOW 404.

135) Paneg. 7,6: "Imperaturus omnibus eligi debet ex omnibus; non enim
servolis tuis dominum, ut possis esse contentus quasi necessario
herede, sed principem civibus daturus et imperatorem" (MYNORS 6);
zu "necessarius heres" vgl. auch oben Kap. 2/§ 4 A. 28.

136) L.WICKERT, Princeps 24; vgl. PW 22,2,2212.

137) Paneg. 94,5 (MYNORS 81); Übersetzung nach L.WICKERT, Princeps 24f.
Vgl. auch PW 22,2,2213.

138) Die neuere Forschung spricht sich für einen einzigen Autor und eine
Abfassung nach 394 bzw. nach 405 aus. Vgl. ARTEMIS-LEXIKON 1310f;
J.STRAUB, Heidnische Geschichtsapologetik in der christlichen Spät-
antike. Untersuchungen über Zeit und Tendenz der Historia Augusta
(Bonn 1963).

primus primus est huius auctor imperii, et in eius {nomen}
omnes velut quadam adoptione aut iure hereditario succedimus."[139]

Man kann bei dieser Bilanz des Adoptiv- und Erbkaisertums
auch an das Problem der apostolischen Sukzession denken, wo
die Apostel als "auctores"[140] fungieren und die Bischöfe
ihnen "iure hereditario"[141] nachfolgen. Auch wenn das dynastische Prinzip für diese Anbindung an die Apostel entfällt und
man für die "adoptio" wohl kaum eine Parallele[142] beibringen
kann, erscheint mir die Ähnlichkeit doch höchst bedeutsam.
Allerdings paßt von der Struktur her der Vergleich noch besser auf den Papst, den "heres Petri"[143].

Eine besonders anschauliche Ablehnung der privatrechtlichen Auffassung des Staates enthält eine vom Biographen er-
fundene Rede des Konsulars Nicomachus, in der er Kaiser Tacitus (275 - 276) bittet: "... ne parvulos tuos, si te ci-
tius fata praevenerint, facias Romani heredes imperii, ne
sic rem p. patresque conscriptos populumque Romanum ut villu-
lam tuam, ut colonos tuos, ut servos tuos relinquas .... in-
gens est gloria morientis principis rem p. magis amare quam

---

139) HIST.AUG., Alex. 10,4 (HOHL 1,258). Vgl. SUET., Tib. 26,2: "prae-
nomen quoque imperatoris cognomenque patris patriae et civicam in
vestibulo coronam recusavit; ac ne Augusti quidem nomen, quamquam
hereditarium, ullis nisi ad reges ac dynastas epistulis addidit"
(M.IHM, Stuttgart 1973, 126f).

140) Vgl. z.B. TERT., praescr. 32,1 (Kap. 6 A. 105; 110; 312).

141) Vgl. COEL., ep. 7,2 (Kap. 6 A. 296); Kap. 2 A. 229.

142) Am ehesten könnte man hier noch das Vater-Sohn-Motiv in Anwendung
auf Amtsvorgänger und -inhaber (vgl. § 23 II) beiziehen. Vielleicht
ließe sich auch die Weihe mit der "adoptio" in Verbindung bringen
(vgl. § 20) und die Designation eines bischöflichen Nachfolgers
(vgl. § 23 II) mit der testamentarischen Adoption des Princeps vergleichen. Wenn NESSELHAUF, Adoption 486 bemerkt: "Als willentliche
und unmißverständliche Nachfolgeregelung machte die Adoption nun
aber, wenn nicht formal, so doch der Sache nach, den Wahlanspruch
des Senats zunichte", so handelt es sich hier um dasselbe Problem,
das in der Kirche zum offiziellen Verbot der Designation eines Nachfolgers führte (§ 19 II 1). - Der Terminus "eligere" (electio) taucht
- allerdings im Sinn einer echten Wahl - auch als Kontrast zum "hereditarius ecclesiae principatus" auf (vgl. A. 184).

143) Vgl. unten § 25.

filios"[144].

Trotz dieser Warnung, "imperium", "res publica" und "populus Romanus" als zum privaten "patrimonium"[145] gehörig zu betrachten, muß der Autor kurze Zeit später den Bruder des Kaisers Tacitus, einen gewissen Florianus, erwähnen, "qui post fratrem arripuit imperium, non senatus auctoritate sed suo motu, quasi hereditarium esset imperium."[146]

Obwohl auch an anderen Stellen[147] davor gewarnt wird, das (staatsrechtliche) "imperium" (im privatrechtlichen Sinn) als "hereditarium" aufzufassen, wird in der "Historia Augusta" auch das Erbrecht, "besonders dem sogenannten Flavischen Kaiserhaus der constantinischen Familie gegenüber"[148] anerkannt.

Dieses unvermittelte "Nebeneinander" gleicht, wie mir scheint, auch der zwiespältigen Situation innerhalb der Kirche, wo man der Vererbung oder familieninternen Weitergabe von Ämtern neben entsprechenden Verboten oder kritischen

---

144) HIST.AUG., Tac. 6,8f (HOHL 2,191f). Vgl. dazu KORNHARDT 288; PW 22, 2,2221f; HARTKE 120f; 193; SUERBAUM 148f.

145) Vgl. HIST.AUG., Ael. 4,5:"Hadrianus dixisse fertur: 'facile ista dicis tu, qui patrimonii tui, non rei p. quaeris heredem'" (HOHL 1, 32). Dazu KORNHARDT 288; SUERBAUM 149 Anm. - Vgl. zum Problem von Privateigentum und dynastischer Erbfolge H.NESSELHAUF, Patrimonium und res privata des römischen Kaisers, in: Beiträge zur Historia-Augusta-Forschung Bd. 2 (=Historia-Augusta-Colloquium Bonn 1963) (Bonn 1964) 73-93.

146) HIST.AUG., Tac. 14,1 (HOHL 2,197). Vgl. HARTKE 99; 120. Florianus wurde durch Probus niedergeworfen (vgl. A. 147).

147) HIST.AUG., Prob. 10,8: "Cognito itaque, quod imperaret Probus, milites Florianum, qui quasi hereditarium {arripuerat imperium}, interemerunt, scientes neminem dignius posse imperare quam Probum"(HOHL 2, 210); Prob. 11,3: "atque utinam id etiam Florianus expectare voluisset nec velut hereditarium sibi vendicasset imperium" (HOHL 2,211); Claud. 12,3: "... Quintillus frater eiusdem, vir sanctus et sui fratris, ut vere dixerim, frater, delatum sibi omnium iudicio suscepit imperium, non hereditarium sed merito virtutum" (HOHL 2,143). Vgl. SUET., Cal. 24,1: "heredem quoque bonorum atque imperii aeger instituit" (M.IHM, Stuttgart 1973, 167).

148) HARTKE 59; vgl. ebd. 95f. HIST.AUG., Ael. 2,2 (HOHL 1,29f). Zur Kritik an Adel und Genealogie vgl. RAC 9,1180-1182 (W.SPEYER).

Äußerungen begegnet.

II. Die Erblichkeit des Bischofsamtes: Kritik und Verbot

1. Ähnlich wie in Rom das staatsrechtliche Prinzip bestand, daß Senat und Volk den Princeps wählen[149] und noch in der Spätantike ein Kaiser die Mitwirkung des "populus" bei der Bestellung von Beamten, insbesondere in der Provinzialverwaltung, fordert[150], kannte auch die frühe Kirche eine W a h l [151] ihrer Bischöfe, wobei aber "die Form der Beteiligung des Volkes beachtliche Unterschiede aufwies"[152].

Selbst bei CYPRIAN, dem Kronzeugen für das Recht der Gemein-

---

149) NESSELHAUF, Adoption 482; vgl. zur Bedeutung des Volkswillens auch TH.MOMMSEN, Abriß des römischen Staatsrechts (Darmstadt 1974; nach der 2.Aufl. von 1907) 152.

150) J.STRAUB, Zur Ordination von Bischöfen und Beamten in der christlichen Spätantike, in: Mullus. Festschrift Th.Klauser, JAC-Ergänzungsbd. 1 (1964) 336-345, behandelt eine Stelle aus der "Historia Augusta", derzufolge Kaiser Severus Alexander (222-235) die Mitwirkung des Volkes bei Christen und Juden als Beispiel für die geforderte Berücksichtigung der öffentlichen Meinung bei der Bestellung von Provinzialbeamten hervorgehoben habe. Zur "Creirung" der republikanischen Beamten durch die "Comitien" vgl. MOMMSEN, Abriß 84-87. Unter Tiberius wurde dieses Recht der "Comitien" jedoch auf den Senat übertragen (ebd. 86; 271), so daß der Reformvorschlag des Severus Alexander Elemente einer früheren Rechtslage aufgreift, die sich - u.U. im Christentum rezipiert - über die Zeit gerettet hat. So gesehen hätten wir auch hier einen komplexen Prozeß wechselseitiger Einwirkungen vor uns, wie ihn STRAUB hinsichtlich des Sprachgebrauchs zu erkennen glaubt (a.a.O. 343 Anm. 41).

151) F.A.STAUDENMAIER, Geschichte der Bischofwahlen mit besonderer Berücksichtigung der Rechte und des Einflusses christlicher Fürsten auf dieselben (Tübingen 1830); C.J.HEFELE, Die Bischofs-Wahlen in den ersten christlichen Jahrhunderten, in: Beiträge zur Kirchengeschichte, Archäologie und Liturgik Bd. 1 (Tübingen 1864) 140-144; F.X.FUNK, Die Bischofswahl im christlichen Altertum und im Anfang des Mittelalters, in: Kirchengeschichtliche Abhandlungen und Untersuchungen Bd. 1 (Paderborn 1897) 23-39; ACHELIS 2,9ff; 199ff; 416 (Exkurs 37); J.NEUMANN, Wahl und Amtszeitbegrenzung nach kanonischem Recht, in: ThQ 149 (1969) 117-132; P.STOCKMEIER, Gemeinde und Bischofsamt in der alten Kirche, ebd. 133-146; G.BIEMER, Die Bischofswahl als neues Desiderat kirchlicher Praxis, ebd. 171-184; HHKG II/1, 291-293.

152) HHKG II/1,291.

de, bei der Wahl aktiv mitzuwirken, begegnet man einerseits dem Modus, daß Klerus und Volk der betreffenden Gemeinde offenbar als ein Wahlkörper[153] die Wahl vornehmen und dann noch der "coepiscoporum consensus" nötig ist[154] und andererseits die Wahl durch die Bischöfe erfolgt, während die Gemeinde dann nur zustimmt und zur Frage der Würdigkeit Stellung nimmt[155]. Im letzteren Fall ließe sich auch erklären, weshalb die Synode von Ankyra (314) einen Kanon[156] erließ, der die Lage regelt, wenn Bischöfe von der Gemeinde, für die sie ernannt waren, nicht angenommen wurden.

Das allgemein anerkannte Wahlrecht bzw. die aktive Mitwirkung der Gemeinde wurde jedoch von verschiedenen Faktoren bedroht, wie ja auch die staatsrechtlich vorgesehene Wahl des Princeps nur selten Wirklichkeit geworden ist[157]: Das Anwachsen der Gemeinden zog eine Beschränkung der Teilnehmer und des Wahlrechts nach sich[158]. Die Kaiser ernannten mitunter einfach einen Bischof, der ihnen genehm war[159]. Die Verwandtschaft konnte auch bei einer Wahl zu völlig sachfremden Er-

---

153) FUNK, Bischofswahl 27.

154) Ep. 67,3: "quando ipsa (sc. plebs) maxime habeat potestatem vel eligendi dignos sacerdotes vel indignos recusandi" (CSEL 3,2,738); zu "eligere" vgl. A. 184. Ep. 55,8: "factus est autem Cornelius episcopus de Dei et Christi eius iudicio, de clericorum paene omnium testimonio, de plebis quae tunc adfuit suffragio, de sacerdotum antiquorum et bonorum virorum collegio" (629f); zu "suffragium" vgl. HEFELE, a.a.O. 141; STOCKMEIER, Gemeinde 138; J.SPEIGL, Cyprian über das iudicium dei bei der Bischofseinsetzung, in: RQ 69 (1974) 30-45 (betont den Einfluß des römisch-politischen Bereichs). Ansonsten FUNK, a.a.O. 26ff: "Wahlrecht im vollen Sinn des Wortes" (28). Ep. 59,5: "post coepiscoporum consensum" (672).

155) STAUDENMAIER 23 (mit Belegen) hält dieses Verfahren für das "gewöhnlichere". Ähnlich BIEMER, a.a.O. 172, im Anschluß an Y.M.J. CONGAR. Vgl. CYPR., ep. 67,4f.

156) Kanon 18; vgl. STOCKMEIER, Gemeinde 144.

157) Vgl. NESSELHAUF, Adoption 482; 486 u. oben A. 149.

158) FUNK, Bischofswahl 32; HHKG II/1,291.

159) FUNK, a.a.O. 31. Zum Übergriff weltlicher Machtträger auch BIEMER, Bischofswahl 173.

wägungen, ja zu Wahlmanipulation beitragen und verstärkte nicht selten die Abhängigkeit des Gewählten von seinen Wählern[160]. Schließlich war es vor allem die Bestellung eines Nachfolgers durch den noch amtierenden Bischof, die D e - s i g n a t i o n [161], die eine Wahl erübrigte oder sie zu einer formalen Erfüllung der Bestimmungen, letztlich zu einer Farce degradierte und auf diesem Weg das Bischofsamt in bestimmten Familien erblich machte[162]. Auch verschiedene Beispiele für die Ernennung eines "Koadjutors" mit dem Recht der Nachfolge[163] finden sich bereits zu dieser Zeit, darunter auch Augustinus[164].

Während man in den Kanones des Konzils von Nikaia (325) lediglich eine implizite Verwerfung der Designation[165] fin-

---

160) Besonders Johannes Chrysostomos prangert diese Mißstände an; dazu STAUDENMAIER 37f; STOCKMEIER, Gemeinde 145.

161) FUNK, Bischofswahl 30: "Bedroht wurde das Wahlrecht der Gemeinde wie die Mitwirkung der Komprovinzialbischöfe durch das Streben einiger Bischöfe, sich selbst einen Nachfolger zu geben, dem wir sowohl im Morgenland als im Abendland begegnen." Vgl. ferner DREY 351f; K.HOLDER, Die Designation der Nachfolger durch die Päpste (Diss. Freiburg 1892); DERS., in: AkathKR 72 (1894) 409-433; J.B. SÄGMÜLLER, Die Ernennung des Nachfolgers durch die Päpste Ende des fünften und Anfangs des sechsten Jahrhunderts, in: ThQ 85 (1903) 91-108, 235-254; ACHELIS 2,203 mit Anm. 4 u. 5.

162) NEUMANN 117; vgl. oben § 18.

163) DREY 351f; vgl. HALLER 1,216.

164) Ep. 213 (A. 165); PAUL.NOL., ep. 7,2: "qui (sc. Augustinus) ad maiorem dominici muneris gratiam novo more provectus ita consecratus est, ut non succederet in cathedra episcopo, sed accederet, nam incolumi Valerio Hipponiensis ecclesiae coepiscopus Augustinus est, et ille beatus senex ... dignos sui cordis pace nunc ab altissimo fructus capit, ut quem successorem sacerdotii sui simpliciter optabat hunc mereatur tenere collegam" (CSEL 29,43f). Vgl. damit unten § 23 II 2.

165) Vg. Kanon 4 (HEFELE 1,381ff); DREY 352; HOLDER (AkathKR) 412f. Aufschlußreich hierfür ist bes. AUG., ep. 213, wo Augustinus von der Beilegung einer "perturbatio" in Mileve berichtet, die deshalb entstanden war, "quia frater Severus credidit posse sufficere, ut successorem suum apud clericos designaret; ad populum inde non est locutus" (ep. 213,1; CSEL 57,374). Bei diesem Anlaß gesteht Augustinus: "adhuc in corpore posito beatae memoriae patre et episcopo meo sene Valerio episcopus ordinatus sum et sedi cum illo, quod concilio Nicaeno prohibitum fuisse nesciebam nec ipse sciebat. quod

den kann, äußert sich KANON 23 der Synode von Antiochien (341) ausdrücklich zu dieser Frage: "Einem Bischof ist nicht erlaubt, für sich einen Nachfolger zu bestellen, auch wenn er an das Ende seines Lebens kommt. Geschieht aber Solches, so soll die Aufstellung ungültig sein."[166] Die Rezeption dieses Kanons ließ aber vor allem im Westen lange auf sich warten, so daß noch eine römische Synode im Jahr 499 dem Papst zugestand, seinen Nachfolger selbst zu bestimmen[167]. In der Tat hat dann auch Felix III. (VI.) (✝ 530) den römischen Archidiakon Bonifatius (530 - 532) zu seinem Nachfolger bestimmt[168]. Offenbar als Gegenargument zu der Bestimmung des Kanons, die nun in der Kanonsammlung des Dionysius Exiguus[169] auch im Westen aktuell wurde, trat zu dieser Zeit auch die pseudoklementinische Erzählung von der Ernennung des Klemens als Nachfolger des Petrus wieder auf den Plan[170]. Zusammenfassend läßt sich sagen, daß das offizielle Verbot der De-

---

ergo reprehensum est in me, nolo reprehendi in filio meo" (ep. 213, 4; 376). Das Fungieren eines Koadjutors hielt Augustinus also zu diesem Zeitpunkt für verboten. Dagegen wurde der Fall von Mileve, wie Augustinus berichtet, zur Zufriedenheit aller gelöst: "gaudium successit, ordinatus est episcopus, quem praecedens episcopus designaverat" (ep. 213,1; 374) und Augustinus selbst designierte den Presbyter Heraklius zu seinem "successor" (ep. 213,1.5). Ihn betrachtete er offenbar als "filius" wie seinen Vorgänger als "pater" (vgl. unten § 20 II). Die Designation in Hippo, die vor einer Synode (coepiscopi, presbyteri, clerus, populus) stattfand, wurde von "notarii" festgehalten, und Augustins Vorschlag mit "adclamationes" (ep. 213,2) beantwortet. Eine ausführliche Darstellung des Vorgangs findet sich bei F.van der MEER, Augustinus der Seelsorger. Leben und Wirken eines Kirchenvaters (Köln 1951) 320-323.

166) HEFELE 1,520; vgl. dazu DREY 352; HOLDER (AkathKR) 412f; FUNK, Bischofswahl 30; SÄGMÜLLER, Ernennung 94f.

167) A.v.HARNACK, Der erste deutsche Papst (Bonifatius II., 530/32) und die beiden letzten Dekrete des römischen Senats, in: SB d. preuß. Akademie der Wissenschaften philos.-hist.Kl. (Berlin 1924) 24-42, 30; NEUMANN 117. Vgl. HEFELE 2,625ff.

168) FUNK, Bischofswahl 30; HARNACK (o.c.A. 167); NEUMANN 117f.

169) HARNACK 29.

170) SÄGMÜLLER, Ernennung 104. Vgl. zu dieser Legende auch unten § 29. 1.

signation in der Praxis häufig unbeachtet blieb[171] und auch
die dynastische Amtsnachfolge wohl in vielen Fällen durch
das Instrument der Designation konstituiert wurde[172].

2. Zu den wenigen betont k r i t i s c h e n S t i m -
m e n aus der Frühzeit dürfen wir auch den Alexandriner
ORIGENES (ca. 185 - 254) zählen. In seinen Homilien, die wir
zum größten Teil nur in der lateinischen Übersetzung eines
Hilarius von Poitiers, Hieronymus oder Rufinus kennen, wird
auch seine hohe Auffassung der kirchlichen Ämter deutlich.
Um so härter brandmarkt er die Mißstände, die sich mancher-
orts bei der Auswahl der Amtsträger eingeschlichen und die
Wahl[173] geradezu denaturiert haben. Ausgehend vom beispiel-
haften Verhalten des Moses[174] fordert er:

"Sed discant ecclesiarum principes successores sibi non
eos, qui consanguinitate generis iuncti sunt, nec qui carnis propinquitate sociantur, testamento signare neque hereditarium tradere ecclesiae principatum, sed referre ad
iudicium Dei et non eligere illum, quem humanus commendat

---

171) Dies geht schon allein aus der Notwendigkeit neuer Bestimmungen hervor: 5.Synode von Orleans (549), Kanon 12 (HEFELE 3,4); Synode von
Paris (624), Kanon 3 (HEFELE 3,68).

172) DREY 351 weist mit Recht daraufhin, daß auch bei der Bestellung eines
Nachfolgers, der nicht verwandt war, "die Kirchenämter als eine Art
von Vermächtnis" erschienen.

173) E.GÖLLER, Die Bischofswahl bei Origenes, in: Ehrengabe deutscher
Wissenschaft, dem Prinzen Joh.Georg Herzog zu Sachsen, hrsg. v. F.
Fessler (Freiburg 1920) 603-616; H.J.VOGT, Das Kirchenverständnis
des Origenes (Köln-Wien 1974) 9-13 (man vermißt an dieser Stelle -
im übrigen charakteristisch für das ganze Buch! - zumindest den Aufsatz von GÖLLER).

174) Moses bestellte nicht einen seiner Söhne als Nachfolger, sondern den
Josue; vgl. NM. 27,15-23. Deshalb lautet die Überschrift der Homilie
des Origenes "De filiabus Salphaat et de successore Moysis". Vgl.
unten A. 197 u.CYPR., ep. 67,4 (CSEL 3,2,738), wo NM. 20,25f ("vor
den Augen der ganzen Gemeinde") als Argument dafür verwendet wird,
daß auch die "ordinationes sacerdotales" "sub populi adsistentis conscientia" stattfinden müssen. Vgl. auch E.DASSMANN, Die Bedeutung des
Alten Testaments für das Verständnis des kirchlichen Amtes in der
frühpatristischen Theologie, in: Bibel und Leben 11 (1970) 198-214.

affectus, sed Dei iudicio totum de successoris electione permittere."[175]

Bei der Analyse dieses Textes ist zu beachten, daß wir bei der Übersetzung des RUFINUS, die im Jahr 410[176] entstand, möglicherweise mit beträchtlichen Modifizierungen[177] des griechischen Originals zu rechnen haben und auch die lateinische Terminologie dem Text neue Dimensionen verleiht. Für einen römisch denkenden Menschen dieser Zeit klang da nämlich noch einiges mit, wenn von "ecclesiarum principes" und von "princeps et episcopus"[178] gesprochen wurde oder wenn gar, wie an unserer Stelle, der Ausdruck "hereditarius ecclesiae principatus"[179] fiel. Neben der allgemeinen juristischen Prägung des Textes[180] ist auch zu bedenken, daß die Übersetzung des Rufinus etwa zur selben Zeit wie die "Historia Augusta" entstand.

---

175) RUFIN., Orig.in num. 22,4 (GCS 30,208); vgl. hierzu A.v.HARNACK, Der kirchengeschichtliche Ertrag der exegetischen Arbeiten des Origenes (I.Teil: Hexateuch und Richterbuch) (Leipzig 1918) 75-78; GÖLLER 613-615; A.M.JAVIERRE, El tema literario de la sucesion en el Judaismo, Helenismo y Cristianismo primitivo (Zürich 1963) 414f; GRYSON, Les élections 389-392. Übersetzung in: SourcesChr 29, 430f.

176) B.FISCHER, Verzeichnis der Sigel für Kirchenschriftsteller (Freiburg 1963²) 448.

177) Dazu HARNACK, Origenes 3. W.ULLMANN, The significance of the "Epistola Clementis" in the Pseudo-Clementines, in: JThS N.S. 11 (1960) 295-317, befaßt sich mit der Bedeutung der lateinischen Übersetzung der Pseudo-Klementinen durch Rufinus (bes. 312ff). - Im vorliegenden Fall wäre auch ein möglicher Einfluß aktueller Zustände und Praktiken auf die Übersetzung in Betracht zu ziehen.

178) RUFIN., Orig.in num. 11,4: "si accedat aliquis et docere incipiat, laboret, instruat, adducat ad fidem et ipse postmodum his, quos docuit, princeps et episcopus fiat ..." (GCS 30,84); vgl. zu "princeps" unten § 25 II.

179) ThLL VI,3,2629 Z. 54f; vgl. unten A. 183. GÖLLER 613f übersetzt: "kirchliches Vorsteheramt nicht erblich machen". P.BATIFFOL, Cathedra Petri. Etudes d'Histoire ancienne de l'Eglise (Paris 1938) beschäftigt sich mit der möglichen Entsprechung von "principatus" und ἀρχ-(ιερωσύνη) in den Briefen bei Leo dem Großen (87f); vgl. zu "principatus" ansonsten unten A. 197; § 25 II.

180) "Referre ad" (HEUMANN 498f); "iudicium"; "principes"; "successores"; vgl. auch A. 181-184.

Der Text prangert das Verhalten kirchlicher Vorsteher -
gemeint sind wohl Bischöfe - an, die ihre Nachfolger mit
Rücksicht auf "consanguinitas generis" und "carnis propinquitas"[181] auswählen. Dieses Auswählen wird zunächst als "testamento signare"[182], also als testamentarische Designation, gekennzeichnet, während dann von einer "erbmäßigen Weitergabe-
be"[183] des "ecclesiae principatus" die Rede ist. Wie der weitere Text zeigt, wird damit das "iudicium Dei", das allein
für die "electio"[184] bestimmend sein sollte, vernachlässigt.
Will man die Kundgabe dieses göttlichen Urteils nicht im
Sinn eines rein pneumatischen Amtsverständnisses[185] deuten,
so dürfte sich für Origenes die "Dei voluntas" in der Wahl
des durch seine "merita" empfohlenen Bewerbers "adstante populo"[186] äußern. Aber selbst wenn es zu einer Wahl kam, be-

---

181) "Propinquitas" bezeichnet in der Regel eine weniger enge Verwandtschaft im Unterschied zu "consanguinitas", das die auf der Abstammung vom selben Vater beruhende Verwandtschaft meint (HEUMANN 95).

182) Zu "signare" (hier: bezeichnen, bestimmen) HEUMANN 540; zu "testamentum" ebd. 584; GEORGES 2.3087f. Der gebräuchliche Ausdruck "(ob)
signare testamentum" scheidet hier aus.

183) "Hereditarius" ist hier prädikativ aufzufassen; "tradere" bezeichnet auch die Weitergabe, Übergabe zur Besorgung, Verwaltung: z.B.
"imperium", "provinciam", "regnum" (GEORGES 2.3167). Diese Verbindung von "hereditarium tradere" mit "principatum" läßt sich sehr
schön mit entsprechenden Stellen aus der "Historia Augusta" (A.
147) vergleichen.

184) Vgl. "de successoris electione"; "quem deus elegit" (A. 188); Orig.
in lev. 6,3: "ille eligitur ad sacerdotium" (A. 186). HEUMANN 167:
Auswahl zu einem Amt u.ä. - Hier ist auch an den Sinn einer Auswahl mittels Losung zu erinnern (A. 26).

185) Vgl. GÖLLER 612 unten.

186) Orig.in lev. 6,3: "Licet ergo Dominus de constituendo pontifice
praecepisset et Dominus elegisset, tamen convocatur et synagoga.
Requiritur enim in ordinando sacerdote et praesentia populi, ut
sciant omnes et certi sint quia qui praestantior est ex omni populo, qui doctior, qui sanctior, qui in omni virtute eminentior, ille
eligitur ad sacerdotium et hoc adstante populo, ne qua postmodum
retractio cuiquam, ne quis scrupulus resideret" (GCS 29,362f); Zur
Bedeutung der "merita" A. 187. Vgl. ferner HARNACK, Origenes 75f;
GÖLLER 611.

stand immer noch die Gefahr, daß die Wähler durch "ambitio",
"favor" und "largitio"[187] beeinflußt wurden. Ähnlich wie der
Autor der "Historia Augusta" sah sich auch ORIGENES veranlaßt, die falsche Sicht des Leitungsamtes mit drastischen
Worten zu korrigieren: "Propinquis agrorum et praediorum
relinquatur hereditas, gubernatio populi illi tradatur, quem
Deus elegit."[188] Schließlich hatte er es mit dem tief verwurzelten Stolz auf die "maiores" und den eigenen Stammbaum
zu tun, wenn sich Leute - was uns auch andernorts schon begegnete - ihrer Väter und Vorfahren brüsteten, die in der
Kirche durch den Vorrang eines bischöflichen Stuhles oder
der Ehre des Presbyterats oder des Diakonats ausgezeichnet
waren[189].

Jedenfalls erfahren wir schon aus wenigen Texten eine
Reihe interessanter Einzelheiten, "über die tatsächlichen
Verhältnisse und den engen Familienzusammenhang, in welchem
die Priester bzw. die Bischöfe standen"[190]. Es gab in der
Regel eine Wahl, bei der zwar auch das Volk beteiligt war,
jedoch der Klerus den Ausschlag gab. Daneben begegnen uns
Versuche, "testamentarisch die eigenen Verwandten als Nachfolger zu designieren"[191] und sogar die Erblichkeit kirchlicher Ämter in bestimmten Familien durchzusetzen.

3. Daß die Verhältnisse, die Origenes in seinen Homilien
angesprochen hatte, auch der Übersetzer Rufinus aus eigener
Anschauung gekannt haben dürfte, kann man auch aus anderen ein-

---

187) Orig.in num. 9,1: "Haec autem diximus, ... ne qui praesumptione su-
perbi spiritus non sibi a Deo datum munus pontificatus invaderet,
sed ut illi cedat, quem non ambitio humana, non favor corruptus ad-
sciverit nec largitio condemnanda subrogaverit, sed meritorum conscientia et Dei voluntas assumpserit" (GCS 30,56); vgl. auch "humanus affectus" (A. 175); HARNACK, Origenes 75; GRYSON, Les élections
391.

188) Orig.in num 22,4 (GCS 30,209); vgl. dazu HIST.AUG., Tac. 6,8f (A.
144); GÖLLER 612; GRYSON. Les élections 390.

189) ORIG., in Matth. 15,26 (GCS 40,426); dazu GÖLLER 614.

190) HARNACK, Origenes 77.

191) GÖLLER 614f.

schlägigen Zeugnissen des 4./5. Jahrhunderts erschließen:

Ein weiteres amtliches Zeugnis nach dem 23. Kanon der Synode von Antiochien (341) begegnet uns in den sogenannten "APOSTOLISCHEN KANONES"[192] des ausgehenden 4. Jahrhunderts. Diese Kanones sind uns vor allem in den "Apostolischen Konstitutionen" erhalten geblieben. Der folgende 76. Kanon, der der Einfachheit halber gleich lateinisch wiedergegeben sei, lehnt sich stark an den Beschluß von Antiochien an:

"Quod non oportet episcopum fratri aut filio aut alii propinquo dignitatem episcopatus largientem ordinare, quos ipse vult; non enim aequum est, ut heredes episcopatus sui faciat, humano affectu largiens, quae Dei sunt; nam Dei ecclesiam non debet hereditati subicere; si quis vero hoc fecerit, irrita esto ordinatio, ipse autem puniatur segregatione."[193]

Ein Bischof darf also seinen Bruder, Sohn oder einen anderen Verwandten nicht nach eigenem Gutdünken zum Bischof weihen und ihm ein Bistum übertragen[194]. Zur Begründung heißt es, es sei widerrechtlich, diese zu Erben des eigenen Bischofsamtes zu machen, da damit Gottes Eigentum nach menschlichen Gefühlsregungen vergeben werde; außerdem dürfe die Kirche Gottes nicht einer Erbschaft unterworfen werden. Damit wird ein bedeutsames theologisches - und im späteren Kampf gegen die Simonie beliebtes - Argument in die Diskussion eingeführt, nämlich die Unverfügbarkeit der Kirche Gottes und damit auch des Amtes. So ließe sich auch erklären, weshalb schon Origenes (Rufinus) das "iudicium Dei" gegen

---

192) ALTANER-STUIBER 256.

193) F.X.FUNK, Didascalia et Constitutiones Apostolorum Vol. 1 (Paderborn 1905) 587/589. Vgl. auch die Fassung des Kanons bei HEFELE 1, 823f: "Episcopum fratri suo, aut filio vel alteri propinquo episcopatum largiri, et quos ipse vult, ordinare non decet, aequum enim non est, ut Dei dona humano affectu divendantur, et ecclesia Christi, episcopatusque haereditatum iura sequatur. Si quis ita fecerit, eius quidem ordinatio sit irrita, ipse vero segregationis ferat poenam". Vgl. ansonsten DREY 350; HOLDER (AkathKR) 413; SÄG-MÜLLER, Ernennung 95.

194) Im griechischen Original steht χειροτονεῖν und χαρίζεσθαι.

den "humanus affectus" ins Feld führte.

Trotz dieser Bestimmungen sah sich auch HIERONYMUS (393) veranlaßt, die Begünstigung der "affines" und "cognati" als "pontificum vitium" [195] zu brandmarken und die Verleihung kirchlicher Ämter mit der Vergabe weltlicher Militärstellen [196] zu vergleichen. In anderem Zusammenhang (386) zieht auch er wieder Moses als Beispiel dafür bei, daß es beim "principatus in populos" [197] nicht auf das "Blut" ankommen dürfe.

Die Aussagen bei LEO DEM GROSSEN (443), beim neutestamentlichen Priestertum komme es im Gegensatz zu Aaron, "cuius sacerdotium per propaginem sui seminis currens ..." [198], nicht mehr auf das "Privileg der Väter", die "Familienordnung" oder die "Prärogative irdischen Ursprungs" an [199], erwecken zwar den Eindruck, als würden sie bereits die tatsächlichen Verhältnisse beschreiben, aber wir wissen, daß dies, wenn über-

---

195) Adv.Iovin. 1,34: "Interdum hoc et pontificum vitio accidit, qui non meliores, sed argutiores in clerum allegunt, et simpliciores quosque atque innocentes inhabiles putant, vel affinibus et cognatis quasi terrenae militiae officia largiuntur, sive divitum oboediunt iussioni" (PL 23,269D-270A).

196) Zu Vergleichen mit und Anspielungen auf den Militärdienst des Reiches vgl. PL 23,269B; STRAUB, Ordination 340.

197) In Tit. 1,5: "potuit (sc. Moyses) utique successores principatus filios suos facere et posteris propriam relinquere dignitatem; sed extraneus de alia tribu eligitur Iesus, ut sciremus principatum in populos non sanguini deferendum esse, sed vitae" (PL 26,596C); weitere Belege bei JAVIERRE, sucesion 416 Anm. 105.

198) Serm. 3,1 (CChrL 138,10).

199) Serm. 3,1: "Denique cum huius divini Sacerdotii sacramentum etiam ad humanas pervenit functiones, non per generationum tramitem curritur nec quod caro et sanguis creavit eligitur, sed cessante privilegio patrum et familiarum ordine praetermisso, eos rectores Ecclesia accipit, quos sanctus Spiritus praeparavit, ut in populo adoptionis Dei, cuius universitas 'sacerdotalis' atque 'regalis' est non praerogativa terrenae originis obtineat unctionem, sed dignatio caelestis gratiae gignat antistitem" (11); vgl. dazu CASPAR 1,430f; BKV 54,6f. Zur Nachwirkung des AT vgl. auch PAUL.NOL., ep. 44,5: "consecrentur sicut filii Aaron non tamen illi qui ignem alienum domino accendentes exusti sunt igne divino, quo ipsi carebant, sed ut Eleazar et Ithamar merito perpetui successores dignitatis paternae, quia non degeneres sanctitatis heredes" (CSEL 29, 376); der Wunsch bezieht sich auf die "filii" des Aper und der Amanda.

haupt, so sicher nicht auf die "rectores"[200] in allen Gegenden zutraf. Dazu brauchen wir uns gar nicht an die oben skizzierten "Priesterdynastien" zu erinnern; denn auch Leos Nachfolger, Papst HILARUS (461 - 468), hatte noch dagegen anzu-
kämpfen, daß in Spanien manche Bischöfe an einer testamentarischen Festlegung des Nachfolgers im Bischofsamt festhielten.
Auch Hilarus weist auf den Gegensatz[201] von "divinum" und
"haereditarium" hin, wenn er klagt: "nonnulli episcopatum ...
non divinum munus sed haereditarium putant esse compendium"[202].

Es läßt sich also festhalten, daß die Vererbung kirchlicher Ämter, insbesondere des Bischofsamtes, zunehmend kritisiert, ja sogar verboten wurde, daß aber trotzdem die Berufung auf die eigene priesterliche Familientradition da und
dort sogar als positiver Ausweis eines Bewerbers verstanden
wurde.

§ 20. Vererbung kirchlicher Ämter und aufkommende Zölibatsbestrebungen

I. Das Erbrecht der Bischöfe als Motiv für die Propagierung
des Zölibats

Neben der mehr allgemein gehaltenen Kritik haben wir im
Verbot der Designation auch bereits einen konkreten Weg ken-

---

200) Zu "rectores" für "Bischöfe" vgl. STRAUB, Ordination 342f.

201) Im heilsgeschichtlichen Erbbegriff (vgl. Kap. 1) bestand dieser Gegensatz jedoch nicht; auch die Anwendung der "hereditas"-Terminolo-
gie auf Tradition und Sukzession vermittelt ein anderes Bild.

202) Bischof Nundinarius von Barcelona hatte seinen Nachfolger designiert, woraufhin der Papst auf einer römischen Synode (465) erkär-
te: "Praeterea fratres nova et inaudita, sicut ad nos missis de
Hispaniis epistolis sub certa relatione pervenit, in quibusdam locis perversitatum semina subinde nascuntur. Denique nonnulli episcopatum, qui nonnisi meritis praecedentibus datur, non divinum munus sed haereditarium putant esse compendium, et credunt, sicut res
caducas ita sacerdotium velut legati aut testamenti iure posse di-

nengelernt, wie man die familienbezogene Vergabe kirchlicher
Ämter zu erschweren und zu unterbinden versuchte. Eine weitaus wirksamere Methode, die jedoch auch um so schwerer durchzusetzen war, bestand darin, solche engen Familienverbindun-
gen vom Klerus von vornherein fernzuhalten.

Die für den Zölibat einschlägigen Arbeiten[203] vernachläs-
sigen allerdings zum Teil diesen brisanten kirchenpolitischen
Aspekt[204], wenn es um die Motive für den Zölibat, insbesondere in der Frühzeit geht. Wenn K. MÖRSDORF vor allem im
Blick auf das 11. Jahrhundert schreibt: "Mit der geistl. Mo-
tivierung des Z. verband sich die Sorge um eine Entfremdung
des Kirchengutes durch Vererbung in der Familie"[205], so ist
für unseren Zusammenhang festzustellen, daß dieselbe Moti-

---

mitti. Nam plerique sacerdotes in mortis confinio constituti in locum suum feruntur alios designatis nominibus subrogare: ut scilicet
non legitima exspectetur electio, sed defuncti gratificatio pro populi habeatur assensu" (A.THIEL, Epistolae Romanorum Pontificum ge-
nuinae t. 1, Braunsberg 1868, 162). Vgl. dazu HEFELE 2,593; HOLDER
(AkathKR) 414; SÄGMÜLLER, Ernennung 96; HALLER 1,216; CASPAR 2,13f.

203) K.MÖRSDORF-L.M.WEBER, Zölibat, in: LThK 10,1395-1401; THEINER; M.
BOELENS, Die Klerikerehe in der Gesetzgebung der Kirche unter besonderer Berücksichtigung der Strafe (Paderborn 1968); B.KÖTTING,
Der Zölibat in der Alten Kirche (Münster 1968); G.DENZLER, Zur Geschichte des Zölibats. Ehe und Ehelosigkeit der Priester bis zur
Einführung des Zölibatsgesetzes im Jahr 1139, in: StdZ 183 (1969)
383-401; GRYSON, Les origines; HHKG II/1,287-291; II/2,229-233.

204) Z.B. H.CROUZEL, Le célibat et la continence dans l'Eglise primitive:
leurs motivations, in: Sacerdoce et célibat. Etudes historiques et
théologiques, hrsg. v. J.Coppens (Gembloux-Louvain 1971) 333-371;
HHKG II/1,290; vgl. dagegen HHKG II/2,230; M.WARD, Early Church Portrait Gallery (London-New York 1959) 234: "In the eyes of a secular
roler there was another interesting reason for a celibaty clergy.
While the Church was from the first vehemently opposed to anything
like a hereditary priesthood, the tendency to create one often sho-
wed itself" (=Gestalten christlicher Frühzeit, München 1963, 303;
ungenaue Übersetzung!); E.SCHILLEBEECKX, Der Amtszölibat. Eine kritische Besinnung (Düsseldorf 1967) 27; 46.

205) LThK 10,1397; vgl. DENZLER 394f: Zölibat als Mittel zur Aufrechter-
haltung des Ottonischen Reichskirchensystems; HHKG III/1,287: "Nicht
um die innere Reform der Kirche ging es dabei, sondern um die Erhaltung des Kirchengutes, das durch Klerikerheirat gar zu leicht an
die Kinder gelangte".

vierung auch schon viel früher anzutreffen ist. Der Bischof
war nämlich schon sehr früh der verantwortliche V e r w a l -
t e r   d e s   K i r c h e n g u t e s [206] und entsprechend
dem Korporationsbegriff wurde die Verbandseinheit der Bi-
schofskirche auch als Vermögenssubjekt "ausschließlich vom
Bischof repräsentiert"[207]. Aus diesem Grund hatte der Bischof nicht nur im sogenannten "Eigenkirchenwesen"[208], wo die
Eigenkirche sowieso vererblich war[209] und teilweise auch
"Priestererbkirchen"[210] existierten, sondern auch in den meisten Normalfällen eine Stellung, die auch für seine Söhne attraktiv sein konnte.

Vor diesem Hintergrund ist jenes Gesetz vom 1.März 528[211]
zu sehen, in dem Kaiser JUSTINIAN es untersagte, Väter oder
Großväter zum Bischof zu weihen. Tatsächlich nennt das Gesetz neben einem theologischen auch den eigentlichen, nämlich den vermögensrechtlichen Grund: Es sollte auf diese Weise verhindert werden, daß das Kirchenvermögen, das auf Grund
von Schenkungen mitunter beträchtliche Ausmaße erreicht hatte, für Zuwendungen an die eigene Familie mißbraucht würde.

---

206) A.KNECHT, System des Justinianischen Kirchenvermögensrechtes (Stuttgart 1905) 116ff; H.E.FEINE, Kirchliche Rechtsgeschichte. Die katholische Kirche (Köln-Graz 1964[4]) 132.

207) O.GIERKE, Das deutsche Genossenschaftsrecht III: Die Staats- und
Korporationslehre des Alterthums und des Mittelalters und ihre Aufnahme in Deutschland (Berlin 1881) 116.

208) FEINE, Rechtsgeschichte 160ff.

209) Ebd. 165.

210) FEINE, a.a.O. 166; 180. "Im 10.Jh. begegnet z.B. in Neapel eine
Priestereigenkirche, die drei Generationen hindurch im Besitz von
Priesterärzten war und zusammen mit einem codex artis medicinae jeweils vom Lehrer auf den Schüler vererbt wurde" (393 Anm. 3). Zu
den scharfen Maßnahmen gegen Klerikersöhne und Familienerblichkeit
von Kirchen im 11./12.Jh. vgl. ebd. 258.

211) COD.IUST. 1,3,41: "Episcopum enim oportet non impeditum carnalium
liberorum affectione patrem esse spiritualem, quamobrem eum qui liberos vel nepotes habet, episcopum ordinari vetamus" (P.KRÜGER,
Berlin 1877, 26); dazu THEINER 1,188; KÖTTING 17; GRYSON, Les origines 110. Vgl. zum Erbrecht der Bischöfe unter Justinian und zum
Zusammenhang mit dem Zölibat auch SELB 174f.

B. KÖTTING[212] bemerkt ganz richtig, es sei das Ziel dieses
Gesetzes, "die Kinderlosigkeit des Bischofs zu garantieren".
Dies bestätigt zwei Jahre später ein weiteres Gesetz, durch
das die Kinder von Presbytern, Diakonen und Subdiakonen hinsichtlich des Vermögens ihres Vaters als erbunfähig erkärt
wurden[213]. Wegen seiner Aussagekraft sei schließlich noch
ein Fall aus der Mitte des 6. Jahrhunderts erwähnt: Einem
Schreiben[214] des Papstes PELAGIUS I. (556 - 561) ist zu entnehmen, daß in Syrakus ein Mann, der Frau und Kinder hatte,
zum Bischof gewählt worden war. Der Papst spricht die Befürchtung aus, durch die Familie des Bischofs könnte das
Kirchenvermögen beeinträchtigt werden und verweist auf das
kaiserliche Verbot[215], einen Mann mit Frau und Söhnen zum
Bischof zu machen. Als Ausweg wird nun vorgeschlagen, der
Gewählte müsse vor seiner Ordination versprechen, seinen Söhnen oder Erben nichts außer dem, was er schon vorher besessen habe, zurückzulassen[216].

Schon diese wenigen Zeugnisse haben die Vermutung bestätigt, daß auch bereits in der Spätantike vom kirchenpolitischen Standpunkt aus primär die Kinder - und damit "Erben-
losigkeit" angestrebt wurde. Man erkannte aber schnell, daß

---

212) A.a.O. 18. Vgl. ebd.: "Der Grund für dieses Gesetz ist vermögens-
rechtlicher Natur. Es sollte der Verschleuderung kirchlichen Gutes
durch Vererbung an Kinder vorgebeugt werden".

213) COD.IUST. 1,3,44 (P.KRÜGER 30); dazu THEINER 1,188f; GRYSON, Les
origines 110f. Vgl. das 9.Konzil von Toledo (655): "Kinder, die
einem Kleriker, vom Subdiakon bis zum Bischof, nach seiner Weihe
geboren wurden, sollten nicht erbberechtigt sein, ja für alle Zeit
Sklaven der Kirche bleiben, an der der Geistliche Dienst tat"(HHKG
II/2,232).

214) Ep. 33 (an den Patricius Cethegus) (P.M.GASSO-C.M.BATLLE, Pelagii I.
epistulae quae supersunt 556-561, Montserrat 1956, 89ff). Vgl. dazu THEINER 1,211f; DENZLER 397; HHKG II/2,230.

215) Ep. 33,4: "... causam propter quam principalis constitutio habentem
filios et uxorem ad episcopatus prohibet ordinem promoveri" (GASSO-
BATLLE 91).

216) Ep. 33,5: "... nihil, ultra id quod modo descriptum est, suis filiis vel heredibus relicturus" (91).

sich die unbeliebte Vaterschaft der Kleriker am besten durch
den Zölibat bekämpfen ließ[217].

II. Die verstärkte "Spiritualisierung" natürlicher Generationsbezeichnungen

Auch abgesehen von den aufkommenden Zölibatsbestrebungen
hatte der Vaterbegriff[218] im Christentum schon immer eine
wichtige Rolle gespielt. Entsprechend dem bereits im Alten
Testament verankerten Vatergott gewann der Begriff der Gotteskindschaft[219] eine zentrale Rolle in der Verkündigung.
Die Begründung dieser Kindschaft in der Taufe schuf gleichzeitig - analog zur Einweihung in den Mysterienreligionen[220]
- zwischen Taufspender und Täufling eine Verwandtschaftsbeziehung, die man mit Vater-Kind-Verhältnis charakterisieren
könnte. Daneben kannte man auch einen Zusammenhang zwischen
Lehrverkündigung und V a t e r s c h a f t , so daß Paulus

---

217) Vgl. auch REINHARD 149: "Die Verwandlung des Zölibatsideals in eine
verpflichtende Vorschrift hängt nachweislich mit der Furcht vor Verlust des Kirchenguts zusammen; die Ehelosigkeit der Bischöfe, dann
der Priester dient ihrer gesellschaftlichen Funktion nach zur Vermeidung gefährlicher Erbfälle ...". HHKG II/ 2,230: "Der Zölibat war
die sicherste Garantie, daß die kirchlichen Amtsträger keine Erben
hätten".

218) LThK 10,618-621; ThW 5,946-1016; HAAG 1813. Einen sehr instruktiven
Überblick zur pneumatischen Vaterschaft bietet H.EMONDS, Abt, in:
RAC 1,45-55 (Lit.!). Vgl. ferner den wichtigen Aufsatz von N.BROX
zur Bedeutung des Väterbegriffs für die Tradition: Zur Berufung auf
"Väter" des Glaubens, in: Heuresis. Festschrift f. A.Rohracher,
hrsg. v. Th.Michels (Salzburg 1969) 42-67.

219) LThK 4,1114-1117; RAC 1,105-109; HAAG 947f; O.MICHEL-O.BETZ, Von
Gott gezeugt, in: Judentum, Urchristentum, Kirche. Festschrift f.
J.Jeremias, hrsg. v. W.Eltester (Berlin 1964²) 3-23.

220) RAC 1,48-50. Der Einweihungspriester galt als "parens" und der Einweihungstag als "Geburtstag" (APUL., met. 11,25,7; 11,24,5). In dem
höchst bedeutsamen Mithräum unter S.Prisca in Rom fand man eine Inschrift, die dies ebenfalls bestätigt: "natus prima luce ..." (M.
J.VERMASEREN, Mithras. Geschichte eines Kultes, Stuttgart 1965, 34).
- Nach Cod.Iur.Can. cc. 768; 797 begründen die christliche Taufe
und Firmung eine geistliche Verwandtschaft (cognatio spiritualis);
dazu K.MÖRSDORF, Lehrbuch des Kirchenrechts auf Grund des Codex
Iuris Canonici Bd. 1 (München-Paderborn-Wien 1964¹¹) 196.

als "Vater"[221] der von ihm gegründeten, d.h. "gezeugten" Gemeinden galt und in den Pastoralbriefen die Episkopen ähnlich wie die Aufseher in Qumran in einer Vaterbeziehung zu ihren Gemeinden gesehen wurden[222]. Auf diese Weise kam es zu der geläufigen Titulierung der Bischöfe als "Vater"[223], hier in Bezug auf ihre Gemeinde bzw. ihr Bistum.

Einen zweiten Aspekt darf man - ausgehend von der Bezeichnung der Prophetenschüler als Söhne der Propheten[224] - in dem Vater-Sohn-Verhältnis zwischen Paulus und Timotheus[225] erblicken. Während der "Abt" als "Vater der Mönche"[226] auf Grund seiner autoritativen Stellung weniger hiermit als mit der Stellung des Bischofs gegenüber den Gläubigen zu vergleichen sein dürfte, ist hier die Betrachtung der Vater-Sohn-Beziehung innerhalb des Klerus eher angebracht. Beispiele für das Vorkommen dieser Verwandtschaftsbeziehung im eigentlichen Sinn haben wir bereits zur Genüge kennengelernt. In manchen Fällen, so etwa in der Sippe des Gregor von Nazianz[227], scheint eine Trennung zwischen eigentlichen und un-

---

221) E.NEUHÄUSLER, Der Bischof als geistlicher Vater nach den frühchristlichen Schriften (München 1964) 16ff; RAC 1,50f.

222) NEUHÄUSLER 20. Vgl. auch VATIKANUM II, Lumen gentium 28: "Die Fürsorge für die Gläubigen, die sie (sc. die Priester) geistlich in Taufe und Lehre gezeugt haben (vgl. 1 Kor. 4,15; 1 Petr. 1,23), sollen sie wie Väter in Christus wahrnehmen" (RAHNER-VORGRIMLER 159).

223) ACHELIS 2,13; 417 (Exkurs 39); NEUHÄUSLER; E.JERG, Vir venerabilis. Untersuchungen zur Titulatur der Bischöfe in den außerkirchlichen Texten der Spätantike als Beitrag zur Deutung ihrer öffentlichen Stellung (Wien 1970) 278ff. Vgl. auch AUG., in psalm. 109,7, der es als wunderbar preist, daß der Sohn eines Laien Bischof und somit "Vater seines Vaters" werden kann; ferner unten S.444f(WISCHMEYER).

224) RAC 1,47.

225) NEUHÄUSLER 43. EMONDS (RAC 1,51) verweist darauf, daß auch dieses Verhältnis zwischen Paulus und Timotheus bzw. Titus letztlich wiederum in der Glaubensverkündigung wurzelt.

226) RAC 1,52-55.

227) H.M.WERHAHN und K.G.BONES sind sich in dieser Frage uneinig (ByZ 47 [1954] 415 bzw. 48 [1955] 211). Vgl. auch HAUSER-MEURY 185f (Liste der uneigentlichen Verwandtschaftsbezeichnungen); RAC 2,631ff ("Bruder").

eigentlichen oder pneumatischen Verwandtschaftsbezeichnungen
nicht mehr eindeutig möglich zu sein. Diese Quellenlage spiegelt aber gleichzeitig die Phase des Übergangs wider, in der
man sich damals befand. Aussagen wie die des ORIGENES, die
Priester sollten nur g e i s t l i c h e K i n d e r
z e u g e n [228] oder die eines syrischen Hymnus: "Du hast
zwar kein Weib ... Geistige Kinder mögen dir zu teil werden,
und Söhne der Verheissung, - die Erben in Eden werden sollen"[229] , machen deutlich, wie das hochkommende Zölibatsideal
der "Spiritualisierung" natürlicher Generationsbezeichnungen
neue Impulse gab. Wenn man sich nochmals vor Augen hält, welche bedeutende Rolle Bischofsdynastien da und dort spielten,
so scheint mir nicht nur die Konzeption von einer mystischen
Ehe zwischen Bischof und Bistum[230] ein Ergebnis des Ringens
dieser zwei Richtungen (Dynastie - Zölibat) zu sein, sondern
offenbar hat die Zurückdrängung der natürlichen Sohnschaft
und der dynastischen Nachfolgeregelung im Bischofsamt der
Schaffung einer "künstlichen/pneumatischen" Sohnschaft[231]

---

228) RUFIN., Orig.in lev. 6,6: "Possunt enim et in ecclesia sacerdotes
et doctores filios generare, sicut et ille, qui dicebat: 'filioli
mei, quos iterum parturio, donec formetur Christus in vobis' ...
Isti ergo doctores ecclesiae in huiusmodi generationibus procrean-
dis aliquando constrictis femoralibus utuntur et abstinent a gene-
rando ..." (GCS 29,368f).

229) E.BECK, Des hl.Ephraem des Syrers Carmina Nisibena (Louvain 1961) 61.

230) J.TRUMMER, Mystisches im alten Kirchenrecht. Die geistige Ehe zwi-
schen Bischof und Diözese, in: ÖAKR 2 (1951) 62-75; vgl. V.FUCHS,
Der Ordinationstitel von seiner Entstehung bis auf Innozenz III.
Eine Untersuchung zur kirchlichen Rechtsgeschichte mit besonderer
Berücksichtigung der Anschauungen Rudolph Sohms (Bonn 1930) 83-85.
Ausdrücke wie "dos ecclesiae", "ecclesia viduata", "Ehebruch" zei-
gen die Konsequenz dieser Konzeption.

231) Vgl. zu einer ähnlichen Entwicklung im Kaisertum PW 22,2,2209f
(Adoption als Beweis für die Gültigkeit des dynastischen Erbprinzips) und oben § 19 I. Hier ist auch daran zu erinnern, daß für römisches Denken Adoption weitgehend mit Zeugung gleichgesetzt wurde.
So wird es bei OV., met. 15,750f.758 als größte Tat Caesars gerühmt,
daß er Augustus adoptierte: "neque enim de Caesaris actis ullum
maius opus, quam quod pater exstitit huius (sc. progeniei): ...
quam tantum genuisse virum?" (B.A.van PROOSDIJ, Leiden 1975, 496)
(Hinweis von Prof. W.Suerbaum).

zum Zwecke der bischöflichen Sukzession Vorschub geleistet.
Leider sind mir nur wenige Zeugnisse[232] bekannt, wo sich diese Idee auch terminologisch eindeutig faßbar niedergeschlagen hat: Der greise Bischof Maximus soll "mente paterna" den
Presbyter Felix gleichsam als "natus" betrachtet und ihn als
Nachfolger bestimmt haben[233]. AUGUSTINUS spricht von seinem
bischöflichen Vorgänger Valerius als "pater" und bezeichnet
den Presbyter Heraklius, den er als Nachfolger designiert,
als "filius"[234]. AMBROSIUS sieht Bischof Acholius von Thessalonike und seinen Nachfolger Anysius in einer Art Vater-
Sohn-Verhältnis[235]. Natürlich braucht man diese Fakten nicht
allein mit den natürlichen Regungen des menschlichen Blutes
erklären, sondern sie lassen sich auch theoretisch verständlich machen, insofern sich die Bischöfe teilweise selbst um
die Ausbildung des Klerus kümmerten[236] und ein Lehrer-Schüler-Verhältnis leicht als Vater-Sohn-Beziehung interpretiert
werden konnte, da ja Lehre auch als geistige Zeugung galt[237].
* Im Falle der Erteilung der Bischofsweihe[238] durch den Vorgänger ergab sich ein weiteres Motiv für die Begründung
einer pneumatischen Vater-Sohn-Beziehung.

---

232) Im weiteren Sinn kann man hier aber auch auf die "pater" - "filius"-Terminologie in Anwendung auf Häretiker und Schismatiker verweisen. Vgl. dazu Kap. 3 A. 86; Kap. 4 A. 59; 60; 196; 263; 376;
377; 380; 396; 410; 415 und § 13.

233) PAUL.NOL., carm. 15,120-124.351-353 (§ 23 II2).

234) Ep. 213,4 bzw. 213,1.5 (A. 165).Vgl. auch unten S.444f(WISCHMEYER).

235) Ep. 15,11 (Kap. 6 A. 257r).

236) Dazu P.STOCKMEIER, Aspekte zur Ausbildung des Klerus in der Spätantike, in: MThZ 27 (1976) 217-232, bes. 225ff.

237) RAC 1,46; 52. Vgl. RAC 1,109: "Die uralte orientalische Anschauung,
daß die Weisheitslehre vom Vater dem Sohn übergeben wird, führt
bei Erweiterung des Kreises der Lernenden zu einem Vater-Sohn-Verhältnis zwischen Lehrer und Schüler ...".

238) Vgl. auch R.GRYSON, Le prêtre selon saint Ambroise (Louvain 1968)
149 Anm. 2. Nach Augustinus ist es die Kirche selbst, die die Bischöfe "zeugt" (in psalm. 44,32; vgl. A. 243). Vgl. MÖRSDORF 2,94:
"Die Weihe gibt zwar keine Leitungsbefugnis, aber sie zeugt die
zum Hirtendienst der Kirche berufenen Geistträger ...".

Aber nicht nur die direkte bischöfliche Nachfolge, sondern
selbst die Theorie von der a p o s t o l i s c h e n S u k -
z e s s i o n wurde bei Hieronymus und Augustinus mit Hilfe
dieser Generationsbezeichnungen erläutert. Für beide Kirchenväter gab die Deutung von PSALM 45 (44),17: "Pro patribus
tuis nati sunt tibi filii: constitues eos principes super omnem terram"[239] den Anstoß dazu. HIERONYMUS sieht die Apostel
als "Väter" der Kirche und gleichzeitig die Bischöfe als
"Söhne" der Apostel. Da die Apostel gestorben seien, hätten
ihre "Söhne" deren Platz einnehmen müssen[240]. A. M. JAVIERRE[241]
bemerkt dazu: "les évêques recueillent l'héritage." Auch nach
AUGUSTINUS sind die Apostel die "Väter" der Kirche[242]. "Ergo
illorum (sc. apostolorum) abscessu deserta est ecclesia? Absit. 'Pro patribus tuis nati sunt tibi filii.' ... Patres
missi sunt apostoli, pro apostolis filii nati sunt tibi, constituti sunt episcopi ... Ipsa ecclesia patres illos appellat,
ipsa illos genuit, et ipsa illos constituit in sedibus patrum."[243] Nach Augustinus ist es aber die Kirche, die die
Bischöfe "zeugt", so daß sie ihre "Söhne" sind. Aber wenn die
Kirche die Bischöfe gleichzeitig als "Väter" bezeichnet, so

---

239) VULG. (R.WEBER 1,824); vgl. auch Kap. 2 A. 145.

240) Brev.in psalm. 44: "'Pro patribus tuis nati sunt tibi filii.' Fuerunt, o Ecclesia, apostoli patres tui: quia ipsi te genuerunt. Nunc
autem quia illi recesserunt a mundo, habes pro his episcopos filios
qui a te creati sunt. Sunt enim et hi patres tui: quia ab ipsis re-
geris. ... in omnibus finibus mundi ... principes Ecclesiae, id est
episcopi, constituti sunt" (PL 26,1018A).

241) Le thème de la succession des Apôtres dans la littérature chrétienne
primitive, in: L'épiscopat et l'église universelle, hrsg. v. Y.Con-
gar u.a. (Paris 1962) 171-221, 196. Vgl. ebd.: "Ainsi apparaît la
chaîne de la succession: les évêques, fils des Apôtres, sont appelés
à la paternité et à se prolonger, par suite, dans leurs héritiers
respectifs".

242) In psalm. 44,32: "Genuerunt te apostoli: ipsi missi sunt, ipsi praedicaverunt, ipsi patres" (CChrL 38,516); vgl. auch in psalm. 44,23
(Kap. 2 A. 135; Kap. 7 A. 118).

243) In psalm. 44,32 (516). Forts.: "Non ergo te putes desertam, quia non
vides Petrum, quia non vides Paulum, quia non vides illos per quos
nata es; de prole tua tibi crevit paternitas".

wird nach K. BAUS[244] dadurch offenkundig, daß "die Bischöfe
der Gegenwart das Erbe der Apostel angetreten haben", daß
sie sich also "in sedibus patrum"[245] befinden; "in ihre Sendung und in ihr Amt sind die Bischöfe eingetreten, so wie
Söhne Erbe und Aufgabe ihrer Väter übernehmen."[246] Dieser
Deutung der Augustinus-Stelle kann man sich nur anschließen.

Abschließend sei zum Problem der eigentlichen und uneigentlichen Generationsbezeichnungen noch ein, wie ich meine,
instruktives Beispiel erwähnt: Das Handwerk war im Alten Testament ursprünglich in Familienbetrieben organisiert, wo
die Berufe im allgemeinen vererbt wurden. Obwohl sich nach
dem Exil die Handwerker in Zünften zusammenschlossen, nannten sich diese Handwerkerzünfte weiterhin "Familien" oder
"Sippen"[247], der Zunftmeister "Vater" und die Mitglieder
"Söhne".

Sofern man aus diesem Beispiel eine Regel ableiten kann,
so würde sie lauten: Die "uneigentliche" Bezeichnung konser-
viert terminologisch eine frühere Stufe, in der die Bezeichnung noch im "eigentlichen" Sinn galt. Eine Anwendung dieser
Regel auf unseren Zusammenhang paßt durchaus zu den historischen Fakten. Gleichzeitig wird aber auch die Verflechtung
dieses 5. Kapitels mit den anderen Kapiteln des ersten und
zweiten Teils unserer Untersuchung sichtbar. Zum ersten kann
man feststellen: Der Weitergabe und Vererbung der Überlieferung vom Vater auf den Sohn entspricht die Weitergabe des Glaubenserbes von einer Generation des Klerus auf die andere.
Zum zweiten: Wie der Sohn dem Vater als Erbe nachfolgte, so
rückt ein Bischof in die Stelle seines Vorgängers ein und

---

244) Wesen und Funktion der apostolischen Sukzession in der Sicht des
     heiligen Augustinus, in: Ekklesia. Festschrift f. Bischof Dr.M.Wehr
     (Trier 1962) 137-148, 138. Vgl. zu dieser Augustinus-Stelle ebd.
     138-140; JAVIERRE, Succession des Apôtres 196.

245) Vgl. dazu die Kathedra-Idee (§ 22,6) u. bes. AUG., c.Faust. 33,6
     (Kap. 6 A. 143); c.Petil. 2,51,118 (Kap. 6 A. 151).

246) BAUS 138. Vgl. auch AUG., c.Iul. 2,10,34: "Quod invenerunt in Eccle-
     sia, tenuerunt; quod didicerunt, docuerunt; quod a patribus acce-
     perunt, hoc filiis tradiderunt" (PL 44,698).

247) "mischpachot"; vgl. dazu VAUX 1,129; 25; 48.

tritt das Erbe der Apostel, seiner "Väter" an, wobei er
für seinen eigenen Nachfolger selbst wieder zum "Vater" wird.
Bezüglich des Erbbegriffs war eine Spiritualisierung bzw.
eine Modifizierung zu einer rein übertragenen Bedeutung bei
weitem nicht in dem Maße erforderlich[248] wie bei den Generationsbezeichnungen, so daß seine juristische Substanz im We-
sentlichen erhalten blieb, insbesondere was die Anwendung
der "hereditas"-Terminologie auf die Sukzession betrifft.

---

248) Das Erbrecht war ja nicht an die leibliche Sohnschaft gebunden (vgl.
§ 4.2). Zudem ließ sich die dem Erbgedanken innewohnende Identifizierungstendenz (vgl. § 26) auch innerhalb einer nicht-genealogi-
schen Sukzession aufrechterhalten. Schließlich ließ sich der so verstandene Erbgedanke auch mit Designation, Wahl oder pneumatischer
Sohnschaft gut verbinden.

6. Kapitel: "Hereditas omnium retro fidelium episcoporum."

Die Abfolge der Bischöfe unter dem Aspekt einer
Erbfolge

Im Unterschied zu den Überlegungen des vorausgehenden Kapitels, wo schlaglichtartig das Problem einer tatsächlichen
Vererbung kirchlicher Ämter zu beleuchten war, gilt es nun,
einige Vorstellungen und sprachliche Zeugnisse zu untersuchen, die die Abfolge der Bischöfe als eine Erbfolge auswei-
sen und die kirchlichen Amtsinhaber in einen erbmäßigen Zusammenhang mit den Aposteln oder dem jeweiligen Vorgänger
rücken. Gerade der Bezug zu den Aposteln - ähnlich sieht man
auch heute noch im Bischof den "Hüter des apostolischen Erbes"[1] - war in Zusammenhang mit der "hereditas fidei"[2] be-

---

1) A.HARNACK,Die Chronologie der altchristlichen Litteratur bis Eusebius
Bd. 1 (Leipzig 1897) 194. - Weitere Beispiele für den modernen Sprachgebrauch: HARNACK, Dogmengeschichte 1,402 Anm. 1: "die Auffassung,daß
die Bischöfe das apostolische Erbe der Wahrheit empfangen und garan-
tiren"; M.J.SCHEEBEN, Handbuch der katholischen Dogmatik Bd. 1 (Freiburg 1873) 128: "daß d i e A p o s t e l die einmal promulgirte
Offenbarungsurkunde nach göttlicher Anordnung i h r e n N a c h -
f o l g e r n , den Erben ihres Apostolates, nicht bloß einfach zurückgelassen, sondern f ö r m l i c h ü b e r m a c h t , a n v e r -
t r a u t u n d z u e i g e n g e g e b e n h a b e n "; K.
MÜLLER, Kleine Beiträge zur alten Kirchengeschichte, in: ZNW 23 (1924)
214-247: "daß sie (sc. die Bischöfe) durch den Willen zur Wahrheit
und ihren reinen Wandel fähig waren, diese Wahrheit unverletzt zu
überliefern, so daß nun einer nach dem anderen sie an seinen Nachfolger weiter vererben konnte. Wie er sich nun aber dieses Vererben denkt,
sagt Irenaeus nicht" (219f); H.v.CAMPENHAUSEN, Lehrerreihen und Bischofsreihen im 2.Jahrhundert, in: In memoriam E.Lohmeyer, hrsg. v.
W.Schmauch (Stuttgart 1951) 240-249: "die späteren Bischöfe als Erben
ihrer Lehre" (247); P.SMULDERS, Le Mot et le concept de Tradition
chez les pères grecs, in: RSR 40 (1952) 41-62: "évêques, institués
par les apôtres ... comme héritiers de leur doctrine ... les évêques,
les véritables héritiers des apôtres" (53); "les évêques catholiques
sont les héritiers de l'Esprit Saint, du sacerdoce et de l'enseignement apostolique" (54); G.G.BLUM, Tradition und Sukzession. Studien
zum Normbegriff des Apostolischen von Paulus bis Irenäus (Berlin-Hamburg 1963) 198f: "Das Führungsamt, die 'Stelle des Amtes', das die
Bischöfe von ihren Vorgängern empfingen, ist zugleich das apostolische
Erbe. Die Apostel haben den Bischöfen die Kirche übergeben und anvertraut. Die Bischöfe haben als Nachfolger das Erbe und den Auftrag der
Apostel übernommen" (Anspielung auf locus = τόπος, κλῆρος; vgl.

reits anzusprechen. Ebenso sei hier nochmals ausdrücklich
an die Konstruktion einer die Häretiker diskreditierenden
bzw. bei ihnen fehlenden Erbfolge erinnert, wovon im 4. Kapitel zu sprechen war. Während sich also das 5. Kapitel mit

---

oben § 17.2); H.E.FEINE, Kirchliche Rechtsgeschichte. Die katholische
Kirche (Köln-Graz 1964⁴) 41: "So sind die Bischöfe Nachfolger der Apostel im ganzen, Erben ihres Kultes in Sakrament und Liturgie, Träger
ihres Lehramts"; G.MEDICO, La collégialité épiscopale dans les lettres
des pontifes romains du Ve siècle, in: RSPhTh 49 (1965) 369-402: "Les
évêques en tant que successeurs des Douze constituent un 'collegium',
héritier de la mission des apôtres et en particulier du devoir d'en-
seigner et de la responsabilité du magistère authentique dans l'Eglise"
(380); vgl. ebd. 382f (unten Kap. 7 A. 306); Y.M.J.CONGAR, Composantes
et ideé de la Succession Apostolique, in: Oecumenica (1966) 61-80:
"Ce qui a été commis aux Apôtres ne peut s'accomplir que par des mi-
nistères hérités ou dérivés du leur" (72); A.JAVIERRE, Zur klassischen
Lehre von der apostolischen Sukzession, in: Concilium 4 (1968) 242-
247: "ein Katholizismus, der dem horizontalen Rhythmus der Erbübertra-
gung zuneigt" (243); "Heimweh nach dem Träger des Einheitsamtes, nach
dem geborenen Erben des Apostels" (243); "Nach dem Tod der Apostel
sollten die Nachfolger ihre Sendung weiterführen. Wie dies bei jeder
Sukzession der Fall ist, traten sie nicht in das Erbe ein" (246;Sinn?
spanischer Originaltext?); "Selbstverständlich hatte die persönliche
Beziehung zu Christus mit den Zwölfen ein Ende. Die Nachfolger erbten
das Depositum, nicht aber das Amt der Offenbarung. In Bezug auf den
Geist war die Erbschaft umfassender" (246). Besonders deutlich, ja
geradezu überschwänglich zeigt sich die unreflektierte Redeweise vom
"Erbe" bei H.J.VOGT, Das Kirchenverständnis des Origenes (Köln-Wien
1974): "das Bischofsamt ist ihm nicht nur Apostelerbe" (9); "Daß das
Bischofsamt auch nicht das volle Erbe der Apostel ist, sondern daß
auch auf nichtamtlichen Titel (?) Einzelgüter aus dem apostolischen
Erbe auf spätere Kirchenmänner übergehen können" (10); "Apostelamt...
eine bleibende Vollmacht, die von anderen ererbt werden könnte. Origenes spricht sehr wohl vom Apostelerbe ..." (13); "Das bedeutet aber
doch, daß die Ämter-Struktur der Ortskirche nicht das volle Apostelerbe in sich faßt, daß mit der sogenannten apostolischen Sukzession
nicht alles weitergegeben ist, was die Apostel besaßen, sondern daß
eben daneben immer noch freies Apostelerbe gegeben ist, das sozusagen
jeweils neu ergriffen werden muß und kann" (14 Anm. 61); "daß er trotzdem eine Lehre von der Apostelnachfolge, oder besser vom apostolischen
Erbe vertreten hat" (15); "daß die Bischöfe ihre Vollmachten von den
Aposteln her ererbt haben und ob sie das volle Erbe der Apostel angetreten haben" (143); "Diese Vollmacht des Petrus haben vielmehr die
Vollkommenen geerbt" (148); "daß allein die kirchlichen Amtsträger
Apostelerben sind ....daß zwar die Amtsträger Erben der Apostel sind,
daß aber jedenfalls für Origenes ein Teil des apostolischen Erbes nicht
mit dem Amt verbunden ist" (156). Vgl. auch oben Kap. 2 A. 196.

2) Vgl. oben §§ 7/8.

der Frage befaßte, "WIE" die Bewerber ihr Amt bekommen (Vererbung!), geht es hier - so auch im Häretikerkapitel, wenn
auch unter anderen Vorzeichen - primär darum, "WAS" es bedeutet, daß sie dieses Amt innehaben und zwar an ihrer spezifischen
Stelle, in einer bestimmten Linie, Kette, Reihe und inwieweit
hierbei Gedanken wie Erbauftrag, -vollmacht, Repräsentation,
Identifikation, Kontinuität impliziert sind.

Die sprachlichen Zeugnisse, in denen auf die Abfolge der
Bischöfe explizit die "hereditas"-Terminologie angewandt wird,
sind relativ schmal[3], sofern man nicht auch die eine oder
andere Stelle aus der "hereditas fidei"-Thematik dazurechnen
will. Dies würde ja auch die nur schwer lösbare, systematische Verknüpfung von Tradition und Sukzession[4] nahelegen. Mit
dem Stichwort "Sukzession" ist aber außerdem bereits der
Hauptgrund[4a] für diese etwas schmale sprachliche Basis angesprochen, nämlich die ausgeprägte und eindeutig dominierende
Terminologie, die mit dem Verbum "succedere" und den Substan-
tiven "successor", "successio" gegeben ist. Obgleich der daraus entstandene äußerst bedeutsame theologische Fachausdruck
"successio apostolica" gegenwärtig zu leicht aus aller Munde
tönt und nach eigenem Gutdünken interpretiert wird (§ 21 I),
ohne daß man sich auf die Herkunft dieser Terminologie be-
sinnt, muß dennoch auf die dringend notwendige, philologi-

---

3) Natürlich läßt sich angesichts der weithin fehlenden lexikalischen
   und philologischen Vorarbeiten das tatsächlich gegebene Stellenmaterial in absoluten Zahlen keineswegs zuverlässig angeben.

4) Damit läßt sich auch leicht die Zweiteilung der Untersuchung in Frage stellen. Die zahlreichen Querverweise sollen diese Schwierigkeit
   jedoch mildern. - Vgl. zu diesen "Wechselbegriffen" W.MARXSEN, Die
   Nachfolge der Apostel. Methodische Überlegungen zur neutestamentlichen Begründung des kirchlichen Amtes, in: Wort und Dienst N.F. 5
   (1957) 114-129, bes. 120-122; K.RAHNER - J.RATZINGER, Episkopat und
   Primat (Freiburg-Basel-Wien 1961) 45ff.

4a) Vgl. hierzu auch die Überlegungen am Ende von Kap. 6.

sche Klärung der frühchristlichen Anwendung dieser Termini[5]
in unserem Rahmen verzichtet werden. Nach einem ganz kurzen
Überblick über die antiken Hintergründe des Sukzessionsdenkens (§ 21 II) soll lediglich die Herkunft der "successio"-
Terminologie aus dem Erbrecht aufgezeigt und die Bedeutung
der Überlieferungsketten und Bischofslisten herausgestellt
werden (§ 22), um dann im Horizont dieser Vorstellungen die
Anwendung des Erbbegriffs auf die Abfolge der Bischöfe vor-
zustellen und zu interpretieren (§§ 23/24).

§ 21. Moderne Problematik und antike Hintergründe des Suk-
    zessionsdenkens

I. "Apostolische Sukzession" der ganzen Kirche?

An dieser Stelle kann keineswegs auf alle Probleme eingegangen werden, die sich für das Verständnis der apostolischen
Sukzession[6] aus den aktuellen, ökumenischen Bemühungen um

---

5) Vgl. bislang BLAISE 789f; CLAESSON 3,1549 (Tertullian); C.H.TURNER,
   Apostolic Succession, in: Essays on the Early History of the Church
   and the Ministry, hrsg. v. H.B.SWETE (London 1921) 93-214, bes. 199-
   206; J.K.STIRNIMANN, Die Praescriptio Tertullians im Lichte des römischen Rechts und der Theologie (Freiburg 1949) 156-172 (sehr tief-
   schürfende Überlegungen und Vergleiche ausgehend von TERT., praescr.
   32); E.STAUFFER, Zum Kalifat des Jacobus, in: ZRGG 4 (1952) 193-214,
   207f (zum vorchristl. Ursprung der Sukzessionsterminologie); BLUM,
   Tradition 196-203 (treffende Aussagen zu "successio" etc. im lateinischen Irenäustext); G.G.BLUM, Der Begriff des Apostolischen im theologischen Denken Tertullians, in: KuD 9 (1963) 102-121, bes. 107-109.

6) Einen umfassenden Überblick mit zahlreicher weiterer Literatur bieten
   J.FINKENZELLER, Überlegungen zum Verständnis der apostolischen Nachfolge in der gegenwärtigen theologischen Diskussion, in: Ortskirche
   - Weltkirche. Festgabe für Julius Kardinal Döpfner, hrsg. v. H.Flecken-
   stein u.a. (Würzburg 1973) 325-356; H.SCHÜTTE, Amt, Ordination und
   Sukzession im Verständnis evangelischer und katholischer Exegeten und
   Dogmatiker sowie in Dokumenten ökumenischer Gespräche (Düsseldorf
   1974); vgl. auch A. 5 u. 49. Speziell zum Bereich der Alten Kirche
   vgl. außerdem A.M.JAVIERRE, Le thème de la succession des Apôtres,
   dans la littérature chrétienne primitive, in: L'épiscopat et l'église
   universelle, hrsg. v. Y.CONGAR u.a. (Paris 1962) 171-221, bes. 204ff;
   DERS., El tema literario de la sucesión en el Judaismo, Helenismo
   y Cristianismo primitivo (Zürich 1963), mit sehr umfangreichen Literaturangaben! B.KÖTTING, Zur Frage der "successio apostolica" in früh-
   kirchlicher Sicht, in: Cath 27 (1973) 234-247.

die gegenseitige Anerkennung der Ämter[7] ergeben. Es soll nur
an Hand einiger Positionen auf die Fragwürdigkeit einer pauschalen B e r u f u n g   a u f   d i e   " a l t e   K i r -
c h e " [8] und einer stillschweigenden Uminterpretation des
Begriffs "successio apostolica"[9] hingewiesen werden. Diese
Fragwürdigkeit zeigt sich im folgenden zentralen Streitpunkt:
Handelt es sich bei der apostolischen Sukzession um eine historische (Amts)sukzession der Bischöfe und dadurch auch der
Kirche (Konstituierung!)[10] oder um eine apostolische Suk-

---

7) Reform und Anerkennung kirchlicher Ämter. Ein Memorandum der Arbeitsgemeinschaft Ökumenischer Universitätsinstitute (Mainz-München 1973);
H.FRIES - W.PANNENBERG, Das Amt in der Kirche, in: Una Sancta 25
(1970) 107-115; W.KASPER, Zur Frage der Anerkennung der Ämter in den
lutherischen Kirchen, in: ThQ 151 (1971) 97-109; weitere Lit. unter
A. 6 u. ThRE 2, 618-622.

8) Solche pauschalen Bezugnahmen zur eigenen Rechtfertigung, Widersprü-
che und unzutreffende Bezüge finden sich z.B. bei J.D.ZIZIOULAS,
Abendmahlsgemeinschaft und Katholizität der Kirche, in: Katholizität
und Apostolizität. Theologische Studien einer gemeinsamen Arbeitsgrup-
pe zwischen der Römisch-katholischen Kirche und dem Ökumenischen Rat
der Kirchen (=KuD Beiheft 2/1971) 31-50: Das Verbot der absoluten Ordination wird als Beweis dafür angeführt, "daß es keine apostolische
Sukzession gibt, die nicht durch die konkrete Gemeinde hindurchgeht",
was "eine geistige Befreiung von den Fesseln der Historizität" bedeu-
te. Wenige Zeilen weiter heißt es dann, "daß man in jener Zeit daran
interessiert war, das Weiterleben orthodoxer Lehre durch streng historische Rekonstruktion zu beweisen" (48). Wie ist das zu vereinbaren? - "so wollen wir dabei keineswegs die Tatsache ignorieren, daß
die Bischöfe, zumindest in der Zeit der aufkommenden Vorstellung von
der apostolischen Sukzession, als die Lehrer par excellence betrachtet wurden" (49). Die "Gegenrede" folgt wenige Zeilen weiter: "Die
Bischöfe hielten als Nachfolger der Apostel nicht deren Ideen hoch -
wie etwa die Häupter von Philosophenschulen, sie waren auch keine Lehrer wie die Presbyter ..." (49). Als Beleg für diese obskure Behauptung erscheint "Hippol., Philos. 9,12,21", woraus ohne Beachtung des
Zusammenhangs abgeleitet wird. "Die 'katholische Kirche' war keine
'Schule' (didaskaleion)"; vgl. dagegen oben Kap. 4 A. 58 u. 80. -
"Ihre apostolische Sukzession sollte deshalb weder als Kette indivi-
dueller Ordinationsakte noch als Weitergabe von Wahrheiten (!; vgl.
dagegen oben §§ 7/8) betrachtet werden ..." (49). - Vgl. ferner A. 12.

9) Sicherlich hat dieser Begriff auch im Altertum ein individuelles Ge-
präge je nach Autor, aber er ist nicht beliebig dehnbar. Deshalb müßte man genau fragen, inwieweit man sich bei dem behaupteten "geschichtlichen Wandel des Begriffs 'apostolische Sukzession'" (KASPER 104
Anm. 32) überhaupt noch auf die "successio apostolica" der "alten
Kirche" berufen kann; vgl. A. 12.

10) Mit der "Konstituierung" ist natürlich auch die "Darstellung" im Sin-

zession der Kirche als ganzer, wobei das Bischofsamt nur
" e i n Ausdruck dieser Apostolizität der Kirche" (Darstellung)[11] ist?

Ohne nun hier bereits die bisherigen Ergebnisse unserer
Untersuchung in eine bestimmte Waagschale werfen zu wollen,
muß es doch verwundern, wenn W. KASPER behauptet: "Die Sukzession der Amtsnachfolge muß innerhalb dieser successio fidei der Gesamtkirche verstanden werden; ... In diesem Sinn
wurde die apostolische Sukzession in der alten Kirche verstanden"[12] und wenn er dann gar meint, es gehe damit eigentlich um die "Dimension der pneumatologischen Kontinuität mit
dem apostolischen Ursprung" und um die "Frage der rechten
Unterscheidung der Geister"[13]! Darauf könnte man an dieser
Stelle schon entgegnen: 1) Es geht hier in erster Linie um
die "Frage der rechten Unterscheidung der B e g r i f f e !"

ne einer "Repräsentierung" (vgl. zu dieser Gleichsetzung K.MÖRSDORF,
Persona in Ecclesia Christi, in: AfkKR 131 [1962] 345-393, 350 Anm.
10) gegeben. W.BREUNING, Successio apostolica, in: LThK 9,1140-1144:
"Die S.a. garantiert so die Apostolizität der Kirche (nicht nur in
der Lehre, sondern in ihrem Gesamtleben) in einer Kette, die zugleich
hist. nachweisbar an die Heilsgeschichte bindet" (1142; zu Irenäus).
VATIKANUM II. "Lumen gentium" 19: "So wird nach dem Zeugnis des heiligen Irenäus durch die von den Aposteln eingesetzten Bischöfe und
deren Nachfolger bis zu uns hin die apostolische Überlieferung in
der ganzen Welt kundgemacht und bewahrt." Vgl. auch "Christus Dominus" cap. 1, wo die Bischöfe allgemein als "die rechtmäßigen Nachfolger der Apostel" gelten; ebenso "Lumen gentium" cap. 3, bes. 23 u.
unten A. 14. FINKENZELLER 331f bezeichnet diese Formulierung als "ungenau" und "mißverständlich".

11) FRIES - PANNENBERG 112 ("ein" im Original kursiv); vgl. ebd. 114:
"Die spezielle Sukzession, die vor allem durch die Handauflegung ausgedrückt wird, konstituiert nicht die Gesamtsukzession der Kirche,
sondern stellt sie dar." H.KÜNG, Die Kirche (Freiburg-Basel-Wien
1967) 420f; J.REMMERS, Apostolische Sukzession der ganzen Kirche,
in: Concilium 4 (1968) 251-258; KASPER, bes. 104ff; FINKENZELLER
343ff (Lit.); SCHÜTTE (Lit.).

12) KASPER 104. - Diese pauschale Aussage mag sich vielleicht auf manche Tendenzen bei TERTULLIAN stützen (vgl. BLUM, Tertullian 107f),
aber es ist eine ganz andere Frage, inwieweit ein einzelner Autor
für die "alte Kirche" repräsentativ ist. Vgl. dagegen IRENÄUS (hierzu bes. BLUM, Tradition 198f).

13) KASPER 107 bzw. 108.

2) Gerade das Vatikanum II[14], auf das man sich so gerne -
freilich oft nur eklektisch! - beruft, hat an zentrale In-
halte dieser alten Begriffe, wie den Stellvertretungs- und
Repräsentationsgedanken und die "Identifizierungstendenz"[15]
des Erbgedankens angeknüpft. Dabei fühlt sich der Verfasser
dieser Entgegnung zu seinem Leidwesen, aber wie er meint, in
Konsequenz seiner Untersuchung zur begrifflichen Abstützung
einer Position "verführt", die anderswo als "Juridismus"[16],
"klerikalistische Verengung"[17] und als "ein mechanisches Mißverständnis der apostolischen Sukzession"[18] gebrandmarkt
wird, alles Qualifikationen, die auch auf den Apologeten
einer solchen Position zurückzufallen drohen.

Aber er darf sich damit bei A. HARNACK in bester Gesellschaft fühlen. Denn dieser umschreibt Sinn und Bedeutung der
apostolischen Sukzession und des Vikariats[19] folgendermaßen:

14) Vergeblich sucht man z.B. bei KASPER nach den einschlägigen Aussagen
des VATIKANUM II, obwohl er über den "Sinn der apostolischen Sukzession" (104ff) schreibt. Vgl. "Lumen gentium" 20: "... so dauert
auch das Amt der Apostel, die Kirche zu weiden, fort und muß von der
heiligen Ordnung der Bischöfe immerdar ausgeübt werden. Aus diesem
Grunde lehrt die Heilige Synode, daß die Bischöfe aufgrund göttlicher Einsetzung an die Stelle der Apostel als Hirten der Kirche getreten sind" (RAHNER - VORGRIMLER 146); vgl. A. 10; 15.

15) "Lumen gentium" 21: "... daß die Bischöfe in hervorragender und
sichtbarer Weise die Aufgabe Christi selbst, des Lehrers, Hirten und
Priesters innehaben und in seiner Person handeln" (RAHNER - VORGRIM-
LER 147); 22: "Die Ordnung der Bischöfe aber, die dem Kollegium der
Apostel im Lehr- und Hirtenamt nachfolgt, ja, in welcher die Körper-
schaft der Apostel immerfort weiter besteht ..." (148); vgl. auch §
26. Eine ganz ähnliche Sicht vertrat auch schon J.H.NEWMAN, der in
den Bischöfen, als den Nachfolgern der Apostel, "gewissermaßen die
Apostel selbst gegenwärtig" sieht (nach G.BIEMER, Überlieferung und
Offenbarung. Die Lehre von der Tradition nach John Henry Newman,
Freiburg-Basel-Wien 1961, 178).

16) REMMERS 257.

17) H.KÜNG, Thesen zum Wesen der apostolischen Sukzession, in: Concilium 4 (1968) 248-251, zit. 248.

18) KASPER 104.

19) A.HARNACK, Vicarii Christi vel dei bei Aponius. Ein Beitrag zur
Ideengeschichte des Katholizismus, in: Delbrück-Festschrift (Berlin
1908) 37-46; A.v.HARNACK, Christus praesens - Vicarius Christi. Eine
kirchengeschichtliche Skizze, in: SB phil.-hist.Kl. (Berlin 1927)
415-446.

"Beide Ideen sind aus e i n e r Wurzel entsprungen. Entweder soll die persönliche Bedeutung, die der Stifter für die von ihm gestiftete Gemeinschaft hat, über seinen Tod hinaus sichergestellt, oder es soll ein heiliges Depositum, welches er hinterlegt hat, geschützt und von Generation zu Generation unverkürzt überliefert werden. In beiden Fällen wird die Aufgabe scheinbar am einfachsten gelöst, wenn man dem Stifter Postexistenz beilegt und ihn vom Himmel her noch immer wirksam sein läßt oder wenn man ihn in neuen Inkarnationen als stets gegenwärtigen vorstellt."[20] Obwohl diese letzten, mythologischen und mystischen Ideen keine deutliche Ausprägung erfahren haben[21], gehören sie zur "mitgebrachten Problematik"[22] bei der frühchristlichen Rezeption der "successio"-Terminologie. Auf diese Weise glaubte man nämlich "einen eisernen Bestand von Glaubenswahrheiten"[23] und ein "sehr erhebliches Maß von Regierungsgewalt" als "das apostolische Erbe" "von Hand zu Hand" weitergeben zu können.

II. Antikes Sukzessionsdenken

Vergleichbare Sukzessionsvorstellungen, deren Einfluß auf die Ausbildung des christlichen Sukzessionsdenkens jedoch unterschiedlich beurteilt wird[24], finden sich auch im alttesta-

---

20) HARNACK, Aponius 37; vgl. unten § 26.

21) HARNACK, Aponius 37f.

22) W.PANNENBERG, Grundzüge der Christologie (Gütersloh 1969[3]) 153: "Damit es zur Aufnahme eines 'Einflusses' fremder Vorstellungen kommen kann, muß immer schon vorher eine Situation entstanden sein, in der jene Vorstellungen als Ausdruckshilfe für eine schon mitgebrachte Problematik begrüßt werden."

23) HARNACK, Aponius 40; vgl. auch oben Kap. 2 (hereditas fidei).

24) Die jüdischen Zusammenhänge betonen vor allem E.CASPAR, Die älteste römische Bischofsliste. Kritische Studien zum Formproblem des eusebianischen Kanons sowie zur Geschichte der ältesten Bischofslisten und ihrer Entstehung aus apostolischen Sukzessionsreihen (Berlin 1926) 207-472, bes. 468; K.ADAM, Neue Untersuchungen über die Ursprünge der kirchlichen Primatslehre, in: ThQ 109 (1928) 161-256, bes. 193; E.STAUFFER, Die Theologie des Neuen Testaments (Stuttgart 1948) 215. Vgl. allgemein zur Beziehung AT - kirchliches Amt auch E. DASSMANN, Die Bedeutung des Alten Testaments für das Verständnis

mentlichen J u d e n t u m bis hin zu den Rabbinen des neutestamentlichen Zeitalters. Obwohl es für Nachfolge "im Sinne
der institutionellen Sukzession" "im hebräisch-biblischen
Sprachgebrauch weder ein Verbum noch ein Substantiv"[25] gibt,
ist die Bedeutung der Handauflegung[26], der Salbung[27] und des
Erbvorgangs[28] für Amt und Nachfolge im AT und in Qumran unübersehbar. Der Stellenwert einer ununterbrochenen Abfolge
zeigt sich vor allem in den nachexilischen Listen der Priester und Leviten, die im Sinn einer leiblichen Genealogie
die Berechtigung für das Priesteramt erweisen sollten[29], und
in den Genealogien[30] allgemein, durch die spätere Generationen Anteil an den Verheißungen der Stammväter gewinnen wollten. Ganz besonders deutliche Parallelen stellen schließlich
die Tradentenreihen[31] dar, die den kontinuierlichen Zusammenhang der Gesetzesüberlieferung von Moses bis in die jeweilige Gegenwart verbürgen sollten. "Wollte also eine Lehre ernst
genommen werden, so mußte sie sich einer Ahnenprobe unter-
ziehen können, die bis zum Sinai zurückreichte, bis zu Mo-
se."[32] So meint etwa auch K. ADAM, das Prinzip der "successio

---

des kirchlichen Amtes in der frühpatristischen Theologie, in: Bibel
und Leben 11 (1970) 198-214.

25) O.SCHILLING, Amt und Nachfolge im Alten Testament und in Qumran, in:
Volk Gottes (Festgabe f. J.Höfer), hrsg. v. R.Bäumer u. H.Dolch
(Freiburg-Basel-Wien 1967) 199-214, zit. 202.

26) SCHILLING 202; Lit. unten A. 77.

27) SCHILLING 205ff; E.KUTSCH, Salbung als Rechtsakt im Alten Testament
und im Alten Orient (Berlin 1963).

28) SCHILLING 203; 208; vgl. oben § 17.

29) L.KOEP, Bischofsliste, in: RAC 2,407-415, bes. 408; SCHILLING 207;
G.KITTEL, Die γενεαλογίαι der Pastoralbriefe, in: ZNW 20 (1921) 49-
69, bes. 54ff.

30) RAC 2,408; vgl. oben § 6.

31) RAC 2,408f; W.BACHER, Tradition und Tradenten in den Schulen Palästinas und Babyloniens. Studien und Materialien zur Entstehungsgeschichte des Talmuds (Leipzig 1914); K.WEGENAST, Das Verständnis der
Tradition bei Paulus und in den Deuteropaulinen (Neukirchen 1962) 24-
33.

32) WEGENAST 29.

apostolica" sei "in seiner letzten Wurzel wohl auf das im
rabbinischen Spätjudentum geltende Prinzip einer Fortverer-
bung der Lehrautorität vom Meister auf den Schüler"[33] zurückzuführen.

Bei der Annahme einer solchen Einflußlinie ergibt sich
aber sogleich die Schwierigkeit, wie man davon mögliche Einflüsse durch das Sukzessionsdenken der   a n t i k e n
P h i l o s o p h e n s c h u l e n   trennen soll. Wie bereits in Zusammenhang mit den Ketzerstammbäumen aufzuzeigen
war[34], kommt hier ja auch noch die Parallele in der Terminologie dazu. Zudem dürfte dabei die Bedeutung der Auseinandersetzung mit dem Traditions- und Sukzessionsdenken der gnosti-
schen Sekten[35] und der hellenistischen Mysterienreligionen[36]
nicht unterschätzt werden.

Eine Abhängigkeit der christlichen Sukzessions- und Tra-
ditionslehre vom   r ö m i s c h e n   D e n k e n   hat als erster mit Nachdruck und Ausschließlichkeit der Breslauer Pre-
diger TSCHIRN im Jahre 1891 vertreten. In seinem Aufsatz "Die
Entstehung der römischen Kirche im zweiten christlichen Jahrhundert"[37], in dem er sich für die Seite der römischen Ideen
in erster Linie auf TH. MOMMSENs "Römisches Staatsrecht"
stützt, vergleicht er die Weitergabe des Fideikommiß' göttli-
lichen Schutzes von Romulus über die Könige, Konsuln und son-

---

33) ADAM 193.

34) Vgl. oben § 13 I mit Lit. (A. 5; 12a; 17); zur Terminologie vgl. auch
unten § 22.1.

35) Vgl. FINKENZELLER 335f, der dazu meint: "Es ist heute in der For-
schung unbestritten, daß die Lehre von der successio apostolica im
Kampf gegen die Gnostiker entwickelt wurde ..." (335); A.HARNACK,
Entstehung und Entwicklung der Kirchenverfassung und des Kirchen-
rechts in den zwei ersten Jahrhunderten (Leipzig 1910) 88; CAMPENHAU-
SEN, Lehrerreihen 242ff; WEGENAST 122ff (Lit.)

36) WEGENAST 123ff.

37) ZKG 12 (1891) 215-247. Vor TSCHIRN vgl. bereits E.HATCH, Die Gesell-
schaftsverfassung der christlichen Kirchen im Alterthum (Giessen
1883) 104. Hierzu J.B.SÄGMÜLLER, Die Idee von der Kirche als imperium
Romanum im kanonischen Recht, in: ThQ 80 (1898) 50-80, bes. 55.

stigen Oberbeamten mit der Sukzessionslehre der römischen
Kirche[38]. Bedeutsam erscheint auch sein Hinweis, daß sich
das "imperium" des jeweiligen Amtes nicht aus dem Mandat der
Bürgerschaft, sondern nur vom Vorgänger oder höherstehenden
Beamten ableitet, was ihn zu der extremen, jedoch höchst interessanten Feststellung veranlaßt: "Das Volk schafft sich
also nicht seine Beamten, sondern verdankt diesen seine eigene Existenz"[39]. Die Betonung der ununterbrochenen Abfolge
bis hin zur "Anschauung einer faktischen, sinnlichen Weitergabe der Staatseinheit"[40] ist auch in anderem Zusammenhang
noch zu würdigen. TSCHIRNs Thesen, die sich leider auf zu
wenig konkretes Material stützen, enthalten m.E. ein erhebliches Wahrheitsmoment und müßten von der Hand eines Fach-
manns in konkreten Punkten verifiziert oder in überprüfbarer
Form widerlegt werden. Leider haben sie auch bei A. HARNACK,
der bereits ein Jahr später selbst auf die Notwendigkeit, die
Abhängigkeit von den römischen Ideen zu untersuchen, hin-
wies[41] und auch bei anderen Autoren nur eine sehr pauschale

---

38) A.a.O. 220f; vgl. dazu unten A. 99 u. bes. G.WISSOWA, Auspicium, in:
PW 2,2,2580-2587: "Träger der durch diese 'auspicia' gegebenen göttlichen Garantie sind die Magistrate ... In der Regel gehen diese
'auspicia' durch die immer wieder 'auspicato' erfolgende Neubestel-
lung der Beamten vom Vorgänger auf den Nachfolger über ..." (2582).

39) A.a.O. 223. Dabei stützt sich TSCHIRN offenbar auf MOMMSEN, Staatsrecht II 1,6: der erste "König, der die Stadt wie die Bürgerschaft
erschafft und der unter dem besonderen Segen der Götter den ewigen
Schutz der Himmlischen und die ewige Herrschaft auf Erden für sich
und seine Nachfolger erwirbt"; vgl. ebd. 10 u. SCHARBERT(unten S.443).

40) A.a.O. 225; vgl. auch unten § 22.3 (Kette der Handauflegungen).

41) Nachwort zu E.HATCH, Griechentum und Christentum. Zwölf Hibbertvor-
lesungen über den Einfluss griechischer Ideen und Gebräuche auf die
christliche Kirche (Freiburg 1892): "das, was T s c h i r n ...
bietet, ist teils sehr unvollständig, teils übertrieben und nicht
bewiesen" (265); "doch ist Manches brauchbar" (Dogmengeschichte 1,
146 Anm. 2). Es gelte zu untersuchen den Begriff "der bischöflichen
Verfassung der Kirche einschließlich der Ideen der Succession, des
Primates und Universalepiskopates in ihrer Abhängigkeit von den römischen Ideen und Einrichtungen" (a.a.O. 266). HARNACK, Chronologie
(1897) 1,193f Anm. 3: Tschirn habe die Frage, ob Sukzession und Tradition "adoptirte profan-römische Ideen sind", "etwas zuversicht-
lich" behandelt. Seine eigenen Bemühungen, Bezüge zum "römischen Sa-
cralwesen der Kaiserzeit" zu finden, endeten "völlig negativ". "An-

Würdigung[42] erfahren. Eine derartige Untersuchung wäre um so
nötiger als man ja die Kirche insgesamt unter den Kategorien
des "imperium Romanum"[43] und die Bischöfe im 4./5. Jahrhundert weitgehend unter den Kategorien römischen Beamtentums[44]
betrachtete. Schließlich wären auch die Ergebnisse von J. K.
STIRNIMANN[45] über die Sukzession der Schulhäupter in den römischen Rechtsschulen miteinzubeziehen.

§ 22. "Erbdenken" und apostolische Sukzession

Unter dem übergeordneten Stichwort "Erbdenken" gilt es
nun - nach einem Ausblick in die Begriffsgeschichte der Sukzessionsterminologie - die Ideen der Handauflegung, der Überlieferungsketten, der Kathedra und der Bischofslisten daraufhin zu hinterfragen, inwieweit sich darin Intentionen ausdrücken, die mit denen der "hereditas"-Terminologie in Einklang stehen.

1. Wie man am leichtesten an Hand des Irenäustextes[46] erkennen kann, sind in der christlichen Latinität die Wörter

---

ders liegen die Dinge, wenn man die Entwickelung des römischen Episkopats im 3. und 4. Jahrhundert ins Auge fasst." HARNACK, Entstehung (1910) hält es für "verwegen, die apostolische Succession der
Bischöfe allein auf die Beeinflussung durch römisch-rechtliche Gedanken zurückzuführen ..., mögen sie immerhin als ein starkes Neben-
moment mitgewirkt haben" (88).

42) Vgl. K.MÜLLER, der zustimmt: "Das sind allerdings ganz parallele Gedanken" (220); CASPAR, Bischofsliste 468 Anm. 1: "In der Tat handelt
es sich um parallele Gedanken, die erst n a c h m a l s auf die
Weiterbildung der bischöflichen Sukzessionslehre in der r ö m i -
s c h e n Kirche von großem Einfluß geworden sind, wie sie denn bis
zu frappanten Übereinstimmungen in der wörtlichen Ausdrucksweise
('per manus tradere') gehen".

43) Vgl. SÄGMÜLLER u. unten § 23 I 1.

44) Vgl. z.B. FEINE, Rechtsgeschichte 42: der Bischof als "Verwalter"
und "Richter".

45) A.a.O., bes. 164ff.

46) BLUM, Tradition 196ff.

" s u c c e d e r e " ,   " s u c c e s s i o "   und   " s u c -
c e s s o r"   als Äquivalente für das griechische διαδέχεσθαι,
διαδοχή und διάδοχος rezipiert worden. Im Rahmen unserer Untersuchung kann auf die Bedeutung dieser griechischen Terminologie für die Ausbildung der Theorie von der apostolischen
Sukzession vom ersten διαδέχεσθαι bei KLEMENS VON ROM[47] bis
hin zu den διαδοχαί τῶν ἀποστόλων bei EUSEBIOS[48] nicht eingegangen werden[49]. Auch im profan-griechischen Bereich[50] gilt
es nur auf die bislang vernachlässigte, juristische Dimension[50a] dieser Termini hinzuweisen. Nach den Untersuchungen

---

47) 1.CLEM. 44,2; hierzu A.M.JAVIERRE, La primera "diadoché" de la patristica y los "ellógimoi" de Clemente Romano. Datos para él problema
de la sucesión apostólica (Torino 1958) bes. 10ff; 58ff (referiert
eingehend die Auslegungsgeschichte dieser Stelle).

48) Hist.eccl. 1,1,1; vgl. F.OVERBECK, Die Bischofslisten und die apostolische Nachfolge in der Kirchengeschichte des Eusebius (Basel 1898).

49) Überblick: C.H.TURNER 199-206; R.L.P.MILBURN, A note on Διαδοχή, in:
TU 63 (1957) 240-245; CASPAR, Bischofsliste, bes. 334ff; 408ff; E.
KOHLMEYER, Zur Ideologie des ältesten Papsttums: Succession und Tradition, in: Studien u. Kritiken z. Theol. 103 (1931) 2./3. H., 230-
243, bes. 231-238; A.A.T.EHRHARDT, The Apostolic Succession in the
first two centuries of the Church (London 1953); JAVIERRE, sucesión,
bes. 360ff; 411ff; 464-473; 490ff; 502f. Klemens von Rom: vgl. A. 47.
Hippolyt von Rom: G.G.BLUM, Apostolische Tradition und Sukzession
bei Hippolyt, in: ZNW 55 (1964) 95-110, bes. 102. Apologeten: BLUM,
Tradition 64-67. Justin: KOHLMEYER 239. Klemens von Alex.: CASPAR,
Bischofsliste 465f; BLUM, Tradition 65f. Hegesipp: CASPAR, Bischofsliste 447-450; KOHLMEYER 240-242; CAMPENHAUSEN, Lehrerreihen 246f;
BLUM, Tradition 78-90; TH.KLAUSER, Die Anfänge der römischen Bischofsliste, in: BZThS 8 (1931) 193-213, bes. 195f. Irenäus: CASPAR, Bischofsliste 443ff; KLAUSER, Bischofsliste 196f; BLUM, Tradition 196-
199. Eusebios: OVERBECK; CASPAR, Bischofsliste 445-447; E.SCHWARTZ,
Griechische Geschichtsschreiber (Leipzig 1957) 533f; J.MOREAU, Eusebius von Caesarea, in: RAC 6, 1052-1088, bes. 1071f. Antimontanisti-
scher Anonymus: BLUM, Tradition 223.

50) Vgl. C.H.TURNER 197-199 (Stellenüberblick, jedoch ohne juristische
Belegstellen); BLUM, Tradition 88 (Flavius Josephus); 115-119 (Gnosis); CAMPENHAUSEN, Lehrerreihen 242-244 (Gnosis; Philosophenschulen). JAVIERRE, Succession des Apôtres 176, bemerkt zu "diadoché":
"La litterature antique ... manifeste une légère tendance à réserver
ce terme pour indiquer un héritage déjà réalisé."

50a) Vgl. neben JAVIERRE, Sucesión 105f u. 108f (Lit.!) W.BAUER, Rechtgläubigkeit und Ketzerei im ältesten Christentum (Tübingen 1964²)
199 Anm. 1: "διαδοχή ist ein Ausdruck, der gegen Ende des 2.Jahrhun-
derts aufkommt, um die Erbfolge zu bezeichnen."

von H. KRELLER heißt in den Papyri der vorbyzantinischen
Zeit der Erbe "ganz allgemein κληρονόμος, erben und beerben
κληρονομεῖν"[51]. Dabei gibt es aber bereits zu dieser Zeit
die Tendenz, durch Wortverbindungen wie κατὰ διαδοχὴν
κληρονόμοι (... κληρονομία; ... κληρονομεῖν) "den Begriff
des gesetzlichen Erben aus dem allgemeinen Begriffe
κληρονόμος terminologisch auszuscheiden"[52]. Nach KRELLER
wird damit bereits ganz klar die Bedeutung διαδοχή = gesetz-
liche Erbfolge, διαδέχεσθαι = auf Grund Gesetzes erben vorausgesetzt, wie man sie auch anderweitig belegt findet[53] und
wie sie in byzantinischen Urkunden des 5./6. Jahrhunderts[54]
auftaucht. Daß die eindeutige Zuordnung von κληρονόμος = te-
stamentarischer Erbe, διάδοχος = gesetzlicher Erbe[55] je nach
Ort und Zeit nicht immer stimmt, zeigt ein inschriftlich er-
haltenes Reskript HADRIANs aus dem Jahre 121 über die Vererbung der Vorstandschaft in der epikureischen Philosophenschule von Athen, wo "der Nachfolger, der durch T e s t a -
m e n t des letzten Schulhauptes berufen werden soll, 'dia-
dochus'"[56] heißt. Ob nun so oder so, der einstige erbrechtliche Hintergrund der griechischen Sukzessionsterminologie ist
damit wohl hinreichend erwiesen.

Nach meinen Beobachtungen scheint bisher lediglich A. HAR-
NACK an solche Quellgründe gedacht zu haben, wenn er schreibt:
"Dem Sukzessor wird sozusagen das dingliche Erbe an Gütern
und Gewalt von dem Erblasser übertragen, damit er es bewahre

51) H.KRELLER, Erbrechtliche Untersuchungen aufgrund der graeco-aegyptischen Papyrusurkunden (Leipzig 1919) 55.

52) KRELLER 56.

53) KRELLER 57.

54) KRELLER 58f.

55) F.v.WOESS, Das römische Erbrecht und die Erbanwärter. Ein Beitrag
zur Kenntnis des römischen Rechtslebens vor und nach der constitutio
Antoniniana (Berlin 1911) 270 Anm. 51. Vgl. L.MITTEIS, Römisches
Privatrecht bis auf die Zeit Diokletians Bd. 1 (Leipzig 1908) 104f
mit Anm. 28.

56) KRELLER 57 Anm. 3.

und weiter überliefere."[57]

In neuerer Zeit hat auch Y. M. J. CONGAR auf diese Zusammenhänge hingewiesen und die beiden Termini gemeinsame Identitätsidee betont: L'idée "de l'identité d'un unique sujet de droit durant à travers la suite des années, s'est souvent exprimée en termes d'héritage. De fait, nous disons 'une succession' pour désigner un héritage: C'est la même chose."[57a]

Im lateinischen Bereich bestätigt sich diese Vorstellung erneut, wenn man unter "succedere"[58] in einem entsprechenden Lexikon[59] nachschlägt:

"nachfolgen, an die Stelle jemandes treten",

a) in ein Amt; in die Vorstandschaft einer Rechtsschule[60]; in eine amtliche Tätigkeit;

b) in ein Rechtsverhältnis, "sei es in ein einzelnes Recht oder eine einzelne Verbindlichkeit, oder als Universalsuccessor (insbes. als Erbe) in die Gesamtheit der Vermögensverhältnisse einer Person"; z.B. "hereditario iure succedere in alicuius locum", "ab intestato (ex testamento) succedere";...

c) an die Stelle eines näheren Erben nachrücken.

Ebenso gilt der "successor"[61] als der Nachfolger einer Person in bezug auf ein Amt oder ein Rechtsverhältnis, insbesondere als Gesamtnachfolger und Erbe, d.h., daß "das ius des Vorgängers" in ihm fortbesteht.[62]

---

57) HARNACK, Aponius 38.

57a) Composantes 72. Für die Behauptung "souvent" hätte man gerne noch andere Belege außer TERT., praescr. 37,5 und LEO M. angeführt gesehen. W.ULLMANN (vgl. unten A. 351) würde wohl gegen die Gleichsetzung von "succession" und "héritage" Einspruch erheben.

58) Vgl. P.BONFANTE, La "successio in universum ius" e l'"universitas", in: Scritti giuridici varii I (Torino 1916) 250-306, bes. 278ff (profane Latinität allgemein); KASER 1,673 (zahlreiche juristische Stellen); vgl. oben A. 5.

59) HEUMANN 565.

60) Hierzu eingehend STIRNIMANN 164-168.

61) HEUMANN 566; zum analogen "antecessor" (Vorgänger im Besitz einer Sache, eines Rechts) vgl. unten A. 110.

62) A.HÄGERSTRÖM, Der römische Obligationsbegriff im Lichte der allgemeinen römischen Rechtsanschauung Bd. 2 (Uppsala 1941) Beilage 5 (84-

"Successio"[63] rückt sehr nahe an die Bedeutung von "hereditas" heran, bezeichnet es doch neben der Aufeinanderfolge
allgemein die Nachfolge in bezug auf einzelne Rechtsverhält-
nisse, insbesondere den Eintritt in die gesamten Vermögensverhältnisse einer Person (Erbfolge), den Nachlaß (Erbschaft)
und auch die Gesamtnachfolger (Erben)[64]. So kam es zu der bekannten Sentenz: "Nihil est aliud hereditas quam successio
in universum ius, quod defunctus habuit"[65].

2. Angesichts dieser antiken, erbrechtlichen Hintergründe
der Sukzessionsterminologie wäre es m.E. auch zu erwägen,
die vieldiskutierte C Y P R I A N - Stelle "Episcopatus
unus est cuius a singulis in solidum pars tenetur"[66] nicht
nur mit dem Solidarbegriff des römischen Privatrechts[67] anzugehen, sondern die erbrechtliche Idee vom "consortium"[68]
anzuwenden. Cyprian selbst spricht ja kurz vorher davon, daß
die übrigen Apostel und Petrus "pari consortio praediti et
honoris et potestatis"[69] seien. Das genossenschaftliche Ver-

---

173 innerh. d. Beil.) 103; vgl. auch unten § 26.

63) HEUMANN 566. Vgl. MITTEIS 1,104f Anm. 28, der schließlich meint:
"Überhaupt wäre eine umfassende Untersuchung über das Wort Successio
wünschenswert".

64) Zu "hereditas" im Sinne von "heredes" vgl. H.KORNHARDT, Beiträge aus
der Thesaurus-Arbeit VI: hereditas, in: Philologus 95 (1943) 287-298,
bes. 293ff. Dieser große Bedeutungsumfang von "successio" im juristischen Bereich scheint mir auch für die Zuordnung von "Tradition"
und "Sukzession" sehr bedeutsam; vgl. oben A. 4.

65) Stellen bei KASER 1,673 Anm. 6; zit. nach PW 8,622.

66) CYPR., unit.eccl. 5; U.WICKERT, Sacramentum Unitatis. Ein Beitrag
zum Verständnis der Kirche bei Cyprian (Berlin-New York 1971) 159.
Weitere Lit. bei WICKERT 76ff u. O.CASEL, Eine mißverstandene Stelle Cyprians, in: RBén 30 (1913) 413-420.

67) A.BECK, Römisches Recht bei Tertullian und Cyprian. Eine Studie zur
frühen Kirchenrechtsgeschichte (Halle 1930/Neudr. Aalen 1967) 127-
129; HEUMANN 545.

68) HEUMANN 97f; KASER 1,99-101; vgl. ansonsten oben Kap. 2 A. 271; Kap.
3 A. 47 u. 48; Kap. 4 A. 270 u. 271.

69) Unit.eccl.4 (WICKERT 158). H.KOCH, Cyprian und der römische Primat.
Eine kirchen- und dogmengeschichtliche Studie (Leipzig 1910) 38 bemerkt zwar, daß "die Bischöfe ein Konsortium gleichberechtigter und

hältnis der Miterben, in dem "ein jeder immer gemeinsam mit anderen Erbe des g a n z e n Nachlasses" ist[70], würde den Intentionen der bisherigen besitzrechtlichen Interpretationen[71] dieser Stelle entgegenkommen. Zudem wendet ja auch AMBROSIUS "consortium" auf die Gemeinschaft der Bischöfe an[72] und HILARIUS und AMBROSIUS verbinden den Solidarbegriff mit der "hereditas"-Terminologie[73], um die Spannung zwischen Mehrzahl und Einheit bzw. Ganzheit (Unteilbarkeit) zu überwinden. Dies ergäbe dann etwa folgende Aussage bei CYPRIAN: Der "episcopatus" gilt als die unteilbare "hereditas" und die "singuli (episcopi)" bilden die "consortes" (coheredes). Die Tatsache, daß jeder von ihnen das Bischofsamt s c h e i n - b a r als etwas von dem der anderen Getrenntes (cuius pars) besitzt, darf nicht darüber hinwegtäuschen, daß i n W i r k l i c h k e i t jeder von ihnen das unteilbare Bischoftum ganz und in Einheit mit den anderen (in solidum) besitzt. Mit dieser Idee vom unteilbaren Erbe ließe sich dann auch gut Cyprians Gedanke von der "unitatis origo"[74]

---

gleichverpflichteter Brüder bilden", erwähnt aber nicht die erbrechtliche Konstruktion eines "consortium". Vgl. H.KOCH, Cathedra Petri. Neue Untersuchungen über die Anfänge der Primatslehre (Gießen 1930) 55 Anm. 1. Es erscheint aber verfehlt, aus SEN., ep. 90,3 einfach zu folgern: "das 'consortium' schließt also ein 'imperium' aus" (a. a.O.). Vgl. dagegen unten A. 183.

70) HÄGERSTRÖM 151.

71) Z.B. CASEL; M.BEVENOT (nach WICKERT 79). Die besitz- bzw. sachenrechtliche Auffassung wurde von BECK 129 Anm. 4 verworfen.

72) Vgl. oben Kap. 2 A. 271. Zu "consortium imperii" bei römischen Schriftstellern vgl. unten § 23 mit A. 183. Zu "consortium" bei LEO M. § 29.

73) HIL., in psalm. 118,14 (=Nun), 19; nach dem Material des ThLL ist der Ausdruck "ex solido" bei HIL. beliebt (vgl. Kap. 1 § 3 A. 134). Vgl. auch HEUMANN 545: "in solidum sibi vindicare hereditatem"; Gegensatz: "in solidum" - "pro portione hereditaria". Dazu oben § 3.3.

74) Bes. unit.eccl. 4-5; vgl. T.ZAPELENA, Petrus origo unitatis apud S. Cyprianum, in: Gregorianum 16 (1935) 196-224, bes. 208f. Wie H.KOCH, Cyprian 41 feststellt, galt ja für Cyprian jeder Bischof als voller Rechtsnachfolger Petri.

- 280 -

vereinbaren. Aber auch bei dem vorgelegten Deutungsversuch
gilt sicher der Hinweis von A. BECK, daß man von Cyprian bei
der Verwendung solcher juristischer Formeln nicht zu viel erwarten dürfe[75].

3. Ausgehend von der Sukzessionsterminologie erlaubt das
griechische διαδοχή, verstanden als "Weiterempfangen von Hand
zu Hand"[76] eine nahtlose Überleitung zur Bedeutung der
H a n d a u f l e g u n g [77] innerhalb der apostolischen
Sukzession. Wenn man in der aktuellen Diskussion dieses Pro-
blems die Frage stellt: "Ist eine apostolische Sukzession
außerhalb der Kette der Handauflegungen möglich?"[78] und es
anderswo heißt: "Eine Durchbrechung der Kette der Handauflegung bedeutet nicht eo ipso ein Zerbrechen der Sukzession
der Kirche als ganzer"[79], so ist damit bereits jener Aspekt
der Handauflegung angesprochen, auf den es in unserem Zusammenhang ankommt. Nach der klassischen Lehre der Kirche sind
nämlich Schrift und "traditiones" von Christus über die Apostel "quasi per manus traditae ad nos usque pervenerunt"[80],

75) A.a.O. 129 Anm. 1; vgl. ebd. Anm. 4: "vor allem aber ist zu beachten,
daß in solidum nicht ein technisch derart eindeutig feststehender Begriff ist ...; es kommt alles auf den Gedanken, die Teilung abzuwehren ... an".

76) KLAUSER, Bischofsliste 196.

77) HAAG 663 (Lit.); J.BEHM, Die Handauflegung im Urchristentum in religionsgeschichtlichem Zusammenhang untersucht (Naumburg 1911); J.COP-
PENS, L'imposition des mains et les rites connexes dans le Nouveau
Testament et dans l'église ancienne (Paris 1925); N.ADLER, Taufe und
Handauflegung. Eine exegetisch-theologische Untersuchung von Apg 8,
14-17 (Münster 1951); J.NEUMANN, Salbung und Handauflegung als Heils-
zeichen und Rechtsakt, in: Wahrheit und Verkündigung. Michael Schmaus
zum 70. Geburtstag, hrsg. v. L.Scheffczyk u.a. (München 1967) II
1419-1434.

78) Titel des Aufsatzes von M.VILLAIN, in: Concilium 4 (1968) 275-284.

79) FRIES - PANNENBERG 114.

80) DS 1501 (783); hierzu J.BEUMER, Das katholische Traditionsprinzip
in seiner heute neu erkannten Problematik, in: Scholastik 36 (1961)
217-240, bes. 221f. Vgl. auch J.H.Newman, der davon spricht, daß die
heiligen Weihen, alle anderen Sakramente und die Lehre "von Hand zu
Hand, von Bischof zu Bischof" übertragen werden und die Überlieferung wie in der antiken Welt vom Vater auf den Sohn so in der Kir-

was mit "continua successione in Ecclesia catholica"[81] näher
erläutert wird. Diese die Ursprünglichkeit der Tradition verbürgende "successio" besteht aber wesentlich darin, daß gleichzeitig das "charisma veritatis" von den Aposteln auf die Bischöfe in einer Art "dinglichen Übertragung"[82] überging. Dabei bildet die Handauflegung als ein universaler Übertragungs-
gestus[83] die "Instrumentalursache des verliehenen Charis-
mas"[84]. "Der Geist muß sich durch eine ununterbrochene Kette
von Handauflegungen fortpflanzen von dem Vorgänger auf den
Nachfolger. Ein Abreißen der Kette bedeutet, daß der Geist
ausstirbt und alle Ordinationen ihr Ende finden". Mit diesen
Worten charakterisiert K. MÖRSDORF[85] die jüdische Sicht der
bald als vorbildhaft erkannten Handauflegung des Moses gegenüber Josue[86]. Diese - zweifellos stark physisch[87] verstandene - "ordinatorische Handauflegung" des Judentums wurde nach
Auskunft der APOSTELGESCHICHTE und der PASTORALBRIEFE[88] auch
von den Christen rezipiert. Nach J. BEHM stellte für das Bewußtsein eines Christen des 3. Jahrhunderts die Handauflegung ein so wesentliches Stück jeder Amtsübertragung[89] dar,
daß man sich nun sogar, wenn auch entgegen der Quellenlage[90],

---

che von einer Generation des Klerus an die andere geht (nach BIEMER
177). Zum Ausdruck "per manus tradere" vgl. unten A. 99; LACT., mort.
pers. 24 (Kap. 7 A. 21).

81) DS 1501 (783).

82) HARNACK, Dogmengeschichte 1,402 Anm. 1.

83) Neben geistiger Gewalt, Schuld, Verantwortlichkeit kann auch Besitz
übertragen werden (HAAG 663).

84) K.MÖRSDORF, Die Entwicklung der Zweigliedrigkeit der kirchlichen Hierarchie, in: MThZ 3 (1951) 1-16, zit. 3.

85) A.a.O. 4.

86) BEHM, Handauflegung 125f; SCHILLING 208; WEGENAST 29.

87) Vergleiche mit einem Gefäß, einer Leuchte: BEHM, Handauflegung 126;
WEGENAST 30 Anm.

88) Stellen und Interpretation ("Handauflegung als leibhafte Handlung
und Medium") bei H.D.WENDLAND, Sukzession im Neuen Testament, in: Credo
Ecclesiam, hrsg. v. der evang. Michaelsbruderschaft (Kassel 1955) 37-
44, bes 41.

89) A.a.O. 75. Und dies gilt für Presbyter- und Bischofsweihe (74).

Jesu Berufung und Aussendung der Apostel und die Übertragung
der Binde- und Lösegewalt nur mittels Handauflegung vorstellen konnte[91]. Dabei scheint mir trotz der Einwände von J.
COPPENS[92] die Vorstellung eines "physischen Prozesses", "bei
dem der Pneumastoff eingeht in das menschliche Wesen"[93] und
wo die physische Berührung notwendig ist "ähnlich wie zur
Fortpflanzung des elektrischen Stromes"[94], mitzuspielen, da
nur so das hartnäckige Insistieren auf einer - zumindest der
Konstruktion nach[95]-ununterbrochenen, horizontalen Kette[96]
plausibel erscheint. Ob man nun von Kraft, Pneuma, Charisma,
Dynamis oder "potestas" spricht, der Hinweis von TSCHIRN[97]
auf die Übereinstimmung mit der Weitergabe des "Fideikommiß'
göttlichen Schutzes" bei den Römern und dem peinlich-genau-
en Vermeiden jeder Lücke stellt eine notwendige Ergänzung
der jüdischen Einflüsse dar, zumal ja die Römer nach Texten
bei LIVIUS nicht nur die Königsweihe durch Handauflegung[98]

---

90) In den Evangelien ist nur von der Handauflegung bei Krankenheilung
   und als Segensgestus die Rede; hierzu NEUMANN 1425f.

91) So in den PETRUSAKTEN; vgl. BEHM, Handauflegung 73.

92) A.a.O. 160 (gegen BEHM, Handauflegung 196).

93) BEHM, Handauflegung 196. Vgl. auch die interessanten religionsgeschichtlichen Hinweise bei W.KÖHLER, Omnis ecclesia Petri propinqua.
   Versuch einer religionsgeschichtlichen Deutung (Heidelberg 1938) 10ff.

94) Vgl. R.v.IHERING, Geist des römischen Rechts auf den verschiedenen
   Stufen seiner Entwicklung 2.Teil (Leipzig 1883[4]) 571.

95) Zu dieser Frage im jüdischen Bereich BEHM, Handauflegung 127. - TSCHIRN
   227 meint: "In 'Fiktionen' war ja das Römertum stark." - Für die allein auf den Episkopat gegründete apostolische Sukzession stellt sich
   das Problem ähnlich.

96) O.KARRER, Apostolische Nachfolge und Primat. Ihre biblischen Grundlagen im Licht der neueren Theologie, in: ZkTh 77 (1955) 129-168,
   hält dagegen: "Die ursächliche Kraft kommt nicht aus der Vergangenheit, der horizontalen Ebene, sondern aus der vertikalen Dimension,
   dem über Raum und Zeit hinweg gegenwärtigen Geist ..." (136).

97) A.a.O. 220f. Vgl. auch PW 2,2,2582 (Auspicium).

98) LIV. 1,18,8: "tum (sc. augur) lituo in laevam manum translato, dextra
   in caput Numae imposita, ita precatus est: 'Iuppiter pater, si est
   fas hunc Numam Pompilium cuius ego caput teneo regem Romae esse, uti
   tu signa nobis certa adclarassis inter eos fines quos feci.'" - Hier
   wäre sicher auch das "Weihegebet" und seine Form eine nähere Untersuchung wert! Vgl. zur Stelle MOMMSEN, Staatsrecht II 1,9.

kannten, sondern - welch ein Parallele zu Trient! - sogar von
einem "per manus religiones tradere"[99] sprachen. Bei diesen
skizzenhaften Hinweisen ging es nicht darum, die Richtigkeit
und die lange währende Absolutsetzung dieser Konzeption von
einer ununterbrochenen Handauflegungskette zu verteidigen,
sondern um den Versuch, ihre Folgerichtigkeit in Zusammenhang
mit der Sukzessions- und "hereditas"-Terminologie aufzuzeigen.

4. Um des Anliegens der Identität und Ursprungstreue wil-
len stellte man bereits vor dem Hochkommen des monarchischen
Episkopats Überlieferungsketten und a p o s t o l i s c h e
S u k z e s s i o n e n r e i h e n [100] auf, deren Glieder

---

99) TSCHIRN 220f bzw. MOMMSEN, Staatsrecht I,90 könnte dabei folgende
Stelle gemeint haben: LIV. 5,51,4: "Equidem si nobis cum urbe simul
positae traditaeque per manus religiones nullae essent, tamen tam
evidens numen hac tempestate rebus adfuit Romanis ut omnem neglegen-
tiam divini cultus exemptam hominibus putem." Innerhalb der in Roms
Frühzeit anzusiedelnden Camillus-Rede (5,51-54) bringt LIVIUS höchst
aufschlußreiche Gedanken über römische Religiosität und die Tragweite von Verehrung (sequi; colere) und Vernachlässigung (spernere; deserere; neglegere)der Götter. Seit ihrer Gründung (simul positae) ist
mit der Stadt auch die Religion (religiones) "von Hand zu Hand" weitergegeben worden und der göttliche Segen deshalb auch an den Boden
der Stadt Rom geknüpft (Hauptmotiv für Camillus, aber auch für Livius
in der augusteischen Zeit). Vgl. F.ALTHEIM, Römische Religionsgeschichte Bd. 3 (Berlin-Leipzig 1933) 49. Zur Betonung des deshalb le-
bensnotwendigen Zusammenhangs von "auspicium" (5,52,2)(Zeichenschau)
und "imperium" (Beamtengewalt) vgl. MOMMSEN, Staatsrecht I,90f. Wenn
man sich daran erinnert, daß im Gesetz des Kaisers Theodosius von
380 (COD.THEOD. 16,1,2) ebenfalls von "religionem tradere" die Rede
ist (in tali religione versari, quam divinum Petrum apostolum tradidisse Romanis ...), welche Bedeutung das Christentum der genauen Ein-
haltung und Abfolge der Riten beimaß (vgl. LIV. 5,52,9: "Recordamini
... quotiens sacra instaurentur, quia aliquid ex patrio ritu negle-
gentia casuve praetermissum est") oder wie sehr die Christen an der
Heiligkeit eines bestimmten Ortes festhielten (vgl. LIV. 5,54,7:
"... fortuna certe loci huius transferri non possit"), dann könnte
man da sicher noch einige interessante Parallelen oder Abhängigkeiten herausarbeiten. Zur Camillus-Rede vgl. G.STÖBLER, Die Religiosität des Livius (Stuttgart-Berlin 1941), bes. 76ff.

100) Vgl. dazu bes. CASPAR, Bischofsliste 452f; 461ff; zu unterscheiden
von den späteren Bischofslisten; Betonung des dynamischen Charakters.
CAMPENHAUSEN, Lehrerreihen; WEGENAST 160f; RAC 2, 411; ThRE 2,536-
538, bes. 537 Z.36ff.

und Namen den zeitlichen Abstand überbrücken sollten. So
kannte man den Gedanken einer Sukzession von Lehrern und Propheten[101] ebenso, wie bereits KLEMENS VON ROM[102] eine einfache
Sendungsreihe: Gott - Christus - Apostel - Bischöfe und Dia-
kone aufgestellt hatte. Eine ganz ähnliche Überlieferungs-
reihe bringt dann TERTULLIAN an zwei Stellen in seiner Schrift
"De praescriptione haereticorum"[103]: "Gott - Christus - Apostel - Kirchen. Daß sich aber gerade bei der Überbrückung des
Abstands "apostoli" - "ecclesiae" Schwierigkeiten ergaben,
zeigt der ganze Inhalt dieser Schrift. Zur Lösung des Pro-
blems, d.h. zur Aussonderung der ursprungstreuen "ecclesiae"
verweist Tertullian zunächst auf die Filiation von Kirchen,
die mit den "ecclesiae apostolicae matrices" durch eine "consanguinitas doctrinae" verbunden sind[104], von den "häretischen" Kirchen aber, die es wagen sollten, "interserere se
aetati apostolicae", um so das Altersargument zu unterlaufen,
fordert er Beweise:

"edant ergo origines ecclesiarum suarum, evolvant ordinem
episcoporum suorum, ita per successionem ab initio decur-
rentem ut primus ille episcopus aliquem ex apostolis vel
apostolicis viris, qui tamen cum apostolis perseveraverit,
habuerit auctorem et antecessorem".[105]

Nach der eingehenden Analyse dieser Stelle bei J. K. STIR-

101) HARNACK, Entstehung 88; KOHLMEYER 240 (jüdische Prophetendiadoche
bei Justin); JAVIERRE, Sucesión 431-439.

102) 1.CLEM. 42; dazu CASPAR, Bischofsliste 463; vgl. auch oben A. 47;
unten A. 161.

103) Praescr. 21,4; 37,1.

104) Praescr. 21,4; vgl. 20,5; 32,6: "... (sc. ecclesiae) apostolicae
deputantur pro consanguinitate doctrinae (REFOULE 132).

105) Praescr. 32,1 (REFOULE 130).

NIMANN[106] und den sonstigen Hinweisen[107] können wir uns hier auf das Wesentliche beschränken: Gemäß seinem Grundsatz: "Omne genus ad originem suam censeatur necesse est"[108] verlangt TERTULLIAN die Offenlegung der "origines"[109] der Kirchen, d. h. den Aufweis eines "ordo episcoporum" der "per successionem" bis auf den Anfang zurückgeht. Aber auch für dieses "initium" gibt er noch genaue Kriterien an: Der "auctor"[110]

---

106) A.a.O. 156-164; vgl. 168-172.

107) J.A.MÖHLER, Die Einheit in der Kirche oder das Prinzip des Katholizismus, hrsg. v. J.R.Geiselmann (Köln-Olten 1957) 33ff; HARNACK, Dogmengeschichte 1,354; 401; P.BATIFFOL, L'église naissante et le catholicisme (Paris 1909²) 325; CASPAR, Bischofsliste 411; REFOULE 34f; BLUM, Tertullian 107-109; P.STOCKMEIER, Das Petrusamt in der frühen Kirche, in: Zum Thema Petrusamt und Papsttum, hrsg. v. G. Denzler u.a. (Stuttgart 1970) 61-79, 66; T.G.RING, Auctoritas bei Tertullian, Cyprian und Ambrosius (Würzburg 1975) 77ff. Zur Frage, ob es sich um eine reale Liste handelt, vgl. bes. STIRNIMANN 157; C.ANDRESEN, Die Kirchen der alten Christenheit (Stuttgart-Berlin-Köln-Mainz 1971) 137 Anm. 45; RAC 2,411 (L.KOEP). Vgl. ferner P.v. BENEDEN, Ordo. Über den Ursprung einer kirchlichen Terminologie, in: VigChr 23 (1969) 161-176, bes. 167f (ordo episcoporum); DERS., Aux origines d'une terminologie sacramentelle. Ordo, ordinare, ordinatio dans la littérature chrétienne avant 313 (Louvain 1974) 19f.

108) Praescr. 20,7 (REFOULE 113); vgl. zu "censere" CLAESSON 1,205f u. praescr. 21,6; 32,2: "census suos deferunt" (A. 112). Zu "census" = Vermögensabschätzung, Verzeichnis der steuerpflichtigen Personen u. besteuerbaren Objekte, das Vermögen HEUMANN 64. "Censum deferre" als Argument für eine reale Liste: RAC 2,411.

109) CLAESSON 2,1113f. Zu "origo" bei OPTAT. und anderen Vätern vgl. oben Kap. 4. A. 386-390 (Lit.); E.ALTENDORF, Einheit und Heiligkeit der Kirche. Untersuchungen zur Entwicklung des altchristlichen Kirchenbegriffs im Abendland von Tertullian bis zu den antidonatistischen Schriften Augustins (Berlin-Leipzig 1932) 47 Anm. 7; zur Tertullian-Stelle ebd. 16ff.

110) In ähnlichem Sinn auf "apostolus" bzw. "apostolicus" angewandt: praescr. 6,4; 32,5; 37,4, wobei aber an diesen Stellen primär an die Urheberschaft bezüglich "fides" oder "doctrina" gedacht ist. Vgl. ansonsten CLAESSON 1, 145f; RING, bes. 64-66; oben Kap. 2 A. 116; unten A. 312. Die weitgehende Gleichsetzung von "auctor" und "antecessor" (praescr. 32,1) bei STIRNIMANN 162 ist wohl dahingehend zu korrigieren, daß nur der Apostel im Verhältnis zum "ersten Bischof" "auctor" und "antecessor" gleichzeitig ist, während etwa der "primus ille episcopus" bezogen auf seinen "successor" nur mehr als "antecessor" gilt. Man könnte deshalb u.U. aus praescr. 32,1 ableiten, daß mit der Bezeichnung des Apostels auch als "antecessor" (vgl. ThLL II,146f) dieser bereits als "Bischof" gesehen wird. Dagegen spricht jedoch (vgl. auch BECK 118 mit Anm. 1) das klare

und "antecessor" des ersten Bischofs der Reihe muß ein "apostolus" oder "apostolicus vir"[111] sein. Anschließend wird die
Situation in den Kirchen von Smyrna und Rom[112] als Beispiel
für die Anwendung dieser Kriterien angeführt. Dabei zeigt sich,
daß Tertullian an eine förmliche Einsetzung in das Bischofsamt durch die Apostel denkt, da er von "collocare", "ordina-

---

"primus ille episcopus" so daß Tertullian mit seinen Termini offenbar allein auf das Rechts- bzw. Eigentumsverhältnis abhebt. - Um die
ganze Tragweite der Bezeichnung der Apostel als "auctores" richtig
abschätzen zu können, wären vor allem jene Stellen heranzuziehen,
wo "auctor" mit "origo" verbunden oder im Sinn von "conditor" gebraucht wird: HOR., carm. 3,17,5: "auctore ab illo ducis originem";
SUET., Nero 1: "Ahenobarbi auctorem originis itemque cognominis habent L.Domitium"; LIV. 5,24,11: "Romulo...parente et auctore urbis
Romae"; SEN., dial. 11,7,7: "Romanum imperium ... auctorem exulem
respicit"; HIST.AUG., Alex.Sev. 10,4: "Augustus primus primus est
huius auctor imperii, et in eius {nomen} omnes velut quadam adoptione aut iure hereditario succedimus"(HOHL 1,258); hier noch zusätzlich der Erbgedanke! Weitere Belege in: ThLL II,1204 Z. 30ff. Zu
erinnern ist auch an jene berühmte Stelle bei TAC., ann. 15,44:
"auctor nominis eius Christus". Weitere Belege für "auctor" als
"sectarum princeps, conditor, magister" in: ThLL II,1211 Z. 36ff.

111) Am engeren oder weitern Verständnis von "apostolicus", das mit "cum
apostolis perseverare" präzisiert wird, entscheidet sich die Frage,
für wieviele Kirchen Tertullians Theorie von apostolischer Sukzession Geltung besitzt. Zur Idee der "Apostel-Jüngerschaft" MÖHLER
35-37. Zu "apostolicus" vgl. neben CLAESSON 1,118 ThLL II,253f; L.
GOPPELT, Tradition nach Paulus, in: KuD 4 (1958) 213-233, 228 Anm.
47; D.H.MAROT, La Collégialité et le Vocabulaire épiscopal du Ve
au VIIe siècle, in: Irenikon 36 (1963) 41-60, bes. 48-55; W.ULLMANN,
Grundfragen des mittelalterlichen Papsttums, in: Papst und König
(Salzburg-München 1966) 9-41, 23 mit Anm. 29. Zur speziellen Verbindung "sedes apostolica" Kap. 7 A. 184. "Zur altkirchlichen Apostelnachfolge" vgl. bes. K.S.FRANK, Vita apostolica und dominus apostolicus, in: Konzil und Papst. Festgabe f. H.Tüchle, hrsg. v. G.
Schwaiger (München-Paderborn-Wien 1975) 20-41.

112) Praescr. 32,2: "Hoc enim modo ecclesiae apostolicae census suos deferunt, sicut Smyrnaeorum ecclesia Polycarpum a Iohanne collocatum
refert, sicut Romanorum Clementem a Petro ordinatum est" (REFOULE
130f; statt "est" auch "edit"). Nach CASPAR, Bischofsliste 411 verfolgte Tertullian mit der Übernahme der (pseudoklementinischen)
These von einer Ordination des Klemens durch Petrus keineswegs eine
chronologische Absicht.

re" und "in episcopatum constituere"[113] spricht. Wenn man die
Stelle nochmals überblickt, so scheint mir hier - selbst in
Anbetracht jener ähnlichen und berühmten Irenäusstelle[114] -
mit beispielloser Präzision und Prägnanz die oder zumindest
eine[115] Vorstellung von der apostolischen Sukzession in der
alten Kirche beschrieben.

Doch m.E. ist diese Stelle auch noch im Horizont jenes bereits behandelten Textes von praescr. 37[116] zu sehen. Wenn es
nämlich dort heißt: "habeo origines firmas ab ipsis auctoribus quorum fuit res. Ego sum heres apostolorum", so ist der
Bezug zu praescr. 32: "edant ergo origines ecclesiarum suarum ..." unübersehbar, zumal auch noch an beiden Stellen die
Apostel als "auctores" erscheinen. Daraus ließe sich folgen-
der Schluß ziehen: Die Kirche, in deren Namen Tertullian in
praescr. 37 spricht, hat dann "origines firmas", d.h. gleichzeitig ein Besitzrecht auf Grund der Rechtmäßigkeit des Erb-
anspruchs und darf sich also als "heres apostolorum" bezeichnen, wenn die Überprüfung der "origines" gemäß den Anweisun-
gen von praescr. 32 erfolgreich verlaufen ist. So gesehen ist
der direkte Bezug von "heres" auf die Bischöfe[117] zwar sehr

---

113) Praescr. 32,2: "ab apostolis in episccpatum constitutos" (REFOULE
131). Zu "collocare" CLAESSON 1,236; GEORGES 1,1272: z.B. in ein Be-
sitztum einsetzen, in eine Stellung, Klasse ein-, versetzen. Zu "ordinare" CLAESSON 2,1112; HEUMANN 397: ernennen; J.STRAUB, Zur Ordination von Bischöfen und Beamten in der christlichen Spätantike, in:
Mullus. JAC Ergänz.-Bd. 1 (1964) 336-345, bes. 342 mit Anm. 36. Zu "constituere" CLAESSON 1,277f; HEUMANN 99: vom Einführen neuer Magistrate;
vgl. auch "condere" (A. 121). Zur Vorstellung einer Einsetzung durch
die Apostel HARNACK, Entstehung 91.

114) Adv.haer. 3,3,1; HARNACK, Dogmengeschichte 1,401.

115) Dabei erscheint es beachtenswert, daß CASPAR, Bischofsliste 411 von
einem "der frühchristlichen Literatur vertrauten Gedanken" spricht.

116) § 5 II. Vgl. H.WIELAND, origo, in: ThLL (Manuskript, unter IA 2.f):
"possessiones, privilegia sim. (usu fere iurisconsultorum respicitur
ius vel auctoritas, unde quid postulatur, obtinetur sim.;...)".

117) So CAMPENHAUSEN; vgl. oben Kap. 2 A. 118. Auch CONGAR, Composantes
72 mit Anm. 46 sieht hier offenbar "une succession" gegeben.

problematisch, aber nicht schlichtweg falsch. Denn als Repräsentanten der Kirchen und "successores" der Apostel, ihrer
"auctores", dürfen sich die Bischöfe in dieser ihrer Funktion
auch als die Erben der Apostel von praescr. 37 verstehen.
Denn wenn Tertullian hinsichtlich des ersten Bischofs von
einem "collocare", "ordinare" und "in episcopatum constituere" durch die Apostel spricht, so läßt sich davon deren - in
praescr. 37,5 ganz juristisch umschriebene - Tätigkeit als
Erblasser von "fides" und "scripturae" wohl schwerlich trennen. Nun muß man auch gegen STIRNIMANNs einseitige Auffassung
von "successio" im Sinne von "Nachfolge in ein Amt"[118] ein-
wenden, daß angesichts dieser Zusammenhänge und der Bedeutung von "auctor" = Vorgänger im Recht, insbesondere im
Eigentumsrecht[119] bei TERTULLIAN mit "per successionem"
auch, wenn nicht gar in erster Linie, die "Nachfolge in ein
Rechtsverhältnis"[120], nämlich in das Besitzrecht bzw. der
Eintritt in die Erbenstellung gemeint ist, wie sie in praescr.
37 beschrieben wird. Treffen diese aufgezeigten Zusammenhänge
auch nur annähernd die Konzeption Tertullians, so scheint
die Rolle der Bischöfe und der apostolischen Sukzession in
Tertullians vormontanistischer Periode erheblich unterbewer-
tet, wenn G. G. BLUM meint "Die Bischöfe sind in keinem noch
so modifizierten Sinne Nachfolger der Apostel. Als apostolici seminis traduces ... haben sie vielmehr nur eine funktio-

---

118) A.a.O. 161.

119) BECK 31; HEUMANN 43.

120) Vgl. HEUMANN 566.

121) BLUM, Tertullian 108. Damit kann Blum natürlich die "Wertschätzung
des bischöflichen Amtes" (108f), wie sie auch in fug. 13 ("hanc episcopatus formam apostoli providentius condiderunt"; zit. 109 Anm. 19)
ausgedrückt ist, schlecht vereinbaren. Außerdem ist das Argument von
der juristischen Prägung der Sukzessionsterminologie Tertullians
(109) wenig überzeugend, da ja die ursprünglich spezifisch juristische "successio"-Terminologie allgemein rezipiert wurde, wenn
auch nicht mehr überall so leicht diese Ursprünge erkennbar sind.
Anderer Meinung als BLUM (Zitat) ist da BECK 30, der meint, durch
eine "ganz eigenartige sachenrechtliche Verbindung von Kirche und
Glauben" erhalte die "abendländische Theorie von den Bischöfen als
Nachfolger der Apostel neue Bedeutung".

nale Bedeutung bei der Übermittlung der reinen apostolischen
Lehre".[121] Offenbar wird dabei der - in der Zusammenschau von
praescr. 37 und 32 erkennbare - enge Zusammenhang von Tradition und Sukzession übersehen oder als ziemlich belanglos gewertet.

5. Mit einer überraschend ähnlichen Terminologie wie Tertullian versucht im 4. Jahrhundert der AMBROSIASTER[122]
K r i t e r i e n für eine r e c h t m ä ß i g e S u k -
z e s s i o n aufzustellen:
"nam et ordinem ab apostolo Petro coeptum et usque ad hoc
tempus per traducem succedentium episcoporum servatum pertur-
bant ordinem sibi sine origine vindicantes, hoc est corpus
sine capite profitentes".[123]
Wieder wird also die "origo"[124] betont, die im vorliegenden Fall der Apostel Petrus bildet. Der von ihm initiierte
"ordo"[125] muß sich "usque ad hoc tempus"[126] "per traducem

---

122) ALTANER-STUIBER 389f; A.STUIBER, Ambrosiaster, in: ThRE 2, 356-362
(Lit.!); O.HEGGELBACHER, Vom römischen zum christlichen Recht. Ju-
ristische Elemente in den Schriften des sogenannten Ambrosiaster
(Freiburg 1959); L.VOELKL, Vom römischen zum christlichen Recht.
Stellungnahme zu Heggelbachers gleichnamigen Werk im Sinn eines Bei-
trages zur Ambrosiaster-Forschung, in: RQ 60 (1965) 120-130.

123) Quaest. 110,7 (CSEL 50,274); vgl. P.BATIFFOL, Petrus initium episcopatus, in: RevSR 4 (1924) 440-453, 448.

124) Vgl. oben A. 109; unten A. 131a; Kap. 4 A. 386-390. Zum Zusammenhang
"caput" - "origo" BATIFFOL, Petrus 446f. JAVIERRE, sucesión 471f,
spricht in solchen Fällen von einem "terminus a quo"; vgl. ebd. 464ff.

125) Hier im Sinn von "Reihenfolge" (vgl. HEUMANN 397; unten A. 148). Zum
vergleichbaren "ordo" bei TERT., praescr. 32,1 u. adv.Marc. 4,5
STIRNIMANN 157-160. Vgl. ferner H.JANSSEN, Kultur und Sprache. Zur
Geschichte der alten Kirche im Spiegel der Sprachentwicklung. Von
Tertullian bis Cyprian (Nijmegen 1938) 47ff; 51ff; BENEDEN, Ordo
167f; DERS., origines; D.POWELL, Ordo presbyterii, in: JThS N.S.
26 (1975) 290-328; U.KEUDEL, Ordo, in: ThLL IX,2,951-965.

126) Ähnliche Bezeichnungen des "terminus ad quem" bei JAVIERRE, sucesión 472; vgl. ebd. 464ff. Die genaue Herausarbeitung und Untersuchung derartiger Formeln, wie sie Javierre mitunter vorstellt (z.B.
463-478), wäre m.E. fruchtbarer als das geradezu maßlose Unternehmen
auf das der Titel bei Javierre (sucesión) abzielt.

succedentium episcoporum"[127] nachweisen lassen. Aus dieser
Formel: origo - ordo - successio wurde in erster Linie der
die Art des "ordo" kennzeichnende Terminus "successio" herausgenommen und in breitem Umfang[128] angewandt. So versuchte
man, das Anliegen von Tradition und Sukzession mit einer aus
dem Erbrecht entlehnten Terminologie zu sichern, indem man
von "per successionem"[129], "per successiones"[130], "certissima successione"[131] oder "succedanea ordinatione"[131a] sprach,

127) Vgl. AMBROSIAST., in 2 Tim. 1,2,2: "quod ideo huic (sc. Timotheo)
quasi carissimo filio scribit, ut huius rei imitator existat eadem
ceteris tradens ut per traducem indeficiens sit idoneus doctor, per
quem adserta veritas multos adquirat ad vitam promissam"(CSEL 81,
295). Zu "tradux" CLAESSON 3,1648 u. oben Kap. 2 A. 213 u. 214.

128) Vgl. oben A. 5 (Lit.).

129) LIBERIUS an Kaiser Konstantius: "secutus morem ordinemque maiorum,
nihil addi episcopatui urbis Romae, nihil minui passus sum, et illam fidem servans, quae per successionem tantorum episcoporum cucurrit, ex quibus plures martyres extiterunt, inlibatam custodiri
semper exopto"(Coll.Antiar.Par.ser.A VII 3; CSEL 65,91). Hierzu
CASPAR 1,170-172, bes. 172.

130) AUG., c.Faust. 11,5: "per successiones episcoporum et propagatio-
nes ecclesiarum" (CSEL 25,1,320); weitere Belege u. ähnliche Formeln bei JAVIERRE, sucesión 473. Zu "propagatio", "propago" u.ä.
vgl. HEUMANN 470 u. oben Kap. 2 A. 213.

131) AUG., c.Faust. 33,6 (A. 143). Ganz ähnliche Formeln verzeichnet
JAVIERRE, sucesión 465. Zu Augustinus vgl. K.BAUS, Wesen und Funktion der apostolischen Sukzession in der Sicht des heiligen Augustinus, in: Ekklesia. Festschrift f. Bischof Dr.M.Wehr (Trier 1962)
137-148.

131a) CYPR., ep. 69,5: "... pastor haberi quomodo potest qui manente vero pastore et in ecclesia Dei ordinatione succedanea praesidente nemini succedens et a se ipse incipiens alienus fit et profanus ...?"
(CSEL 3,2,753); vgl. ep. 69,3: "Novatianus in ecclesia non est nec
episcopus conputari potest, qui evangelica et apostolica traditione contempta nemini succedens a se ipso ortus est" (ebd. 752); vorher hieß es von Kornelius: "qui Fabiano episcopo legitima ordinatione successit". Dazu BENEDEN, origines 116f; 130f. Die "ordinatio" ist also nur "legitima", sofern sie "succedanea ordinatio" ist,
d.h. der zu "ordinierende" Bischof muß an die Stelle jemands treten
und er darf nicht ein "a se ipso ortus" (vgl. zu "origo" u.ä. A.
124) sein. In engem Zusammenhang damit ist ep. 66,4 ("Omnes praepositos qui apostolis vicaria ordinatione succedunt"; CSEL 3,2,
729) zu sehen. - Zu "succedaneus" vgl. HEUMANN 565; GEORGES 2,
2893.

um die "fides" des Ursprungs oder die "cathedrae" der Apostel
weiterzugeben.

    6. Unsere These von einer geradezu gegenständlichen Wei-
tergabe durch eine Art Erbfolge der Bischöfe darf sich insbesondere auch auf die eben angeklungene Konzeption von der
" c a t h e d r a " [132] des Bischofs berufen. Daß diese Konzeption im Grunde nichts anderes ist als der Versuch, die soeben mit der Formel: origo - ordo - successio skizzierte Theorie
"empirisch faßbar zu machen" [133] zeigt auch der folgende Text
bei TERTULLIAN: "percurre ecclesias apostolicas apud quas ipsae adhuc cathedrae apostolorum suis locis praesident" [134].

---

132) A.d'ALÈS, Principalis cathedra et la version grecque des Canons Af-
ricains, in: RSR 16 (1926) 312-319; TH.KLAUSER, Die Cathedra im To-
tenkult der heidnischen und christlichen Antike (Münster 1927); P.
BATIFFOL, Cathedra Petri. Etudes d'Histoire ancienne de L'Eglise
(Paris 1938)); E.STOMMEL, Die bischöfliche Kathedra im christlichen
Altertum, in: MThZ 3 (1952) 17-32; M.MACCARRONE, "Cathedra Petri"
und die Idee der Entwicklung des päpstlichen Primats vom 2. bis 4.
Jahrhundert, in: Saeculum 13 (1962) 278-292; DERS., Lo sviluppo
dell' idea dell' episcopato nel II secolo e la formazione del sim-
bolo della cattedra episcopale, in: Problemi di storia della Chiesa.
La chiesa antica - secoli II - IV (Milano 1970) 85-206, bes. 130-
206. Vgl. auch oben Kap. 4/§ 16 mit A. 358; 368-371; 374-377; 383-
389 ("cathedra" bei OPTAT.); unten Kap. 7/§ 27 mit A. 152-159.

133) BLUM, Tertullian 106.

134) Praescr. 36,1; Forts.: "apud quas ipsae authenticae litterae eorum
recitantur sonantes vocem et repraesentantes faciem uniuscuiusque
(REFOULE 137); vgl. dazu praescr. 32,1. Zur Stelle REFOULE 137 Anm.
1; STIRNIMANN 76-79; MACCARRONE, Cathedra Petri 284f. - Dieselbe
Verbindung von Kathedren und Schriften der Apostel und mit derselben Tendenz findet man bei AUGUSTINUS (vgl. A. 143; 146). Wie massiv man sich diese Gegenwärtigsetzung der Apostel in den "ecclesiae
apostolicae" vorstellte, veranschaulicht die Ausdrucksweise: "sonantes vocem et repraesentantes faciem uniuscuiusque"! Freilich
sind das Aussagen, die sich zunächst auf die "litterae" beziehen
(vgl. STIRNIMANN 78f). Aber muß man beim zweiten Teil und noch dazu in Verbindung mit den "cathedrae" nicht an den Bischof denken?
Schließlich spricht ja auch das römische Erbrecht von einer "Repräsentation" des Erblassers durch den Erben (dazu unten § 26). Leider
übergeht BLUM, Tertullian 106 gerade diesen "zweiten Teil" mit
Schweigen. Zu "repraesentare" CLAESSON 3,1393; HEUMANN 509f; oben
Kap. 2/§ 9 A. 351. - MACCARRONE a.a.O. 285 interpretiert: Tertullian schreibe der Kathedra die "magische Gewalt zu, in den apostolischen Kirchen den Vorsitz zu führen ... und die Oberhoheit, die von
ihr ausgeht, ist die Gewalt, die der Bischof ausübt, der den Sitz

Dabei darf man jedoch nicht so weit gehen, in diesen angesprochenen "cathedrae" "die tatsächlichen ehemaligen Lehr-
stühle der Apostel"[135] zu sehen. Wie sollte man sich auch
vorstellen, daß die Apostel bereits eine Art "Lehrstuhl" besessen haben könnten? Vielleicht mit Ausnahme des sogenannten "Throns des Jakobus"[136], den EUSEBIOS erwähnt, muß man
die einschlägigen Texte vielmehr als literarische Fiktion
zur Autorisierung und Legitimierung einer späteren, tatsächlich vorhandenen "cathedra" betrachten. Auch die Hinweise
auf die Einflüsse des Judentums[137], wo man die "Einsetzung
von Nachfolgern" teilweise gleichsetzte mit der "Besetzung
von Lehrstühlen"[138], könnten eine Ausnahme bei der Jakobus-
Kathedra rechtfertigen. Inwieweit nun die Idee von der bischöflichen Lehrkathedra bis auf die des Moses zurückgeht[139]
oder auch von der Kaiserinthronisation[140] beeinflußt ist,
steht hier nicht zur Debatte.

Hier ist vielmehr zu betonen, daß man von der "cathedra"

innehat ...". FRANK 20: "die Apostel sind in ihnen gegenwärtig durch
ihr einmal geschriebenes und immer noch verkündetes Wort und in
ihren bischöflichen Nachfolgern."

135) BLUM, Tertullian 106, vgl. ebd. Anm. 12; offensichtlich in Anlehnung an REFOULE 137 Anm. 1 u. STIRNIMANN 77f, der allerdings 79 Anm.
1 meint: "Eine andere Frage ist, wie es sich damit in Wirklichkeit
verhielt." MACCARRONE, Cathedra Petri 284: "Man kann nicht an eine
materielle ... Erhaltung denken".

136) Dazu TH.ZAHN, Brüder und Vettern Jesu, in: Forschungen zur Geschichte des neutestamentlichen Kanons VI. (Leipzig 1900) 225-363, bes.
299f: "mit dem Bischof JK und den Erben seiner nur in einem einzigen Exemplar vorhandenen Kathedra hat es die Geschichte zu tun"
(300); STAUFFER, Kalifat 208.

137) STAUFFER, Kalifat 207ff. Vgl. auch H.v.CAMPENHAUSEN, Die Nachfolge
des Jakobus. Zur Frage eines urchristlichen "Kalifats", in ZKG 63
(1950) 133-144, bes. 143f mit Anm. 58 (Frage einer tatsächlichen
Vererbung des Lehramts im Judentum).

138) STAUFFER, Kalifat 208 Anm. 22.

139) STAUFFER, Kalifat 208. Ebd. 210 mit Anm. 23 wird für TERT., praescr.
36 ein solcher Ritus der "Stuhlbesteigung" des Nachfolgers vermutet.
- Vgl. AMBROSIAST., quaest. 110,5: "nam Moyses accepit cathedram
vitae" (CSEL 50.272).

140) H.U.INSTINSKY, Bischofsstuhl und Kaiserthron (München 1955), bes.
26-36.

eines bestimmten Apostels[141] sprach und sie zum Ausgangspunkt
einer "successio" machte oder sogar eine förmliche "Bischofsliste"[142] daran knüpfte. Auch von "cathedrae apostolorum"[143]
- teilweise gleichgesetzt mit "cathedra apostolica"[144] und
als Gegensatz zu "cathedra pestilentiae"[145] - ist die Rede.

Die Bewahrung dieser "cathedrae apostolorum" "usque ad
praesentes episcopos" mittels "certissima successio" benützte AUGUSTINUS (397 - 400) als Argument dafür, daß die Kirchen damit auch ihre "scripta fideliter ad posteros" weiter-

---

141) HIER., ep. 97,4: "Orate igitur dominum, ut ... quod totus oriens
miratur et praedicat, laeto sinu Roma suscipiat praedicationemque
cathedrae Marci evangelistae cathedra apostoli Petri sua praedica-
tione confirmet"(CSEL 55,184): Alexandrien und Rom! Vgl. ansonsten
HARNACK, Entstehung 90 Anm.; DERS., Aponius 41. Natürlich sprach
man dann auch von einer "cathedra Maiorini" (Kap. 4/§ 16 A. 358),
um gleichzeitig den Urheber des Schismas und Begründer einer schismatischen Sukzession (vgl. § 16) zu kennzeichnen, und auf der anderen Seite von der "cathedra Petri vel Cypriani" (Kap. 4/§ 16 A. 377).

142) OPTAT. 2,3: "Ergo cathedram unicam, quae est prima de dotibus, sedit prior Petrus, cui successit Linus, Lino successit Clemens ...
Liberio Damasus, Damaso Siricius, hodie qui noster est socius: cum
quo nobis totus orbis commercio formatarum in una communionis socie-
tate concordat. vestrae cathedrae vos originem reddite, qui vobis
vultis sanctam ecclesiam vindicare"(CSEL 26,36f); vgl. dazu 2,2:
"videndum est, quis et ubi prior cathedram sederit"(36). Zu der bedeutsamen Vorstellung von der "origo cathedrae" vgl. oben Kap.
4/§ 16 A. 386-391; zu den "Bischofslisten" unten § 22.

143) TERT., praescr. 36,1; AUG., c.Faust. 33,6: "quae cum ita sint, quis
tandem tanto furore caecatur ..., qui dicat hoc mereri non potuisse
apostolorum ecclesiam, tam fidam, tam numerosam fratrum concordiam,
ut eorum scripta fideliter ad posteros traicerent, cum eorum cathe-
dras usque ad praesentes episcopos certissima successione servarent,
cum hoc qualiumcumque hominum scriptis sive extra ecclesiam sive in
ipsa ecclesia tanta facilitate proveniat?" (CSEL 25,1,792f); vgl.
auch in psalm. 44,32: "in sedibus patrum" (Kap. 5 A. 243).

144) AUG., c.Petil. 2,51,118 (A. 151) bezogen auf Rom u n d Jerusalem!

145) Im Anschluß an PS. 1,1 AUG., c.Petil. 2,51,118 (A. 151); vgl. AMBRO-
SIAST., quaest. 110,5-8: "eorum qui extra ecclesiam vel contra ecclesiam sedes sibi instituerunt, catedram pestilentiae esse dicimus"
(110,7; CSEL 50,274); vgl. oben Kap. 4/§ 16 A. 373. - Ein anderer
Gegensatz findet sich bei BACHIAR., fid. 2, wo von den vielen Häresien in Rom die Rede ist: "et tamen nulla earum cathedram Petri, hoc
est sedem Fidei, aut tenere potuit aut movere" (PL 20,1023A).

gegeben haben und weitergeben[146]. Vorher hatte er am Beispiel
der - schon in der Antike umstrittenen - Überlieferung der hippo-
kratischen Schriften[147] seine eigene Sicht von Tradition durch
"successio" verdeutlicht: Die Echtheit steht demnach fest, "quia
... eos (sc. libros) ab ipso Hippocratis tempore usque ad hoc
tempus et deinceps successionis series commendavit"[148]. Diese
bislang vernachlässigte Stelle[149] unterstreicht nachdrücklich
die Theorie von einer Beeinflussung durch das Sukzessionsdenken
der antiken Medizin- und Philosophenschulen und den damit verbundenen Erbgedanken[150]. Worauf diese ganze Vorstellung abzielt, zeigt recht anschaulich wiederum AUGUSTINUS (401 - 402),
wenn er von der "cathedra ecclesiae Romanae" sagt: "in qua Petrus sedit et in qua hodie Anastasius sedet" und von der "cathedra" der Jerusalemer Kirche: "in qua Jacobus sedit et in qua hodie
Johannes sedet"[151]. Es ist also dieselbe Kathedra, auf der ursprünglich Petrus saß und auf der "hodie" Anastasius sitzt, und
ebenso verhält es sich in Jerusalem.

Bei der Idee der Kathedra handelt es sich um einen klassischen Gedanken, um Zeiträume zu überbrücken und Kontinuität,
ja Identität mit dem Ursprung herzustellen und teilweise[151a]

---

146) Vgl. A. 143.

147) Dazu L.EDELSTEIN, Hippokrates, in: PW Suppl. 6,1290-1345, bes. 1331-1335.

148) C.Faust. 33,6 (CSEL 25,1,792). Das hier verwendete "series" (HEU-
MANN 537) erhellt auch das sonst übliche "ordo" (vgl. A. 125; 165).
Zu den "Zeitangaben" oben A. 124; 126.

149) Soweit ich sehe, geht bisher nur JAVIERRE, sucesión 475f darauf ein.
Er hebt neben der vergleichbaren Stelle c.Faust. 32,22 (Bücher der
Manichäer) (ebd. 475) die auffallend vielen Sukzessionsformeln in
c.Faust. 33,6 hervor (ebd. 476 Anm. 125).

150) Vgl. dazu oben § 13 I u. bes. die A. 12a-15; JAVIERRE, sucesión 65-
86. Zur Terminologie in den medizinischen Schulen kleine Hinweise
bei JAVIERRE 69 Anm. 5.

151) AUG., c.Petil. 2,51,118: Forts.: "... quibus nos in catholica unitate
conectimur et a quibus vos nefario furore separastis? quare appellas
cathedram pestilentiae cathedram apostolicam? ... haec si cogitaretis
..., blasphemaretis cathedram apostolicam cui non communicatis" (CSEL
52,88). Hiermit ist zu vergleichen ep. 53,3: "In illum autem ordinem
episcoporum, qui ducitur ab ipso Petro usque ad Anastasium, qui nunc
eandem cathedram sedet ..." (CSEL 34,2,154); dazu § 27.3.

151a) Vgl. oben A. 134.

sogar den ursprünglichen Inhaber gegenwärtig zu setzen. Wie
auch die höchst bedeutsame Formulierung "hereditaria cathedra"[152] zeigt, sind die Bischöfe innerhalb der "successio"
gewissermaßen die Erben der jeweiligen "cathedra", die trotz
der wechselnden "successio"-Glieder immer dieselbe "cathedra"
bleibt, wie es auch immer derselbe Glaube und dieselbe Vollmacht ist, die damit verknüpft sind. Diese literarische und
dogmatische Konzeption wird sich in der Realität natürlich
nur selten auf eine Kathedra bezogen haben, die man mit dem
künstlerischen Meisterwerk in Ravenna, der Kathedra des Ma-
ximianus[153], vergleichen könnte. Der Inhaber einer solchen
Kathedra konnte sich in der Tat als stolzer Erbe fühlen. Die
Bedeutung der "cathedra" und ihren Zusammenhang mit der Vorstellung von einer lückenlosen Kette, einer Sukzession und
Erbfolge der Bischöfe, nämlich dem damit implizierten Identitätsanspruch skizziert überaus treffend M. MACCARRONE:
"Die 'cathedra' ist das Bischofsamt, als dauernde Einrichtung verstanden, dessen Gewalten derjenige innehat und ausübt, der den Stuhl einnimmt, und mittels dieses Sinnbildes
wird die Fortdauer der Einrichtung selbst und das Gleichblei-
bende der Lehre und des Amtes unter den verschiedenen sich
darauf ablösenden Inhabern ausgedrückt; denn der Stuhl bleibt
stets derselbe: es ändert sich nur der Inhaber."[154]

7. Abschließend sei nun noch auf die sogenannten " B i -
s c h o f s l i s t e n " [155] hingewiesen. Ohne auf ihre

---

152) OPTAT. 1,15: "de divisione agitur: et in Africa sicut et in ceteris
   provinciis una erat ecclesia, antequam divideretur ab ordinatoribus
   Maiorini, cuius tu hereditariam cathedram sedes" (CSEL 26,17f); hierzu oben Kap. 4/§ 16 mit A. 358; 374.

153) Mitte 6.Jahrhundert. Vgl. G.W.MORATH, Die Maximianskathedra in Ravenna. Ein Meisterwerk christlich-antiker Reliefkunst (Diss. Freiburg 1940).

154) Cathedra Petri 284.

155) CASPAR, Bischofsliste, bes. 443-453; DERS., Die älteste römische
   Bischofsliste, in: Papsttum und Kaisertum, Paul Kehr zum 65.Geburts-
   tag, hrsg. v. A.Brackmann (München-Tübingen 1926) 1-22; KLAUSER,
   Bischofsliste; KOEP, in: RAC 2,407-415. Vgl. auch HARNACK, Chrono-

nichtchristlichen Parallelen[156] und ihre höchst komplizierte
Traditionsgeschichte einzugehen, ist hier der Ursprung der
Bischofsliste aus der apostolischen Sukzessionenreihe[157] hervorzuheben. Obwohl E. CASPAR diese Sukzessionenlisten, die
aus Namenreihen apostolischer Sukzessionen bestehen und keineswegs von Anfang an mit dem monarchischen Episkopat verbunden wurden[158], klar von den eigentlichen Bischofslisten, d.h.
den späteren, "bezifferten bischöflichen Regierungslisten"[159],
wie sie seit AFRICANUS aufzutreten begannen, absetzte, wird
die Bezeichnung "Bischofsliste" fast überall in dem weiteren
Sinn gebraucht und sogar schon auf TERTULLIAN[160] angewandt.
Während die späteren Listen mit der Angabe von Regierungsda-
ten und der Zählung der Amtsinhaber in erster Linie ein chro-
nologisches Interesse verfolgen und deshalb wenig Gemeinsam-
keit mit dem Gedanken einer erbmäßigen Abfolge besitzen, bieten ihre Vorgänger primär "die Gewähr der unverfälscht von
den Aposteln her bewahrten reinen Lehre"[161] und werden mit
Vorliebe zur Bekämpfung der Ketzer eingesetzt. Ihre dynami-
sche Tendenz und ihr dogmatisches Interesse haben auch eine
Parallele in der ursprünglichen Bedeutung von διαδοχή - im
Sinne von παράδοσις - als "Weiterempfangen von Hand zu Hand"[162]

---

logie 1,164ff; J.FLAMION, Les anciennes listes épiscopales des qua-
tre grands sièges, in: RHE 1 (1900) 645-678; 2 (1901) 503-528; H.BOEH-
MER, Zur altrömischen Bischofsliste, in: ZNW 7 (1906) 333-339; H.
LECLERCQ, Listes épiscopales, in: DACL 9,1,1207-1536; EHRHARDT,
Succession 35-61.

156) Guter Überblick bei KOEP: RAC 2, 407-410. Vgl. oben § 21 II.

157) Vgl. Lit. oben A. 100.

158) Besonders betont bei CASPAR, Bischofsliste 467-470.

159) CASPAR, in: Papsttum 10; vgl. DERS., Bischofsliste 462.

160) Praescr. 32. KOEP: RAC 2,411; STOCKMEIER, Petrusamt 66.

161) CASPAR, in: Papsttum 7; KLAUSER, Bischofsliste 208 spricht von einer
"Verkettung der gegenwärtigen Lehrverkündigung mit den Aposteln".
CASPAR, Bischofsliste 463 stellt im Anschluß an K.Müller anschaulich dar, wie damit das schon in der Sendungsreihe von 1.CLEM.,42
erkennbare Anliegen weitergeführt wird.

162) KLAUSER, Bischofsliste 196; vgl. ebd. 213; CASPAR, Bischofsliste
443ff. Weitere Lit. oben A. 49.

im Unterschied zur Bedeutung etwa bei EUSEBIOS - im Sinne
von κατάλογος - als "Bischofsliste"[163].

Wählt man die Form der römischen "Bischofsliste", die uns
OPTATUS[164] und AUGUSTINUS[165] überliefern, als Beispiel aus
dem lateinischen Bereich, so kann man hier im Unterschied
zur einstigen Aufzählung bzw. Zählung der Sukzessionen oder
Abstände bereits alle Sukzessionsglieder einschließlich des
ersten, Petrus[166], finden. Da einleitend von "ordo episcoporum sibi succedentium" und am Schluß von "ordo successionis"[167] die Rede ist, soll hier offensichtlich eine bis auf
Petrus zurückgehende Bischofsreihe vorgeführt werden, um gegenüber den Donatisten die lückenlose Weitergabe der "cathedra"[168] bzw. des "episcopatus"[169] zu demonstrieren.

Um nun nochmals das Gemeinsame der - unter der Überschrift
"'Erbdenken' und apostolische Sukzession" - angesprochenen
Ideen zu unterstreichen, sei mit einem Zitat von J. LUDWIG
geschlossen: "Ihre Bischofsreihe steht lückenlos auf Petrus.

---

163) CASPAR, Bischofsliste 447; 449; vgl. KLAUSER, Bischofsliste 196.

164) 2,3 (A. 142). Zur Stelle KLAUSER, Bischofsliste 206.

165) Ep. 53,2: "Si enim ordo episcoporum sibi succedentium considerandus
est, quanto certius et vere salubriter ab ipso Petro numeramus, cui
totius ecclesiae figuram gerenti dominus ait: ... (es folgt MT. 16,
18a) ... Petro enim successit Linus, Lino Clemens ... Damaso Siricius, Siricio Anastasius. in hoc ordine successionis nullus Donatista episcopus invenitur" (CSEL 34,2,153f); vgl. Forts. oben Kap. 4
A. 375. Zur Stelle KLAUSER, Bischofsliste 206.

166) KLAUSER, Bischofsliste 206 zieht eine Abstammung der Optatus-Augu-
stinus-Liste vom "Catalogus Liberianus" in Betracht, wo, "im Unterschied zu allen bisherigen, mit Petrus selbst" (ebd. 202) die Liste
beginnt. Vgl. dazu das Schema ("Stemma") bei CASPAR, Bischofsliste 435.

167) Vgl. dazu AUG., c.Faust. 33,6: "ab ipso Hippocratis tempore ...
successionis series ..." (A. 148).

168) OPTAT. 2,3 (A. 142); AUG., ep. 53,3 (A. 151).

169) AUG., ep. 53,2 spricht von einem "ordo episcoporum" (A. 165) und
im "Catalogus Liberianus" heißt es: "post ascensum eius beatissimus Petrus episcopatum suscepit" (nach KLAUSER, Bischofsliste 202).

Deshalb garantiert sie das katholische Erbe."[170] Damit ist
auch bereits der Zusammenhang derartiger Stellen mit der "hereditas Petri" in Kapitel 7 angedeutet.

§ 23. Die Verknüpfung der Amtsnachfolge mit dem "hereditas"-
Motiv bei Ambrosius und Paulinus von Nola

I. Kaiser und Bischöfe als verantwortliche Garanten der "hereditas fidei"

Aus dem bisher vorgelegten Material zur "hereditas"-Ter-
minologie ist bereits zu entnehmen, daß AMBROSIUS zweifellos
als wichtigster Autor für die Anwendung dieser Terminologie
in unserem Rahmen einzuschätzen ist. Wenn man dieser Sprechweise nun bei ihm auch bezüglich des Bischofamtes begegnet,
so ist in den Vorüberlegungen einerseits danach zu fragen,
inwieweit sich in der damit beanspruchten Verantwortung für
die "hereditas fidei" ein Bezugspunkt zu seiner Sicht von
Kaiser Konstantin als Erblasser der "hereditas fidei" ausmachen läßt, und andererseits ist die Frage zu stellen, ob
sich in der zeitgenössischen, zunehmenden Einordnung der
christlichen Bischöfe in die römische Beamtenstruktur eventuell Parallelen oder Ansatzpunkte für diese Sprechweise finden lassen.

1. Beide Gedanken sind vor dem biographischen Hintergrund
des Mailänder Kirchenpolitikers zu sehen, der ja mitten aus
der römischen Beamtenlaufbahn heraus[171] zum Bischof bestellt
wurde. Nach Auskunft des Biographen PAULINUS soll der praefectus praetorio Probus seinem Beamten Ambrosius bezeichnen-

---

170) Die Primatworte Mt 16,18.19 in der altkirchlichen Exegese (Münster
     1952) 80 (zu AUG., ep. 53,2).

171) Hierzu J.-R.PALANQUE, Saint Ambroise et l'empire Romain (Paris 1933)
     12ff. Vgl. neuerdings zu Ambrosius E.DASSMANN, Ambrosius von Mai-
     land (339-397), in: ThRE 2,362-386 (Lit.!); zu seiner Herkunft
     362-364.

derweise empfohlen haben: "vade, age non ut iudex, sed ut episcopus"[172].

Auf die - durch solche Umstände geförderten - Zusammenhänge zwischen westlichem E p i s k o p a t u n d r ö m i - s c h e r M a g i s t r a t u r [173], die Angleichung der kirchlichen Amtsstruktur an die Ordnung des römischen Beamtenstandes[174] oder so konkrete Punkte wie die "Nobilitierung" der christlichen Bischöfe[175], die Zubilligung der "audientia episcopalis"[176] und die Tätigkeit von Bischöfen in der Finanzverwaltung als staatliche Prokuratoren[177] hat vor allem TH. KLAUSER hingewiesen. Offenbar kam es sogar so weit, daß nach Aussage eines heidnischen Autors des 4. Jahrhunderts der Kaiser Severus Alexander (222 - 235) unter Berufung auf das Vorbild (!) der christlich-jüdischen Priester- bzw. Bischofsordination gefordert haben soll, bei der Bestallung von "provinciarum rectores" auch die Meinung des "populus" zu berücksichtigen[178]. Andererseits schimpft, wie schon zu

---

172) Vit.Ambr. 8 (PL 14,32A); vgl. unten A. 256s.

173) W.SELB, Erbrecht, in: JAC 14 (1971) 170-184, 182. Vgl. auch SÄG-MÜLLER; H.E.FEINE, Vom Fortleben des römischen Rechts in der Kirche, in: ZSavRGkan 42 (1956) 1-24, bes. 8ff. Weitere Lit. bei STRAUB, Ordination 341f; ThRE 2,543 Z. 33ff.

174) FRIES - PANNENBERG 108. Zur öffentlichen Stellung der Bischöfe im spätrömischen Reich vgl. E.JERG, Vir venerabilis. Untersuchungen zur Titulatur der Bischöfe in den außerkirchlichen Texten der Spätantike als Beitrag zur Deutung ihrer öffentlichen Stellung (Wien 1970) bes. 56-66. Zur Angleichung an das staatliche Recht und zur Adaption von Ordnungsstrukturen der Umwelt vgl. P.STOCKMEIER, Von der Diakonie zur Hierarchie. Zum Wandel des Amtsverständnisses im Frühchristentum, in: Orientierung 32 (1968) 259-261; DERS., Gemeinde und Bischofsamt in der alten Kirche, in: ThQ 149 (1969) 133-146, bes. 142ff.

175) TH.KLAUSER, Bischöfe auf dem Richterstuhl, in: JAC 5 (1962)172-174. Widerlegungsversuch von E.CHRYSOS, in: Historia 18 (1969) 119-128.

176) A.STEINWENTER, Audientia episcopalis, in: RAC 1,915-917; vgl. KLAUSER, Richterstuhl.

177) TH.KLAUSER, Bischöfe als staatliche Prokuratoren im dritten Jahrhundert?, in: JAC 14 (1971) 140-149.

178) HIST.AUG., Alex.Sev. 45,6f. Vgl. dazu den Aufsatz von STRAUB, Ordination.

zeigen war[179], nicht nur HIERONYMUS über die "Vetternwirtschaft" christlicher "pontifices", "qui ... affinibus et cognatis quasi terrenae militiae officia largiuntur"[180].

Neben solchen gewissermaßen formalen und strukturellen Parallelen ist auch auf den inhaltlichen Einfluß der römischen magistratischen "potestas" und der "auctoritas"[181] auf die christliche Sicht der Amtsvollmacht zu verweisen und nochmals an die Stellen zu erinnern, wo die Gemeinschaft der Bischöfe gerade von Ambrosius als "consortium" gekennzeichnet wird[182]. Dabei sollte man
nicht übersehen, daß die Römer ihrerseits von einem "consortium
rei publicae", "consortium regni" und von einem "consors imperii"
sprachen[183], während gleichzeitig DAMASUS das Bischofsamt als
"imperium"[184] bezeichnet. Für die Abfolge der Bischöfe, ge-

179) Vgl. oben § 19.

180) Adv.Iovin. 1,34 (PL 23,269D). Andere Beispiele zu dieser Anspielung
auf "Militärposten" bei STRAUB, Ordination 340. Zu "pontifex" vgl.
MAROT, in: Irenikon 37 (1964) 200f.

181) H.WAGENVOORT - G.TELLENBACH, Auctoritas, in: RAC 1,902-909, zit. 907. Zur
römischen "Magistratenstellung" des Bischofs ist sehr wichtig BECK 130-
138. Zur Bedeutung der Bibelübersetzung für die Rezeption von Begriffen
wie "potestas", "imperium" u.ä. im Christentum vgl. ULLMANN (o.c. unten
Kap. 7 A. 53).

182) Vgl. AMBR.-Texte oben Kap. 2 A. 271. Zu "consortium" und seiner möglichen Beziehung zu CYPR., unit.eccl. 5 oben § 22 mit A. 66-75. Zu "consortium potentiae", "indeficiens consortium", "consortium individuae unitatis" bei LEO M. vgl. unten Kap. 7/§ 25 A. 54-57.

183) LIV. 4,5,5; TAC., hist. 3,75. Vgl. ansonsten GEORGES 1,1542; MOMMSEN,
Staatsrecht II 2,1148; HEGES. 1,2: "ut eum ante omnes necaret, quem solum
sibi consortem imperii pollicebatur" (CSEL 66,9). E.KORNEMANN, Doppel-
prinzipat und Reichsteilung im Imperium Romanum (Leipzig-Berlin 1930):
"consors tribuniciae potestatis", "consors successorque", "consortium imperii" (Register S. 203!).

184) A.HARNACK, Militia Christi. Die christliche Religion und der Soldatenstand in den ersten drei Jahrhunderten (Tübingen 1905): "Der Papst Damasus (4.Jahrh.) ist m.W. der erste, der das Bischofsamt 'imperium' genannt
hat" (41 Anm. 2; leider fehlt eine Stellenangabe!). Zur Konsequenz dieser
Bezeichnung und zur Vorstellung einer Kette von "imperium"-Inhabern gehört auch CAES.AREL., serm. 115,1: "Mortuo ergo Moyse Iesus suscepit imperium" (CChrL 103,478); vgl. 116,1. Anders akzentuiert TERT., pudic. 21,
6: "nec imperio praesidere, sed ministerio" (CChrL 2,1326); ganz ähnlich
LEO M., serm. 5,5: "cuius (sc. Petri) sedi non tam praesidere quam servire gaudeamus" (CChrL 138,25). - Grundlegende Untersuchungen zu "imperium"
- gerade auch in der Spätantike - finden sich bei W.SUERBAUM, Vom antiken zum frühmittelalterlichen Staatsbegriff. Über Verwendung und Bedeutung von res publica, regnum, imperium und status von Cicero

sehen unter dem Aspekt einer Erbfolge, erscheint dabei die
folgende Bemerkung von A. HÄGERSTRÖM höchst aufschlußreich:
"Das dominium, das der Inhaber der hereditas hat, ist dasselbe wie das des Vorgängers, ganz wie das imperium des Nachfolgers auf staatsrechtlichem Gebiete das imperium des Vorgängers ist."[185] Betrachtet man also das Bischofsamt und die damit verbundene Vollmacht unter dem Aspekt des römischen Staatsrechts als "imperium", so bleibt dieses "imperium" in der Abfolge der Inhaber immer dasselbe. In diesem Punkt liegt - abgesehen von einigen Bezügen vor allem zur Thematik des 5. Kapitels - das eigentliche Ergebnis dieser Vorüberlegung.

Inwieweit dagegen in den Ausdrücken "principatus episcopatus"[186] und "principatus sacerdotii"[187] noch die Ideen vom rö-

---

bis Jordanis (Münster 1970[2]); mit ausführlichen Literaturangaben! Vgl.
auch H.WAGENVOORT, Imperium. Studien over het "mana"-begrip in zede
en taal der Romeinen (Amsterdam-Paris 1941) bes. 60-72.

185) A.a.O. 102. Vgl. zu diesem Komplex BECK, bes. 131: "Des weiteren fordert der Begriff des magistratischen Imperiums, daß die Amtsgewalt
sich unmittelbar vom Vormann auf den Nachfolger überträgt ... Entsprechend geht auch die bischöfliche postestas in der successio episcoporum über dadurch, daß bei der Amtseinsetzung Kollegen aus anderen Gemeinden sie dem Neugewählten übertragen."

186) "Principatus" kommt vor allem bei TAC. sehr oft im Sinn von "Kaiser-
herrschaft" bzw. "Herrschaft" (ähnlich "imperium") vor; vgl. z.B.
die Adoption Pisos durch Galba: "nunc me deorum hominumque consensu
ad imperium vocatum praeclara indoles tua et amor patriae impulit ut
principatum, de quo maiores nostri armis certabant, bello adeptus
quiescenti offeram ..." (hist.1,15) Zum christlichen Gebrauch von
"principatus" BATIFFOL, Cathedra Petri 83-93 u. unten § 25 II.

187) HEGES. 1,2: "Aristobolus ... principatum sacerdotii ad regni potentiam vertit (CSEL 66,8); das "Hohepriestertum". - LEO M., ep. 55:
"beatissimus Romanae civitatis episcopus, cui principatum sacerdotii super omnes antiquitas contulit" (PL 54,859A); zum lat. Text
(Warnung vor einer möglichen Überinterpretation der lat. Rückübersetzung bei CASPAR 1,498 Anm. 1) und zu weiteren Stellen vgl. BA-
TIFFOL, Cathedra Petri 87f. - Einen interessanten Kontrast zu dieser dominierenden Anwendung auf das Papsttum bietet EUGIPP., Sev.
21,2: "nam cives Tiburniae, quae est metropolis Norici, coegerunt
praedictum virum summi sacerdotii suscipere principatum" (W.BULST,
Heidelberg 1948, 32; nach TH.MOMMSEN, MGSS rer.Germ. 26, Berlin
1898). Hier geht es offensichtlich um den Bischof von Teurnia (St.
Peter im Holz/Kärnten). Schließlich noch ein heidnisches Beispiel:
HIST.APOLL. 106,11: "in quo templo coniunx eius inter sacerdotes
(fem.) principatum tenet" (nach "Zettel" aus dem Archiv des ThLL;
Autorennummer 212).

mischen (Erb-)Prinzipat[188] mitschwingen, ist hier - in dieser Kürze - schwer zu entscheiden. Außerdem wurde gerade der
erste Ausdruck ebenso wie die Verbindung "apostolatus principatus" fast ausschließlich auf Rom angewandt, wo man zwar
auch von "ecclesiae principes", aber vor allem vom "princeps
apostolorum" sprach[189].

2. Anknüpfend an AMBROSIUS' Sicht von K a i s e r K o n-
s t a n t i n a l s E r b l a s s e r der "hereditas fidei"[190] sollen nun noch einige Bezugspunkte zur "hereditas"-
Terminologie in Anwendung auf die b i s c h ö f l i c h e
S u k z e s s i o n hervorgehoben werden: Die Ansatzpunkte
finden sich im frühen Konstantinbild[191], dessen sukzessive
Ausbildung aber hier beiseite bleiben muß. Wenn man vor allem im Osten Konstantin als den 'Ἰσαπόστολος, den "Apostel-
gleichen" feierte[192] und er als 13. Apostel galt[193] und mit
Paulus verglichen wurde[194], so treffen diese Elemente zwar
nicht alle für Zeit und Umfeld des Ambrosius zu, aber man
kann nicht umhin, sein Konstantinbild aus der Leichenrede
auf Theodosius in diesen Horizont zu stellen und daran zu
erinnern, wie die Väter allgemein den Ursprung der "hereditas fidei" in den Aposteln sahen[195] und den Bischöfen eine

---

188) Vgl. dazu oben § 19.

189) Zu diesen Bezeichnungen vgl. unten § 25 II.

190) Dazu oben § 9.

191) E.EWIG, Das Bild Constantins des Großen in den ersten Jahrhunderten
des abendländischen Mittelalters, in: HJ 75 (1956) 1-46; J.VOGT,
Constantin der Große und sein Jahrhundert (München 1973; 1960²)
288-305 (Lit.); vgl. auch RAC 3,306-379.

192) A.BAUMSTARK, Konstantin, der "Apostelgleiche", und das Kirchengesangbuch des Severus von Antiocheia, in: Konstantin der Große und
seine Zeit, hrsg. v. F.J.Dölger (Freiburg 1913) 248-254; weitere
Belege bei EWIG 3 Anm. 15.

193) EWIG 3 mit Anm 16.

194) BAUMSTARK 250f; EWIG 4 (Rufinus, Theodoret); vgl. ebd. 6.

195) Hierzu oben § 7.

besondere Verantwortung und Verpflichtung für dieses Erbe zu-
schrieben[196]. Auf diese Beziehung zielt auch die Aussage von
E. EWIG: "Der Vergleich mit Paulus ... brachte die göttliche
Einsetzung des Kaisertums, seine q u a s i e p i s c o p a -
l e Stellung im Neuen Bund zum Ausdruck, hier vielleicht
nicht ohne Seitenblick auf den Papst als "Nachfolger Petri"[197].

Neben dieser ersten Bedeutung Konstantins als Anfangspunkt
der Freiheit des Christentums und Ursprung des christlichen
Kaisertums - auf Grund der Tragweite von manchen Zeitgenossen
mit dem Wirken der Apostel typologisiert - wurde sein Name
untrennbar mit dem Konzil von Nikaia verbunden[198], so daß
"mit dem Nicaenum auch dem Kaiser des ersten Universalkonzils
ein kanonisches Ansehen"[199] erwuchs, das uns an die Sicht der
"fides" von Nikaia als d a s orthodoxe Glaubenserbe[200] erinnert. Sowohl in der unterschwelligen Bezugnahme auf die
Apostel als auch in der auf die Väter von Nikaia zeigt sich
die Beanspruchung einer "dem Bischofsamt entsprechende(n)
geistige(n) Führungsaufgabe"[201], wie sie schon in der Bezeich-

---

196) Vgl. neben § 7 bes. § 24. In meiner Zulassungsarbeit (vgl. oben Ein-
     leitung A. 7) schrieb ich dazu, das christliche Kaisertum beginne in
     der Sicht des Ambrosius "ebenso beim 'apostelgleichen' Konstantin",
     "wie die Bischöfe ihre Autorität und Verantwortung durch den Gedan-
     ken der Sukzession bis auf die Apostel zurückführen" (17).

197) A.a.O. (Sperrung von mir). Gemeint ist die Akklamation für Kaiser
     Markian als "Novus Paulus" auf dem Konzil von Chalkedon.

198) AMBR., ep. 21,15: "Si conferendum (sc. est) de fide, sacerdotum de-
     bet esse ista collatio, sicut factum est sub Constantino augustae
     memoriae principe, qui nullas leges ante praemisit, sed liberum de-
     dit iudicium sacerdotibus" (PL 16,1048B). THEODOSIUS II. an Galla
     Placidia (450): "nihil nos praeter paternam fidem aut dogmata di-
     vina vel definitiones reverentissimorum episcoporum qui tam sub di-
     vae memoriae Constantino in Nicaea civitate quam dudum nostro prae-
     cepto in Epheso congregati sunt, definisse aut decrevisse aut in-
     tellexisse" (ACO II 3,1,16 Z. 19-22). In einem alten Konstantin-
     Hymnus heißt es: Er sammelte "allerorts auf Erden die Herolde der
     orthodoxen Wahrheit und trieb den Wahnsinn des Arius aus ..."
     (BAUMSTARK 250); vgl. EWIG 5.

199) EWIG 5.

200) Dazu oben § 8.

201) J.VOGT (LThK 6,480).

nung als ἐπίσκοπος τῶν ἐκτός[202] vorlag und was spätere Zeiten als "vicarius dei vel Christi"[203] für den Kaiser und "vicarii Christi"[204] für die Bischöfe umschrieben. Auch die konstantinische Dynastie wußte sich zur rechten Zeit auf die beiden entscheidenen "Pluspunkte" des "divus pater noster Constantinus", sein Christsein und seine Orthodoxie, zu berufen[205]. Obgleich Ambrosius immer nur als der Verfechter der kirchlichen Autonomie eingestuft wird, hat anscheinend auch bei ihm der Einfluß des alttestamentlichen Königtums[206] und "die sich stets steigernde Verehrung für den großen Konstantin"[207] dazu geführt, das Kaisertum mit der "hereditas fidei" zu verbinden, allerdings mit der klaren Absicht, damit Verpflichtung und Verantwortung zu unterstreichen und ohne deswegen den Kaiser als eine "geistliche Person"[208] anzusehen.

---

202) J.STRAUB, Kaiser Konstantin als ἐπίσκοπος τῶν ἐκτός,in: TU 63 (1957) 678-695. Zum Selbstverständnis Konstantins als "Diener Gottes" vgl. H.H.ANTON, Kaiserliches Selbstverständnis in der Religionsgesetzgebung der Spätantike und päpstliche Herrschaftsinterpretation im 5.Jahrhundert, in: ZKG 88 (1977) 38-84, 46ff.

203) HARNACK, Christus praesens 431; 436f. Vgl. auch unten § 27.2.

204) HARNACK, ebd. 430; 436.

205) GALLA PLACIDIA an Theodosius II. (450): "ut fides quae tantis temporibus regulariter custodita est a sacratissimo patre nostro Constantino, qui primus imperio splenduit Christianus, nuper turbata sit" (ACO II 3,1,14 Z. 29-31). Konstantin als der erste christliche Kaiser! GALLA PLACIDIA an Pulcheria (450): "cognovimus nostris temporibus catholicam fidem esse turbatam, quam a divo patre nostro Constantino nostri generis parentes hactenus servaverunt" (ebd. 13 Z. 12-14). Konstantin als der Begründer der Orthodoxie! Vgl. "servare" (custodire) - "turbare"! Der lateinische Text ist allerdings eine Rückübersetzung.

206) Die ganze römische Verquickung von Staat und Religion mußte diese Rezeption noch zusätzlich fördern; vgl. HARNACK, ebd. 436f; EWIG 7f. - Die Auswirkungen der Konvergenz von alttestamentlichem und römischem Religionsverständnis (ich nenne nur einige grobe Komplexe wie Bundesgedanke, "utilitas"-Motiv, Vergeltungsprinzip bzw. "do ut des"-Denken, Traditionalismus, juristische Ausrichtung, Kult) auf die Entwicklung des frühen Christentums müßten insgesamt noch eingehend untersucht werden.

207) HARNACK, ebd. 437 Anm. 1.

208) HARNACK (ebd.) spricht von einer Tendenz bis hin zur Titulierung als Priester. Vgl. zur späteren Beanspruchung der Unfehlbarkeit

3. Als ein wichtiges Beispiel für sein Eintreten zugunsten der kirchlichen Autonomie pflegt man sein Verhalten in der sogenannten "Großen arianischen Krise"[209] der Jahre 385/ 386 anzuführen. Mit Unterstützung Kaiser Valentinians und seiner streitbaren Mutter Justina feierte nämlich der Arianismus in Mailand, vor allem bei den gotischen Soldaten, seine Wiederauferstehung. So forderte der kaiserliche Hof bereits im Frühjahr 385 die Übergabe einer Kirche[210] an die arianische Gemeinde. Doch der Mailänder Kirchenvater blieb hart. Im nächsten Jahr wurde dann unter Mitwirkung des arianischen "Gegenbischofs" Auxentius(-Merkurinus)[211] am 23.Januar ein Gesetz erlassen[212], das unter Strafandrohung alle auf das Bekenntnis von Rimini (359) verpflichtete, den Arianern die freie Kultausübung erlaubte und die Übergabe von Kirchen an homöische Bischöfe verfügte. Trotz eines Proteststurms innerhalb der Bevölkerung und gegen den erbitterten Widerstand des Ambrosius wies der Kaiser dem Auxentius und seiner arianischen Gemeinde die "Basilica Portiana" (extramurana)[213] zu und ließ Ambrosius zu einer Disputation mit

durch den Kaiser P.STOCKMEIER, Leo I. des Großen Beurteilung der Kaiserlichen Religionspolitik (Diss. München 1959) 146ff.

209) Bezeichnung nach PALANQUE 511. Vgl. CAMPENHAUSEN, Ambrosius 189-222; A.BAUNARD, Geschichte des heiligen Ambrosius (Übersetzt v. J. Bittl) (Freiburg 1873) 256ff; E.STEIN, Geschichte des spätrömischen Reiches Bd. 1 (Wien 1928) 314f; J.H.v.HAERINGEN, De Valentiniano II et Ambrosio. Illustrantur et digeruntur res anno 386 gestae, in: Mnemosyne 5 (1937) 28-33; 229-240; M.F.A.BROK, Het conflict tusschen Sint Ambrosius en keizerin Justina, in: Hist.Tijdschr. 18 (1939) 17-35; ThRE 2,366f.

210) Zu diesem 1.Streit AMBR., ep. 20 (PL 16,1036-1045). Zu der schwierigen Frage, welche Kirche jeweils gemeint ist, A.PAREDI, Sant' Ambrogio e la sua età (Milano 1941) 325f.

211) K.K.KLEIN, Ist der Wulfilabiograph Auxentius von Durostorum identisch mit dem mailändischen Arianerbischof Auxentius Mercurinus?, in: Beiträge z. Gesch. d. deutschen Sprache u. Lit. 74 (1952) 165-191. Vgl. auch oben Kap. 4/§ 15 mit A. 299-314.

212) G.RAUSCHEN, Jahrbücher der christlichen Kirche unter dem Kaiser Theodosius dem Großen (Freiburg 1897) 490; KLEIN, Wulfilabiograph 179f; vgl. BAUNARD 250f; PALANQUE 146.

213) BAUNARD 256; vgl. PALANQUE 147ff.

Auxentius vorladen[214]. Doch auch dieses Mal gab Ambrosius
nicht nach und schloß sich mit den Gläubigen in der Kirche
ein, wo man ihn belagerte und mit dem Tode bedrohte.

In dieser Lage, wahrscheinlich am Palmsonntag[215], hielt er
seinen " S e r m o c o n t r a A u x e n t i u m de ba-
silicis tradendis"[216], in dem er seine Sicht des Verhältnis-
ses von Kaisermacht und christlicher Kirche[217] darlegte und
seine Weigerung, das Gotteshaus abzutreten, begründete. In
Anknüpfung an den "Weinberg des Naboth" von 1 KG. 21 fragt
er:

> "Si ille vineam non tradidit suam, nos trademus ecclesiam
> Christi? ... Absit a me ut tradam Christi hereditatem. Si
> ille patrum hereditatem non tradidit, ego tradam Christi
> hereditatem? Sed et hoc addidi: Absit ut tradam heredita-
> tem patrum, hoc est, hereditatem Dionysii, qui in exilio
> in causa fidei defunctus est, hereditatem Eustorgii con-
> fessoris, hereditatem Myroclis atque omnium retro fide-
> lium episcoporum. Respondi ego quod sacerdotis est; quod
> imperatoris est, faciat imperator. Prius est ut animam
> mihi quam fidem auferat."[218]

Nach der historischen Einordnung des "Sermo" ist nun noch

---

214) Vgl. die Ablehnung dieser Vorladung in ep. 21 (PL 16,1045-1049);
dazu G.MAMONE, Le epistole di S.Ambrogio, in: Didaskaleion 2 (1924)
3-143, bes. 27-30. Zur schwierigen Datierung auch PAREDI 325f, STEIN
314f Anm. 4.

215) BARDENHEWER 3,541. CAMPENHAUSEN, Ambrosius 219 mit Anm. 1 glaubt,
der "Sermo" sei von Ambrosius erst nachträglich aus verschiedenen
Predigten kompiliert worden.

216) Text in: PL 16,1049-1062 u. H.RAHNER, Kirche und Staat im frühen
Christentum. Dokumente aus acht Jahrhunderten und ihre Deutung (Mün-
chen 1961) 158-185. Vgl. ansonsten BARDENHEWER 3,540f; PALANQUE 464;
HAERINGEN 29ff.

217) C.Aux. 36: "Imperator enim intra Ecclesiam, non supra Ecclesiam est"
(PL 16,1061B); vgl. HHKG II/1,89f u. R.J.HEBEIN,St.Ambrose and Roman Law (Diss. St. Louis University 1970).

218) C.Aux. 17f (RAHNER 170; vgl. PL 16,1055B). PAREDI 309 paraphrasiert:
"Ma io non posso tradire l'eredità di Cristo, l'eredità dei miei
padri, dei miei predecessori nell' episcopato ...".

auf die Namen der von AMBROSIUS hier erwähnten M a i l ä n -
d e r B i s c h ö f e [219] einzugehen: Ganz ähnlich wie andere Kirchen versuchte auch die von Mailand ihren Ursprung
bis in die apostolische Zeit zurückzuverlegen. So bildete
sich dann in frühbyzantinischer Zeit die Legende heraus, Barnabas habe als erster in Mailand das Evangelium gepredigt[220].
Doch schon die Mailänder Bischofsliste[221], die vor Merokles
lediglich fünf Namen erwähnt, ist ein Hinweis darauf, daß das
Christentum in Mailand tatsächlich erst um ca. 200[222] aufge-
treten sein dürfte. Auch von diesen ersten fünf Bischöfen
wissen wir nichts außer ihre Existenz und ihre Namen. Auf
dem 6. Platz erscheint dann Merokles[223], dessen Teilnahme an
den beiden Synoden - in Sachen des Donatismus - in Rom (313)
und Arles (314) durch Zeugnisse gesichert ist. Ob er gerade
anläßlich des Epochenjahres 313 Bischof von Mailand wurde
und als Erbauer einer Kirche[224] in Frage kommt, muß Hypothese bleiben. Auf Maternus und Protasius folgt dann der von
Ambrosius als "confessor" erwähnte Eustorgius[225]. Seit 343/
44 Bischof, hat er in den Jahren 345/46 und 347/48 an zwei
Synoden zur Verurteilung des Photinos[226] teilgenommen und

---

219) H.LECLERCQ, Milan, in: DACL 11,1,983-1102, bes. 986ff; F.SAVIO, Gli
antichi vescovi d'Italia dalle origine a 1300. La Lombardia Parte
I: Milano (Firenze 1913).

220) DACL 11,1,986-989; A.HARNACK, Die Mission und Ausbreitung des Christentums in den ersten drei Jahrhunderten (Leipzig 1902) 505 mit
Anm. 2.

221) DACL 11,1,989-993.

222) DACL 11,1,993; PAREDI 134; HHKG I,426.

223) W.ENSSLIN, Merocles, in: PW 15,1,1048; DACL 11,1,994; BAUNARD 56;
SAVIO 94-98; PAREDI 133f; HHKG I,426.

224) J.MESOT, Die Heidenbekehrung bei Ambrosius von Mailand (Schöneck-
Beckenried 1958) meint, die "basilica vetus" könnte von Merokles
errichtet sein (20). Anders SAVIO 97 (Basilica Portiana).

225) A.P.FRUTAZ, Eustorgius I, in: LThK 3,1205; DACL 11,1,994f; BAUNARD
56; SAVIO 108-114.

226) SAVIO 113f; PAREDI 134; vgl. HEFELE 1,637-639.

eventuell die "Basilica Portiana" erbaut[227]. Auf dem 10.
Platz erscheint dann jener berühmte Dionysius[228], "qui in
exilio in causa fidei defunctus est." Abgesehen von den umstrittenen Daten seiner Amtszeit[229] wissen wir von ihm - relativ gesehen - noch am meisten. Er nahm 355 an jener schick-
salhaften Synode in Mailand[230] teil, auf der Konstantius II.
die abendländischen Bischöfe auf eine Linie gegen Athanasios
einschwören wollte. Als dies mißlang, wurde neben Eusebius
von Vercelli und Lucifer von Calaris auch Dionysius in die
Verbannung, wahrscheinlich nach Kappadokien, geschickt, wo
er auch starb[231]. Mit der Einsetzung des Arianers Auxentius[232] im Jahr 355 erfolgt ein tiefgreifender, bis 374 währen-
der Bruch in der orthodoxen Bischofslinie Mailands, der dazu führte, daß auswärtige Bischöfe, z.B. Philastrius von
Brescia, in Mailand für den nikänischen Glauben aktiv wurden[233] und Auxentius bekämpften[234]. Aus dem Streit der beiden Parteien nach dem Tode des Auxentius ging dann - auf geradezu wunderbare Weise - Ambrosius als Bischof (374 - 397)
hervor[235].

Er befindet sich nun, wie wir sahen, im Kampf gegen den vom
Kaiserhof protegierten Arianer Auxentius(-Merkurinus). In

---

227) MESOT 20. SAVIO 97: "basilica nouva"; vgl. ebd. 112.

228) B.KÖTTING, Dionysius v. Mailand, in: LThK 3,407; DACL 11,1,995-997;
SAVIO 114-122; PAREDI 134f; A.CAVALLIN, Die Legendenbildung um den
Mailänder Bischof Dionysius, in: Eranos Löfstedt. 43 (1945) 136-
149.

229) SAVIO 114: 355-356; KÖTTING a.a.O.: etwa 351-355.

230) HEFELE 1,654-659; CAVALLIN 139; HHKG II/1,43f.

231) Neben c.Aux. 18 nimmt ep. 63 darauf Bezug; hierzu CAVALLIN 139.

232) Dieser Nachfolger des Dionysius und Vorgänger des Ambrosius ist
nicht zu verwechseln mit dem Gegner des Ambrosius, Auxentius-Merkurinus (Anm. 211)! Vgl. DACL 11,1,997; F.KAULEN, Auxentius, in:
WETZER-WELTE 1,1737f; SAVIO 122-127; ansonsten oben § 15.3 mit A.
231ff.

233) MESOT 21; DACL 11,1,997.

234) Z.B. LUCIF., Athan. 2,9; HIL., c.Aux. (oben § 15.3).

235) SAVIO 127-144; F.H.DUDDEN, The life and times of St.Ambrose Vol. 1
(Oxford 1935) 57-74.

seinem "Sermo" benützt er geschickt eine Stelle aus jener
bei ihm beliebten[236] Geschichte von König Achab, der unbedingt den W e i n b e r g d e s N a b o t h haben will,
was schließlich durch ein Mordkomplott gegen Naboth bewerk-
stelligt wird[237]. In der Weigerung Naboths: "Der Herr bewahre mich davor, daß ich dir das Erbe meiner Väter abtrete"[238]
zeigt sich das alttestamentliche Verbot, das Land, den Erbbesitz, den man von den Vätern erhält, auf Fremde zu übertragen[239]. Diese Weigerung bildet nun bei AMBROSIUS in der aktuellen Situation den Anlaß, die "vinea" als die "ecclesia
Christi" zu betrachten und das Erbe der Väter Naboths als
"Christi hereditas" zu deuten. Die "ecclesia" gilt ihm also
als "Christi hereditas". Aber gleichzeitig spricht er auch
davon, daß er die "hereditas patrum" nicht ausliefere. Auf
ihren Gegenstand ist noch näher einzugehen. Eine weitere
Präzisierung bringt jedoch bereits die Erläuterung von "patres": Es sind seine Vorgänger Dionysius, Eustorgius, Merokles und "omnes retro fideles episcopi".

Auf der Suche nach einem möglichen A u s w a h l p r i n -
z i p [240] für die namentlich genannten Vorgänger kommt man
größtenteils über Vermutungen nicht hinaus. Zudem dürfte die
Vollständigkeit der Mailänder Bischofsliste, selbst für das
4. Jahrhundert, schwer zu beweisen sein. Sein unmittelbarer

---

236) So verfaßte er eine Art Strafpredigt gegen die Habsucht unter dem
Titel "De Nabuthe Iezraelita" (um 389); vgl. J.HUHN, De Nabuthe
(Freiburg 1950). Zu 1 KG. 21,3 vgl. Nab. 2,6; 3,13; off. 2,5,17;
3,9,63; in psalm. 35,15; 36,19 (§ 23 I 3 unten).

237) 1 KG. 21. Vgl. hierzu HAAG 1206 (Lit.).

238) Im Urtext steht נַחֲלַת (1 KG. 21,3), das insbesondere den Bodenbe-
sitz, den man von den Vätern erhält, bezeichnet (ThW 3,774f). LXX:
κληρονομία. VULG.: hereditas.

239) G.CORNFELD - G.J.BOTTERWECK, dtv-Lexikon. Die Bibel und ihre Welt
Bd. 4 (München 1972) 910; vgl. oben § 1. HEBEIN 73 betont den römisch-
sakralrechtlichen Hintergrund der Auseinandersetzung um die Basili-
ka: Göttliche Dinge (divina) unterstehen nicht der kaiserlichen Gewalt.

240) SAVIO 97: Dionysius als "immediato antecessore" des Ambrosius,
Eustorgius und Merokles als Erbauer der umstrittenen Kirchen. Vgl.
auch A.PAREDI, I prefazi ambrosiani (Milano 1937) 192 Anm. 2.

Vorgänger, Auxentius (11.) wird natürlich ausgelassen, ja er
ist als solcher, nämlich als Wahrer der "hereditas" für Ambrosius inexistent und gehört vielmehr in die Erblinie des
Arius[240a]. Dionysius (10.) als Verteidiger des Glaubens von
Nikaia gegen die Arianer und letzter orthodoxer Vorgänger
in Mailand wird hervorgehoben. Eustorgius (9.), den auch
Athanasios als Gegner des Arianismus erwähnt[241], wird wohl
deshalb als "confessor" bezeichnet. Protasius (8.), dessen
Gebeine Ambrosius kurze Zeit später auffand[242] und Maternus
(7.) werden ausgelassen. Dafür wird als letzter noch Merokles (6.) namentlich genannt. Spielten dabei seine Aktivitä-
ten gegen den Donatismus eine Rolle oder sollte mit ihm die
Zeit- und Erblinie bis zum Epochenjahr 313 zurückverfolgt
werden, analog zur späteren Konzeption von der mit Konstantin verbundenen "hereditas fidei"? Wir wissen es nicht. Vielleicht war Merokles auch noch zur Zeit des Nikänums Bischof
von Mailand, wenn uns auch von seiner Teilnahme[243] nichts
bekannt ist.

Das letzte Glied erwähnt schließlich alle rechtgläubigen
Bischöfe. Hier könnte man sich also auch die ausgelassenen
Glieder und die Vorgänger des Merokles eingeschlossen denken.
Letzteres legt vor allem das beigefügte "retro"[244] nahe. Es
ist ähnlich aufzufassen wie in umgekehrter Richtung das "in-
de reliqui principes Christiani"[245] und findet eine inter-

240a) Vgl. oben § 15, insbesondere die Angriffe des HILARIUS gegen Auxen-
    tius (§ 15.3/4).

241) PG 25,558A.

242) Ep. 22.

243) HEFELE 1,291-293. HARNACK, Mission 505 spricht aber für das Jahr
    316 bereits von einem 7.Bischof, das wäre Maternus.

244) GEORGES 2,2370; HEUMANN 517. Ob Ambrosius Merokles oder sich selbst
    als "terminus a quo" für "retro" meint, läßt sich nicht eindeutig
    entscheiden. RAHNER 171 übersetzt: "das Erbe des Myrocles und al-
    ler glaubenstreuen Bischöfe der Vorzeit". TH.KÖHLER, Ambrosius, Bi-
    schof von Mailand. Ausgewählte Reden (Leipzig 1892) 61: "das Erbe
    des Myrokles und aller glaubenstreuen Bischöfe vor mir".

245) AMBR., obit.Theod. 51 (CSEL 73,398); vgl. oben § 9 mit A. 345 u. 346.

essante Parallele in dem Ausdruck "omnes retro principes"[246].
Wie bereits durch die Reihenfolge der namentlich genannten
Vorgänger wird durch dieses "retro" nochmals die Richtung in
der Betrachtungsweise des Ambrosius unterstrichen. Ähnlich
wie die Römer von "deinceps retro usque ad Romulum"[247] sprachen, will unser christlich gewordener "Römer" offenbar die
"hereditas", die er verteidigt, über seine Vorgänger mög-
lichst weit zurückführen, ja man darf ruhig sagen zurück bis
zu Christus selbst, von dessen "hereditas" er ja ausdrücklich spricht.

Was meint er nun mit dieser " h e r e d i t a s " ?
Man darf hier nicht stehenbleiben bei dem naheliegenden,
aber oberflächlichen Bezug hereditas = ecclesia = Gotteshaus[248], wenn auch sicher hierin der assoziative Anknüpfungspunkt zu sehen ist. Über die möglicherweise mitschwingende
Bedeutung "ecclesia" = Kirche als Glaubensgemeinschaft[249]
gelangt man schließlich zu dem eigentlich Gemeinten: "hereditas" = "fides vera". Hierfür spricht eine Reihe von Gründen: Ambrosius erwähnt die "fideles episcopi", um deren "hereditas" es sich handle. Er will lieber sein Leben opfern
als die "fides" aufgeben, meint er zum Schluß der zitierten
Stelle[250]. Es geht bei dem ganzen Streit eigentlich um eine

---

246) CIL 3,2721; 6,1125: "alle früheren Kaiser". Vgl. AMBR., ep. 17,5:
"a pluribus retro principibus" (PL 16,1002C); HIST.AUG., Alex.Sev.
35,1: "bonorum retro principum" (HOHL 1,277); COD.THEOD. 16,8,15:
"cuncta privilegia, quae viris spectabilibus patriarchis ... divae
memoriae pater noster adque retro principes detulerunt" (MOMMSEN I/2,
890).

247) CIC., rep. 1,58.

248) MESOT 20 mit Anm. 153 versucht offensichtlich krampfhaft, der "hereditas" eines jeden namentlich genannten Bischofs eine andere Kirche
zuzuordnen. - HILARIUS gebraucht dagegen den Ausdruck "ecclesiam tradere" im Sinn von: die Kirche (als Glaubensgemeinschaft) übergeben, an-
vertrauen (Kap. 4 A. 236).

249) Ambrosius spricht ja zunächst ausdrücklich von der "ecclesia Christi" (a.a.O. 17).

250) "Prius est ut animam mihi quam fidem auferat" (a.a.O. 18). - PARE-
DI, I prefazi 192 Anm. 2 bestätigt ebenfalls unsere Sicht: "Il senso
ovvio è: Christi haereditatem = haereditatem patrum ... Dionysii

"causa fidei"[251]. Der direkte Zusammenhang zwischen Bekenntnis von Rimini und Gotteshausfrage, wie er durch das Gesetz
vom 23. Jan. 386 hergestellt wurde, führte schließlich dazu,
daß sich der Streit um die "fides vera" im Streit um das
Gotteshaus konkretisierte und so dem Gotteshaus ein weitge-
hender Symbolcharakter zukam, ganz abgesehen von den Fragen
der Durchsetzung von kirchlicher Autorität und kaiserlicher
Machtpolitik. Zuletzt sei noch betont, daß Ambrosius an einer
anderen Stelle, auf die anschließend noch einzugehen ist, genau die von uns vertretene Gleichung im Hinblick auf 386 auf-
stellt.

Somit läßt sich für diese Stelle zusammenfassend festhalten: AMBROSIUS sieht die "fides vera" als eine "hereditas"[252].
Diese zunächst vom AT angeregte Gleichung wurde sicherlich
von ihm mit neuen Vorstellungen angereichert und unter den
neuen Aspekt des römischen Erbdenkens gerückt. Durch eine an
Bischofslisten erinnernde Aufzählung seiner Vorgänger verbindet er deshalb das Bischofsamt mit der "hereditas fidei".
Die Bischöfe sind für die Bewahrung und Weitergabe dieses
Glaubenserbes verantwortlich. Auf eine analoge Sicht des Kaisertums war bereits hinzuweisen. Eine direkte Verbindung des
Bischofsamtes als solchem mit der Erbterminologie und eine
Bezeichnung der Bischöfe als "heredes" unterbleibt. Man kann
allerdings von den Bischöfen als den Erben der "hereditas
fidei" ihres jeweiligen Vorgängers sprechen. Da aber diese

..., Eustorgii ... Miroclis ... omnium retro fidelium episcoporum
... = fidem. Per S.Ambrogio cedere la sua basilica ad un ariano,
lasciar entrare un eretico in una basilica cattolica equivale a tradire la fede. Quella fede della quale i suoi predecessori sono sta-
ti difensori."

251) C.Aux. 3; ep. 21,2.4. CAMPENHAUSEN, Ambrosius 199 überzeugt nicht,
wenn er meint, es gehe weniger um die Verteidigung des "in keiner
Weise" bedrohten nikänischen Bekenntnisses als um die Erhaltung des
"intoleranten, staatskirchlichen Einheitsgedankens".

252) Vgl. dazu oben Kap. 2, bes. §§ 8 u. 9. Ansonsten überrascht vor
allem die Ähnlichkeit mit HIER., ep. 15,1,2: "apud vos solos (sc.
Damasum) incorrupta patrum servatur hereditas" (§ 28.1).

"hereditas fidei" immer dieselbe bleibt, kann sich Ambrosius
ebenso als Wahrer der "hereditas" des Dionysius wie auch des
weiter entfernten Merokles fühlen. Die "hereditas"-Terminolo-
gie dient dabei zur Betonung des Verpflichtungscharakters
und verleiht auf Grund der ihr innewohnenden Identifizierungstendenz mit dem Ursprung[253] gleichzeitig Sicherheit, Anrecht
und Autorität.

Ein kurzer Blick auf jene Stelle in den Psalmenerklärun-
gen, wo AMBROSIUS etwa zehn Jahre später nochmals die Naboth-
Erzählung und den Basiliken-Streit verbindet, soll unser Bild
abrunden:

> "ideo Nabuthe inter sanctos habetur, quia maiorum suorum
> hereditatem ne regi quidem putavit esse cedendam et lapi-
> dari maluit, ut vineam suam non daret in direptionem. he-
> reditas maiorum fides vera est. extiterunt Arriani regali
> subnixi potentia, qui templum domini putarent sibi esse
> tradendum, supplicia acerba mini tantes. ... non praevaluit
> perfidia, quia fides restitit".[254]

Ambrosius blickt hier in seinen letzten Lebensjahren zurück auf jene unvergeßlichen Auseinandersetzungen der Jahre
385/86, in denen Arianer und Kaiserhof gemeinsam gegen ihn
vorgingen. Expressis verbis betont er nun, daß es dabei um
die Bewahrung der "fides vera", also des Glaubens von Nikaia, ging. Dieser Glaube bildet die "hereditas maiorum".

---

253) Wenn es Ambrosius auch in erster Linie auf Kontinuität und Identität mit dem Nikänum ankommt (patrum hereditas), so darf man
doch nicht übersehen, daß er auch von der "Christi hereditas"
spricht.

254) In psalm. 36,19 (CSEL 64,85). Zur Gleichsetzung von "hereditas"
und "fides" vgl. auch ep. 45,12: "'Caput' autem nostrum 'Christus'
est. Hoc maneat incolume (in der Ausgabe: incolumne), ut serpen-
tis venena nobis non possint nocere. 'Bona est' enim 'sapientia
cum hereditate', id est cum fide, quoniam est hereditas credenti-
bus in domino"(CSEL 82,235).

"Maiores"[255] meint hierbei seine Vorgänger in Mailand ebenso
wie auch die "omnes fideles episcopi" und speziell vielleicht
die Väter von Nikaia.

* II. Der Bischof als "Sohn", Schüler und Erbe seines Vorgän-
     gers

   1. Wahrscheinlich im Frühjahr des Jahres 383 schrieb AM-
BROSIUS zwei Briefe[256] an die Bischöfe Makedoniens bzw. an
Bischof A n y s i u s [256a] v o n T h e s s a l o n i k e.
Darin feiert er in einer Diktion, die sehr stark an seine
Leichenreden erinnert, den Vorgänger des Anysius, den kurz
zuvor verstorbenen Bischof Acholius[256b] und ermutigt Anysius,
in dessen Spuren zu wandeln. Ambrosius hatte Acholius, der
im Jahre 380 Kaiser Theodosius taufte, persönlich gekannt
und als überzeugten Anhänger der Orthodoxie schätzen gelernt.
Bereits unter Acholius, als Damasus Bischof von Rom war,
zeigten sich auch die ersten Ansätze zum Vikariat von Thes-

---

255) Vgl. zu dieser Verwendung von "maiores" im Sinne von "patres" AMBR.,
ep. 22,20: "Fidem illam maiorum traditione firmatam ..." (PL 16,
1068B). Die Wiedergabe von J.M.SAILER (1832): "jenen Glauben nämlich, den wir von unseren Vätern als Übergabe und Erbgut empfangen
haben" dürfte zwar auf der Linie der ambrosianischen Aussage-Ab-
sicht liegen, geht jedoch als Übersetzung zu weit, obgleich sie
treffend die große Wirkungsgeschichte dieses Erbdenkens vor Augen
führt (Zitat nach E.DASSMANN, Das Leben des heiligen Ambrosius.
Die Vita des Paulinus und ausgewählte Texte aus den Werken des
Heiligen und anderen Zeitdokumenten, Düsseldorf 1967, 127). Zu
"maiores" auch oben § 4 mit A. 17ff.

256) Ep. 15; 16. Vgl. MAMONE 76f. Zur Abfassungszeit DUDDEN 2,701. -
Die sehr bedeutende "hereditas"-Stelle in ep. 16,1 hatte ich zwar
registriert, sie war dann jedoch durch ein Versehen quasi in einer
"kalten Liste" verschwunden, bis ich sie erst ziemlich spät wieder-
entdeckte. So erklärt sich die umständliche Zählung der folgenden
Anmerkungen. Bei der Beschäftigung mit den "infulae sacerdotii"
(ep. 15,9) stieß ich dann auch noch auf die ebenfalls wichtige Pas-
sage: PAUL.NOL., carm. 15,120ff (§ 23 II 2).

256a) DHGE 3,909f; BUCHBERGER 1,526; LThK 1,679f; CASPAR 1,308-312;
DUDDEN 2,401f; HHKG II/1,264; 266.

256b) DHGE 4,901; BUCHBERGER 1,65f; LThK 1,110; CASPAR 1,235; DUDDEN 1,
71; 174; 215; HHKG II/1,71; 261.

salonike[256c], das schließlich unter Innocenz I. (402 - 417)
als Art Vorposten Roms formell errichtet wurde. Von dieser
Interessenlage her erklärt es sich auch, wenn SIRICIUS (384 -
399) mit Anysius korrespondiert und INNOCENZ I. sogleich ein
"Wahlanzeigeschreiben" an diesen richtet[256d]. Diesen Stellenwert des Bischofssitzes Thessalonike und seiner Inhaber gilt
es auch im Folgenden zu berücksichtigen:

In seinem ersten Brief feiert AMBROSIUS die "merita" des
Acholius zunächst in einem Vergleich mit den Taten des Propheten Elisäus[256e], dann aber parallelisiert er, wodurch er
aber die feste Vergleichsstruktur durchbricht, die Himmelfahrt des Elias mit dem Weggang des Acholius.

"Certe dubitare illa nequaquam possumus, quandoquidem re-
liqua congruerunt. Siquidem eodem momento, quo ille adhuc
elevabatur, velut quodam melotidis suae dimisso amictu,
sanctum Anysium discipulum suum induit et sui vestivit infulis sacerdotii."[256f]

Nach der Schilderung dieses Textes hat Bischof Acholius
kurz vor seinem Tode seinen Schüler Anysius mit seinem eigenen "melotidis amictus" und seinen "infulae sacerdotii" "bekleidet". Worum geht es dabei? Das Wort " m e l o t i s "
bzw. "melota"[256g], durch das hier der Umwurf (amictus) näher
gekennzeichnet werden soll, verwendet Ambrosius auch sonst

256c) HALLER 1,101-106; S.L.GREENSLADE, The Illyrian Churches and the
Vicariate of Thessalonica, 378-95, in: JThS 46 (1945) 17-30; J.
MACDONALD, Who instituted the Papal Vicariate of Thessalonica?,
in: TU 79 (1961) 478-482; HHKG II/1,261.

256d) CASPAR 1,308.

256e) Ep. 15,6-8. Zu "merita" vgl. R.GRYSON, Le Prêtre selon saint Ambroise (Louvain 1968) 131.

256f) Ep. 15,9 (PL 16,998B). Dazu bemerkt R.AIGRAIN: "aussi l'évêque de
Milan félicite-t-il l'Eglise de Thessalonique que son maître ait
laissé son manteau à un si digne héritier" (DHGE 3,909).

256g) ThLL VIII,627; GEORGES 2,862 (das Schaffell); vgl. auch PL 16,997f
Fußnote 60.

für das Obergewand des Propheten Elias[256h], wobei er sich offensichtlich auf die Wiedergabe in der Itala[256i] stützt. Dagegen übersetzt HIERONYMUS schon kurze Zeit später: "pallium"[256j]. An der vorliegenden Stelle sind offenbar zwei Szenen aus der Eliaserzählung zusammengeflossen: Elias beruft Elisäus, indem er die "melotis" über ihn wirft und er läßt sie seinem Schüler bei seiner Himmelfahrt zurück[256k]. Diese beiden Aspekte: "Berufung" und "Hinterlassenschaft" sind auch für die geschilderte Szene zwischen Acholius und Anysius bestimmend. Angesichts des mönchischen Selbstverständnisses ist es auch erklärlich, daß das aus dem Kontext des Prophetentums stammende Wort "melotis" schon früh im Mönch-

---

256h) In psalm. 36,58,6: "quomodo egens et nudus et inanis, qui geminati spriritus hereditatem discipulo dereliquit, ut una melotide heres donatus fluvios sisteret, Iordanem revocaret in fontem, regum exercitus pasceret in deserto et potum sitientibus ministraret?" (CSEL 64,116); vgl. Iac. 1,8,38 (CSEL 32,2,29); HIER., ep. 71,3, 1: "Helias igneo curru raptus ad caelum melotem reliquit in terris" (CSEL 55,4); PAUL.NOL., ep. 49,12 (CSEL 29,400).

256i) 1 KG. 19,19: Elias "iactavit melotem suam super eum" (ThLL VIII, 627 Z. 28f).

256j) 1 KG. 19,19: Helias "misit pallium suum super illum" (R.WEBER 1, 494); vgl. 2 KG. 2,13: "Et levavit pallium Heliae ..." (1,504). Anders jedoch HIER., ep. 71,3,1 (A. 256h). Es erscheint mir fraglich, ob sich das spätere "Pallium" aus der "melotis" entwickelt hat; vgl. TH.KLAUSER, Der Ursprung der bischöflichen Insignien und Ehrenrechte (Krefeld 1953[2]) 18-21; 37; P.SALMON, Mitra und Stab. Die Pontifikalinsignien im römischen Ritus (Mainz 1960) (Index "Pallium"). Nach J.BRAUN, Die liturgische Gewandung im Occident und Orient. Nach Ursprung und Entwicklung, Verwendung und Symbolik (Darmstadt 1964; reprogr. Nachdr. d. Ausg. Freiburg 1907) 652ff stößt man bei der Frage nach dem Ursprung des Palliums immer wieder auf ein "Mantelpallium". Vgl. ansonsten noch ebd. 620ff.

256k) 1 KG.19,19; 2 KG.2,13f. Der Mantel des Elias als wirksames "Wunderinstrument": 2 KG. 2,8.14. Vgl. auch SCHILLING 208f: "Bei der Entrückung des Elias blieb dessen Mantel zurück, Elisäus nahm ihn an sich, zerteilte damit wunderbar die Fluten und wurde daraufhin von der Prophetenschar als des Elias Nachfolger mit dem Geist des Elias anerkannt" (209). Nach NM. 20,24-27 hat auch Moses die Gewänder des Aaron vor dessen Tod seinem Sohne Eleazar angezogen. Während die VULG. "veste" bzw. "vestibus" übersetzt (R.WEBER 1, 209) hat CYPR., ep. 67,4 an derselben Stelle "stolam" (CSEL 3,2, 738).

tum rezipiert wurde[2561]. So berichtet uns eine lateinische
Version der ANTONIOS-VITA[256m], daß der Mönchsvater Antonios
den Bischöfen Athanasios und Serapion je eine "melota" hinterließ. In ihr sahen die stolzen Empfänger geradezu Antonios selbst und sie trugen sie und blieben seinen "mandata"
treu. Dieser Gedanke einer personalen Repräsentation schwingt
sicher auch in der Szene zwischen Acholius und Anysius mit.

Neben der "melotis" erhält Anysius auch die " i n f u l a e
s a c e r d o t i i" des Acholius. "Infulae"[256n] bezeichnet
bei den Römern den bänderartigen Stirnschmuck der Opfertiere,
Priester, Seher und Bittflehenden. In der Kaiserzeit sind damit auch die Abzeichen der Kaiser und Magistrate gemeint,
wie sie bei der Beamtenbestallung als "infulae potestatis"
übertragen wurden[256o]. So gesehen erscheint es sehr fraglich,
ob an den einschlägigen Stellen "translate" das Amt selbst[256p]

2561) Vgl. ThLL VIII,627 Z. 45ff. - Nach AMBR., ep. 15,12 hatte sich auch
Acholius in seiner Jugend dem Mönchtum zugewandt; vgl. auch GRYSON,
Le prêtre 307.

256m) Z. 36-39: "Et illi autem qui melotas acceperunt beatissimi Antonii
et tritum stratorium quasi magnam facultatem custodiunt; videntes
enim ea, Antonium vident, et quando se vestiunt ea, quasi mandata
ipsius ferunt cum gaudio"; zit. nach D.A.WILMART, Une version latine inédite de la vie de Saint Antoine, in: RBén 31 (1914-1919)
163-173; 170. Vgl. zur Illustration dieses mönchischen Nachfolge-
gedankens auch RUFIN., hist.mon. 28: "Uterque enim Macarius, uterque abstinentiae exercitiis et virtutibus animi aequaliter pollens,
hoc solo alius praecellens, quod quasi hereditatem gratiarum et
virtutum B.Antonii possidebat" (PL 21,450A).

256n) ThLL VII,1,1498-1500; STRAUB, Ordination 342 Anm. 40. Allerdings
bleibt AMBR., ep. 15,9 an beiden Stellen unerwähnt. Vgl. ferner
K.LATTE, Infula, in: PW 9,2,1543; DAREMBERG-SAGLIO 3,1,515f; K.
LATTE, Römische Religionsgeschichte (München 1960) 385; 387; A.
REINTJES, Untersuchungen zu den Beamten bei den Scriptores Histo-
riae Augustae (Diss. Düsseldorf 1961) 63; 131 Anm. 8. - Zur späte-
ren bischöflichen Mitra vgl. J.BRAUN 426-428; 444f u. B.SIRCH,
Der Ursprung der bischöflichen Mitra und päpstlichen Tiara (1975).

256o) STRAUB, Ordination 342.

256p) So ThLL VII,1499 Z. 54: "B translate de honore, dignitate". Mit
einem Fragezeichen versehen schon von STRAUB, Ordination 342 Anm.
40. - Dagegen plädiert J.BRAUN 426f dafür, sie "bildlich von der
Amtswürde" (426) zu verstehen, er räumt aber ein, daß sie auch
"die liturgische Gewandung im allgemeinen" (428) bezeichnen könnten.

und nicht tatsächlich vorhandene Abzeichen gemeint sind. AM-
BROSIUS gebraucht "infulae" in Bezug auf staatliche Ämter mit
einem negativen Beigeschmack[256q]. Diese Ambivalenz des Los-
sagens von etwas, das eng mit "honor" verbunden war[256r], hat
er ja selbst erlebt: "Ego enim raptus de tribunalibus atque
administrationis infulis ad sacerdotium ..."[256s]. Neben der
"infula sacerdotis" des Alten Testaments[256t] und einigen anderen Anwendungsbereichen[256u] ist insbesondere die Anwendung
auf den christlichen Klerus bemerkenswert, zumal ja Ambrosius an unserer Stelle - soweit ich sehe, singulär - von den

---

256q) Paenit. 2,8,69: "Capilli quid significant, nisi ut noveris incli-
nata omni infularum dignitate saecularium obsecrandam indulgen-
tiam ..." (CSEL 73,191); vgl. in psalm. 61,24: "tu apostoli honorem, ille militiae dignitatem, administrationis infulas" (CSEL 64,
393).

256r) CYPR., ad Donat. 13: "An tu vel illos putas tutos, illos saltim
inter honorum infulas et opes largas stabili firmitate securos...?"
(CSEL 3,1,14); HIER., ep. 66,7,2: "antequam Christo tota mente ser-
viret, notus erat in senatu, sed et multi alii habebant infulas
proconsulares. totus orbis huiusce modi honoribus plenus est. primus erat, sed inter primos, praecedebat alios dignitate, sed et
alios sequebatur. quamvis clarus honor vilescit in turba et apud
bonos viros indigna ipsa fit dignitas ..." (CSEL 54,655) (zu Pam-
machius, einem römischen Beamten, der Mönch wurde und in Portus bei
Ostia ein Xenodochium errichten ließ; vgl. HHKG II/1,428). Vgl.
COD.IUST. 1,49,1 pr. (479): "qui administrationis maioris infulas
meruerint, id est ... proconsules vel praefectus Augustalis" (P.
KRÜGER, Berlin 1877,87).

256s) Off. 1,1,4 (PL 16,27C).

256t) AMBR., Iac. 2,10,44: "non decolorabo vos, infulae sacerdotales
..." (CSEL 32,2,60); fid. 5,10,127: "Ita bellum inmane confecit
tubae clangor et infula sacerdotis" (CSEL 78,263); vgl. PAUL.NOL.,
ep. 29,7 (CSEL 29,252). Zur Verwendung vielleicht ähnlicher Insignien im AT: HAAG 975 ("Kopftuch"); 1406 ("Priesterkleidung").
- Polykrates von Ephesos spricht von einem πέταλον des Johannes
(EUS., hist.eccl. 5,24,3) und auch Jakobus als erster Bischof von
Jerusalem soll das πέταλον (goldenes Stirnblech) getragen haben; dazu TH.ZAHN, Apostel und Apostelschüler in der Provinz Asien,
in: Forschungen zur Geschichte des neutestamentlichen Kanons VI.
(Leipzig 1900) 1-224, 211f.

256u) AMBR., ep. 18,11 (PL 16,1016C); ep. 43,4 (1179A); in Luc. 8,13
(CSEL 32,4,397); Ioseph 5,25 (CSEL 32,2,90); PAUL.NOL., ep. 18,
10 (CSEL 29,136).

"infulae sacerdotii" des Bischofs spricht. Schon TERTULLIAN schrieb mit Bezug auf den Klerus "deponimus infulas"[256v] und PAULINUS VON NOLA preist die beiden Bischöfe Memor und Aemilius mit den Worten: "infula pontifices divino iungit honore"[256w]. Für die Stelle bei Ambrosius ist es jedoch am aufschlußreichsten, wenn Papst INNOCENZ I. (414) in einer Dekretale an die Bischöfe von Makedonien (!) es als "contra legis praecepta" brandmarkt, daß Leute, die eine Witwe zur Frau genommen hätten, sogar "ad infulas summi sacerdotii pervenisse"[256x]. Wohl nicht so sehr das Alte Testament als vielmehr die zunehmende Einordnung der Bischöfe in das römische Beamtentum haben zu dieser - in den Anfängen erstaunlichen[256y] - Verbindung von "infulae" und Bischofsamt geführt. Betrachtet man die "infulae" als bedeutungsvolles Symbol[256z] für dieses Amt, so signalisiert ihre Übergabe zusammen mit der Weitergabe der vorhin erläuterten "melotis", wenn nicht schon den Vollzug der Amtsübertragung, so doch eine massive "Designation"[256za]. Der Schüler wird gleichsam testamentarisch

---

256v) Monog. 12,2 (CChrL 2,1247).

256w) Carm. 25,223 (CSEL 30,245); vgl. carm. 15,112-114: (vom hl.Felix) "iure sacerdotis veneranda insignia nanctus, mente loco digna meritum decoravit honorem. sed ne sola sacrum caput infula comeret illi ..." (CSEL 30,56).

256x) Ep. 17,1 (JK 303) (PL 20,528A); dazu CASPAR 1,310f; J.BRAUN 427 ("infulae" = Bischofswürde). An der Spitze der Adresse steht Rufus von Thessalonike, der Nachfolger des Anysius; zu seiner Stellung CASPAR 1,309f; HHKG II/1,266. Vielleicht hat auch Rufus von Anysius die "melotis" und die "infulae sacerdotii" des Acholius übertragen bekommen.

256y) Erstaunlich vor allem zur Zeit des noch heidnischen Kaisertums; vgl. STRAUB, Ordination 342 Anm. 20.

256z) Vielleicht darf man die "infulae" mehr als Symbol für Ehre, Ansehen, Macht (Bischof; Beamter) und die "melotis" als Zeichen für Armut, Bescheidenheit, Begnadung (Mönch; Prophet) interpretieren.

256za) Auch der folgende Text aus ep. 15,9 ist wohl so zu verstehen: "Nam quasi praescius successurum sibi, etsi promissis tegebat, tamen indiciis designabat (!), adiutum se eius cura, labore, officio memorans, ut iam declarare consortem videretur, qui non quasi novus ad summum sacerdotium veniret, sed quasi vetus sacerdotii exsecutor accederet" (PL 16,998BC); zu "consors" vgl. Kap. 2 A. 271.

zum Nachfolger bestimmt.

Ihre eigentliche Bedeutsamkeit gewinnt diese Ambrosius-
Stelle aber erst, wenn man sie mit der "hereditas"-Termino-
logie in Beziehung setzt. AMBROSIUS bescheinigt nämlich dem
Nachfolger Anysius nicht nur: "custodivit testamentum eius"[257],
sondern bezeichnet ihn in seinem zweiten Brief - ohne irgendwelche Abschwächung - als " h a e r e s " d e s A c h o -
l i u s :

"tenemus ergo te sanctae memoriae Acholii dudum discipulum, nunc successorem, haeredemque eius vel honoris vel
gratiae. ... Et magnum onus, frater, tanti nominis pondus
subisse, tantae librae, tantique examinis. Quaeritur in
te Acholius."[257a]

Man könnte geradezu von einer Klimax der Titel sprechen,

Zur Designation MOMMSEN, Staatsrecht I, 578ff; zum Ernennungsrecht
des Oberbeamten ebd. 212ff. Zur Designation von Bischöfen vgl.
oben § 19 II 1.

257) Ep. 15,13: "Et hic recognovit verbum Domini, et custodivit testamentum eius" (PL 16,999C); wie aus ep. 15,11 hervorgeht, handelt
es sich um eine Anknüpfung an ein Bibelzitat, also um das "testamentum Domini". Trotzdem ist in gewisser Weise auch das "testamentum" des Acholius mitgemeint, da er ja ebenso versucht hat, das
"testamentum Domini" zu bewahren. Vgl. auch ep. 16,6: "et testamentum pacis custodias" (PL 16,1001C).

257a) Ep. 16,1 (PL 16,1000AB); dazu MAMONE 77. Vgl. auch DS 2781: "honoris ac potestatis heredes" (Kap. 7 A. 191).

257b) So auch in ep. 15,9 (A. 256f); 15,11 (A. 257r); 15,13; vgl. zu
dieser Bezeichnung auch oben § 13 I. - Außerdem ist hier daran zu
denken, daß sich manche Bischöfe - wir wissen es z.B. von Eusebius von Vercelli und Augustinus - persönlich um eine optimale
Ausbildung der Kleriker in einer Art "vita communis" kümmerten.
Vgl. dazu HHKG II/1,285; P.STOCKMEIER, Aspekte zur Ausbildung des
Klerus in der Spätantike, in: MThZ 27 (1976) 217-232, bes. 225ff.
Insbesondere für die Bezeichnung des Anysius als "discipulus" und
"haeres" des Acholius könnte man es als zutreffenden Kommentar betrachten, wenn STOCKMEIER schreibt: Durch die gemeinschaftliche
Klerikerausbildung "verloren die kirchlichen Weihestufen als praktische Einführung in den Dienst der Gemeinde an Bedeutung; nicht
zuletzt führte dieses Institut zur Einschränkung des altkirchlichen Wahlverfahrens in den Gemeinden bzw. der Übernahme des Vor-
steheramtes auf dem Wege der Vererbung" (228).

wenn Anysius zunächst als "discipulus"[257b], dann als "successor"[257c] und schließlich als "haeres" des Acholius angesprochen wird. Bezog sich im vorausgehenden Brief die Szene der Amtsübertragung ganz klar auf das "summum sacerdotium"[257d], so wird nun der Gegenstand der Erbschaft mit "honor" und "gratia" umschrieben. Was meint hier der aus dem römischen Staatsrecht stammende Terminus "honor"[257e]? Nach TH. MOMMSEN bedeutete für den Römer die Führung der Geschäfte des Freistaates keine Pflichtleistung. Deshalb bezeichnete "honor" das Amt, "insofern dessen Uebertragung durch die Comitien eine Auszeichnung des Gewählten ist"[257f]. F. KLOSE hat an Beispielen aufgezeigt, wie "honor" und "magistratus"[257g] bzw. "honor" und "sacerdotium"[257h] eng zusammengehören. Bereits TERTULLIAN gebrauchte das Wort im Sinn von "kirchlicher Obrigkeit, Hierarchie und Würdestelle"[257i], während CYPRIAN von "sacerdotii honor" oder "episcopi honor"[257j] spricht. An jener

---

257c) Vgl. auch ep. 15,9 (A. 256za); 15,12: "Talis viri vita, talis haereditas est, talis conversatio, talis successio" (PL 16,999B); 16,6 (A. 257n).

257d) Ep. 15,9 (A. 256za). Von Acholius heißt es ep. 15,12: "Ad summum sacerdotium a Macedonicis obsecratus populis" (PL 16,999B); ep. 16,3: "... in qua ad summum electus est sacerdotium" (1000C).

257e) ThLL VI,3,2916-2931; GEORGES 2,3073f; HEUMANN 237f; F.KLOSE, Die Bedeutung von honos und honestus (Diss. Breslau 1933), bes. 82ff; D.B.BOTTE, Secundi meriti munus, in: QLP 21 (1936) 84-88; GRYSON, Le prêtre 128-130 ("honor" und "dignitas" bei Ambrosius).

257f) Abriß des römischen Staatsrechts (Darmstadt 1974; Nachdr. 1907²) 67; vgl. ebd. 64.

257g) A.a.O. 35f.

257h) A.a.O. 37-39.

257i) JANSSEN 49; vgl. BENEDEN, origines 24f; 36.

257j) Ep. 69,3: "Si vero apud Cornelium fuit (sc. ecclesia), qui Fabiano episcopo legitima ordinatione successit et quem praeter sacerdotii honorem martyrio quoque Dominus glorificavit ..." (CSEL 3,2, 752); ep. 67,6: "ab ordinatione autem cleri adque sacerdotali honore prohiberi (741); ep. 33,1: "Dominus noster, cuius praecepta metuere et servare debemus, episcopi honorem et ecclesiae suae rationem disponens" (566); vgl. zu Cyprian ansonsten BECK 135f; JANSSEN 53f; BENEDEN, origines 68; 82; 95; 118; 130; 135. Weitere Belege für die Anwendung von "honor" auf die christlichen Ämter: ThLL VI,3,2927 Z. 23ff.

berühmten Stelle bei Cyprian: "pari consortio praediti et honoris et potestatis"[257k] will H. KOCH[257l] "honor" und "potestas" "noch völlig gleichbedeutend" verstanden wissen. Ebenso wie der "ecclesiasticus honor" bei SIRICIUS[257m] legt es auch die Unterscheidung zwischen "honor", "mores" und "gratia" im Brief[257n] des AMBROSIUS an Anysius nahe, in der Verbindung "haeres eius honoris" "honor" als das (Bischofs-) Amt und die damit verbundene Ehrenstellung zu verstehen. So wäre auch hier nichts anderes als das "summum sacerdotium" gemeint. Das "honor" beigeordnete "gratia"[257o] kann zwar auch die Gunst, Beliebtheit, den guten Ruf, den man genießt, bezeichnen, doch spricht auch jene vorhin tangierte Stelle[257p] dafür, es primär als göttliche Gnade und Erwählung aufzufassen. Dies fügt sich freilich nicht so gut wie "honor" zum Erbgedanken, doch der ganze Kontext zeigt, daß Ambrosius in Anysius auch die "gratia" des Acholius präsent sieht.

In diesem Zusammenhang ist auch noch auf jene eng mit dem Erbgedanken verwobene Vorstellung von der " R e p r ä - s e n t a t i o n " hinzuweisen, die wir schon bezüglich der Söhne des Theodosius kennengelernt haben[257q] und die AMBROSIUS auch hier so offenkundig anspricht: "se ipse (sc.

257k) Unit.eccl. 4 (WICKERT 158); vgl. dazu oben A. 69.

257l) Cathedra Petri 55 Anm. 1; mit weiteren Belegen u. alternativen Vorschlägen anderer Autoren.

257m) Ep. 1,11: "noverint se ab omni ecclesiastico honore, quo indigne usi sunt, apostolicae sedis auctoritate deiectos ..." (PL 13,1140A). Vgl. SIXT.III., ep. 8,1 (JK 394): "Habeant honorem suum metropolitani" (PL 50,611); dazu CASPAR 1,381f. SIXT.III., ep. 30 (ep. 5,3; JK 391): "quem (sc. Petrum) habemus honoris exordium" (ACO I 2,107 Z. 24; PL 50,603A).

257n) Ep. 16,6: "Huius igitur successorem te Dominus non solum honore, sed etiam moribus probet, et summa fundare dignetur gratia" (PL 16,1001B). Vgl. bes. GRYSON, Le prêtre 129 mit Anm. 101 u. 102.

257o) GEORGES 1,2964-2966.

257p) Ep. 16,6 (A. 257n).

257q) Vgl. Kap. 2 A. 351.

Acholius) in discipulo repraesentat"[257r]. Zweifellos ist auch
eine gewisse rhetorische Komponente im Spiel, wenn es etwa
heißt: "In dir sucht man den Acholius", doch sollte man die
real gedachte Komponente in dieser Frage gerade beim antiken
Menschen nicht unterschätzen.

So verbinden sich in diesen beiden Briefen des Ambrosius
die anschaulich geschilderte Szene von der Übergabe der "melotis" und der "infulae" durch den dahinscheidenden Acholius, die aus dem juristischen Bereich stammende Titulation
als "haeres" des Bischofsamtes des Acholius und die antikem
Denken vertraute Vorstellung einer "Repräsentation" der Person des Acholius - inklusive seiner Vorzüge und Amtsführung
- durch Anysius zu einer beeindruckenden Einheit. Auch wenn
man hier "honor" und "gratia" kaum in den Raster von "potestas iurisdictionis" und "potestas ordinis" einspannen
kann, stellt die ambrosianische Sicht der Sukzession zwischen
Acholius und Anysius den Höhepunkt in der direkten Verbindung der "hereditas"-Terminologie mit dem Bischofsamt dar.
Zeugnisse dieser Art dürften zudem außerordentlich selten
sein.

2. Nichtsdestoweniger begegnet man auch in einem Carmen
des PAULINUS VON NOLA[258] einer vergleichbaren Stelle. Pau-

257r) Ep. 15,11: "hunc nobis quis poterit repraesentare? Sed repraesentat Dominus, et se ipse in discipulo repraesentat. Repraesentant
iudicia vestra ..." (PL 16,999A). Vergleicht man damit obit.Theod.
36: "tu solus domine invocandus es ..., ut eum in filiis repraesentes" (CSEL 73,389), so ist gut zu erkennen, daß Gott es ist,
der diese "Repräsentation" letztlich bewirkt und daß hier der Soh-
nesbegriff einfach durch den Schülerbegriff abgelöst ist, wobei
aber weiterhin Vorstellungen mitschwingen, die nur vom Sohnesgedanken her plausibel zu machen sind. Ähnlich verhält es sich auch
mit dem Verhältnis von "Sohn" und "Erbe"; dazu unten § 26. - Im
Zusammenhang mit "repraesentare" ist auch auf das - besonders im
Mönchtum wichtige - Motiv von der "imitatio" (ep. 15,13; vgl. 15,
11) hinzuweisen.- Zu "repraesentare" auch Cath 26 (1972) 43-45.

258) ALTANER-STUIBER 409f (Lit.); A.BUSE, Paulin, Bischof von Nola,
und seine Zeit (350-450) Bd. 1/2 (Regensburg 1856); P.G.WALSH,
The Poems of St.Paulinus of Nola (New York 1975).

linus stammte aus einer reichen Senatorenfamilie in Bordeaux,
wurde ca. 378/79 Statthalter in Kampanien, mit Zustimmung
seiner Frau um 394/95 Asket und in Barcelona zum Priester
geweiht. Wir besitzen von ihm nicht nur die Zeugnisse seiner Korrespondenz mit den führenden Geistern der christlichen Welt und mit seinem einstigen Lehrer Ausonius, sondern
auch 35 in Hexametern abgefaßte Gedichte. Darunter befinden
sich auch 14 "Carmina natalicia", die er - 395 als Priester
nach Nola[258a] zurückgekehrt - dem hl. Felix[258b] zu dessen
Gedächtnistag am 14. Januar widmete. Dieser schon im 4./5.
Jahrhundert hochverehrte Schutzpatron jener Stadt, wo einst
Kaiser Augustus starb, wird von Paulinus als Bekenner und
Martyrer gefeiert. In Carmen 15 (398) erzählt er ausführlich
sein wunderbares Wirken während einer Verfolgung, die vielleicht die des Decius war:

> "tunc senior sanctis Nolanam legibus urbem
> Maximus et placido formabat episcopus ore,
> presbytero Felice potens, quem mente paterna
> complexus veluti natum sedisque vovebat
> heredem."[258c]

K. SCHRÖDL[258d] erwähnt diese bedeutsamen Verse sogar in
seinem Resümee über das Leben des hl. Felix: "Felix wurde
frühzeitig Lektor, sodann Exorcist und endlich Presbyter
und genoß im hohen Grade die Liebe seines alten Bischofes

258a) H.LECLERCQ, Nole, in: DACL 12,2,1422-1465; Nola liegt in Kampa-
      nien etwa in der Mitte zwischen Neapel und Avellino.

258b) K.SCHRÖDL, Felix von Nola, in: WETZER-WELTE 4,1320-1322; vgl.
      BUCHBERGER 4,991; LThK 4,69f; DACL 12,2,1423.

258c) Carm. 15,120-124 (CSEL 30,56). Vgl. WALSH 86 ("he had taken him
      to his heart as a father takes a son, and he desired Felix to
      succeed him in the see"), der aber die "hereditas"-Terminologie
      nicht berücksichtigt. Carm. 15,114 erwähnt die "infula" des Pres-
      byters Felix; dazu WALSH 370 Anm. 23 u. oben A. 256n - 256z.

258d) WETZER-WELTE 4,1321. Vgl. BUSE 1,217: "Zu der Zeit regierte zu
      Nola als Bischof der greise Maximus, welcher Felix wie seinen
      Sohn hegte und ihn zum künftigen Erben seines Amtes bestimmte".

Maximus, welcher ihn im heiligen Dienste herangezogen hatte
und als den Erben seines bischöflichen Stuhles betrachtete."
Inwieweit die von SCHRÖDL angesprochenen Verse des PAULINUS
das tatsächliche Verhältnis zwischen B i s c h o f   M a -
x i m u s [258e] u n d   s e i n e m   P r e s b y t e r   F e -
l i x wiedergeben, oder nur der Denkweise des Panegyrikers
entspringen, läßt sich nicht mehr verifizieren. Sicherlich
dürfte aber die genaue Qualifizierung dieser Beziehung im
Sinne eines Vater-Sohn- und eines Erblasser-Erben-Verhält-
nisses primär auf die Denkweise des Paulinus und seiner Zeit
zurückzuführen sein. Wir erfahren, daß der greise Bischof
Maximus seinem Presbyter Felix wie ein V a t e r [258f] zu-
getan war und sich diesen als "natus"[258g] und "sedis heres"[258h] wünschte. Würde man zwischen diesen beiden "Wunsch-
vorstellungen" noch ein "somit" einfügen, so wäre dadurch
auch ein Bezug zu den bereits angesprochenen Familiendyna-
stien im christlichen Klerus[258i] hergestellt. Doch wie schon
das "veluti" zeigt, geht es hier bereits um eine vergeistig-
te Form dieser Erscheinung. Exemplarisch zeigt diese Stelle
den Übergang[258j] an, wo an die Stelle der physischen Vater-
Sohn-Beziehung die "psychische" oder pneumatische trat.

Gilt aber diese "Spiritualisierung" auch für die "heres"-
Bezeichnung? Wenn hier Paulinus von " s e d i s   h e r e s "

258e) WETZER-WELTE 4,1321f; DACL 12,2,1425; WALSH 370 Anm. 25.

258f) Carm. 15,122f: "quem mente paterna conplexus" (CSEL 30,56); 15,
358f: "Maximus ore paterno ore et apostolico benedicens et locuple-
tans" (67).

258g) Carm. 15,123: "veluti natum ... vovebat" (56); 15,352: "o mi nate"
(67). Vgl. auch PS.-MAXIM., serm. 7,2 (A. 279; 282).

258h) Der Genitiv "sedis" gibt den Gegenstand der Erbschaft an. Vgl. zu
dieser Verbindung von "sedes" und "hereditas"-Terminologie: OPTAT.
1,15: "hereditaria cathedra" (§ 16.2); Papst ZOSIMUS, ep. 12,2:
"qui sedis hereditatem ipso adnuente meruissent" (§ 29.2); LEO M.,
serm. 4,4: "sedis ipsius (sc. Petri) consortes" (CChrL 138,21).

258i) Vgl. oben Kap. 5.

258j) Dazu auch oben § 20.

spricht, um auszudrücken, wozu Maximus den Presbyter Felix
wünschte, ja geradezu bestimmte, so ist damit m.E. der Bischofssitz, das Bischofsamt ebenso angesprochen wie das damit verbundene Ansehen und auch die Macht und der Besitz[258k].
"Heres" ist also hier nicht bloß im übertragenen Sinn gebraucht. Bei der vorhin behandelten AMBROSIUS-Stelle: "haeres eius vel honoris vel gratiae", die neben der Paulinus-
Stelle als einzige das Verhältnis zwischen Amtsvorgänger
und -nachfolger mit der "hereditas"-Terminologie beschreibt,
ist zwar der Erbgegenstand etwas anders ausgedrückt, aber
der Unterschied zwischen "sedes" und "honor" ist bei diesem
Kontext sehr gering. Im übrigen bringt laut PAULINUS auch
Bischof Maximus - ähnlich wie vorhin Bischof Acholius - seinen Plan für die Nachfolgeregelung mit folgenden Worten zum
Ausdruck: "cape tu quoque, dixit, muneris, o mi nate, vicem,
quam me tibi iussit reddere conpositum"[2581]. Maximus fordert
damit Felix auf, "muneris vicem"[258m], d.h. die Stelle seines
Amtes, einzunehmen. Es paßt gut zu dieser Sicht, wenn es
dann noch heißt, Bischof Maximus habe dem Presbyter Felix
die Rechte aufs Haupt gelegt und ihn "ore paterno ore et
apostolico" gesegnet[258n]. Erinnern wir uns an jene Szene, wo
Bischof Acholius den Anysius mit seiner "melotis" und den
"infulae sacerdotii" bekleidete, so ist auch hier die enge
Zuordnung dieser Übertragungs- und Segnungsszene zu der Bezeichnung des Felix als "natus sedisque heres" zu erkennen.
    Laut Paulinus hat also Bischof Maximus seinen Presbyter

258k) Allerdings wäre für Felix nach dem Bild, das Paulinus von ihm
      zeichnet, die Frage des Besitzes völlig belanglos gewesen, da er
      sogar auf sein in der Verfolgung eingezogenes väterliches Erbe
      freiwillig verzichtete (carm. 16,255ff).

2581) Carm. 15,351-353 (67).

258m) Vgl. zu "muneris vicem" HEUMANN 623: "qui vice praefecti cognos-
      cit"; "qui vice principis iudicavit"; zu "munus" ebd. 356.

258n) Carm. 15,354-357: "tum deinde sacram Felicis amati inponit capiti
      dextram, simul omnia Christi dona petens, velut ille patrum vene-
      rabilis Isac rore poli natum et terrae benedixit opimo" (67); zit.
      15,358f. Vgl. zur Handauflegung oben § 22.3.

als den "Erben seines Bischofssitzes" vorbestimmt und zur
Übernahme des Amtes aufgefordert. Wir erfahren aber auch,
daß Felix nach dem Tode des Bischofs Maximus zu Gunsten des
zeitlichen Vorrangs des Presbyters Quintus[258o] auf den Antritt dieses Erbes verzichtete, obwohl auch das Volk nach
Felix verlangte. Dafür trat Paulinus selbst zehn Jahre nach
diesem Preis der "iustitia" des hl. Felix die Nachfolge[258p]
auf dem Bischofssitz von Nola an (409). Angesichts seiner
Herkunft und seiner Vergangenheit darf man vermuten, daß
auch er, der einst auf seinen Reichtum verzichtet hatte,
sich dabei weniger als "heres" irgendwelchen Besitzes denn
als "heres" des Amtes fühlte, das einst Bischof Maximus in-
nehatte und für das auch sein verehrter Schutzpatron, der
hl. Felix, zumindest designiert[258q] worden war.

§ 24. Die Sorge für den rechten Glauben als Erbverpflichtung
      der Bischöfe

I. Die "heredes" des Lucifer von Calaris und des Eusebius
   von Vercelli

   1. Bischof Lucifer von Calaris, der uns schon öfters als
entschiedener Gegner des Arianismus und Feind von Kaiser
Konstantius II. begegnet ist, teilte im Jahre 355 das Ver-
bannungsschicksal des Dionysius von Mailand und ebenso wie
dieser wird auch er von AMBROSIUS mit einer Erbfolge verbunden.

258o) Carm. 16,234ff. Carm. 16 stammt aus dem Jahre 399 (WALSH 371 Anm.
      1).

258p) Soweit die Bischofsliste für diese Zeit schon zuverlässig ist,
      folgte auf Quintus ein gewisser Paulus (403-409) und auf diesen
      schließlich Paulinus; vgl. ep. 32,15 (CSEL 29,290 Z. 20); DACL
      12,2,1425.

258q) Vgl. zur Designation oben § 19 II 1.

In der Leichenrede auf seinen Bruder Satyrus (378)[259]
kommt nämlich Ambrosius im Rahmen eines Lobs für die Tugenden seines Bruders auch auf dessen Verhalten bei einem
Schiffbruch zu sprechen: Auf der Rückreise von Afrika -
wahrscheinlich im Winter 377/78 - habe sich der noch unge-
taufte Satyrus in der Befürchtung, "ne vacuus mysterii exi-
ret e vita"[259a], von Mitreisenden die Eucharistie erbeten
und sich mit ihr ("involutum in orario"[260]) ins Meer ge-
stürzt. Nach seiner Rettung kraft dieser "fidei arma"[261]
sei er zum Empfang von Taufe und Eucharistie[261a] entschlos-
sen gewesen:

"Advocavit ad se episcopum nec ullam veram putavit nisi
verae fidei gratiam percontatusque ex eo est, utrumnam
cum episcopis catholicis, hoc est cum Romana ecclesia conveniret. Et forte ad id locorum in schismate regionis il-

---

259) F.ROZYNSKI, Die Leichenreden des hl.Ambrosius insbesondere auf ihr
Verhältnis zu der antiken Rhetorik und den antiken Trostschriften
untersucht (Breslau 1910) 15-70; BAUNARD 148-162; P.B.ALBERS, Über
die erste Trauerrede des hl.Ambrosius zum Tode seines Bruders Satyrus, in: Beiträge zur Geschichte des christlichen Altertums u.
der Byzantinischen Literatur. Festgabe A.Ehrhard, hrsg. v. A.M.
Koeniger (Bonn-Leipzig 1922) 24-52; O.FALLER: CSEL 73,81[+]- 89[+].

259a) Exc.Sat. 1,43 (CSEL 73,233). Vgl. "Qui priusquam perfectioribus
esset initiatus mysteriis ..." (ebd. 232). Zu "mysterium" und "sacramentum" (ab his divinum illud fidelium sacramentum poposcit; 1,
43 Z. 7) J.HUHN, Die Bedeutung des Wortes sacramentum bei dem Kirchenvater Ambrosius (Fulda 1928) 53f; D.ILLERT, Die "vollkommeneren
Sakramente" bei Ambrosius, in: ZKG 73 (1962) 9-15, bes. 10-12.

260) Exc.Sat. 1,46: "Nam qui tantum mysterii caelestis involuti in orario praesidium fuisset expertus ..." (234f); vgl. 1,43. "Orarium":
das Schweißtuch, Schnupftuch. Zu dieser Stelle ROZYNSKI 49 mit Anm.
1; HUHN 54 mit Anm. 1; J.BRAUN 564.

261) Exc.Sat. 1,43 Z. 12 (233). Vgl. F.J.DÖLGER, Die Eucharistie als
Reiseschutz. Die Eucharistie in den Händen der Laien, in: AuC 5
(1936) 232-247.

261a) Zweiffellos interpretiert ILLERT 11f die Stelle zu Recht im Sinne
beider Initiationssakramente; in Absetzung von O.FALLER (11 Anm. 8)
und F.J.DÖLGER (11 Anm. 9), die nur an die Taufe denken und L.
LAVOREL (9 Anm. 3), der allein auf die Eucharistie abhebt.

lius ecclesia erat; Lucifer enim se a nostra tunc temporis communione diviserat. Et quamquam pro fide exulasset
et fidei suae reliquisset heredes, non putavit tamen fidem esse in schismate; nam etsi fidem erga deum tenerent,
tamen erga dei ecclesiam non tenerent ..."[262]

Da die Schilderung des Unglücks keine genaueren Ortsan-
gaben[263] enthält, kann Satyrus sich bereits in Italien oder
auch in Sardinien[264] an Land gerettet haben. Wir erfahren
lediglich, daß die Kirche dieser Gegend "cum episcopis catholicis" bzw. "cum Romana ecclesia" keine "communio"[265] unterhielt.

Der Redner erwähnt dann als Urheber dieser Zustände Lucifer, der die Jahre 356 -361 im Exil verbracht hatte. Nachdem ihm durch Kaiser Julian die Rückkehr möglich geworden
war, begab er sich nach Antiochien, wo er kurzerhand den
Presbyter Paulinos zum Bischof der streng-nikänischen Eusta-
thianer weihte, da er den exilierten Bischof Meletios für

---

262) Exc.Sat. 1,47 (235). Dazu BAUNARD 149-151; G.KRÜGER, Lucifer, Bischof von Calaris, und das Schisma der Luciferianer (Leipzig 1886;
Reprogr. Hildesheim-New York 1969) 76; ROZYNSKI 50; GRYSON, Le
prêtre 179f; ALTANER-STUIBER 388.

263) 1,43 Z. 3: "in naufragio constitutus" (232); 1,44 Z. 5: "in portum
terrenae stationis evectus" (233); 1,47 Z. 6: "ad id locorum" (235;
derselbe Ausdruck SALL., Iug. 63,6; vgl. denselben genitivus par-
titivus in: "tunc temporis"); ebd.: "regionis illius ecclesia".

264) So GRYSON, Le prêtre 180 Anm. 63; KRÜGER 76: "Man landete in Sardinien". Hierfür ließe sich allenfalls die Notwendigkeit einer Wei-
terfahrt anführen, wie sie exc.Sat. 1,48 anklingt: "Itaque quamvis
gratiae fenus (Eucharistie!) teneret et metueret tanti nominis debitor navigare, tamen eo transire maluit, ubi tuto posset exolvere"
(235). Man beachte die Termini der Geschäftssprache: "fenus" (das
ausgeliehene Kapital), "debitor" (der Schuldner), "exolvere" (eine
Geldschuld bezahlen).

265) Vgl. oben Kap. 2 A. 266; 267; Kap. 3 mit A. 33; 108; 123. "Convenire cum aliquo" drückt hier aus, was "communio" meint. Neben dem
Primatsgedanken spielt bei der Erwähnung der römischen Kirche wohl
auch der Umstand eine Rolle, daß die Luciferianer gerade in Rom
einen Bischof (Aurelius; Ephesius) hatten (KRÜGER 80f; 86-88), den
Bischof Damasus heftig bekämpfte. Vgl. zu "hoc est cum ..." H.KOCH,
Cathedra Petri 16; 81.

einen Arianer hielt[266]. Im Gegensatz zu den Beschlüssen der
Synode von Alexandrien (362)[267] beharrte er auf seiner rigorosen Ansicht, daß alle Bischöfe, die sich zur Unterschrift
unter die homöische Formel hatten verführen lassen, auf ihr
Amt verzichten müßten. So kam es auch zum Zerwürfnis mit seinem einstigen Streitgenossen Eusebius von Vercelli und zur
Aufkündigung der Kirchengemeinschaft. Das sogenannte "Luci-
ferianische Schisma"[268], das auch noch den Tod seines Urhebers (370) überdauerte, war geboren.

Der mit "Et quamquam ..." eingeleitete Satz ist ein schönes Spiegelbild dieses ganzen Dilemmas des Lucifer von Calaris. Der Nebensatz zollt ihm nämlich Hochachtung für seine
langen Exiljahre und anscheinend auch dafür, daß er "fidei
suae heredes"[269] zurückgelassen habe. Der Hauptsatz bringt
aber dann den Gegensatz, die Meinung des Satyrus[270], daß
man "in schismate" keine "fides" finden könne. Der folgende
Satz mit demselben Bauprinzip[271] zeigt am Beispiel der "heredes", daß man zwischen "fides erga deum" und "erga dei
ecclesiam"[272] unterscheiden müsse. Die "ecclesia in schis-

---

266) HEFELE 1,730; KRÜGER 50f; HHKG II/1,62f.

267) HEFELE 1,727-731; HHKG II/1,62.

268) HEFELE 1,730; KRÜGER, bes. 58ff; PW 13,2,1616; vgl. auch oben §
15,10.

269) Hierbei handelt es sich um einen genitivus obiectivus.

270) KRÜGER 54 Anm. 5, der hinter "non" ein eingeklammertes Fragezeichen setzt, hat offenbar den vorliegenden Subjektswechsel nicht erkannt und das "esse" als "sein, sich befinden" (wie bei "in schismate ... ecclesia erat") statt im Sinn von "existieren" aufgefaßt.
Richtig übersetzt dagegen TH.KÖHLER 21: "so glaubte mein Bruder
trotzdem nicht, daß der wahre Glaube in der Sonderkirche zu finden
sei"; GRYSON, Le prêtre 180: "Satyrus ne crut cependant pas que
la foi se trouvât dans le schisme".

271) "Etsi" - "tamen". Der ganze Satz ist innerlich abhängig von "non
putavit".

272) Anschließend betont Ambrosius, daß es sich dabei auch um eine "fides" Christus gegenüber handelt, da die "ecclesia" "Christi corpus" sei.

mate" und der herbeigerufene "episcopus" als ein Vertreter
dieser "fidei suae heredes" halten aber nur die "fides erga
deum", also eine "fides" ohne "communio", hoch. Die luciferia-
nischen Bischöfe in Sardinien und anderswo als "fidei suae
heredes" wahren zwar die "hereditas" der unverfälschten "fides" von Nikaia wie auch Lucifer selbst, aber sie haben von
Lucifer mit dem kompromißlosen Eintreten für Nikaia auch
dessen unversöhnliche Haltung samt seiner Aufkündigung der
"communio" übernommen und man könnte sie deshalb auch als
"heredes schismatis"[273] bezeichnen. Dabei erscheint es sehr
bedeutsam, daß wiederum AMBROSIUS es war, der ein paar Jahre später - gerade auch im Hinblick auf das durch Lucifer
vertiefte Antiochenische Schisma - von "hereditariae communionis iura"[274] sprach, so daß man die Bischöfe nicht nur
als Erben der "fides", sondern auch der "communio" sehen
muß.

Abschließend läßt sich sagen: Ambrosius sieht die bischöfliche Abfolge der Luciferianer als eine Erbfolge bezüglich
der von Lucifer vertretenen und hinterlassenen "fides". Insofern Lucifer durch seine Weihen[275] die Herausbildung einer
solchen Erbfolge angestoßen hat, wird hier auch die (schismatische) Sukzession der Bischöfe[275a] mit der "hereditas"-Ter-
minologie umschrieben, also auch Bischofsamt oder Amtscha-

---

273) Vgl. dazu oben § 16, wo man ja verschiedentlich von einer Anwendung der "hereditas"-Terminologie auf Tradition u n d Sukzession
sprechen müßte.

274) Ep. 14,7 (oben § 8.2).

275) Nach dem Fall des Paulinos von Antiochien hat man besonders auf
Sardinien mit einem ähnlichen Vorgehen Lucifers zu rechnen. Außerdem soll er in Neapel eine ähnliche Szene wie in Antiochien provo-
ziert haben (dazu KRÜGER 55).

275a) Allein schon vor dem Hintergrund von exc.Sat. 1,47 u. c.Aux. 18
scheint mir die einseitige Position von CAMPENHAUSEN korrekturbe-
dürftig: "Die Gedanken der apostolischen Sukzession, der magischen
(!) Bischofsweihe und der Sakramentsgewalt des Priesters ... treten bei Ambrosius völlig zurück" (Ambrosius 266; Klammer von mir).

risma[276] erbmäßig weitergegeben gedacht.

2. Auch Lucifers langjähriger Freund Eusebius von Vercelli[277] (+ca. 371) wird als Ausgangspunkt einer Erbfolge von Amtsträgern gesehen, allerdings in einem relativ späten Text, auf den deshalb nur kurz einzugehen ist. In einer - fälschlicherweise MAXIMUS VON TURIN[278] zugeschriebenen - Predigt zum Gedenktag des Eusebius werden in panegyrischer Form die "virtutes" der "sancta plebs" auf das "magisterium" des Eusebius zurückgeführt. So heißt es schließlich:

"quia pontificii administratione fulgebat, plures ex discipulis sacerdotii sui reliquit heredes. Quamvis igitur nonnulli liberis suis relinquant auri argentique thesauros, nemo tamen sancto Eusebio ditiores reliquit, siquidem omnes extiterunt aut sacerdotes aut martyres."[279]

Es erscheint hier als eine Auszeichnung des Gefeierten, daß er sein Bischofsamt[280] so verwaltete, daß er "Schüler"[281] und "Kinder"[282] zurückließ, die der Redner als "sacerdotii sui heredes"[283] bezeichnet. Dieses Erben-Verhältnis der "sa-

---

276) Hierbei ist auch zu beachten, daß sich der Bruder laut Ambrosius vom herbeigerufenen Bischof die Mitteilung einer "vera gratia" im Sinn einer "verae fidei gratia" erwartet hat. Es kommt ihm auf das "tuto"(exc.Sat. 1,48; A. 264) an, so daß sein ganzes Verhalten als Beispiel für "cautio" gewertet wird.

277) PW 6,1,1441-1443; BARDENHEWER 3,486f.

278) Bischof, ca. 397-415. Zur falschen Zuweisung des in Vercelli erst "nach dem 5.Jh" gehaltenen sermo 7 vgl. B.FISCHER, Verzeichnis der Sigel für Kirchenschriftsteller (Freiburg 1963[2]) 375.

279) Serm. 7,2 (CChrL 23,25).

280) Vgl. zu "pontificium" für "Bischofsamt" MAROT, in: Irenikon 37 (1964) 200f; zu "administratio" unten § 28.3.

281) Zur Bezeichnung "discipuli" vgl. auch TERT., scorp. 9,3: "in hereditarios discipulos" (§ 7.2 mit A. 203; 206-209); AMBR., ep. 16,1 (A. 257a) u. bes. A. 257b; STOCKMEIER, Klerus 225f mit Anm. 34 (Klerikergemeinschaft des Eusebius).

282) Im weiteren Sinn auch auf die Gemeinde zu beziehen: "In Christo enim Iesu per evangelium ipse nos genuit" (serm. 7,2; CChrL 23,24). Vgl. oben § 20 II.

283) Genitivus obiectivus.

cerdotes" kann man wohl nur in der Weihe durch den Bischof
begründet sehen. Die Voraussetzungen für diese direkte Verbindung von "hereditas"-Terminologie und "Amtsbezeichnung"[284]
sind gut in der "discipuli"- und "liberi"-Terminologie des
Kontexts zu erkennen. Der ganze Kontext zeigt auch, daß der
Redner sowohl das persönliche Charisma[285] als auch das Amts-
charisma[286] des "Priestervaters" Eusebius, ja teilweise sogar seine "vultus"[287] in den "sacerdotii sui heredes" wieder-
zufinden glaubt.

II. Die Bischöfe als Erben der Apostel bei Papst Cölestin I.

Am Schluß der Überlegungen zur bischöflichen Sukzession
(Kap. 6) ist nun auf zwei wichtige Stellen aus den Briefen
des Papstes CÖLESTIN I. (422 - 432) einzugehen, wo die Bischöfe als Erben der Apostel erscheinen. Sie markieren gleichzeitig die Nahtstelle und den Übergang zu unserem letzten
Kapitel (Kap. 7), das dem Papst als dem Erben des Apostelfürsten gewidmet ist.

1. Zuerst wollen wir einen Text aus dem päpstlichen Be-
grüßungsschreiben (8. Mai 431)[288] für das Konzil von Ephesos

---

284) Es ist hier nicht eindeutig zu entscheiden, ob mit "sacerdotium"
   nur an Priester gedacht ist oder auch Bischöfe gemeint sind, bei
   deren Weihe Eusebius mitgewirkt hat. - MACCARRONE, Cathedra Petri
   285 versteht "sacerdotium" bei CYPR., ep. 17,2 als "priesterliche
   Vollmacht des Bischofs".

285) Vgl. die "virtutes": castitas, abstinentia, lenitas (CChrL 23,25).

286) Vgl. "sancti Eusebi magisterium", "pontificii administratio" (24f).

287) Serm. 7,1: "beatum Exuperantium loquor, qui fuit eius minister in
   sacerdotio comes in martyrio particeps in labore, in cuius vulti-
   bus sanctum quoque Eusebium videre nos credimus, et quasi in quodam speculo bonitatis illius imaginem contuemur" (24). Vgl. TERT.,
   praescr. 36,1 (oben A. 134).

288) Ep. 7 (18; JK 379): ACO I 2,22-24 (PL 50, 505-511). Dazu HEFELE 2,
   199; CASPAR 1,406; P.-TH.CAMELOT, Ephesus und Chalcedon (Mainz
   1963) 53.

betrachten. Daß dieses Schreiben noch in unser 6. Kapitel
fällt, liegt darin begründet, daß es im Unterschied zu den
sonstigen Thesen Cölestins zur päpstlichen Doktrin[289] die
"Gedanken gemeinbischöflichen Lehramts, apostolischer Nachfolge ..., also Ideen aus der älteren Schicht der Auffassung
vom Wesen der im Episkopat organisierten Kirche"[290] abhan-
delt. Am Anfang wird die "congregatio sacerdotum" deshalb
als "sanctum collegium"[291] bezeichnet, weil man in diesem
"collegium" die "apostolorum congregationis reverentia"[292]
zu erblicken habe. Auf diese Weise ist in ihm nicht nur der
heilige Geist[293] anwesend, sondern Christus selbst. Diesen
Autorisierungsprozeß: sanctum collegium ⟶ apostolorum congregatio ⟶ Christus[294] bestätigt auch der folgende Text, in
dem es vor allem darum geht, "daß dem Episkopat in seiner
Gesamtheit die Verkündigung des Evangeliums aufgetragen sei
wie einst dem Kollegium der Apostel, von dem es diesen Auf-

---

289) HHKG II/1,271f; vgl. CASPAR 1,408ff.

290) CASPAR 1,406.

291) Ep. 7,1 (ACO ⊺ 2,23 Z. 2); vgl. die "sancti heredes" (§ 24 II 2).
Zum Kollegialitätsgedanken in diesem Brief J.LECUYER, Etudes sur
la collegialité épiscopale (Le Puy - Lyon 1964) 17-19.

292) Ebd. (23 Z. 3). Die Einfügung von "reverentia" dient offensichtlich
dazu, die direkte Gleichsetzung von "sanctum collegium" und "apostolorum congregatio" zu vermeiden.

293) Ebd. "Spiritus sancti testatur praesentiam congregatio sacerdotum"
(22 Z. 22f).

294) Vgl. dazu oben A. 102; 103. Hier zeigt sich offenbar eine Parallele
zu dem, was W.ULLMANN (Die Machtstellung des Papsttums im Mittelalter,
Graz-Wien-Köln 1960) eine "absteigende oder deszendente These von
Recht und Gewalt" im Rahmen einer "theokratischen Auffassung vom Ursprung der Gewalt" (XXIV) nennt. Berücksichtigt man zudem die aufgezeigte Anwendung der "hereditas"-Terminologie auf die Bischöfe, die
ULLMANN nur in der Anwendung auf das Papsttum behandelt, so ließe sich
ein Teil der tiefschürfenden Überlegungen ULLMANNs (a.a.O. XXIV-
XXVI; z.B. Vikariatsgedanke) auch auf den Episkopat anwenden. So bezieht z.B. LEO M., serm. 4,3 das "ius potestatis" von MT. 16,18 auf
"omnes Ecclesiae principes". Bei Leo zeigt sich ja auch des öfteren
die Schwierigkeit, den "heres"-Anspruch mit all seinen Implikationen nur für die eigene Position zu reservieren. Die Entscheidung
fällt dabei in der jeweiligen Verhältnisbestimmung zwischen Petrus
und den übrigen Aposteln. So erklärt sich der Stellenwert dieser
Thematik in einschlägigen Äußerungen.

trag rechtmäßig ererbt habe"[295]:

"docebat ille qui miserat, docebat qui et dixerat quid
docerent, docebat qui in apostolis suis se confirmat audiri. haec ad omnes in commune domini sacerdotes mandatae
praedicationis cura pervenit, hereditario in hanc solli-
citudinem iure constringimur quicumque per diversa terrarum eorum vice nomen domini praedicamus, dum illis dicitur: i t e , d o c e t e o m n e s g e n t e s . ad-
vertit vestra fraternitas quia accepimus generale mandatum, omnes etiam nos agere voluit qui illis sic omnibus in
commune mandavit. officium necesse est nostrorum sequamur auctorum, subeamus omnes eorum labores quibus omnes successimus in honore"[296].

Bevor wir uns mit der Argumentationsstruktur dieses Textes
näher befassen können, sind noch einige Termini zu klären:
Die Sorge für den Verkündigungsauftrag betrifft alle Bischöfe[297] "in commune" ebenso, wie Christus "illis (sc. apostolis) sic omnibus in commune mandavit". Diese juristische
Ausdrucksweise bezieht sich sonst auf Vermögensrechte und
den Körperschaftsgedanken[298] und bedeutet adverbiell "für
alle, zum gemeinschaftlichen Gebrauch". Der Zusammenhang mit
"collegium", "fraternitas" und "generale mandatum"[299] liegt

---

295) HHKG II/1,298. Statt "es" müßte es besser "er" (der Episkopat)
heißen.

296) Ep. 7,2 (23); dazu MEDICO 375f; 399: "Cette mission constitue avec
le dépôt révélé un patrimoin héréditaire laissé par les apôtres à
leurs successeurs."

297) "Omnes ... domini sacerdotes" (23 Z. 7); vgl. "congregatio sacer-
dotum" (A. 293). Vgl. M.GY, Bemerkungen zu den Bezeichnungen des
Priestertums in der christlichen Frühzeit, in: Das apostolische
Amt, hrsg. v. J.Guyot (Mainz 1961) 92-109.

298) GEORGES 1,1328f; HEUMANN 82: in commune conferre (redigere) = zur
gemeinschaftlichen Teilung in die Erbschaft einwerfen.

299) Vgl. HEUMANN 227: generale mandatum de universis negotiis geren-
dis.

auf der Hand. "Pervenire ad aliquem"[300] heißt "an jemanden
(als Bestandteil seines Vermögens) gelangen" und wird gern
von der "hereditas" gesagt. Bei dem korrespondierenden "constringimur"[301] ist die nachweisbare Verbindung dieses Ver-
bums mit "lege" "(novis) legibus" bedeutsam, da ja in unserem Text von einer Bindung und Verpflichtung "hereditario
iure"[302] die Rede ist. Der Gegenstand dieser Erbverpflichtung
ist hier, parallel zum vorausgehenden "cura", die "sollicitudo"[303]. Während dieser Terminus fast an allen Stellen "vom
römischen Nachfolger der Apostel für sich beansprucht"[304]
wird und in den ständigen Sprachschatz der Päpste eingegangen ist, wird er hier ausnahmsweise auf das Kollegium der
Bischöfe bezogen. Neben der direkten Anknüpfung an 2 Kor.
11,28[305] müßte der Einfluß des "cura"-Begriffs des antiken
Staatsrechts[306] noch genauer geprüft werden, zumal man ja
auch von "sollicitudo provinciae" oder "sollicitudo admini-
strandae Italiae"[307] sprach.

An der vorliegenden Stelle ist also von einer Erbfolge -
zwischen den Aposteln und dem Kollegium der Bischöfe - hinsichtlich dieser "sollicitudo" die Rede. Das Verhältnis Chri-

---

300) GEORGES 2,1660; HEUMANN 427.

301) GEORGES 1,1565; HEUMANN 99. Vgl. SIRIC., ep. 1,10: "insolubili lege
constringimur" (PL 13,1139A); COEL., ep. 3 (JK 366): "Nosque praecipue circa omnes cura constringimur" (PL 50,428A); dazu auch Kap.
7 A. 175.

302) ThLL VI,3,2628 Z. 34-68, bes. 65ff. Vgl. oben Kap. 2 A. 221; 229.

303) Vgl. ep. 7,2 (A. 327); ep. 7,7: "Direximus pro nostra sollicitudine
sanctos fratres et consacerdotes nostros unanimes nobis ..." (ACO I
2,24 Z. 26f); GEORGES 2,2715-2717; J.RIVIERE, In partem sollicitudinis ... Evolution d'une formule pontificale, in: RevSR 5 (1925) 210-
231.

304) CASPAR 1,261; vgl. ebd. 265.

305) Paulus spricht hier von seiner "Sorge um alle Kirchen".

306) KLAUSER, Bischöfe als staatliche Prokuratoren 142 Anm. 11. Vgl. dazu auch H.HUNGER, Prooimion. Elemente der byzantinischen Kaiseridee
in den Arengen der Urkunden (Wien 1964) 94-100 (Sorge für die Untertanen).

307) GEORGES 2,2715.

stus - Apostel ist durch Sendung, "Beistand" und Stellvertretung[308] charakterisiert. Die "mandatae praedicationis cura" bzw. die "sollicitudo" der Apostel betrifft auch die Bischöfe[309]. Diese Beziehung Apostel - Bischöfe ist zunächst
durch "pervenit ad" ziemlich offen umschrieben, wird dann
aber durch "hereditario iure constringi" eindeutig präzisiert.

Aber unser zitierter Text enthält noch andere "Mittel der
Darstellung und Aussage"[310] für diese Beziehung, die gut mit
der erbrechtlichen Sicht von Aposteln und Bischöfen als Erblasser und Erben harmonisieren: 1. Das Verhältnis wird als
Sukzession[311] gekennzeichnet, wobei die Apostel "auctores"[312]
genannt werden. 2. Die Bischöfe handeln "apostolorum vice"[313],
sind also "vicarii apostolorum"[314]. 3. Das Verhältnis der
Stellvertretung wird auch durch "idem locus"[315] ausgedrückt.

---

308) Ep. 7,1: "numquam his defuit ...; adfuit semper his dominus et magister nec docentes a suo doctore deserti sunt. docebat ille qui miserat, ... docebat qui in apostolis suis se confirmat audiri" (ACO I
2,23). Vgl. LK. 10,16: "Wer euch hört, der hört mich...". Zur Fortdauer dieser immer gleichbleibenden Sendung CONGAR, Composantes 71-73.

309) "omnes ... domini sacerdotes" (A. 297) bzw. "wir".

310) MACCARRONE, Cathedra Petri 282.

311) Ep. 7,2: "officium necesse est nostrorum sequamur auctorum, subeamus omnes eorum labores quibus omnes successimus in honore. ... agen-
dum igitur nunc est labore communi ut credita et per apostolicam
successionem huc usque tenta servemus" (ACO I 2,23). Vgl. damit SIRIC.,
ep. 1,1: "Et quia necesse nos erat, in eius labores curasque succedere, cui per Dei gratiam successimus in honorem ..." (dazu unten §
28.3); ansonsten oben § 22.

312) "Officium nostrorum auctorum" (A. 311). Vgl. dazu TERT., praescr.
6,4; 32,1.5; 37,4 (oben A. 105; 110). Zu "officium" als Amtspflicht,
Amtsgewalt, Amt HEUMANN 388.

313) "eorum vice" (ACO I 2,23 Z. 8).

314) HARNACK, Christus praesens 428; vgl. zu dem Begriff "vicarius" PW
II 8,2,2015ff. Vgl. auch CYPR., ep. 66,4: "... Christi, qui dicit
ad apostolos ac per hoc ad omnes praepositos qui apostolis vicaria
ordinatione succedunt: 'qui audit vos, me audit'" (CSEL 3,2,729).
Der Vikariatsgedanke drückt hier - kombiniert mit LK. 10,16 - die
Stellvertretung in der Beziehung Christus - Apostel - Bischöfe aus.

315) Ep. 7,3: "omnes nunc ibi positos beatus Paulus apostolus monet, ubi
Timotheo remanere mandavit. idem igitur locus, eadem causa ipsum
requirit officium" (ACO I 2,23 Z. 22-24).

Da der Vikariatsgedanke auch noch unter dem Aspekt des
"vicarius Petri"[316] zu streifen ist, hier nur einige allgemeine Gedanken zum Zusammenhang mit Erb- und Sukzessionsgedanke: "Vicis"[317] bezeichnet die Stelle, das Amt, die Rolle,
"an welche jemand oder etwas statt eines anderen tritt". Dabei kann es sich erstens um eine vorübergehende Stell-vertre-
tung handeln, die der folgende Text schön umschreibt: "is,
cui mandata iurisdictio est, fungetur vice eius, qui mandavit, non sua"[318]. Man denke an das "generale mandatum"[319]
des Cölestintextes! Staatsrechtliche Anwendungsbereiche wie
die Vertretung Roms in den Provinzen[320] könnten unter Umständen die Ausbildung des Primatsdenkens mitbeeinflußt haben.
Eine zweite Möglichkeit in der Anwendung dieser Terminologie
macht der folgende Text bei CICERO deutlich: "Heredum causa
iustissima est; nulla est enim persona quae ad vicem eius
qui e vita emigrarit propius accedat."[321] Hier wird also die
Stelle, in die der "heres" beim Tode des Erblassers eintritt,
mit "vicem" bezeichnet. So läßt sich wohl am schnellsten die
Beziehung von Vikariatsidee und "hereditas"-Terminologie aufzeigen, wie sie letztlich im Gedanken der Universalsukzession[322] begründet ist. Man umschrieb ja das Antreten der
Erbschaft als eine "successio in locum et in ius defuncti",
was dem "succedere in vicem"[323] sehr nahekommt. Darin kommt

316) Unten §§ 27.2; 29.4.
317) Genitiv; Nominativ ungebräuchlich. GEORGES 2,3471-3473; HEUMANN 623.
318) Zit. bei HEUMANN 623.
319) Vgl. auch "mandatae praedicationis cura".
320) "qui provinciae praeest, omnium Romae magistratuum vice et officio
    fungi debet" (HEUMANN 623). Vgl. dazu "quicumque per diversa terra-
    rum eorum vice nomen domini praedicamus" (ACO I 2, 23 Z. 8f).
321) Leg. 2,48 (K.ZIEGLER, Heidelberg 1963^2, 76)
322) Vgl. unten § 26.
323) BONFANTE, Successio 250ff, bes. 280f.

sowohl der enge Zusammenhang von "vicis" und "locus" bzw. τόπος[324] als auch die Zuordnung von Vikariats- und Sukzessionsgedanke zum Ausdruck. Mit dieser schwer entwirrbaren Zuordnung in der Anwendung auf die Bischöfe haben sich A. v. HARNACK[325] und M. MACCARRONE[326] näher befaßt.

CÖLESTIN hat jedenfalls die dominierende Vorstellung von einer Erbbeziehung zwischen Aposteln und Bischöfen in eine Reihe anderer, weithin juristischer Kategorien eingebettet, um so die Kontinuität im Lehramt der Bischöfe und die Selbigkeit des Glaubens seit der apostolischen Zeit zu unterstreichen. Neben dem Gedanken der Erbverpflichtung für die Bewahrung des "incorruptus fructus"[327] sollte der oben skizzierte Autorisierungsprozeß - vor allem gestützt auf die Vorstellung eines Weiterlebens des Erblassers im Erben - nicht übersehen werden.

2. Ähnliche Gedanken, jedoch mit bedeutend weniger juristischer Valenz, äußert CÖLESTIN in einem Brief, den er am 15. März 432 nach Konstantinopel schrieb[328]. Der Brief richtet sich allerdings an die Synode "apud Ephesum constituta", die Cölestin "in den zu Constantinopel anwesenden Deputirten noch als fortexistirend betrachtete"[329]. Kurz nach der Wahl

---

324) MACCARRONE, Cathedra Petri 284; vgl. oben § 17.

325) Aponius 38: "Dem Sukzessor wird sozusagen das dingliche Erbe an Gütern und Gewalt von dem Erblasser übertragen, damit er es bewahre und weiter überliefere; der Vikarius aber vertritt auch die Person des Erblassers; er steht also bedeutend höher als der Sukzessor". Demnach wäre der Vikarius mit dem "heres" weitgehend identisch.

326) La dottrina 48; 53 Anm. 150: "due termini e due concetti da non confondere, ma non 'contrapposti' ... due termini giuridici complementari". Vgl. DERS., Cathedra Petri 282; 285 ("successor" u. "vicarius" bei CYPRIAN).

327) Ep. 7,2: "illi iactaverint fidei semina, nostra haec sollicitudo custodiat, ut incorruptum et multiplicem fructum nostri patrisfamiliae adventus inveniat" (ACO I 2,23 Z. 15f); vgl. COLUM., arb. 2,1: "incorruptum fructum ad maturitatem perduxerunt".

328) Ep. 26 (22; JK 385): ACO I 2,98-101 (PL 50,537-544). Vgl. CASPAR 1,414f; MEDICO 376f.

329) HEFELE 2,249.

Maximians zum Bischof wollte der Papst auch seine Glückwün-
sche für die erfolgreiche Konzilsarbeit[330] aussprechen, ohne
freilich über das nach wie vor unversöhnliche Verhältnis zwischen Antiochien und Alexandrien richtig im Bilde zu sein.
Offenbar ohne nähere Anbindung an den Kontext[331] stößt man
in diesem Brief auf die folgende Stelle:

"pura ab heredibus sanctis paternae et avitae credulitatis vena servatur; fluit ab illis incorrupta per posteros
nec hanc in his aliquis umquam limus infecit. custodit
fontis sui fidelis cursus exordium, cum id quod in origine acceptum est, videtur in prole."[332]

Ein genaues Verständnis dieser Stelle wird durch die
schwierige Deutung der "heredes sancti" und die Kontamina-
tion von Erbvorstellung und "Quellgleichnis" erschwert. Um-
fangmäßig dominiert die Terminologie des sogenannten "Quell-
gleichnisses"[333], das uns auch sonst in verschiedenen Väter-
texten begegnet. Ähnlich wie das "Wachstumsgleichnis"[334],
das von Samen und Frucht oder Wurzel und Baum spricht, stellt
es wieder eine "neues" Mittel dar, um die Kontinuität und
Selbigkeit des Glaubens, der Tradition[335] oder auch der "Ket-

---

330) HHKG II/1,113.

331) Unmittelbar vorher heißt es nur: "sciunt (sc. reges terrae) quod
catholicae fidei fundamento sua regna subsistant" (ACO I 2,100 Z.
21f). Von hier aus wäre eine Beziehung zu "credulitas" zu denken.

332) Ep. 26,5 (ACO I 2,100).

333) CASPAR 1,605.

334) Vgl. oben A. 327; VINCENT.LER., comm. 30 (RAUSCHEN 49f); OPTAT. 1,
15: "ostendendum est, ex qua radice sese usque in hodiernum erroris protenderint rami" (CSEL 26,17).

335) CYPR., unit.eccl. 5 (CSEL 3,1,214); AUG., ep. 177,19: "non enim
rivulum nostrum tuo largo fonti augendo refundimus, sed in hac
non parva temptatione temporis ..., utrum etiam noster licet exiguus ex eodem, quo etiam tuus abundans, emanet capite fluentorum,
hoc a te probari volumus"(CSEL 44,688); vgl. CASPAR 1, 331f.

zerei"[336] auszudrücken. Allerdings wurde diese "horizontale"
Anwendung vom Papsttum durch ein geschicktes Ausspielen des
synonymen Charakters von "fons" und "caput" nachhaltig in
eine "vertikale" Anwendung und hierarchische Zuordnung umge-
münzt[337].

An der vorliegenden Stelle wird die "paterna et avita credulitas"[338] als "pura" bzw. "incorrupta vena"[339] gesehen.
Dieses unverfälschte Weiterfließen (fluit)[340] der Quellader

---

336) OPTAT. 1,15: "ostendendum est ... ex quo fonte rivulus iste malig-
ni liquoris occulte serpens usque in tempora nostra manaverit"
(CSEL 26,17). VINCENT.LER., comm. 34: "ante magum Simonem ... a quo
vetus ille turpitudinum gurges usque in novissimum Priscillianum
continua et occulta successione manavit" (RAUSCHEN 53). Vgl. BACH.,
fid. 2: "Damnentur postremo et omnes provinciae, de quibus diversi
erroris rivuli manavere" (PL 20,1023A).

337) INNOC.I., ep. 29,1 (=AUG., ep. 181,1): "ut ... indeque sumerent ceterae ecclesiae, velut de natali suo fonte aquae cunctae procederent
et per diversas totius mundi regiones puri capitis incorruptae ma-
narent, quid praecipere, quos abluere, quos velut in caeno inemun-
dabili sordidatos mundis digna corporibus unda vitaret" (CSEL 44,
703); dazu CASPAR 1,332f; 605; LUDWIG 81; 86. Ep. 30,2 (=AUG., ep.
182,2): "quid id etiam actione firmastis nisi scientes, quod per omnes provincias de apostolico fonte petentibus responsa semper ema-
nent?"(CSEL 44,717); dazu CASPAR 1,333f. Durch die Vermischung von
Bild- und Sachhälfte ist das Gleichnis hier bereits zerstört.

338) Bei "credulitatis vena" handelt es sich um einen genitivus identitatis (vgl. Kap. 2 A. 153). Die lange vorherrschende Bedeutung von
"credulitas"="Leichtgläubigkeit, zu großes Vertrauen" ist hier auszuscheiden. - COD.THEOD. 16,11,2 (405) verwendet das Wort im Sinne
von "Rechtgläubigkeit": "veram fidem catholicam, quam recta credulitas confitetur" (MOMMSEN I/2,905f). Vgl. SIXT.III., ep. 31 (6; JK
392): "Dilucida et perspicua maiorum credulitas nulla caeni permix-
tione turbetur" (ACO I 2,110 Z. 2f; PL 50,609C) (Brief an Johannes
von Antiochien aus dem Jahr 433). Weitere Belege zu "credulitas" im
Sinne von "professio fidei christianae" in: ThLL IV,1151 Z. 41ff.

339) "Vena", zunächst als "Wasserader" zu verstehen, der kein Schmutz
(vgl. A. 341) beigemengt ist, wird durch den Genitiv "credulitatis"
dann inhaltlich näher bestimmt. - Zu "incorruptus" vgl. A. 327; COD.
THEOD. 16,6,2: "Nihil enim aliud praecipi volumus, quam quod evangeliorum et apostolorum fides et traditio incorrupta servavit ..."
(MOMMSEN I/2,880); unten Kap. 7 A. 209. Zur Verwendung von "incorruptus" "de liquoribus": ThLL VII,1,1033 Z. 31ff.

340) Bereits CICERO (Tusc. 4,2) wandte dieses Verbum für die Ausbreitung der pythagoreischen Lehre an. Vgl. auch "(e)manare": A. 335-
337.

wird durch den Ausschluß jeder Verschmutzung[341] nochmals betont. Schließlich wird der Ursprung des "fons fidelis"[342]
als Gegenstand des "custodire" vorgestellt. Die übrige Terminologie wie "paternus", "avitus"[343], "per posteros", "origo"[344], "proles"[345] gehört zum Zusammenhang des Generationen-
bzw. Erbgedankens, wobei die ambivalente Verwendung von "servare", "custodire" und "cursus"[346] die Überlagerung beider
Aussagedimensionen anzeigt. Den "heredes sancti" wird jedenfalls die Aufgabe zugewiesen, den Glauben der "Väter und
Großväter" unverfälscht zu bewahren. Sie bilden ihrerseits
den Ausgangspunkt (ab illis) für die Weiterüberlieferung
"per posteros"[347].

Cölestin bringt hier also zwei einfache, allgemeingültige
Sentenzen über den unverfälschten Traditionsprozeß und seine

---

341) "Limus" bezeichnet den Schmutz, dünnen Schlamm, der das Wasser
"verfärbt" ("inficere" drückt oft die Vergiftung, Ansteckung aus).

342) Grammatikalisch könnte man "fidelis" auch zu "cursus" ziehen: "der
rechtgläubige Verlauf" (attributiv), "der Verlauf bewahrt getreu"
(prädikativ). M.E. ist aber "fons fidelis" sinnvoller.

343) GEORGES 2,1507 (paternus: väterlich, vom Vater ererbt); 1,765 (avitus: vom Großvater, von den Vorfahren ererbt). Vgl. oben Kap. 4 A.
377; 380.

344) GEORGES 2,1399: Ursprung, Stamm, Stammvater, Ahnen. Vgl. A. 345.

345) GEORGES 2,1980: Kind, Nachkomme. Vgl. A. 344.

346) Zunächst ist natürlich der "Verlauf" der "vena" gemeint (vgl.
GEORGES 1,1846; ThLL IV,1534 Z. 64 - 1535 Z. 44). Doch der Nebensatz
(cum...) läßt auch an den "Verlauf" von "origo" zu "proles" denken.
Schließlich spricht ja auch TERT., praescr. 32,1 von einem "ordo
episcoporum per successionem ab initio decurrens" (vgl. A. 105) u.
bei CYPR., ep. 33,1 heißt es: "inde per temporum et successionum
vices episcoporum ordinatio et ecclesiae ratio decurrit" (CSEL 3,
2,566). Zur Anwendung auf die Zeit und die Reihenfolge vgl. ThLL
IV,1537f.

347) Es bedeutet eine gewisse sprachliche Härte, daß das folgende "in
his" offenbar diese "posteri" (Nachkommen) meint und das Prädikat
(infecit) gleichzeitig im Perfekt steht. Letztlich bringt dieses
Kolon nur eine Erklärung für "incorrupta". Vgl. zur Aussage VIN-
CENT.LER., comm. 42: "sed omnimodis praecaverent, ne aliquid posteris traderent, quod ipsi a patribus non accepissent" (RAUSCHEN 67),
über die Konzilsväter von Ephesos! Vgl. ebd. 43: Lob für das Vorgehen der Päpste Cölestin I. und Sixtus III. gegen alle "novitates".

verantwortlichen Träger. Allerdings dürfte er damit auch seine insgesamt positive Sicht der nachkonziliaren Glaubenslage
zum Ausdruck bringen. Der dritte Satz enthält dann geradezu
ein Axiom: Der "cursus" hält sich dann an den Ausgangspunkt
beim "fons fidelis", wenn der Glaube des "proles" mit dem
Glauben der "origo" identisch ist. Geradezu entgegengesetzt
zu der bekannten Sentenz Heraklits vom selben Fluß, in den
man nicht zweimal steigen könne, will Cölestin auch durch
das Quell- bzw. Flußgleichnis die Kontinuität, ja Identität
in der Tradition betonen. Hiermit treffen sich die Intentionen bei der Verwendung der "hereditas"-Terminologie, so daß
sich beide Aussagedimensionen gewissermaßen gegenseitig illustrieren.

Wer sind nun diese verantwortlichen "heredes sancti" in
der aktuellen Situation des Jahres 432? Verschiedene Hinweise im Text[348] und die allgemeine Lage sprechen dafür, in
ihnen die Bischöfe bzw. Konzilsväter von Ephesos zu sehen.
Sie gelten Cölestin als Garanten für die unverfälschte Bewahrung des Glaubenserbes der Väter, das sie auch "incorrupta per posteros" weitergeben. Wenn auch unausgesprochen wird
dabei der "fons" oder die "origo" sicherlich in der apostolischen Zeit angesiedelt, während man in Nikaia eine wichtige Zwischenstation zur Überprüfung der Richtigkeit des "cursus" gesehen haben könnte. So betrachtet legt es sich nahe,
auch die "heredes sancti" - analog zu dem ersten Cölestin-
text - wieder in der Erbfolge der Apostel zu sehen.

ZUSAMMENFASSUNG:

Es erübrigt sich, am Schluß dieses Kapitels erneut auf
die Intentionen für die Verwendung der "hereditas"-Termino-
logie einzugehen, vielmehr bleibt zu fragen, inwieweit man

---

348) Die Adressaten werden "fidei sacerdotes" (ACO I 2,98 Z. 12) genannt
und mit "vestra sanctitas" (98 Z. 14; 100 Z. 17) angesprochen. - Die
Verben "servatur" und "fluit" stehen im Präsens. Vgl. A. 331.

damit die Verbindung mit den Amtsvorgängern bzw. mit den
Aposteln[349] herstellen wollte: Eine direkte Berufung auf das
Apostelkollegium unter Übergehung der Zwischenglieder haben
wir für die beiden vorausgehenden CÖLESTIN-Stellen (431/32)
- freilich mit unterschiedlicher Deutlichkeit - wahrscheinlich machen können. Das Kollegium der Bischöfe (Konzilsväter)
steht demnach in der Erbfolge des Kollegiums der Apostel, wobei aber die Dienstfunktion im Hinblick auf die "cura praedicationis" bzw. die "credulitas" im Vordergrund steht. Ähnliches würde für die TERTULLIAN-Stelle: "Ego sum heres apostolorum"[350] gelten, sofern man hier überhaupt eine Ausdeutung auf den Bischof für möglich hält. Dieselbe Verpflichtung
des Bischofs für eine erbmäßige Weitergabe der unverfälschten "fides" ist uns auch an zwei AMBROSIUS-Stellen (386/378)
begegnet. Allerdings wurde dabei eine Erbkontinuität nicht
mit den Aposteln, sondern mit den Amtsvorgängern verschiedener vorausgehender "Sukzessionsstufen" bzw. der vorausgehenden Stufe hergestellt. Schließlich fand sich wiederum bei
AMBROSIUS auch jene bedeutsame Sicht, derzufolge Bischof Anysius von Thessalonike der Erbe seines Vorgängers Acholius
und von dessen Bischofsamt ist. Abgesehen von einem Text bei
PSEUDOMAXIMUS konnten wir diese direkte Verbindung von "hereditas"-Terminologie und Amt nur noch bei PAULINUS VON NOLA
aufspüren. Jedoch wurde - soweit wir sehen - nirgends ein
einzelner Bischof ausdrücklich als "heres" eines Apostels
bzw. der Apostel bezeichnet, ganz im Unterschied zu jener berühmten (Selbst-)Bezeichnung des Papstes.

Unter diesen Umständen legt sich die Vermutung nahe, daß
diese unterschiedliche Quellenlage in der Verschiedenheit
von "apostolischer Sukzession" (der Bischöfe) und "juristischer Sukzession" (des Papstes) begründet liegt, auf die vor

---

349) Vgl. auch oben § 7.

350) Praescr. 37,5 (§ 5 II mit A. 118; § 22.4).

allem W. ULLMANN[351] nachdrücklich hinweist. So ließe es sich
aus dem Wesen der "hereditas"-Terminologie erklären, weshalb
diese Terminologie in dem einen Fall zwar die Selbigkeit des
Glaubenserbes und u.U. auch des Bischofsamtes beschreibt,
aber nur vereinzelt von einem persönlichen "Erbesein" der
Bischöfe die Rede ist, im anderen Fall jedoch der "heres"-
Begriff eine willkommene Kategorie für die Umschreibung der
unmittelbaren Petrusnachfolge eines jeden Papstes darstellt.
Für die apostolische Nachfolge als ununterbrochene zeitliche
Abfolge wurde deshalb primär die "successio"-Terminologie
rezipiert, die zwar in ihren Ursprüngen mit der "hereditas"-
Terminologie eng verbunden ist, aber sich schon längst auch
in anderen Zusammenhängen der damaligen Umwelt bewährt hatte. Natürlich lassen sich diese sehr pauschalen Überlegungen
nicht pressen, da einerseits die "successio"-Terminologie
auch dazu verwendet wurde, die direkte Nachfolge des Bi-
schofskollegiums gegenüber den Aposteln oder des Bischofs
von Rom gegenüber Petrus auszudrücken[352] und andererseits
jene zwei bedeutenden Stellen nicht zu übersehen sind, wo
auch die Beziehung Bischof - Amtsvorgänger ganz klar mit der
"hereditas"-Terminologie beschrieben wird. Die Repräsentation des Apostelkollegiums im Bischofskollegium wurde aber
nur auf dem Umweg über die Verantwortung für das unveränder-
liche Glaubensgut auch mit der "hereditas"-Terminologie ausgedrückt.
    Sicherlich ließe sich hier mit W. KASPER[353] in dem Sinn

---

351) Leo I and the theme of papal primacy, in: JTHS N.S. 11 (1960) 25-51,
   bes. 28; Some Remarks on the Significance of the Epistola Clementis
   in the Pseudo-Clementines, in: TU 79 (1961) 330-337, bes. 336 Anm. 1.
   Vgl. ansonsten unten § 28.3. Auch JAVIERRE, sucesión 497ff unterscheidet in ähnlicher Weise zwischen "Sucesión" und "Duración". Dagegen wird der Unterschied zwischen "Successio papalis und successio episcopalis" bei K.RAHNER - J.RATZINGER, Episkopat und Primat
   (Freiburg-Basel-Wien 1961) 52ff nicht hinreichend klar.

352) Z.B. COEL., ep. 7,2: "quibus (sc. apostolis) omnes successimus in
   honore" (A. 311).

353) A.a.O. 107 (vgl. oben § 21 I).

von einer "pneumatologischen Kontinuität" sprechen, als die
Väter im "sanctum collegium" der Bischöfe immer denselben
"spiritus sanctus", denselben Christus und dieselben Apostel
am Werke glaubten. Doch der aufgezeigte Stellenwert der "hereditas"-Terminologie im Kontext von "cathedra"-Idee, Handauflegung und "successio"-Terminologie erlaubt es nicht, in
der Sukzession im Bischofsamt nur einen Ausdruck der Apostolizität der Kirche[354] zu sehen.

---

354) Vgl. oben A. 11.

7. Kapitel: "Hereditas Petri".

Die Sicht der Päpste als Erben Petri, ein Ausdruck des in der Papstidee erhobenen Identitäts-
anspruchs

Mag es auch zunächst dahingestellt bleiben, inwieweit man
von einer Sukzession der Päpste sprechen kann, bei der Durchsicht der Quellen zeigte sich jedenfalls, daß die Anwendung
der "hereditas"-Terminologie beim Papsttum ihre reinste Ausprägung erfahren hat. Wahrscheinlich muß man einen späten
Nachklang dieser ausgeprägten Terminologie auch darin erblik-
ken, daß moderne Autoren so gerne von einer "besonderen Pe-
truserbschaft"[1] sprechen oder Papst Hadrian II. (867 - 872)

---

1) U.GMELIN, Auctoritas. Römischer princeps und päpstlicher Primat (Diss.
Berlin-Stuttgart 1936) 120; vgl. ebd. 112: "Erbe und Träger der Herrenverheißung Matthäus 16,18-19"; 118: "Er leitete aus der Stellung
des Petrus als Teilhaber der divina potestas für sich als seinen Erben und Vikar eine irdische potestas ab"; 124: "Bei den Erben Petri";
135: "bei den Erben Petri ... Apostelerbe und Adelstradition". TH.
ZAHN, Brüder und Vettern Jesu, in: Forschungen zur Geschichte des neutestamentlichen Kanons VI. (Leipzig 1900) 225-363: Hieronymus "als
mutmaßlicher Erbe der Cathedra Petri" (321). CASPAR 1,79: "daß der
römische Bischof, als der Nachfolger des Petrus auf der Kathedra, Erbe jener Herrenverheißung sei"; 266: "Seine Dekretalen haben jene Neu-
prägungen des damasianischen Pontifikats vom 'apostolischen Stuhl'
und dem Petruserbe in den Dekretalentexten im einzelnen ausgemünzt".
H.KOCH, Cathedra Petri. Neue Untersuchungen über die Anfänge der Primatslehre (Gießen 1930) 110: "daß sich die Schlüsselgewalt von Petrus
auf die Bischöfe als seine Nachfolger vererbt habe und alle Bischöfe
dieselbe petrinische Schlüsselgewalt innehätten". F.HEILER, Altkirchliche Autonomie und päpstlicher Zentralismus (München 1941) 191: "Die
Idee einer 'cathedra Petri', die in Rom sich fortgeerbt haben soll ...
Hüterin des kostbaren Glaubenserbes"; 202: "Die römische Gemeinde ...
betrachtete diese Verantwortung als ein heiliges Erbe, das sie aus
der Hand des Felsenapostels wie des Völkerapostels durch die Sukzession ihrer Presbyter und Bischöfe überkommen hatte". HALLER 1,2: "das
Papsttum ... sei ... von ihm auf alle seine Nachfolger vererbt worden"; 9: "Amtsnachfolger und Vollmachterben des Petrus"; 10: "Erbschaft dieses Apostels"; 15: "das Bischofsamt in Rom schreibe sich
von Petrus her, er sei sein erster Träger gewesen und habe seine Vollmachten auf die Nachfolger vererbt"; 18: "daß die Bischöfe der Stadt
ihr Amt, ihren Glauben und ihre Weihe in ununterbrochener Folge von
Petrus geerbt hatten, daß sie in diesem Sinne seine Nachfolger seien";
100: "wie sein Inhaber als Erbe des Apostels, auf den die Kirche gegründet ist .. kraft dieser ererbten Überlieferung"; 111: "Erben und

als "Erbe wider Willen"[2] charakterisieren. Mehr als einen
bloßen Nachklang bedeutet es aber, wenn etwa Papst Jo -
hannes XXIII. (1958 - 1963) vor nunmehr 20 Jahren vor der
Lateranbasilika auf die Begrüßung durch Kardinal A. Masella
unter anderem antwortete: "Cum enim oboedientia moti Nos
Principis Apostolorum formidandam hereditatem accepimus, ac
nomen Ioannis Nobis indere voluimus, mens Nostra, praeter
alia, ad Lateranensem Archibasilicam convolabat."[3]

Entsprechend dieser Verbindung von "princeps apostolorum"
und "hereditas"-Terminologie wollen wir zunächst (§ 25) fragen, inwieweit Kirche und Papsttum "sub specie imperii" gesehen wurden und somit eine Analogie zwischen antikem Erbprinzipat und der Sicht der Päpste als Erben des "princeps
apostolorum" vorliegen könnte. Anschließend (§ 26) ist die
juristische Konzeption von einer "Identität" zwischen Erbe
und Erblasser und ihr geistig-philosophischer Hintergrund
zu berühren, um dann (§ 27) eine Reihe anderer Denkmodelle
und Ausdrucksformen, die eine Art Identitätsanspruch beinhal-
ten, zusammenzustellen. Vor dem Hintergrund dieser Erwägun-
gen erfolgt schließlich (§§ 28/29) die Interpretation der
sieben[4] Belegstellen, an denen von einer "hereditas Petri"

Fortsetzer des Petrus im buchstäblichen Sinne wollen sie sein, der in
ihnen und durch sie lebt und handelt"; 114: "ein allgemeines Kirchen-
regiment aus der Erbschaft des Petrus"; 148: "die von Petrus ererbten
Himmelsschlüssel ... Wir alle sind Erben seiner Vollmacht ..."; 151:
"... er, der sich so stolz als den bevorzugten, den wahren Erben des
ersten Apostels und Hüter seiner Lehre hinstellte"; 157f: "er allein
erscheint als der echte Erbe des Petrus". H.CHADWICK, Die Kirche in
der antiken Welt (Berlin-New York 1972) 281: "Ferner konnte die historische Sukzession so gedeutet werden, daß sie den Bischof von Rom auch
zum Erben der juristischen Binde- und Lösegewalt mache."

2) H.GROTZ, Erbe wider Willen. Hadrian II (867-872) und seine Zeit (Wien-
Köln-Graz 1970). Man vermißt in dem Buch eine Reflexion über Titel
oder Untertitel ("Bündelung der Erbschaft"; "Der Erbe und die Erbschaft"). Soweit ich sehe, wird auch an keine historische Quelle angeknüpft und auch nicht auf entsprechende Quellen, wo die Erbterminologie von den Päpsten und auf die Päpste angewandt wird, verwiesen.

3) Acta Ioannis PP.XXIII, in: AAS 50 (1958) 912; vgl. unten A. 74.

4) Näheres hierzu oben in der Einleitung und unten bei der Behandlung
der einschlägigen Texte.

bzw. vom "heres Petri" gesprochen wird. Dabei handelt es sich
fast durchwegs um Stellen, die von der bisherigen theologischen Forschung - freilich regional unterschiedlich stark -
bereits in ihrer Bedeutung für die Sicht des Papsttums registriert wurden. Dies hindert uns aber nicht, sie als den Höhepunkt in der Anwendung der "hereditas"-Terminologie auf
Tradition und Sukzession und im Rahmen des vorher angesprochenen Horizonts erneut zu betrachten und dabei die bisherigen
Ergebnisse kritisch zu würdigen.

§ 25. Der römische Erbprinzipat und die Päpste als Erben des
"princeps apostolorum"

Die Argumentation in der Zusammenschau der in der Überschrift angesprochenen zwei Pole muß sich auf einige Schwerpunkte konzentrieren und kann wahrscheinlich keinen endgültigen Beweis erbringen. Trotzdem erscheinen diese Überlegungen für die Frage der petrinischen Erbschaft unerläßlich, da
sich zumindest Analogien geradezu aufdrängen.

I. Das Imperium und christlichen Glauben umgreifende dynastische Denken seit Kaiser Konstantin

Ebenso wie die "Nachfolge im Principat vom Anfang bis zum
Ende dynastisch bestimmt war", verstummte auch fast nie die
Kritik am Erbprinzip[5]. Bereits in einer Spätphase versuchte
schließlich Diokletian im Rückgriff auf die Periode der so-
genannten Adoptivkaiser[6], im System der "Tetrarchie"[7] das
Leistungsprinzip wieder stärker zu betonen. Doch politische
Heiraten und Adoptionen zur dynastischen Abstützung blieben

---

5) Vgl. zum Erbprinzipat und der Kritik an ihm § 19 I. Zitat aus L.
WICKERT, Princeps, in: PW 22,2,1998-2296; 2157. Zum dynastischen Denken vgl. bes. ebd. 2157-2181.

6) H.NESSELHAUF, Die Adoption des römischen Kaisers, in: Hermes 83 (1955)
477-495.

7) Vgl. E.STEIN, Geschichte des spätrömischen Reiches Bd. 1 (Wien 1928)
bes. 100f.

auch hier nicht aus, während der Gedanke der Schutzgottheiten
als (überweltliche) Begründung der gegenseitigen (weltlichen)
Zuordnung der Tetrarchen fungierte[8]. Der Aufstieg Konstantins
brachte dann für beide Ebenen wieder eine zunehmende Tendenz
zum monarchischen Denken[9].

Faßt man die Aussagen der Quellen zusammen, so fühlte er
sich vor allem als "Erbe des Vaters"[10] Konstantius (Chlorus;
+ 306): Während anläßlich seiner Hochzeit mit Fausta (307)
der Panegyriker noch betont, er habe das "imperium" "non hereditarium ex successione", sondern "virtutibus debitum"

---

8) L.VOELKL, Der Kaiser Konstantin. Annalen einer Zeitenwende (München
1957) 13. J.STRAUB, Vom Herrscherideal in der Spätantike (Stuttgart
1939) 42, betont dies im Hinblick auf "Diocletianus Iovius" und "Ma-
ximianus Herculius": "Juppiter und Herkules waren die 'parentes, qui
vobis nomina et imperia tribuerunt'". (Blitz und Keule vererbten sich
als Symbole in den Geschlechtern der Iovii und Herculii fort; vgl.
PW Suppl. 4,850). Damit korrespondierte der Gedanke einer "freiwillig
eingegangenen Brüderschaft" (42), so daß man von "fraternum eloquium"
(42), "germani geminive fratres" (PANEG. 11,6,3) und "indivisum patrimonium" (PANEG. 11,6,3) sprach und die "concordia"(vgl. STRAUB
42f) hervorhob. - Man sollte vielleicht näher untersuchen, inwieweit
frühkirchliche Zeugnisse des "Episkopalismus" bzw. der "Kollegialität"
der Bischöfe derartige Ideen widerspiegeln oder zumindest sprachliche Anleihen (vgl. neben den oben angeklungenen Termini "collegium",
"consortium" u.ä.) enthalten, zumal ja auch die gegenseitige Rangord-
nung bzw. Zuordnung sehr gerne in der (überzeitlichen) Zuordnung der
Apostel begründet wurde.

9) Zunehmende Favorisierung des "einen Gottes" in der Ausprägung als
"Sol invictus" (vgl. A. 15). Zum Zusammenhang von Gottesgdanke und
Herrschaftsform E.PETERSON, Der Monotheismus als politisches Problem
(Leipzig 1935) bes. 78f; 81. - Die Überlegungen von PETERSON wären
dahingehend weiterzuführen, daß der Monotheismus sich nicht nur auf
die "Herrschaftsform" in der Welt, sondern natürlich erst recht auf
die in der Kirche auswirken mußte, so daß man für die Ablösung des
Diokletianischen Systems parallele Entwicklungen in der Kirche entdecken kann; allerdings liegt die Parallelität hier nicht so sehr in
der Zeit. Der Monotheismus galt ja für die Kirche nach wie vor. Viel
entscheidender wurde hier die Interpretation der Zuordnung von Apostelkollegium und Petrus, deren Tendenz aber wieder zwangsläufig aus
diesem Monotheismus zu resultieren scheint.

10) H.DÖRRIES, Konstantin der Große (Stuttgart-Berlin-Köln-Mainz 1967[2]),
bes. 21. Vgl. J.VOGT, Constantin der Große und sein Jahrhundert (München 1973) 147ff: "Die Nachfolge des Vaters"; PW 22,2,2174 Z. 61ff.

"verdient"[11], zeigt sich der Panegyricus des Jahres 310 nur
mehr mit der paradoxen Formulierung "imperium nascendo merui-
sti"[12] diesem Denken verpflichtet. Ansonsten wird die dynastische Erbfolge Konstantius - Konstantin hervorgehoben. Die
"hereditas" steht dem "primus filius" und "successor legitimus" zu[13], zumal er auch vom Kaiser Claudius Gothicus ab-
stammt[14] und seine Schutzgottheit nun Apollo bzw. "Sol invictus" ist[15]. Die Herrschaft ist also vertieft begründet,
da er Kaiser von Geburt und durch das göttliche Charisma er-
wählt ist[16]. Es scheint mir außerdem mehr zu sein als "ein
krauser Einfall"[17], wenn derselbe Redner betont: "Constantius
excessit a nobis sed, dum te cernimus, illum excessisse non
credimus"[18]. Diese "besondere Art von Unsterblichkeit"[19], die
als "Vaterglück" auch heute noch so manchen Vater überkommt,
begründet letztlich den engen Zusammenhang im römischen Verständnis von Sohn und Erbe[20]. LACTANTIUS umschreibt den Erb-

---

11) PANEG. 7,5,3 (MYNORS 207). Dazu STRAUB, Herrscherideal 93.

12) PANEG. 6,3,1 (MYNORS 187).

13) PANEG. 6,4,1f: "te illi paterni lares successorem videre legitimum.
Neque enim erat dubium quin ei competeret hereditas quem primum im-
peratori filium fata tribuissent" (MYNORS 188). Zur juristischen
Valenz von "competere" vgl. oben Kap. 2 A. 110.

14) PANEG. 6,2,3: "ab illo generis auctore in te imperii fortuna descendit" (MYNORS 187).

15) VOGT, Constantin 160.

16) Zur Frage der göttlichen Berufung durch eine Art (heidnischer) Vi-
sion VOGT, Constantin 160f; vgl. VOELKL 34. Zur möglichen Verbindung des Erwählungsgedankens bzw. Göttlichkeitsanspruchs mit dem
Blutsprinzip O.TREITINGER, Die oströmische Kaiser- und Reichsidee
nach ihrer Gestaltung im höfischen Zeremoniell (Jena 1938) 61f.

17) PW 22,2,2175 Z. 25.

18) PANEG. 6,4,5 (MYNORS 188). Vgl. die frappierende Übereinstimmung
mit obit.Theod. 6 (Kap. 2 A. 351). PANEG. 7,14,5: "Haec est tua praeter omnes divos propria immortalitas quam videmus: filius similis
adspectu, similis animo par imperii potestate" (MYNORS 214). Maximian und Konstantin erscheinen hier im Vater-Sohn-Verhältnis (vgl.
7,3,3), das durch Adoption bzw. durch die Ernennung zum Augustus
begründet ist; dazu STRAUB, Herrscherideal 45f.

19) PW 22,2,2175 Z. 22.

antritt Konstantins anschaulich mit "ei ... imperium per manus tradidit"[21], während EUSEBIOS feststellt: "Romani regni apicem ex paterna hereditate suscepit"[22]. Es läßt sich also festhalten: 1. Konstantin übernahm die Herrschaft, das Reich "ex hereditate"; 2. Wichtig ist seine Aszendenz, die gepriesen und gleichsam in ihm gegenwärtig gedacht wird.

Wie steht es nun mit Konstantin als Erblasser? Einen Aspekt hat uns bereits AMBROSIUS vermittelt, der von ihm sagt: "hereditatem fidei principibus dereliquit"[23]. Doch Ambrosius wäre ein schlechter Römer gewesen, wenn er zu den Theodosius-Söhnen nur von der "Religion" gesprochen hätte. Vielmehr erscheint in seiner Leichenrede auf Theodosius der eine Aspekt, die "hereditas fidei" bzw. die Kreuzauffindung[24] ganz eng verknüpft mit dem römischen Unterpfandsglauben[25]. Dabei ist die untrennbare Weitergabe von "imperium" und "fides catholica" geprägt von dem zur christlichen Reichsideologie konkretisierten "do ut des"-Axiom [26] der Römer. Die "principes Christiani"[27] seit Konstantin waren nur deshalb Erben und Inhaber des "imperium", weil sie auch Erben und Förderer der "fides catholica" waren. Man könnte etwas überspitzt sagen: das Leistungsprinzip im Bereich der "fides"[28] bildet die Vor-

---

20) Hierzu unten § 26.

21) Mort.pers. 24 (CSEL 27,2,201). Vgl. zu "per manus tradidit" oben Kap. 6 A. 80; 99.

22) EUS. (RUFIN.), hist. 8,13,14 (GCS 9,2,777); vgl. hist. 8,13,13: "religiosus pater religiosiorem filium Constantinum regni bene parti reliquit heredem" (ebd.).

23) Obit.Theod. 40. Hierzu oben § 9.

24) Auf den engen Zusammenhang von "hereditas fidei" und Kreuzauffindung bzw. Weitergabe der Kreuzesnägel geht meine Zulassungsarbeit (vgl. oben Einleitung A. 7) näher ein.

25) K.GROSS, Die Unterpfänder der römischen Herrschaft (Berlin 1935); vgl. A.MANIGK, Pignus, in: PW 20,1239-1284; TREITINGER 132-135.

26) H.BERKHOF, Kirche und Kaiser. Eine Untersuchung der Entstehung der byzantinischen und der theokratischen Staatsauffassung im vierten Jahrhundert (Zollikon-Zürich 1947) 14ff; 32ff; 56ff.

27) Obit.Theod. 51; vgl. Kap. 2 A. 345.

28) D.h. eine Religionspolitik im Dienste der Wahrung und Weitergabe

aussetzung für das Erbprinzip im Bereich des "imperium". Dieser zweite Aspekt, von dem also implizit auch Ambrosius
spricht, erscheint ausdrücklich schon in der "Vita Constan-
tini" des EUSEBIOS, wo es heißt: Konstantin "übergab seinen
Söhnen wie ein väterliches Vermögen die Kaiserwürde als ihr
Erbteil"[29]. Der Stellenwert der dynastischen Sicht Konstantins spiegelt sich auch darin, daß man - eingebettet in die
christliche Reichsideologie - einerseits (den ersten christlichen) Kaiser Konstantin mit (dem ersten) Kaiser Augustus
parallelisierte[30] und andererseits der byzantinische Kaiser
sich jeweils als "neuer Konstantin" titulieren ließ.[30a]

Selbst noch im Jahre 450 spielt die Berufung auf Konstantin als den Vater der christlichen Kaiserdynastie eine große Rolle. In Briefen, die GALLA PLACIDIA, Tochter Theodosius' des Großen, und THEODOSIUS II., Enkel Theodosius'
des Großen, im Verlauf der Auseinandersetzungen um die sogenannte "Räubersynode" von Ephesos[31] und am Vorabend von Chalkedon geschrieben haben, findet sich trotz der gegensätzli-
chen Positionen[32] eine ganz ähnliche Argumentationsstruktur.
Sie lautet: "nostri generis parentes"[33] "a divo patre nostro

---

der "hereditas fidei".

29) Vita Const. 4,63 (GCS 7,144). Übersetzung nach BKV 9,183 (A.BIGEL-
    MAIR). Dem griechischen τῆς βασιλείας κλῆρον entspräche lateinisch
    wohl "imperii hereditatem". - Die Übersetzung mit "Kaiserwürde" er-
    scheint zu eng.

30) Dazu PETERSON, Monotheismus 83f mit Anm. 142; 143. Allgemein zur Be-
    deutung des Augustus und seines Friedensreiches im Rahmen der kon-
    stantinischen Wende ebd. 84-93.

30a) Dazu TREITINGER 130f. - "Wichtig ist hierbei, daß der byzantinische
    Kaiser nicht etwa nur mit Konstantin, Moses etc. verglichen wird, son-
    dern voll und ganz an ihre Stelle tritt wie an die der römischen Kaiser"
    (131).

31) P.TH.CAMELOT, Ephesus und Chalcedon (Mainz 1963) 117-124; zu den
    Briefen 127; HHKG II/1,276.

32) CASPAR 1,497-499. - Für die Betrachtung des lateinischen Textes ist na-
    türlich zu berücksichtigen, daß es sich um Rückübersetzungen handelt.

33) GALLA PLACIDIA an Pulcheria: Ep. ante gesta collectio 18 (= LEO M.,
    ep. 58): ACO II 3,1,13 Z. 13 (PL 54,865A). Vgl. GALLA PLACIDIA an Theo-
    dosius: Ep. 20 (= LEO M., ep. 56): "quod priscis temporibus nostra
    generatio custodivit" (ACO II 3,1,15 Z. 8f; PL 54,861C).

- 354 -

Constantino"[34] "catholicam fidem"[35] "per successionem"[36] "hactenus[37] servaverunt"[38]. Beide Seiten berufen sich also auf den Glauben der Dynastie, der nichts anderes ist als der Glaube Konstantins, der in der Dynastie der christlichen Kaiser getreu weitergegeben wurde. Diesem dynastischen Denken, das gleichzeitig "imperium" und "fides" umgreift, begegnet man in geradezu formelhafter Prägnanz in einem Brief von Papst SIMPLICIUS (468 - 483) an Kaiser Zenon, wo es heißt:

* "nec cuiquam omnino sit dubium pietatem tuam illorum fidei esse sequacem, quorum es successor imperii."[39]

In den beiden Briefen Galla Placidias und auch im Brief des VALENTINIAN III.[40], in denen allerdings H. M. KLINKENBERG "inhaltlich Briefe Leos"[41] sieht, wird außerdem die Autori-

---

34) GALLA PLACIDIA an Pulcheria: Ep. 18 (A. 35); vgl. ep. 20: "a sacratissimo patre nostro Constantino qui primus imperio splenduit Christianus" (ACO II 3,1,14 Z. 30f). THEODOSIUS an Galla Placidia: Ep. 23 (= LEO M., ep. 63): ACO II 3,1,16 (PL 54,877B) "qui tam sub divae memoriae Constantino in Nicaea civitate quam dudum nostro praecepto in Epheso congregati sunt" (Z. 20-22).

35) Ep. 18: "in quo sermone cognovimus nostris temporibus catholicam fidem esse turbatam, quam a divo patre nostro Constantino nostri generis parentes hactenus servaverunt" (ACO II 3,1,13 Z. 12-14); vgl. THEODOSIUS an Valentinian: Ep. 22 (= LEO M., ep. 62): "et agnovit nos in nulla parte a paterna religione et maiorum traditione resilisse. nihil aliud volumus quam sacramenta paterna per successionem nobis tradita inviolabiliter custodire" (ACO II 3,1,16 Z. 4-6). Ep. 23: "manifestatum est nihil nos praeter paternam fidem aut dogmata divina vel definitiones reverentissimorum episcoporum ... definisse" (ACO II 3,1,16 Z. 19-22).

36) Ep. 22 (A. 35).

37) Ep. 18 (A. 35); vgl. ep. 20: "ut fides quae tantis temporibus regulariter custodita est" (ACO II 3,1,14 Z. 29f).

38) Ep. 18 (A. 35); vgl. ep. 22: "inviolabiliter custodire" (A. 35); ep. 20 (A. 33). Vgl. COEL. (Rede des Legaten Philippus): ACO I 1,3,60 Z. 32 - 61 Z. 2.

39) Avell.ep. 56,6 (CSEL 35,1,126); vgl. 60,4 (ebd. 137). F.CAVALLERA, La doctrine sur le prince chrétien dans les lettres pontificales du Vme siècle, in: BLE 38 (1937) 67-78; 119-135; 167-179.

40) Ep. 19 (ACO II 3,1,13f).

41) Papst Leo der Große. Römischer Primat und Reichskirchenrecht (Diss. Köln 1950) 18.

tät der "apostolica sedes"[42] hervorgehoben, "in qua primus beatus apostolorum Petrus qui etiam claves regnorum caelestium suscipiens sacerdotii principatum tenuit"[43].

Durch die Berufung auf die Schlüsselübergabe[44] von MT. 16,19 an Petrus soll also hier die Autorität der "apostolica sedes", des Papsttums, legitimiert werden ebenso wie man die Unverfälschtheit der "catholica fides" durch Rückbindung an Konstantin, den Stammvater des christlichen Kaisertums und den Kaiser des Glaubens von Nikaia[45] erweisen zu können glaubt. Ich meine, man kann auch feststellen, daß die Berufung des Kaisertums auf die Fortdauer der petrinischen Schlüsselgewalt im Papsttum und die daraus resultierende Entscheidungsbefugnis nicht nur von diesem suggeriert, sondern auch kausal in der "perturbatio"[46] der sich auf Konstantin berufenden Glaubenstradition begründet wird. Kurz gesagt: Die "paterna fides" des Konstantin genügt nicht mehr.

II. Die "Macht" und "Amt" implizierende Idee von Petrus als "princeps apostolorum"

Im selben Zusammenhang wird die auf den Schlüsselempfang gestützte Autorität einmal als "sacerdotii principatus"[47]

---

42) Ep. 18 (ACO II 3,1,13 Z. 23); ep. 20 (ebd. 15 Z. 5). Vgl. P.BATIFFOL, Cathedra Petri. Etudes d'Histoire ancienne de l'Eglise (Paris 1938) 151-168. M.MACCARRONE, La dottrina del primato papale dal IV all' VIII secolo nelle relazioni con le chiese occidentali (Spoleto 1960) 2ff.

43) Ep. 18 (ACO II 3,1,13 Z. 23f).

44) Ebenso in ep. 20 (A. 48); vgl. auch unten § 28 A. 226-228.

45) Dazu auch oben Kap. 6 A. 198; 199.

46) ACO II 3,1,13 Z. 13: "fidem esse turbatam"; 14 Z. 4f: "de fide quae ... dicitur perturbata"; 14 Z. 31: "(fides) nuper turbata sit"; 16 Z. 7: "ecclesias nocibili novitate turbare".

47) Ep. 18 (A. 43); ep. 19: "beatissimus Romanae civitatis episcopus, cui principatum sacerdotii super omnes antiquitas contulit" (ACO II 3,1,14 Z. 7-9); dazu BATIFFOL, Cathedra Petri 87f; vgl. auch unten A. 61.

und ein anderes Mal als "principatus episcopatus"[48] bezeichnet. Wenn man nun berücksichtigt, daß "Modelle der gesellschaftlichen Umwelt das Selbstverständnis der jeweiligen Päpste beeinflußten" und die Erscheinungsform des Petrusamtes
"in seiner monarchischen Form in manchem mehr dem antiken
Kaisertum gleicht als dem biblischen Petrusbild"[49], so erscheint auch die Möglichkeit einer Übertragung der profanen
"princeps"- und "principatus"-Terminologie[49a] auf das Petrusamt, wie sie U. GMELIN[50] nachzuweisen versuchte, keineswegs
abwegig. Hier ließen sich unschwer verschiedene parallele
Erscheinungen wie z.B. die Sicht der "ecclesia" als "imperium"[51] und die Rezeption der "gubernare" - "gubernaculum"-
Terminologie[52] anführen. Auf die vielen sprachlichen Anleihen macht vor allem W. ULLMANN[53] immer wieder aufmerksam.

---

48) Ep. 20: "apostolicae sedis ..., in qua primus ille qui caelestes
claves dignus fuit accipere, principatum episcopatus ordinavit" (ACO
II 3,1,15 Z. 5f); dazu BATIFFOL, Cathedra Petri 88. Vgl ep. 27: "tuam
... sanctitatem principatum in episcopatu divinae fidei possidentem"
(ACO II 3,1, Z. 22f). Vgl. insgesamt BATIFFOL, a.a.O. 83-93: weitere
Verbindungen, z.B. "apostolicae cathedrae principatus" (AUG., ep. 43,7)
u. "principatus ecclesiarum"; 95-103: "Petrus initium episcopatus".

49) P.STOCKMEIER, Das Petrusamt in der frühen Kirche, in: Zum Thema Petrusamt und Papsttum, hrsg. v. G.Denzler (Stuttgart 1970) 61-79, 78.

49a) Daß man sich des engen Zusammenhangs dieser Terminologie sehr wohl
bewußt war, beweist AUG., civ. 18,45: "et qui rex est possit dici
princeps a principatu imperandi" (CSEL 40,2,342).

50) A.a.O. (A. 1).

51) J.B.SÄGMÜLLER, Die Idee von der Kirche als imperium Romanum im kanonischen Recht, in: ThQ 80 (1898) 50-80. Vgl. LEO M., serm. 82,3: "Petrus, apostolici ordinis princeps, ad arcem Romani destinatur imperii" (CChrL 138A,512); dazu GMELIN 134.

52) W.ULLMANN, Leo I and the theme of papal primacy, in: JThS N.S. 11 (1960)
25-51, 37f; DERS., A History of Political Thought in the Middle Ages
(London 1970²) 27f. - Im übrigen findet sich noch in der HIST.AUG. öfters die Wendung "rem publicam gubernare"; dazu W.SUERBAUM, Vom antiken zum frühmittelalterlichen Staatsbegriff. Über Verwendung und Bedeutung von res publica, regnum, imperium und status von Cicero bis
Jordanis (Münster 1970²) 149.

53) Dabei betont er vor allem die Bedeutung der Vulgata für die Rezeption der römischen Rechtsterminologie. Vgl. The Bible and Principles
of Government in the Middle Ages, in: Settimana di studio del Centro
italiano di studi sull' alto medievo, 10 (Spoleto 1963) 181-227; Grund-

Schließlich hat auch LEO DER GROSSE die Gemeinschaft und Selbigkeit der Herrschaft bzw. die Übertragung von Herrschergewalt[54] und Priestertum[55] von Christus auf Petrus ebenso in juristischer Manier mit "consortium"[56] umschrieben wie denselben Vorgang in der Relation Petrus - Papst[57]. Die erkennbar enge Zuordnung von "potentia", "totius ecclesiae princeps" und "consortium" in sermo 4 und die Tatsache, daß der-

---

fragen des mittelalterlichen Papsttums, in: Papst und König (Salzburg-München 1966) 9-41, bes. 15-18. Weitere Veröffentlichungen unten im Literaturverzeichnis!

54) Serm. 4,2: "Et tamen de toto mundo unus Petrus eligitur, qui ... omnibus apostolis cunctisque Ecclesiae Patribus praeponatur, ut quamvis in populo Dei multi sacerdotes sint multique pastores, omnes tamen proprie regat Petrus, quos principaliter regit et Christus. Magnum et mirabile, dilectissimi, huic viro consortium potentiae suae tribuit divina dignatio" (CChrL 138,18). Vgl. zu "consortium potentiae" ULLMANN, Leo I 39.

55) Serm. 5,4: "dignitas Petri, qui sedi suae praeesse non desinit et indeficiens obtinet cum aeterno Sacerdote consortium" (CChrL 138,24); vgl. dazu unten § 29.5. Zum allgemeinen Priesterum vgl. serm. 4,1: "ut praeter istam specialem nostri ministerii servitutem universi spiritales et rationabiles christiani agnoscant se regii generis et sacerdotalis officii esse consortes" (16f); serm. 4,2: "de consortio istius muneris" (17).

56) In der Anwendung bei LEO M. liegt insofern eine Modifizierung der ursprünglichen, erbrechtlichen Konzeption vom "consortium" vor, als bei ihm die Teilhaber am "consortium" jeweils auf verschiedenen Stufen stehen (Christus - Petrus; Petrus - Papst, die allerdings durch den Gedanken der Stellvertretung bzw. der Identifizierung weitgehend nivelliert werden. - Vgl. auch ep. 10.1: "Hunc (sc. Petrum) enim in consortium individuae unitatis assumptum" (PL 54,629A); dazu ULLMANN, Leo I 39; 45. In ep. 7,1: "In consortium vos nostrae sollicitudinis advocamus" (PL 54,620B) geht es allerdings um ein "consortium" zwischen Leo und den Bischöfen Italiens. Weitere Belege bei P.STOCKMEIER, Leo I. des Großen Beurteilung der Kaiserlichen Religionspolitik (Diss. München 1959) 136. Vgl. zu "consortium" ansonsten oben Kap. 2 A. 29; 271; Kap. 3 A. 47; 48; Kap. 4 A. 271; Kap. 6 A. 68-70.

57) Serm. 2,2: "in consortibus honoris sui" (CChrL 138,8); jedoch eher auf die Bischöfe zu deuten (gegen G.CORTI, Pietro, fondamento e pastore perenne della Chiesa, in: SC 85 [1957] 25-58, 30). Serm. 4,4: "Illi ergo hunc servitutis nostrae natalicium diem, illi ascribamus hoc festum, cuius patrocinio sedis ipsius meruimus esse consortes" (CChrL 138,21). Dazu bemerkt CORTI 40: "E come Pietro è consorziato a Cristo nel governare la Chiesa, così il papa è consorziato a Pietro di cui è servo e ministro".

selbe Leo explizit den jeweiligen Papst als "heres Petri"
sieht, lassen eine Übernahme von Ideen des Erbprinzipats,
sicherlich mit der einen oder anderen Modifizierung, sehr
wahrscheinlich erscheinen, zumal ja das dynastische Denken,
wie vorhin kurz zu zeigen war, auch in der damaligen Umwelt
noch einen großen Stellenwert besaß. Dabei stört es keineswegs, daß HIERONYMUS und LEO auch andere Apostel als "principes" bezeichnen[58] und Leo diesen auch eine Art "ius potestatis" von MT. 16,19 zugesteht[59].

Da P. BATIFFOL[60] die einschlägigen Stellen schön zusam-
mengestellt hat, dürfen wir uns auf zwei Beispiele für den
"princeps Petrus" beschränken: In der Schrift "De incarna-
tione Domini contra Nestorium" (430), die JOHANNES CASSIA-
NUS auf Bitten des damaligen Diakons Leo (des Großen) verfaßte, heißt es:

> "interrogemus ... summum illum et inter discipulos disci-
> pulum et inter magistros magistrum, qui Romanae eccle-
> siae gubernaculum regens sicut fidei habuit ita et sacer-

---

58) HIER., in Gal.prolog.: "et frustra eos in Crucifixum credere, si
id negligendum putarent quod apostolorum principes observarent" (PL
26,334B). LEO M., serm. 4,2: "et si quid cum eo commune ceteris voluit esse principibus, numquam nisi per ipsum dedit quidquid aliis
non negavit" (CChrL 138,18); serm. 4,3: "Transivit quidem etiam in
alios apostolos ius istius potestatis, et ad omnes Ecclesiae principes decreti huius constitutio commeavit, sed non frustra uni commendatur, quod omnibus intimetur. Petro enim ideo hoc singulariter
creditur, quia cunctis Ecclesiae rectoribus Petri forma proponitur"
(19); dazu CASPAR 1,428f; H.M.KLINKENBERG, Papsttum und Reichskirche bei Leo d. Gr., in: ZSavRGkan 38 (1952) 37-112, 43; ULLMANN,
Leo I 49. Vgl. unten A. 59.

59) Der Übergang des "ius potestatis" auf die anderen Apostel wird mit
"transire" (HEUMANN 591, bes. 4e: z.B. von der "obligatio, quae in
heredem transit"; vgl. "auctor meus, a quo ius in me transit") bezeichnet. Damit ist offenbar ein "commeare" zu den Bischöfen (ad
omnes Ecclesiae principes; cuncti Ecclesiae rectores) verbunden.
Zur Überwindung der Spannung zwischen "unus" und "omnes" (bzw.
"ecclesia") durch das Konzept einer "forma" bzw. "persona" vgl.
§ 27 mit A. 134-139.

60) "Princeps apostolorum", in: RSR 18 (1928) 31-59; DERS., Cathedra
Petri 169-195.

dotii principatum. dic nobis ergo, dic nobis, quaesumus,
princeps apostolorum Petre, dic quemadmodum ecclesiae
credere deum debeant?"[61]

Wie der folgende Text von LEO zeigt, kann die verbindli-
che Auskunft, die hier vom "princeps apostolorum Petrus" erbeten wurde, nur mehr "per nos"[62], d.h. durch dessen Erben,
erfolgen, auf den der "sacerdotii principatus" ebenso übergegangen ist wie die einst durch Christus verliehene "potentia":

"... quod (sc. Dominus Iesus Christus) tantam potentiam
dedit ei quem totius Ecclesiae principem fecit, ut si
quid etiam nostris temporibus recte p e r n o s agitur recteque disponitur, i l l i u s operibus, i l -
l i u s sit gubernaculis deputandum ..."[63]

Auf die durch die Beanspruchung des "principatus" herauf-
beschworene Kollisionsgefahr mit dem Kaisertum und seinen
Ansprüchen hat W. ULLMANN[64] hingewiesen. Allerdings dürfte
die Umschreibung als "gesetzgebende Autorität der römischen
Kirche"[65] nicht allen Verbindungen mit "principatus" gerecht werden; sie betont aber zu Recht die Tatsache, daß
die Kirche als "unum corpus" zunehmend als juristisches Ge-

---

61) 3,12 (CSEL 17,276); zu "sacerdotii principatus" vgl. oben A. 47.

62) Zu dieser Formel § 27.4.

63) Serm. 4,4 (CChrL 138,20f; gesperrt von mir); vgl. "consortium potentiae" (A. 54).

64) Die Machtstellung des Papsttums im Mittelalter. Idee und Geschichte (Graz-Wien-Köln 1960) 14f; vgl. KLINKENBERG, Papsttum 46f.

65) ULLMANN, Die Machtstellung 14; vgl. ebd. 3; 10; 13. Ansonsten zu
"principatus" DERS., Leo I 38ff; DERS., The Papacy as an Institution of Government in the Middle Ages, in: Studies in Church History, hrsg. v. J.Cuming, Vol. II (London 1965) 78-101, bes. 86;
DERS., Principles of Government and Politics in the Middle Ages
(London 1966²) 37; DERS., A History 27; 43. ULLMANN betont vor allem den durch "principatus" implizierten monarchischen Charakter
der dem Petrus übertragenen und von ihm an die Päpste weiterver-
erbten Gewalt.

bilde aufgefaßt wurde[66].

Wenn B. ALTANER[67] den Rekurs auf die "antik-römische Vorstellung vom optimus princeps" bei U. GMELIN kritisiert, so
scheint er mir zu vorschnell die tendenziöse Verwertung der
Ergebnisse bereits als den Erweis ihrer Falschheit zu werten. P. STOCKMEIER hält die Übertragung für "fragwürdig"[68].
Mit seinem Hinweis auf den weiten Verwendungsbereich von
"princeps"[69] trifft er sich mit P. BATIFFOL, der von "toute
ambiguïté"[70] spricht. Doch der große Bedeutungsumfang bestand schon immer. Wenn STOCKMEIER als Gegenargument anführt,
"daß die Qualitäten des römischen 'princeps' an seiner Persönlichkeit haften"[71], so könnte man diesen Gedanken dahingehend ergänzen, daß auch - allerdings mehr im übertragenen
Sinn - von einer Weitervererbung der Tugenden gesprochen wurde[72] und vor allem, daß der "princeps Petrus", d.h. seine

---

66) ULLMANN, Die Machtstellung 4f. Vgl. A.A.T.EHRHARDT, Das Corpus Christi und die Korporationen im spätrömischen Recht, in: ZSavRGrom 70
(1953) 299-347; 71 (1954) 25-40.

67) Zur Geschichte des päpstlichen Primats, in: ThRv 37 (1938) 329-339,
bes. 332f. - Zustimmend meint dagegen A.STEIN: "der charismatische
Charakter des Principats ... liegt auch der Idee des Papsttums zugrunde. Und die Grundlinien, die dazu führen, dass die auctoritas des
römischen Princeps eines der wichtigsten Fundamente für die Entstehung des päpstlichen Primates geworden ist, hat GMELIN überzeugend
aufzuzeigen vermocht" (Das Fortleben des römischen Principatsgedankens, in: Bulletin of the International Committee of Historical
Sciences Vol. 10, Paris 1938, 191-193, zit. 192).

68) Leo I. 56.

69) A.a.O.

70) "Princeps apostolorum" 52: "le mot 'princeps' a dans la langue le plus
classique des emplois qui le préservent de toute ambiguïté".

71) A.a.O. 56.

72) Vgl. z.B. SYMM., ep. 7,87: "Amicitiae parentum recte in liberos
transferuntur, ut cáritas semel inita successoribus eorum velut hereditario iure proficiat" (SEECK 201); ep. 9,48: "ut eius filios
hereditario amore defendam" (SEECK 250); AMBR., exc.Sat. 2,101: "Sequamur Abraham moribus, ut nos ... tamquam Lazarum suae humilitatis
heredem propriis circumfusum virtutibus pio foveat amplexu" (CSEL
73,305); vgl. allerdings auch § 9 A. 318; 320. Rein persönliche Eigenschaften konnten im streng rechtlichen Sinn nicht vererbt werden;
vgl. ULLMANN, Grundfragen 20. Anders W.SPEYER, in: RAC 9,1187.

Person mit ihren Rechten und ihrer Stellung, d.h. dem "principatus", in seinem "heres" als fortbestehend gedacht wurde[73].

Diese Anschauung findet sich selbst noch bei Papst JOHAN-
NES XXIII., der von sich sagt: "Qui tamquam Petrus Apostolorum Princeps, ad regendum populum christianum ... vocati sumus."[74] Angesichts des skizzierten Befundes erscheint es
höchst verwunderlich, daß die beiden Ideen vom "princeps apostolorum" und von der "hereditas Petri" bisher so wenig[75]
als zusammengehörig erkannt und noch weniger auf ihren gemeinsamen Ursprung hin überprüft wurden.

§ 26. Die Identität des Erben mit dem Erblasser, ein Zentral-
gedanke des römischen Erbrechts

Bereits mehrere Male[76] begegnete uns die Vorstellung, daß die
Söhne quasi eine "Neuauflage" des Vaters darstellen und somit die
Existenz des Vaters eine Fortsetzung in den Deszendenten findet.
Inwieweit mit diesem eher volkstümlich anmutenden Gedanken auch
das juristische Konzept von der Universalsukzession des römi-
schen Erben[77] zusammenhängt, ist nun in groben Zügen zu skizzieren.
L. MITTEIS bemerkt dazu: "Die transzendente Vorstellung der
Unsterblichkeit des Individuums in seinem Samen ist der Aus-

---

73) So sieht LEO im anmaßenden Verhalten des Erzbischofs Hilarius von
Arles (445) ein Vergehen gegen den hl. Petrus: "Cui quisquis principatum aestimat denegandum, illius quidem nullo modo potest minuere
dignitatem" (ep. 10,2; PL 54,630B).

74) AAS 51 (1959) 612; vgl. oben A. 3.

75) GMELIN 123 spricht im Hinblick auf Augustus nur allgemein davon,
"wie eng sich mit dem Gedanken des optimus die Frage der Nachfolge
verknüpfte"; 118: Leo "leitete aus der Stellung des Petrus als Teilhaber der divina potestas für sich als seinen Erben und Vikar eine
irdische potestas ab und zwar über die potestas ligandi ac solvendi
hinaus eine kirchliche Führerstellung, eine Rolle als princeps ecclesiae". ULLMANN, Leo I 40, betont, daß auf Grund des Erbgedankens der
"principatus" des Papstes identisch ist mit dem des Petrus.

76) Vgl. oben Kap. 2 A. 351; Kap. 6 A. 134; 257r; Kap. 7 A. 18.

77) Zum römischen Erbrecht auch oben § 4.2. Ansonsten PW 8,622-648. Weitere Lit. A. 96.

gangspunkt des römischen Erbrechts"[78].

1. Der Jurist G. BORTOLUCCI[79] hat schließlich die philosophischen Hintergründe dieser Art von Unsterblichkeitsstre-
ben aufgezeigt: Nach PLATON ist das Menschengeschlecht
ξυμφυὲς τοῦ παντὸς χρόνου[80] und die Bedeutung der Ehe besteht
darin, durch die Zeugung von Nachkommen zu dieser ἀειγενὴς
φύσις beizutragen[81]. Auch KLEMENS VON ALEXANDRIEN sieht die
Notwendigkeit von Kindern darin begründet, daß die κατὰ
φύσιν τελειότης verlangt, seinen eigenen Platz (χώρα) mit
einem οἰκεῖος διάδοχος zu besetzen[82]. "Vollkommen" ist nämlich nur der, der "aus sich selbst" einen ὅμοιος[83] gemacht
hat. Auch noch in einer Novelle JUSTINIANs[84] klingt an, daß
die Ehe dem Menschen ἀθανασία verschaffen kann. Man bemerkt hier
sogleich, daß all diese Gedanken auch in einer erstaunlichen
Weise mit der wichtigen alttestamentlichen Idee vom Weiterleben in den Nachkommen korrespondieren; aus dieser Idee resultiert ja auch der Stellenwert des Erbgedankens im AT[85].

Entsprechend der von BORTOLUCCI aufgezeigten philosophischen Tradition und der oben zitierten These von L. MITTEIS
ist das römische Erbrecht nur aus dem Familiennexus zwischen
Eltern und Kindern zu erklären. An dieser Stelle sei auch

---

78) Römisches Privatrecht bis auf die Zeit Diokletians Bd. 1 (Leipzig
1908) 93.

79) La Hereditas come Universitas: Il dogma della successione nella personalità giuridica del defunto, in: Atti del Congresso Internazionale di Diritto Romano Vol. I 1 (Pavia 1934) 431-448, bes. 445-448;
vgl. K.D.SCHMIDT, Papa Petrus ipse, in: ZKG 54 (1935) 267-275, bes.
271-274 (zu BORTOLUCCI).

80) Leg. 4,11,721 (vgl. BORTOLUCCI 446).

81) Leg. 6,17,773 (vgl. BORTOLUCCI 446).

82) Strom. 2,23 (vgl. BORTOLUCCI 447).

83) A.a.O.; vgl. "similis" in PANEG. 7,14,5 (A. 18).

84) Nov. 22 pr. (vgl. BORTOLUCCI 448).

85) Hierzu auch oben § 1.

kurz die römische Idee vom "Genius"[86] erwähnt, die eng mit
Abstammung und Fortpflanzung zusammenhängt; denn der Genius
bildet das zeugungsfähige Prinzip im Manne und gilt als "Sinn-
bild des männlichen Samens"[87]. Da er das Leben im Menschen
entstehen läßt und fortwährend erhält, vertritt er auch oft
die "Person" als solche. "Als genetisches Fruchtbarkeitsprin-
zip" gewährleistet er "die Fortdauer der Geschlechter"[88].
Wenn W. F. OTTO von ihm sagt: "Ein und dasselbe Leben, das
im Vater war, ist im Sohne, und wird weiter sein in den En-
kelkindern und deren Nachkommen"[89], so ist hierin m.E. ein
konkreter Ansatzpunkt für die Personeneinheit von Vater und
Sohn bei den Römern gegeben. Familiennexus und Geniusidee
lassen dann eine Weitervererbung von Opferpflichten, Ahnenkult, Hospitium, Patronat, Blutrache u.ä.[90] von den Eltern
auf die Kinder durchaus plausibel erscheinen.

Der Sohn als "suus heres" erlangt neben dieser ideellen
natürlich auch die materielle "Hausherrschaft"[91] und setzt
die Persönlichkeit des Hausvaters fort[92]. Diese natürliche
Kindeserbfolge ist als lange vorherrschend und paradigmatisch
anzusehen. Zur Erhaltung dieses Prinzips diente auch die

---

86) W.F.OTTO, Genius, in: PW 7,1,1155-1170; DERS., Die Manen oder von
    den Urformen des Totenglaubens. Eine Untersuchung zur Religion der
    Griechen, Römer und Semiten und zum Volksglauben überhaupt (Berlin
    1923) 59-62; F.ALTHEIM, Römische Religionsgeschichte Bd. 1 (Berlin-
    Leipzig 1931) 107f.

87) ALTHEIM 1,107.

88) J.BAYET, Histoire politique et psychologique de la religion romaine
    (Paris 1969²); zit. nach ARTEMIS-LEXIKON 1041.

89) Die Manen 61f.

90) MITTEIS 1,94f.

91) Ebd. 95f. Zur Etymologie von "heres", "herus", "dominus" R.AMBROSI-
    NO, In iure cessio hereditatis. Spunti per la valutazione della "he-
    reditas", in: Studia et documenta historiae et iuris 10 (1944) 1-
    100, bes. 95f.

92) R.SOHM, Institutionen. Geschichte und System des römischen Privat-
    rechts (München-Leipzig 1917¹⁵) 681.

Schaffung einer "künstlichen" Sohnschaft durch Adoption[93],
wobei zu beachten ist, daß der Adoptierte soviel gilt wie
ein leiblicher Sohn[94]. Angesichts dieser Umstände ist es ganz
natürlich, daß sich Vorstellungen, die ursprünglich nur für
den Sohnbegriff typisch und vor allem plausibel waren, auch
auf den Erbenbegriff übertrugen. Als dann aber Sohn und Erbe nicht mehr in jedem Fall in einer Person vereinigt waren,
blieben diese Vorstellungen auch mit dem isolierten Erbenbegriff verbunden. Eine wichtige Hilfskonstruktion bildet dabei die Verbindung der testamentarischen Erbfolge mit einer
letztwilligen Adoption[95].

2. Entsprechend der Stellung des römischen Hausvaters war
die Erbfolge bei den Römern als Rechtssukzession und Universalsukzession[96] konzipiert. Der Erbe hat als "successor" das
"dominium" des Erblassers inne. Deshalb bildet die "Vielheit
einzelner Dinge" eine "universitas"[97]. Man bezeichnete die
"Nachfolge in die vermögensrechtliche Persönlichkeit des Erblassers"[98] als "successio in universum ius, quod defunctus
habuerit"[99] und die "hereditas" auch als "ius successionis"[100].

---

93) L.WENGER-A.OEPKE, Adoption, in: RAC 1,99-112, bes. 99-102. M.-H.
PRÉVOST, Les Adoptions politiques à Rome sous la République et le
Principat (Paris 1949). Vgl. auch oben § 19 I.

94) NESSELHAUF, Die Adoption 483.

95) RAC 1,101.

96) Vgl. neben SOHM 678ff; MITTEIS 1,93ff auch G.F.PUCHTA, Pandekten
(Leipzig 1863[9]) 644ff; P.F.GIRARD, Geschichte und System des römischen Rechtes Bd. 2 (Berlin 1908) 966; P.BONFANTE, La "successio in
universum ius" e l'"universitas", in: Scritti giuridici varii I (Torino 1916) 250-306; P.JÖRS, Geschichte und System des römischen Privatrechts (Berlin 1927) 217f; KASER 1, 672ff.

97) A.HÄGERSTRÖM, Der römische Obligationsbegriff im Lichte der allgemeinen römischen Rechtsanschauung Bd. 2, Beilage 5 (Uppsala 1941) 84-
173 innerhalb der Beilage, 105. Zu "dominium" vgl. HEUMANN 158, z.B.:
"in universum dominium succedere".

98) SOHM 679.

99) KASER 1,673 Anm. 6.

100) HÄGERSTRÖM 103 (nach GAIUS); vgl. ebd. 104.

Selbst bei einer Erbenmehrheit gilt: "Jeder setzt hinsichtlich seines Erbteiles die Persönlichkeit des Erblassers fort"[101]. Aus den angesprochenen Ursprüngen des Erbrechts erklärt es sich auch, daß man nicht nur im Hinblick auf die (vermögens-)rechtliche Seite, sondern auch ganz allgemein an eine persönliche Repräsentation des Erblassers durch den Erben dachte. Da "der Erbe eine ganze Persönlichkeit in sich aufgenommen hat", gilt außerdem der Satz "semel heres semper heres"[102]. Einen symbolischen Ausdruck dieser Vorstellungen sieht F. v. WOESS in der Übergabe des Ringes[103] an den Erben. Der Ring habe nämlich "als wichtigstes Beglaubigungsmittel" und "geradezu als Annex der Persönlichkeit"[104] gegolten.

Insbesondere vor dem Hintergrund der Kindeserbfolge war der Weg von der Universalsukzession und der Repräsentation bis zum Gedanken eines F o r t l e b e n s des Erblassers im Erben nicht mehr weit. Trotzdem meint M. KASER, es sei kein Schluß "auf den Gedanken einer ideellen Personeneinheit zwischen Erblasser und Erben im Sinn einer Transzendenz der Persönlichkeit in der Folge der Generationen"[105] gestattet, sondern erst in der nachklassischen Rechtsentwicklung ver-

---

101) GIRARD 2,974; vgl. PW 8,624 Z. 32ff.

102) MITTEIS 1,101.

103) Vgl. auch F.HOFMANN, Über den Verlobungs- und den Trauring, in: SB philos.-hist.Kl. 65.Bd. (Wien 1870) 825-863, bes. 845f u. 848: Übergabe des Ringes an den designierten Nachfolger bzw. Erben (Belege aus Antike und Mittelalter); weitere Belege zum "anulus heredi traditus" in: ThLL II, 197 Z. 15-23; unten A. 226. - Zum Einfluß von Ehering und Investiturring auf die Bedeutung des Bischofsrings V. LABHART, Zur Rechtssymbolik des Bischofsrings (Köln-Graz 1963); vgl. dazu J.TRUMMER, Mystisches im alten Kirchenrecht. Die geistige Ehe zwischen Bischof und Diözese, in: ÖAKR 2 (1951) 62-75.

104) Das römische Erbrecht und die Erbanwärter. Ein Beitrag zur Kenntnis des römischen Rechtslebens vor und nach der constitutio Antoniniana (Berlin 1911) 143 mit Anm. 17 (Belege für die Ringübergabe an den Erben).

105) A.a.O. 1,673. Auch F.LASSALLE, Das Wesen des Römischen und Germanischen Erbrechts in historisch-philosophischer Entwicklung (Leipzig 1861) 12ff meldet Vorbehalte gegen die "Personenidentität zwischen dem Erben und Erblasser" (12) an.

dichte sich - vor allem im Osten - diese Anschauung[106]. Damit steht KASER allerdings in Gegensatz zu einer ganzen Reihe anderer Autoren[107], die festzustellen glauben, "dass die Person des Erblassers in der des Erben rechtlich fortlebt"[108] und es sich sozusagen nur um einen Wechsel der physikalischen Person[109] handelt. Gegen K. D. SCHMIDT[110] kann man die Idee von einer Personeneinheit nicht allein im griechischen Bereich basieren lassen und auch nicht erst in der schon erwähnten Novelle Justinians den ersten Beleg "auf juristischem Boden"[111] erblicken. Vielmehr lassen schon verschiedene Formeln bei dem römischen Juristen ULPIAN (um 200!)[112]

---

106) A.a.O. 2 (1959), 337.

107) Vgl. die Namen bei KASER 1,673 Anm. 8; ferner E.HÖLDER, Beiträge zur Geschichte des Römischen Erbrechts (Erlangen 1881) 1ff; SOHM 679: " der Erblasser ist vermögensrechtlich nicht tot, er lebt vielmehr in der Person des Erben". Vgl. unten A. 108; 109.

108) HÄGERSTRÖM 103. Dabei ist auch von der "Mystik" die Rede, "die darin liegt, dass das ius des Vorgängers als dasselbe fortbesteht und nur sein Träger ein anderer geworden ist". ULLMANNs Kritik (Die Machtstellung XXV; Principles 38) an den Hinweisen auf "mystische" Züge (z.B. bei E.SEEBERG, Wer war Petrus?, in: ZKG 53 [1934] 584; HEILER 215) dieses Gedankens, die in der Alternative: mystische Idee - rechtliche Idee gründet, verkennt m.E. die mystischen Wurzeln verschiedener rechtlicher Ideen. Mein Einwand kann sich auch stützen auf V.MONACHINO, La perennità del Primato di S.Pietro in uno studio recente, in: AHP 5 (1967) 325-339: Summarium: "Conclusio est, in traditione Ecclesiae antiquae, una cum conceptione iuridico-institutionali alteram revera inveniri alicuius actuosae, mysticae sed realis praesentiae S.Petri in suis successoribus et in gubernio Ecclesiae" (325). Vgl. auch die Diskussion der Positionen von K.D.SCHMIDT, M. MACCARRONE, G.CORTI bei A. RIMOLDI, L'apostolo San Pietro (fondamento della Chiesa, principe degli apostoli ed ostiario celeste nella Chiesa primitiva dalle origini al Concilio di Calcedonia) (Romae 1958) 165-167 Anm. 16.

109) ULLMANN, Leo I 34; vgl. ebd. 33; DERS., Die Machtstellung 13 Anm. 31; DERS., Principles 37f.

110) Papa Petrus ipse 274f.

111) Papa Petrus ipse 275: "daß die Päpste diese Auffassung äußern ein volles Jahrhundert, bevor sie in der erwähnten Novelle Justinians auf juristischem Boden nachweisbar ist". Vgl. oben A. 84.

112) Zit. in DIG. 11,7,1: "Qui propter funus aliquid impendit, cum defuncto contrahere creditur, non cum herede" (KRÜGER-MOMMSEN 1, 348). DIG. 41,1,34: "Hereditas enim non heredis personam, sed defuncti sustinet" (2,496); vgl. PW 8,645f (weitere Belege).

deutlich diese Idee anklingen und in anderen Zusammenhängen
wird sie zumindest vorausgesetzt[113]. Schließlich spricht dann
eine andere Novelle JUSTINIANs explizit davon, daß das
πρόσωπον des Erben und des Erblassers ἕν πως seien[114]. Möglicherweise bilden weniger die oben skizzierten philosophischen
Überlegungen zur Unsterblichkeit als die uralte Idee des "Genius" als unvergängliches Lebens- und Zeugungsprinzip eine
Grundlage, von der aus man den römischen Traditionalismus[115]
und das ausgeprägte Kontinuitätsbewußtsein innerhalb der Generationenabfolge erklären könnte. Jedenfalls harmonisiert
diese Idee sehr gut mit den Vorstellungen von Repräsentation
und Personeneinheit, die aus dem Familiengedanken erwachsen
und dann mit dem römischen Erbgedanken "verwachsen" sind.
Allein auf Grund dieser "Anreicherung" des römischen Erbbegriffs war es möglich, die "heres"-Terminologie zur Identifikation von Papst und Petrus anzuwenden, ohne daß dabei der
die Idee von der Personeneinheit eigentlich begründende Sohnesgedanke vorgelegen hätte. Dagegen tauchte der Gedanke
einer geistigen Sohnschaft innerhalb der apostolischen Sukzession der Bischöfe, wie wir sahen, sehr wohl auf[116].

§ 27. <u>Ausdrucksformen der von den Päpsten beanspruchten Identität mit Petrus</u>

Die durch die "hereditas"-Terminologie intendierte Identifikation von Papst und Petrus schwingt auch noch in anderen
Anschauungen und Formeln mit.

---

113) Vgl. z.B. die umstrittene Frage, inwieweit die "hereditas iacens"
eine juristische Person ist; dazu PW 8,643-646.

114) Nov. 48 pr. Dazu PW 8,626 Z. 49ff; BORTOLUCCI 445.

115) Vgl. dazu auch oben § 4.1.

116) Dabei können sowohl die Apostel als auch die jeweiligen Vorgänger
im Bischofsamt als "Väter" fungieren. Vgl. oben §§ 20 II; 23 II.
Davon ist der heilsgeschichtliche Sohnbegriff (Paulus!), der seine
Parallelen auch in den antiken Mysterienreligionen hat, zu scheiden; vgl. oben § 2.2.

1. Wie bereits zu zeigen war[117], betrachtet AUGUSTINUS in
seiner Auslegung von PSALM 45 (44) die Apostel als "fratres
Christi" und "patres" der "civitates quae crediderunt in Christum". Diese "filiae" haben die "Väter" "per evangelium" "gezeugt"[118]. Dabei kommt Augustinus auch auf den A p o s t e l -
V a t e r   R o m s zu sprechen:

"Ostendatur mihi Romae in honore tanto templum Romuli, in
quanto ibi ostendo memoriam Petri. In Petro quis honora-
tur, nisi ille defunctus pro nobis? Sumus enim christiani,
non petriani. Etsi nati per fratrem defuncti, tamen cog-
nominati nomine defuncti. Per illum nati, sed illi nati".[119]

Der vorausgehende Gedanke einer "Zeugung" der Gemeinde
durch den Apostel Petrus gewinnt hier im Kontext der Gegenüberstellung von "templum Romuli" und "memoria Petri" eine völlig
neue Dimension. Romulus[120], der Stammvater bzw. Gründer Roms,
wird dem Stammvater und Begründer des christlichen Rom, Petrus, gegenübergestellt. Die Verehrung für das Grab des christlichen Stammvaters ist größer als die Ehre für das "templum Romuli"[121], weil in Petrus ja Christus[122] geehrt wird.

---

117) Vgl. oben § 20 II.

118) In psalm. 44,23 Z. 22f; 25; 40 (CChrL 38,511); in Anlehnung an 1
Kor. 4,15.

119) Ebd. (511).

120) A.ROSENBERG, Romulus, in: PW II 1,1,1074-1104; vgl. bes. 1102f.

121) Zum sogenannten "Grab des Romulus" vgl. PW II 1,1,1099-1102. Zur
Gegenüberstellung mit dem "Oikistengrab" des Petrus (aber ohne Erwähnung der Augustinus-Stelle!) W.KÖHLER (o.c. A. 130) 29f. Augustinus meint aber offenbar einen Tempel; vgl. civ. 22,6: "Roma con-
ditorem suum iam constructa et dedicata tamquam deum coluit in templo" (CSEL 40,2,591f).

122) So wird zwar die Verehrung für Petrus geschickt relativiert, aber
gleichzeitig auch ausgedrückt, daß "in Petro" Christus am Werk ist,
wie seinerseits Petrus "in successoribus suis" (A. 179). Vgl. zu
diesen "in"-Formeln unten § 27.4. Zum Petrusbild bei Augustinus
A.M.LA BONNARDIERE, "Tu es petrus". La péricope "Matthieu 16,13-
23" dans l'oeuvre de Saint Augustin, in: Irenikon 34 (1961) 451-
499.

Die Tragweite dieser Gegenüberstellung wird durch eine andere Stelle bei AUGUSTINUS[123] beleuchtet, wo der "Romulus deus"
als Gründer des irdischen Rom mit dem "Christus Deus", dem
Stifter der himmlischen und ewigen Stadt, der Kirche, verglichen wird und zahlreiche Beweise für die Stärke des "Gottes
Christus" angeführt werden. Man kann deshalb die Weitergabe
des Fideikommiß göttlichen Schutzes[124] durch Romulus gut vergleichen mit der Schlüsselübergabe von Christus an Petrus,
dem Akt der Gewaltübertragung über das neue Reich, zumal auch
noch für Augustinus - trotz seiner beißenden Kritik an den
konventionellen Lügen der Romuluslegende - die historische
Existenz des Romulus feststand. Für die Rolle des Petrus als
Stammvater der "ecclesia Romana" erscheint es auch bedeutungs-
voll, daß in der Antike für die "gentiles" "die Erinnerung
an einen gemeinsamen Stammvater ... genügte, um die Einheit
herzustellen"[125] und daß LEO DER GROSSE Rom eine "gens sancta" nannte[126]. Bezeichnenderweise klingt unmittelbar zuvor
der Gedanke an, daß Petrus und Paulus die Brüder Romulus und
Remus als Schirmherren Roms abgelöst haben[127]. Damit ist allerdings eine gewisse Spannung zum monarchischen Gedanken
des "princeps Petrus"[128] entstanden, die das Christentum aber,

---

123) Civ. 22,6 (CSEL 40,2,590-594).

124) MOMMSEN, Staatsrecht I,90.

125) J.GAUDEMET, Familie, in: RAC 7,286-358, 320.

126) Ganz im Stil der Zeit wird in der Rede die "Roma" selbst angesprochen: Serm. 82,1: "Isti sunt qui te ad hanc gloriam provexerunt, ut
'gens sancta, populus electus' civitas 'sacerdotalis et regia' per
sacram beati Petri sedem caput totius orbis effecta, latius praesi-
deres religione divina quam dominatione terrena" (CChrL 138A,509);
dazu CASPAR 1,562.

127) Serm. 82,1: "Isti sunt sancti patres tui verique pastores, qui te
regnis caelestibus inserendam multo melius multoque felicius quam
illi discordes usque ad parricidium gemini condiderunt" (ebd. 508f);
dazu CASPAR 1,562.

128) Zur "princeps Petrus"-Idee oben § 26. - Vgl. GMELIN 134: Entsprechung von "unum imperium" und "una ecclesia", die durch Petrus, den
"princeps apostolici ordinis" (LEO M., serm. 82,3), geleitet wird.
"Hier tritt der princeps Petrus, den der Herr zur Leitung der arx
Romana bestimmt hat, als Erbe des alten Imperium Romanum, als zwei-

wie wir wissen - ohne einen Brudermord - zu lösen verstand.
In Zusammenhang mit der Idee eines Stammvaters ist auch
an den religionsgeschichtlichen Erklärungsversuch für den
Ausdruck "omnis ecclesia Petri propinqua"[129] bei W. KÖHLER[130]
zu erinnern: Demzufolge ist gemäß der Idee, die die christliche Gemeinde als Familie und deren Gründer als ihren Vater
betrachtet, die römische Gemeinde als "Petrussippe" und Petrus als ihr "Gentilheros" anzusehen. In Anbetracht der Verehrung für das Petrusgrab glaubt KÖHLER, daß Kallist die
Weitergabe der "potestas" von MT. 16,19 "de iure derivationis
ex sepulcro"[131] begründet habe. Obwohl der Erbgedanke bei
Kallist noch nicht vorlag[132], und man die Thesen bei KÖHLER
weniger als Beweise denn als Denkanstöße werten sollte, muß
man m.E. doch den Komplex Petrusgrab - Petrus als neuer

---

ter Gründer und Lenker eines neuen christlichen Reiches auf."
Durch die epochale Bedeutung des Augustus, der zudem auch als
"pater patriae" galt, wurde wohl die Parallelisierung des Petrus
mit Augustus (princeps) und Romulus (pater) erleichtert. - Zur
Errichtung eines neuen geistlichen Imperiums auch KLINKENBERG,
Papsttum 48.

129) TERT., pudic. 21,9 (CChrL 2,1327). Lit. dazu (neben A. 130) bei H.
STOECKIUS, Ecclesia Petri propria. Eine kirchengeschichtliche und
kirchenrechtsgeschichtliche Untersuchung der Primatsfrage bei Tertullian, in: AkathKR 117 (1937) 24-126; G.G.BLUM, Der Begriff des
Apostolischen im theologischen Denken Tertullians, in: KuD 9 (1963)
102-121, bes. 115ff.

130) Omnis ecclesia Petri propinqua. Versuch einer religionsgeschichtlichen Deutung: SB Heidelberg philos.-hist.Kl. (Heidelberg 1938).

131) A.a.O. 30f; vgl. auch A.v.HARNACK, Ecclesia Petri propinqua. Zur
Geschichte der Anfänge des Primats des römischen Bischofs, in: SB
philos.-hist.Kl. (Berlin 1927) 139-152, bes. 148ff. - Es wäre auch
möglich, daß die Päpste als Erben des ("Stammvaters") Petrus sich
auf das Petrusgrab beriefen und sich darum kümmerten, da im Sinne
antiker Tradition die Sorge für das "sepulcrum familiare" auf den
Erben überging. Vgl. auch oben § 4.2.

132) KÖHLER 30 Anm. 138 stellt im Hinblick auf K.D.SCHMIDT, Papa Petrus
ipse die Frage: "wie denn der römische Bischof sich als Erbe des
Petrus fühlen kann?" Auf diesen wunden Punkt macht auch ULLMANN verschiedentlich aufmerksam: Weshalb, auf Grund welches Rechtstitels
konnte sich der Bischof von Rom als Erbe fühlen und bezeichnen?
KÖHLER glaubt offensichtlich, er habe mit dem "Petrusgrab" die Antwort gefunden auf eine Frage, die sich erst später stellte. ULLMANN
dagegen meint, einen Bericht über die "Erbeneinsetzung" des Klemens
durch Petrus aufgespürt zu haben; vgl. dazu unten § 29.1.

Stammvater und Gründerfigur - Weitergabe der "potestas" von
MT. 16,19 - Personeneinheit von Papst und Petrus - der Papst
als "heres Petri" als eine Einheit sehen, die sich auch auf
die einfachere Formel: Petrus als "Vater" und "Erblasser" re-
duzieren läßt[133].

Die naheliegende Frage, weshalb nur der "Vater" der "civitas" oder "gens" die Vollmacht, die eigentlich für die ganze Kirche bestimmt ist, von Christus erhält und seinerseits
wieder nur an den Einen vererbt, haben LEO DER GROSSE und
vor allem AUGUSTINUS durch die Idee der "Repräsentation"[134]
zu beantworten versucht. Wenn es von Petrus heißt: "ipsius
universitatis et unitatis Ecclesiae figuram gessit"[135] und
"universae Ecclesiae personam tunc gerebat"[136], so wird diese Idee einmal durch "figura" (forma)[137] und ein anderes Mal

---

133) Dabei bezieht sich allerdings die "Vaterschaft" auf die "gens" bzw.
auch auf die ganze Kirche. Für ein Vater-Sohn-Verhältnis zwischen
Petrus und Papst, wie man es eigentlich erwarten möchte, konnte ich
bisher keine Belege ausfindig machen. - Erst im Mittelalter begegnet
man der "Anrede des Königs Pippin mit 'filius S.Petri', die sich
aber schon im 7.Jahrhundert ganz ähnlich bei Agatho und Leo II.
findet" (SEEBERG 578).

134) Vgl. zu dieser Idee auch die Aufsätze von U.WIENBRUCH u. W.KRÄMER,
in: Miscellanea Mediaevalia 8 = Der Begriff der Repraesentatio im Mittelalter. Stellvertretung, Symbol, Zeichen, Bild, hrsg. v. A.Zimmer-
mann (Berlin-New York 1971) 76ff bzw. 202ff; A.TRAPE, La "Sedes Petri" in S.Agostino, in: Miscell. A.Piolanti Vol. 2 = Lateranum 30
(1964) 57-75, bes. 70ff. - Hierbei gibt es auch Berührungspunkte mit
dem Vikariats- und dem Erbgedanken. Bei diesen Gedanken bildet die
"Repräsentation" aber nur e i n e n Aspekt und es geht in der Regel (Ausnahmen bei Vikariat!) um die Überbrückung eines zeitlichen
Abstandes. - Zur Zuordnung von Papsttum und Bischofskollegium bei LEO
vgl. G.MEDICO, La collégialité épiscopale dans les lettres des pontifes romains du Ve siècle, in: RSPhTh 49 (1965) 369-402, 380ff.

135) AUG., serm. 295,2 (PL 38,1349); vgl. ebd.: "totius Ecclesiae meruit
gestare personam". In Verbindung mit der Schlüsselübergabe!

136) AUG., serm. 295,2 (a.a.O).

137) AUG., c.Faust. 16,17: "ut idem homo alias aliam atque aliam pro re
aliqua significanda personam gerat, tunc Moyses populi Iudaeorum
sub lege positi personam gerebat" (CSEL 25,1,458); in evang.Ioh.
124,5 (A. 138); ep. 53,2 (Kap. 6A. 165); LEO M., serm. 4,3: "Transivit quidem etiam in alios apostolos ius istius potestatis, et ad
omnes Ecclesiae principes decreti huius constitutio commeavit, sed
non frustra uni commendatur, quod omnibus intimetur. Petro enim

durch "persona"[138] ausgedrückt. Für den Bedeutungshorizont
des zweiten Ausdrucks ist es aufschlußreich, daß CICERO auch
von "gerere personam civitatis"[139] spricht.

2. Der Versuch, auf diese Weise die angesprochene Frage
zu lösen, spiegelt sich auch in der Verwendungsweise der
"successio"-Terminologie[140]. Während man nämlich einerseits
im Hinblick auf die Bischöfe von einem "succedere apostolis"
sprach, wurde "der Name ' s u c c e s s o r   P e t r i '
... geradezu zur Amts- und Wesensbezeichnung des römischen
Bischofs"[141]. Trotzdem scheint mir in der Frühzeit haupt-
sächlich die Linie Cyprians, die in jedem Bischof einen vollen Rechtsnachfolger Petri sieht[142], den Kontext für die -

---

ideo hoc singulariter creditur, quia cunctis Ecclesiae rectoribus
Petri forma proponitur. Manet ergo Petri privilegium, ubicumque ex
ipsius fertur aequitate iudicium" (CChrL 138,19). Zu dieser Stelle
CASPAR 1,428; KLINKENBERG, Papsttum 43; J.LUDWIG, Die Primatworte Mt
16,18.19 in der altkirchlichen Exegese (Münster 1952) 88f; ULLMANN,
Leo I 49 Anm. 1. HEILER 214f unterscheidet zu schroff zwischen einer
"platonischen Petrustheorie Cyprians und Augustins" mit der Konsequenz eines "ideal-typischen" Primats und einem "real-aktiven" Primat im Sinne eines Jurisdiktionsprimats bei Leo dem Großen.

138) AUG., agon. 32: "inter omnes apostolos huius ecclesiae catholicae
personam sustinet Petrus;... ipsi Petro personam eius gestanti"
(CSEL 41,134f); in evang.Ioh. 124,5: "cuius ecclesiae Petrus apostolus ... gerebat figurata generalitate personam ... universam significabat ecclesiam ... Ecclesia ergo quae fundatur in Christo, claves
ab eo regni caelorum accepit in Petro ... Haec igitur ecclesia quam
significabat Petrus ..." (CChrL 36,684f). Hier ist der Zusammenhang
von "figura", "persona" mit der "in"-Formel (dazu unten § 27.4)
sichtbar. Vgl. ferner CASPAR 1,339; J.TURMEL, Histoire des dogmes
Vol. 3 (Paris 1933) 115; LUDWIG 76-79; BONNARDIÈRE 492-496: "Pierre
joue le rôle de l'Eglise"; HEUMANN 425.

139) Z.B. off. 1,124 (C.ATZERT, Leipzig 1963, 43).

140) Dazu auch oben § 22; § 24 A. 311.

141) A.v.HARNACK, Christus praesens - Vicarius Christi. Eine kirchengeschichtliche Skizze, in: SB philos.-hist.Kl. (Berlin 1927) 415-446,
433 (gesperrt von mir). HIER., ep. 15,2,1: "cum successore piscatoris et discipulo crucis loquor" (CSEL 54,63); COEL.,Philippi legati oratio (A. 170); SIXT.III., ep. 31 (A. 179).

142) H.KOCH, Cyprian und der römische Primat. Eine kirchen- und dogmengeschichtliche Studie (Leipzig 1910), bes. 40f.

damals noch relativ seltene - Verbindung von Petrus und "successio" zu bilden. Freilich werden auch schon andere Ansprüche laut: So beschwert sich etwa Bischof FIRMILIAN VON KAISAREIA(255) über die "stultitia" des Bischofs Stephan von Rom, "quod qui sic de episcopatus sui loco gloriatur et se successionem Petri tenere contendit, super quem fundamenta ecclesiae collocata sunt"[143]. Andererseits kann noch ein GAUDENTIUS VON BRESCIA Bischof Ambrosius bitten, "tamquam Petri successor apostoli" zum Volk zu sprechen[144]. Obgleich wir an anderer Stelle bereits den Bezug der "successio"-Terminologie zum Erbrecht aufzeigen konnten, so scheint doch - isoliert davon - "der Gedanke von der 'apostolischen Sukzession'" nicht zu genügen, "um jenen eigentümlichen und stark erlebten Zusammenhang zwischen Petrus und seinen Nachfolgern wirklich verstehen zu lassen"[145].

Die Besonderheit der "juristischen Sukzession", daß jeder Papst unmittelbar Petrus nachfolgt - worauf W. ULLMANN[146] mit Nachdruck hinweist - hat offenbar auch dazu geführt, daß sich "in älterer Zeit und im Mittelalter ... sehr häufig statt 'successor Petri' der Titel 'vicarius (principis apostolorum) Petri'"[147] findet. Wie der "vicarius Christi"[148]

---

143) CYPR., ep. 75,17 (CSEL 3,2,821); vgl. ebd.: "Stephanus qui per successionem cathedram Petri habere se praedicat". Dazu E.CASPAR, Primatus Petri. Eine philologisch-historische Untersuchung über die Ursprünge der Primatslehre, in: ZSavRGrom 47 (1927) 253-331, bes. 310f; M.MACCARRONE, "Cathedra Petri" und die Idee der Entwicklung des päpstlichen Primats vom 2. bis 4.Jahrhundert, in: Saeculum 13 (1962) 278-292, 287; HHKG I,405f.

144) Serm. 16,9 (CSEL 68,139); vgl. LUDWIG 71f.

145) SEEBERG 584.

146) Vgl. oben Kap. 6 A, 351.

147) HARNACK, Christus praesens 434; vgl. ebd. Anm. 2: Bis zum 13.Jahrhundert scheint diese Bezeichnung häufiger vorzukommen als "successor". Zu "vicarius Petri" vgl. ansonsten M.MACCARRONE,Vicarius Christi. Storia del titolo papale (Rom 1952) 45ff; DERS., L'antico titolo papale "Vicarius Petri" e la concezione del Primato, in: Divinitas 1 (1957) 365-371; DERS., La dottrina 38ff; G.CORTI, Pietro, fondamento e pastore perenne della Chiesa, in SC 85 (1957) 25-58. Zu "vicarius" allgemein vgl. oben Kap. 6 A. 313-326.

148) Vicarii Christi vel dei bei Aponius. Ein Beitrag zur Ideengeschich-

die Gegenwart Christi ersetzen soll, glaubt etwa LEO DER
GROSSE, daß auch Petrus in seinem jeweiligen "vicarius" gegenwärtig ist. Deshalb fordert er: "ipsum vobis, cuius vice
fungimur, loqui credite"[149]. Daß hier ebenso S t e l l -
v e r t r e t u n g beansprucht wird wie durch die Bezeichnung τοποτηρήτης[150] macht deutlich, "wie sehr man im Bischof
jener Kirche unmittelbar, in einer Art von Schau, den Apostel 'Petrus' erblickte, von dem der 'locus' des römischen
Bischofs den Namen empfing"[151].

3. Mit Recht macht M. MACCARRONE[152] auf den Zusammenhang
von "locus Petri"[153] und " c a t h e d r a P e t r i "
aufmerksam. Da die Tendenz des "cathedra"-Gedankens im allgemeinen bereits zu beleuchten war[154] und die Redeweise von
der "cathedra Petri" schon des öfteren untersucht wurde[155],

---

te des Katholizismus, in: Delbrück-Festschrift (Berlin 1908) 37-
46; DERS., Christus praesens; MACCARRONE, Vicarius Christi. Vgl.
bes. auch ULLMANN, Die Machtstellung 410f Anm. 80. Neben dem Papst
beanspruchte auch der Kaiser diesen Titel (HARNACK, Christus praesens 436ff).

149) Serm. 3,4 (CChrL 138,14); dazu auch unten § 29.4.

150) Entspricht dem lateinischen "locum tenens". So wird jedenfalls eine
Stelle aus der Rede des päpstlichen Legaten Philippus in Ephesos
(431) wiedergegeben. Mit Bezug auf Petrus heißt es dort von Cölestin: τούτου τοιγαροῦν κατὰ τάξιν ὁ διάδοχος καὶ
τοποτηρητής (ACO I 1,3,60). Dazu CASPAR 1,410f; MACCARRONE, Vicarius Christi 46; CORTI 37 Anm.; HHKG II/1,272. Es ist auch bemerkenswert, daß CASPAR das 11.Kapitel seiner Papstgeschichte "Der
'Stellvertreter Petri'" (1,423-461) nennt.

151) MACCARRONE,Cathedra Petri 286; vgl. ebd. 284f ("locus" bei Irenäus
und Tertullian); CYPR., ep. 55,8: "cum Fabiani locus id est cum
locus Petri et gradus cathedrae sacerdotalis vacaret" (CSEL 3,2,
630).

152) Ebd. 284; 286.

153) Dabei ist auch an die Begriffe "sedes" und "praesidere" zu erinnern; vgl. LEO M., ep. 106,5: "Aliud enim sunt sedes, aliud prae-
sidentes" (PL 54,1007B). Zu diesem Brief an Bischof Anatolios von
Konstantinopel CASPAR 1,527ff.

154) Vgl. oben Kap. 6/§ 22.6 mit A. 132-145; 151-154.

155) Vgl. neben MACCARRONE auch H.KOCH, Cathedra Petri; BATIFFOL, Cathedra Petri ; CASPAR, Primatus Petri.

sei hier nur noch an die Erzählung in den "PSEUDOKLEMENTINEN"
erinnert, derzufolge der Apostel Petrus den Klemens persönlich auf seiner Kathedra "installiert" hat[156]. So kam es, daß
AUGUSTINUS betonen konnte: "ab ipso Petro usque ad Anastasium, qui nunc e a n d e m cathedram sedet"[157]. Doch es
war nicht nur dieselbe Kathedra, die symbolisch und juristisch
die Identität mit dem petrinischen Ursprung verbürgte, sondern es war auch ihr erster Inhaber, der auf ihr gegenwärtig
blieb, so daß der romtreue HIERONYMUS versicherte: "beatitu-
dini tuae, id est cathedrae Petri, communione consocior"[158]
und ausrief: "si quis cathedrae Petri iungitur, meus est"[158a].

4. Dieses Fortleben des Petrus in seinem jeweiligen Nachfolger fand nicht nur in der "hereditas"-Terminologie einen
sprachlichen Ausdruck, sondern wurde auch mit Vorliebe durch

---

156) Dazu unten § 29.1. Hier ist auch die Vorstellung beizuziehen, daß
Petrus seine Kathedra von Christus selbst erhalten hat oder gar
selbst auf dessen Kathedra sitzt. Weithin unbeachtet scheint in diesem Zusammenhang die Stelle OPTAT. 2,2: "igitur negare non potes
scire te in urbe Roma Petro primo cathedram episcopalem esse conla-
tam, in qua sederit omnium apostolorum caput Petrus, unde et Cephas
est appellatus" (CSEL 26,36); vgl. OPTAT. 2,3 (Kap. 6 A. 142). LUD-
WIG 61 bemerkt dazu: Die "Liste der Nachfolger Petri auf dem römischen Stuhl ... wäre fehl am Platze, wenn sie nicht besagte, daß
das Erbe Petri in seinen Nachfolgern weiterlebt." Archäologische
Zeugnisse mit Petrus bzw. Christus auf einer Kathedra (Parallelismus und Angleichung!) bringt MACCARRONE, Cathedra Petri 290 bei. Zu
erinnern ist hier auch an den Inhalt des Festes "Cathedra Petri";
dazu P.BATIFFOL, Petrus initium episcopatus, in: RevSR 4 (1924)
440-453, bes. 451ff; TH.KLAUSER, Der Ursprung des Festes Petri
Stuhlfeier am 22. Februar, in: ELit 41 (1927) 40-57; 127-136.

157) Ep. 53,3 (CSEL 34,2,154); vgl. auch c.Petil. 2,51,118 (Kap. 6 A.
151); LUDWIG 79f.

158) Ep. 15,2,1 (CSEL 54,63f). Zur "incorrupta patrum hereditas" (ep.
15,1,2) vgl. unten § 28.1. Da der erste Teil des Satzes lautet:
"ego nullum primum nisi Christum sequens ...", klingt hier bereits
an, daß der Papst als "vicarius Petri" auch ein "vicarius Christi"
ist.

158a) Ep. 16,2,2 (CSEL 54,69); vgl. auch ep. 97,4 (Kap. 6 A. 141).

" i n " - F o r m e l n [159] umschrieben. Wenn noch das VA-
TIKANUM I (1870) davon spricht, daß der "Apostolorum princeps" die Schlüssel empfing: "'qui ad hoc usque tempus et
semper in suis successoribus', episcopis sanctae Romanae Sedis, ab ipso fundatae eiusque consecratae sanguine 'vivit'
et praesidet et 'iudicium exercet'"[160], so zitiert es damit
die Worte des Legaten von Papst CÖLESTIN auf dem Konzil von
Ephesos. Die hier anklingende Vorstellung, die natürlich bereits A. v. HARNACK[161] beiläufig registriert hatte, hat erstmals im Jahr 1935 K. D. SCHMIDT[162] in einem kurzen, aber öfters zitierten[162a] Aufsatz unter dem aussagekräftigen Schlagwort "Papa Petrus ipse" ausdrücklich thematisiert. Sie darf
in unserem Zusammenhang nicht fehlen, da sie von den Inten-

159) Solche Formeln werden nicht nur hier (§ 27) angesprochen, sondern
finden sich vereinzelt auch noch bei der Behandlung der "hereditas"-
Stellen (§§ 28/29). Vgl. CORTI 26-28 Anm. 2 (auch interessante Belege für "Personenidentität" bei BONIFATIUS I.).

160) Pastor aeternus cap. 2: DS 3056 (1824). Dazu U.BETTI, La perpetuità del Primato di Pietro nei Romani Pontefici secondo il Concilio
Vaticano, in: Divinitas 3 (1959) 95-143, bes. 100f.

161) Vor allem an Hand der Vikariatsidee; vgl. Vicarii Christi (1908);
Enstehung und Entwicklung der Kirchenverfassung und des Kirchenrechts in den zwei ersten Jahrhunderten (Leipzig 1910) 87: "gleichsam in ihnen inkarniert"; Die Entstehung des Papsttums, in: Aus
Wissenschaft und Leben Bd. 1 (Giessen 1911) 211-223,220; Christus
praesens (1927) bes. 434.

162) ZKG 54 (1935) 267-275; vgl. DERS., Grundriß der Kirchengeschichte
(Göttingen 1960³), bes. 138.

162a) Vgl. GMELIN (1936) 117 Anm. 83; 123: "In diesem 'real-mystischen'
Zusammenhang steckt doch ... mehr als 'eine Konzeption des antiken
Erbrechts'"; W.KÖHLER (1938) 30 Anm. 138; 36; KLINKENBERG, Papst
Leo (1950) 22 Anm. 19; DERS., Papsttum 44 Anm. 17; MACCARRONE, Vi-
carius Christi (1952) 48 (erhebliche Einwände gegen SCHMIDT); DERS.,
La dottrina (1960) 40 Anm. 120; W.ULLMANN, The Growth of Papal Go-
vernment in the Middle Ages. A Study in the ideological relation
of clerical to lay power (London 1955) 8 Anm. 4; DERS., Die Machtstellung (1960) 13 Anm. 31; RIMOLDI (1958) 165f Anm. 16; STOCKMEIER,
Leo I. (1959) 209; Y.M.J.CONGAR, Composantes et idée de la Succession Apostolique, in: Oecumenica (1966) 61-80, 72 Anm. 46; K.S.
FRANK, Vita apostolica und dominus apostolicus. Zur altkirchlichen
Apostelnachfolge, in: Konzil und Papst. Festgabe f. H.Tüchle, hrsg.
v. G.Schwaiger (München-Paderborn-Wien 1975) 19-41, 37f (zu SCHMIDT
und ULLMANN): "Das alle Schwierigkeit behebende Stichwort wurde
der 'Erbe des Petrus'" (38).

tionen bei der Anwendung der "hereditas"-Terminologie auf
das Papsttum - der Identifizierung von Erbe und Erblasser[163]
- nicht zu trennen ist. Man sollte damit jedoch nicht die
Anwendung der "in"- bzw. "per"-Formeln auf die Verhältnisbestimmung: Petrus (Papst) - Apostel (Bischöfe)[164] verwechseln, die bei den Begriffen "figura" und "persona" schon zu
streifen war.

In einer sehr indirekten und verhaltenen Form berief sich
wohl schon Papst SILVESTER (314) auf eine fortdauernde Anwesenheit von Petrus und Paulus, die ein Verlassen des "Ortes"
verbiete, "in quibus et apostoli cotidie sedent et cruor ipsorum sine intermissione dei gloriam testatur"[165]. Diese
Stelle könnte u.U. auch als ein Hinweis darauf zu deuten
sein, daß Gründungs- und Grabargument[166] - hier allerdings
noch in der archaischen Ausprägung des Apostel-Paares - Vor-
stufen für die Vorstellung der "Einwohnung" und des Erban-
spruchs bilden. Dagegen setzt sich INNOCENZ I. (417) ohne
Umschweife mit Petrus gleich, indem er es in dem Antwort-
schreiben an die Synodalen von Mileve als selbstverständlich
hinstellt, daß alle "Brüder und Mitbischöfe" die Sache "ad
Petrum referre"[167]. Die Apposition "id est sui nominis et

---

163) Dazu oben § 26.

164) So z.B. LEO M., serm. 4,3: "In Petro ergo omnium fortitudo munitur,
et divinae gratiae ita ordinatur auxilium, ut firmitas quae per
Christum Petro tribuitur, per Petrum apostolis conferatur" (CChrL
138,20); dazu KLINKENBERG, Papst Leo 11f; STOCKMEIER, Leo I. 206f;
vgl. unten A. 168; 169.

165) Wahrscheinlich ein Zitat aus Silvesters Absageschreiben; erhalten
in der Antwort der in Arles versammelten Bischöfe (CSEL 26,207). Vgl.
dazu CASPAR 1,115; LUDWIG 58f; RIMOLDI 240. Zu "sedere" vgl."praesidere": TERT., praescr. 36,1 (Kap. 6 A. 134); SIXT.III., ep. 30 (unten A. 181); PETR.CHRYS., ep.ad Eutychen (= LEO M., ep. 25,2) (A.
182); VATIKANUM I, Past.aetern. cap. 2 (A. 160).

166) Ähnlich auch HARNACK, Ecclesia Petri propinqua 151f: "Die mystische
Bedeutung der Reliquien ... stand anfangs für sich allein. Die recht-
lich-rationale Betrachtung und Beweisführung, die sich auf Amtsübertragung stützt und nun Matth. 16,18f. aufs neue in Anspruch nimmt,
folgte ihr bald."

167) Ep. 30,2 (= AUG., ep. 182,2; JK 322,2) (CSEL 44,717). Dazu CASPAR
1,333f; LUDWIG 80f; RIMOLDI 168f; HHKG II/1,267f; vgl. auch oben

honoris auctorem" ist als Begründung dieser Anordnung zu verstehen. Daß damit Petrus als Urheber des "episcopatus"[168]
gemeint ist und - für Innocenz - durch Petrus seinerseits
wieder Christus handelt, verdeutlicht die Stelle: "per quem
(sc. Petrum) et apostolatus et episcopatus in Christo coepit
exordium"[169].

Im Namen von Papst CÖLESTIN erklärt der Legat Philippus
in Ephesos, die Schlüssel des Himmelreiches und die Binde-
und Lösegewalt seien dem Petrus gegeben worden: ὅστις ἕως
τοῦ νῦν καὶ ἀεὶ ἐν τοῖς ἑαυτοῦ διαδόχοις καὶ ζῆι καὶ
δικάζει[170]. In dieser Rede findet sich also nicht nur die
schon erwähnte Papstbezeichnung τοποτηρήτης[171], sondern der
Stellvertretungsgedanke ist gleichsam erläutert durch die
"in"-Formel und konkretisiert durch ein ausdrückliches "Fortleben und -richten". Schließlich ist es hier eindeutig die
juristische Position[172] des Erblassers, die als fortbestehend gedacht wird. Ähnlich wie vorher Innocenz formuliert
CÖLESTINs Brief an Klerus und Volk von Konstantinopel[173]
(432) diese Vorstellung, wenn es heißt, "der heilige Apostel
Petrus" habe den Klerus in einer so schwierigen Lage" "nicht
verlassen"[174]. In der "illyrischen Dekretale" ist davon die
Rede, daß Christus durch die Schlüsselübergabe "in sancto

Kap. 6 A. 337. ULLMANN, Leo I 31 Anm. 4 weist nach, wie gut sich
Innocenz I. im römischen Erbrecht auskannte.

168) Vgl. BATIFFOL, Petrus initium episcopatus; MACCARRONE, La dottrina
56ff.

169) INNOC., ep. 2,2 (PL 20,470A). Vgl. LUDWIG 86; RIMOLDI 168; HHKG II/
1,266; oben A. 164.

170) ACO I 1,3,60. Dazu HALLER 1,146f; CASPAR 1,408-411; HEILER 213;
LUDWIG 87; RIMOLDI 175; HHKG II/1,272.

171) Dazu oben A. 150.

172) Kontext der Schlüsselübergabe (dazu unten A. 226; 227); Vollmacht
(ἐξουσία), zu binden und zu lösen; δικάζειν.

173) CASPAR 1,414f; HHKG II/1,272.

174) Ep. 25,9 (= JK 388,9) (ACO I 2,94); vgl. oben A. 167. Der Brief will
nach dem Konzil von Ephesos alles als Werk Roms (des Apostels Petrus) hinstellen.

Petro apostolo" dem Papst die "necessitas de omnibus tractandi" gewährt habe[175]. Ähnlich wie vorher bei Innocenz I.[176] erfolgt hier gleichsam eine "Rückblendung" auf die vorausgehende Stufe, auf Christus, so daß man auch an dieser Stelle von einer "Trilogie Christus - Petrus - Papst"[177] sprechen könnte. "In" Petrus sind also alle seine Nachfolger schon "inbegriffen"[178].

Nach SIXTUS III. besteht die Bedeutung des "sentire nobiscum" - so schreibt er an Johannes von Antiochien (433) - darin, daß Petrus "in seinen Nachfolgern" die wahre Tradition verbürgt und eine Trennung vom Papst gleichzusetzen ist mit einer Trennung vom "Ersten" der Apostel[179]. Im Brief an Kyrill (433) betont der Papst, daß sich die Bischöfe als "apostolici"[180] wie die "apostoli" "ad beatum apostolum Petrum" versammeln und Petrus selbst über die Synode in der

---

175) COEL., ep. 3 (= JK 366): "Nosque praecipue circa omnes cura constringimur, quibus necessitatem de omnibus tractandi Christus in sancto Petro apostolo, cum illi claves aperiendi claudendique daret, indulsit" (PL 50,428AB); dazu CASPAR 1,387; BATIFFOL, Cathedra Petri 191f; LUDWIG 87.

176) Ep. 2,2 (A. 169).

177) STOCKMEIER, Leo I. 209.

178) Die Stellung des Petrus scheint mir deshalb vergleichbar mit der Abrahams (dazu Kap. 2 A. 159; vgl. auch AMBR., Abr. 1,4,31; Kap. 2 A. 116) oder Kaiser Konstantins (dazu Kap. 2/§ 9, bes. A. 350a). Eine Parallelisierung von Abraham und Petrus bis hin zum Motiv des Fortlebens und Erbens findet sich sogar explizit in EUTROP. (HIER.), ep. 19,17: "... Abraham reformatur in Petro ... et id quod Abrahae ut faceret imperatum est, hic iam fecisse non celat: videlicet ut simili circumcisione sicut virtutis haeres est, fiat haeres et gloriae" (PL 30,205B).

179) Ep. 31 (ep. 6,5; JK 392,5): "beatus Petrus apostolus in successoribus suis quod accepit, hoc tradidit. quis ab eius se velit separare doctrina, quem ipse inter apostolos primum magister edocuit? ... absolutam et simplicem fidem et quae controversiam non haberet, accepit, quam utique meditari semper et in qua manere debemus, ut sensu puro sequentes apostolos inter apostolicos esse mereamur" (ACO I 2,109; PL 50,609A); dazu CASPAR 1,418f; HEILER 213; MACCARRONE, La dottrina 41; RIMOLDI 176; HHKG II/1,272f.

180) ACO I 2,107 Z. 19; vgl. auch ep. 31 (A. 179). Ansonsten oben Kap. 6 A. 111.

Peterskirche den Vorsitz führt[181].

5. Mit folgenschweren Worten antwortet PETRUS CHRYSOLO-
GUS[181a], der Erzbischof von Ravenna, (449) auf das Schreiben
des Eutyches (448): Der Papst verdient Gehör, "quoniam beatus
Petrus, qui in propria sede et vivit et praesidet, praestat quaerentibus fidei veritatem"[182]. Hier finden sich dieselben Gedanken und eine ganz ähnliche Formulierung wie bei Cölestin
(Rede des Legaten Philippus)[183]. Zusätzlich wird der - der
Kathedra vergleichbare - "sedes"-Begriff[184] eingefügt. Der
Gedanke des petrinischen Fortlebens zielt hier ganz klar auf
eine bestimmte Funktion des Petrus ab: Der fortlebende Petrus
verbürgt im Papst die "fidei veritas".

Wer möchte da nicht an die Idee der "Unfehlbarkeit" denken? Tatsächlich schlägt bereits W. ULLMANN - jedoch ohne Bezug auf eine konkrete Stelle - vor, "die unmittelbare petrinische Nachfolge des Papstes", d.h. die Vorstellung, daß "Petrus durch den amtierenden Papst spricht", als "Begründung
des Unfehlbarkeitsgrundsatzes" zu nehmen[185]. Dieser geniale

---

181) Ep. 30 (ep. 5.3; JK 391,3): "sanctae namque et venerabili synodo
quam natalis mihi dies favente domino congregarat, quia sic creden-
dum est, ipse praesedit, quando quidem probetur nec spiritu nec corpore defuisse" (ACO I 2,107; PL 50,603AB); dazu HALLER 1,150; CASPAR
1,418;; K.D.SCHMIDT, Papa Petrus ipse 269: die Synode "habe unter
dem Vorsitz des geistig und leiblich anwesenden Petrus gestanden";
CORTI 28; RIMOLDI 176.

181a) H.KOCH, Petrus Chrysologus, in: PW 19,1361-1372; zur Überlieferung
des Briefes an Eutyches vgl. 1366; zur Stellung des Petrus Chrys.
zum Primat der römischen Kirche vgl. 1369.

182) ACO II 3,1,6 (= Leo M., ep. 25,2)(PL 54,743A). Vgl. dazu CASPAR 1,
430 Anm. 3; 469f; K.D.SCHMIDT, Papa Petrus ipse 269; LUDWIG 92;
RIMOLDI 152f; MACCARRONE, La dottrina 42f.

183) Vgl. oben A. 170.

184) Vgl. zu "in propria sede" den Ausdruck "sedes apostolica"; hierzu
BATIFFOL, Cathedra Petri 151ff; MACCARRONE, La dottrina 2ff; ULLMANN,
Die Machtstellung 6f; 10; D.H.MAROT, La Collégialité et le Vocabulaire épiscopal du Ve au VIIe siècle, in:Irenikon 36 (1963) 41-60,
bes. 42-48.

185) Grundfragen 22f. Vgl. auch H.MÜHLEN, Der Unfehlbarkeits-Test. Warum
Hans Küng auf harten Widerspruch stoßen muß, in: Zum Problem Unfehlbarkeit. Antworten auf die Anfrage von H.Küng, hrsg. v. K.Rahner

Vorschlag läßt sich m.E. am ehesten mit dieser Stelle bei Petrus Chrysologus - das VATIKANUM I zitiert freilich CÖLE-
STIN[186] - quellenmäßig abstützen[187], zumal hier die Erteilung eines Bescheids über die "fidei veritas" auch noch mit
einer Art "ex cathedra"-Vorstellung[188] verbunden ist.
Sollten diese Hinweise noch nicht genügen, hier noch ein
weiteres Argument: Als ich bei der Niederschrift dieser Überlegungen[189] zufällig im DENZINGER-SCHÖNMETZER vom Vatikanum I
aus ein Stück zurückblätterte, um die Ansätze zum Unfehl-
barkeitsdogma in der ENZYKLIKA "Qui pluribus" (1846)[190] zu
vergleichen, stieß ich auf die Überraschung: Wird doch

(Freiburg-Basel-Wien 1971) 233-257, bes. 248ff (Monokratie und Repräsentation als Verständnishorizont für die Unfehlbarkeit). Dagegen scharfe Kritik an solchen "seltsame(n) Auffassungen vom Papst"
bei H.KÜNG, Unfehlbar? Eine Anfrage (Zürich-Einsiedeln-Köln 1970)
79.

186) DS 3056 (Pastor aetern. cap. 2). Um die Frage der Unfehlbarkeit
geht es in cap. 4 (vgl. bes. DS 3074). - V.GLUSCHKE, Die Unfehlbarkeit
des Papstes bei Leo dem Großen und seinen Zeitgenossen, nach der
Korrespondenz Leos in Sachen des Monophysitismus (Excerp.ex. diss.,
Romae 1938) macht, wie ich gerade noch sehe, auf die Bedeutung von
Petrus Chrysologus für das Vatikanum I aufmerksam (19-21). Bischof
LAURENTIUS GASTALDI von Saluzzo habe am 30.Mai 1870 zur Erklärung
des Ausdrucks "infallibilitas personalis" den hl.Petrus Chrysologus
folgendermaßen angeführt: "Itaque infallibilitas summi pontificis,
si velitis, appelletur personalis, non quatenus papa est persona
privata, sed quatenus est persona publica, quatenus ibi est Petrus,
qui in persona papae semper vivit, et ut ait sanctus Petrus Chrysologus, praebet quaerentibus fidei veritatem" (zit. nach GLUSCHKE 20).

187) Natürlich ließen sich auch noch andere Stellen beiziehen; z.B. SIXT.
III., ep. 31 (A. 179).

188) Vgl. A. 184. - DS 3074: "Romanum Pontificem, cum ex cathedra loquitur ... ea infallibilitate pollere, qua divinus Redemptor Ecclesiam
suam in definienda doctrina de fide vel moribus instructam esse voluit"; ähnlich: "plenissime scientes, hanc sancti Petri Sedem ab
omni semper errore illibatam permanere ..." (DS 3070); "Hoc igitur
veritatis et fidei numquam deficientis charisma Petro eiusque in
hac cathedra successoribus divinitus collatum est" (DS 3071).

189) Vgl. inzwischen G.G.BLUM, Apostel, Apostolat, Apostolizität (II.
Alte Kirche), in: ThRE 3,445-466. Bezüglich der petrinischen Komponente dieser Fragestellung wäre aber stärker der Zusammenhang zwischen dem "Fortleben" des Petrus auf seinem Sitz (460 zit. PETR.
CHRYS.) und der Bezeichnung des Papstes als "heres Petri" zu betonen. BLUM schreibt nämlich gleich anschließend: "Zugleich ist der
römische Bischof aber (?) auch Erbe des Petrus, und (lies wohl:
"der") als sein Stellvertreter bevollmächtigt ist...".

190) DS 2775-2786.

hier die "infallibilis auctoritas" der von Christus auf Petrus gegründeten Kirche zugesprochen. Weiter heißt es dann,
die Päpste säßen auf der "Kathedra" (!) dieses Petrus und
seien die "Erben" (!) dieses Petrus, der durch sie "spricht"
(!), in ihnen "lebt" (!) und "urteilt" (!) "ac praestat quaerentibus fidei veritatem"[191]. Der Schluß ein wörtliches Zitat aus Petrus Chrysologus!

Angesichts dieses sprachlichen Befundes sollten die ge-
danklichen Zusammenhänge, die schon ULLMANN vermutet hatte,
stärker für ein besseres Verständnis des Unfehlbarkeitsdogmas nutzbar gemacht werden. Könnte die begeisterte Akklamation auf dem KONZIL VON CHALKEDON (451): Πέτρος διὰ Λέοντος
ταῦτα ἐξεφώνησεν[192], die auch Leo des Großen eigene Anschauung in dieser Frage am besten und prägnantesten wiedergibt[193],
nicht auch zur Klärung des geistigen Hintergrunds des für viele unverständlichen Unfehlbarkeitsdogmas beitragen? Ergänzt
werden müßte dieser Aspekt durch die Auswertung all jener
Texte, die in ähnlicher Form das Verhältnis Christus - Petrus

---

191) DS 2781: "Quae quidem viva et infallibilis auctoritas in ea tantum
    viget Ecclesia, quae a Christo Domino supra Petrum, totius Eccle-
    siae caput, principem et pastorem, cuius fidem numquam defecturam
    promisit, aedificata suos legitimos semper habet Pontifices sine
    intermissione ab ipso Petro ducentes originem, in eius cathedra
    collocatos et eiusdem etiam doctrinae, dignitatis, honoris ac po-
    testatis heredes et vindices. Et quoniam ubi Petrus, ibi Ecclesia,
    ac Petrus per Romanum Pontificem loquitur et semper in suis succes-
    soribus vivit et iudicium exercet ac praestat quaerentibus fidei
    veritatem ...". Vgl. oben A. 186. - Wie stark dieses Denken die Sicht
    des Papsttums bis in unsere Tage prägt, zeigte sich auch erst kürz-
    lich wieder, als Papst Johannes Paul I. bei seiner Amtseinführung
    auf dem Petersplatz (Sept. 1978) sagte: "... damit wir, zur Stimme
    des Petrus geworden, bekennen können: 'Du bist Christus, der Sohn
    des lebendigen Gottes'". Vgl. dazu LEO M., serm. 3,4 (A. 149; 327).

192) CONC.CHALC. (ACO II 1,2,81); dazu CASPAR 1,513; LUDWIG 91. Zur Be-
    deutung Leos für die spätere Doktrin von der Unfehlbarkeit GLUSCH-
    KE, bes. 30ff.

193) Serm. 3,2,4 (dazu unten § 29.3-5).

umschreiben, sei es daß Christus "durch" Petrus handelt[194],
sei es daß sie ein "consortium potentiae"[195] verbindet, sei
es daß die "petra Christus" auch Simon (Petrus) zu einer "petra" gemacht hat[196]. Denn die Stellung des Petrus wurde immer von seiner besonderen Relation zu Christus her verstanden und definiert.

§ 28. Von der Berufung auf das Erbe der Väter zur Beanspruchung der Petruserbfolge

Wenn oben[197] davon die Rede war, daß die Bischöfe fast
nur "auf dem Umweg über die Verantwortung für das unverän-
derliche Glaubensgut" - mittels der "hereditas"-Terminologie
- mit den Aposteln verbunden werden, so scheint mir hier
auch der Ausgangspunkt für die spätere Beanspruchung der "hereditas Petri" und die Selbstbezeichnung als "heres Petri"
zu liegen, die nicht mehr so sehr den Glauben als vielmehr
Amt und Vollmacht betont. Vielleicht darf man hierin auch
die Nahtstelle zwischen "apostolischer" und "juristischer"
Sukzession erblicken.

1. Etwa ein Jahrzehnt vor jener berühmten Stelle in der
Dekretale des Siricius glaubt nämlich HIERONYMUS angesichts
des Antiochenischen Schismas[198], daß nur die "cathedra Petri

---

194) Vgl. z.B. oben A. 169; 175.

195) Vgl. dazu oben § 25 u. bes. A. 54-56.

196) Z.B. LEO M., serm. 5,4 (dazu unten § 29.5). Vgl. J.BETZ, Christus
- petra - Petrus, in: Kirche und Überlieferung, hrsg. v. J.Betz u.
H.Fries (Freiburg-Basel-Wien 1960) 1-21, bes. 18ff.- Die zwei angesprochenen Komponenten der Papstidee findet man auch in den Papst-
bezeichnungen "vicarius Christi" (A. 148) und "vicarius Petri" (A.
147; 149) wieder.

197) Vgl. den Schluß von Kap. 6.

198) Lit. hierzu oben Kap. 2 A. 263; ferner CASPAR 1,246; N.MARINI, Beatus Hieronymus doctrinae de Romanorum Pontificum Primatu penes
Orientalem Ecclesiam testis et assertor, in: Miscellanea Geronimiana (Roma 1920) 181-217, 198.

et fides apostolico ore laudata"[199] als Richtmaß auch für den
Osten in Betracht kämen. So schreibt er (376/77) aus der Wüste Chalkis in Syrien an den "successor piscatoris" und "discipulus crucis", Bischof Damasus von Rom[200]:

"Profligato a subole mala patrimonio apud vos solos incorrupta patrum servatur hereditas. ibi caespite terra fecundo dominici seminis puritatem centeno fructu refert; hic obruta sulcis frumenta in lolium avenasque degenerant."[201]

Nicht zuletzt auf Grund dieses Textausschnitts sieht N. MARINI in diesem Brief an Damasus eine "apodictica de summa Romanae Ecclesiae eiusque Episcoporum auctoritate tractatio"[202]. Die drei Hauptargumente, die er herausschält: 1. Der römische Bischof ist der "legitimus beati Petri successor"[203], 2. die römische Kirche verbürgt die irrtumsfreie "doctrina fidei", 3. die "communio" mit dieser Kirche[204] stellt eine "necessitas" dar, sind in dieser Allgemeinheit zu akzeptieren. Gegen die Einzeldeutung und die daraus gezogenen Folgerungen sind jedoch erhebliche Vorbehalte anzumelden.

Was besagt der zitierte Text? Neben der Metapher[205] von Unkraut und Weizen, die hier an die Situation angepaßt ist, begegnen wir wieder der Generationenvorstellung[206]. Diese ist verbunden mit dem Gedanken, daß die Nachkommen das "patrimonium", hier offenbar gleichzusetzen mit der "patrum he-

---

199) Ep. 15,1,1 (CSEL 54,63). Dazu Y.BODIN, Saint Jérôme et l'église (Paris 1966) 206 Anm. 129.

200) Ep. 15; zit. 15,2,1 (63). Vgl. auch ep. 16. Zu diesen Briefen BODIN 207ff.

201) Ep. 15,1,2 (63).

202) A.a.O. 198.

203) A.a.O. 198 (BODIN 208 Anm. 138 muß es "p. 198" statt "p. 128" heißen). Vgl. "successor piscatoris", "discipulus crucis" (A. 200), "cathedra Petri" (A. 158; 158a).

204) Vgl. bes. 15,2.

205) Weitere Metaphern in ep. 15,1,1.3. Vgl. MARINI 199.

206) "Patres", "suboles mala" (vgl. ep. 15,3,1: "ab Arrianorum prole"; oben Kap. 6 A. 345), "patrimonium" (A. 207).

reditas"[207], verschleudert haben. Doch dies trifft nur auf die Arianer bzw. Häretiker allgemein zu. Sie haben die "fides catholica"[208] preisgegeben, während Hieronymus im Adressaten den alleinigen Wahrer und Bürgen der "incorrupta patrum hereditas" sieht. Das Wort "incorruptus" begegnet auch an anderen vergleichbaren Stellen, mitunter auch ausgehend von 1 Petr. 1,4[209]. Es erscheint nicht nur deswegen unangebracht, bei diesem Hieronymus-Text bereits von "inerrantia" und "infallibilitas"[210] zu sprechen. Zu solchen weitreichenden Interpretationen gelangt MARINI in erster Linie, indem er ohne ersichtlichen Grund in den "patres" einfach die Apostel Petrus und Paulus (!) sieht[211] und den ganzen Ausdruck als "depositum catholicae revelationis ab apostolis Petro et Paulo traditum Romanae Ecclesiae" versteht[212]. Dagegen möchte ich

---

207) Auffallend ähnlich mit HIL., ad Const. 7,1: "inter haec fidei naufragia caelestis patrimonii iam paene profligata hereditate" (CSEL 65,202); dazu oben Kap. 2/§ 8.1 mit A. 250; 255.

208) MARINI 201 paraphrasiert "profligato patrimonio" zutreffend mit: "ab arianis fide catholica pessumdata deperditoque ab haereticis apostolicae traditionis thesauro".

209) CYPR., ep. 10,1: "sicut esse oportet in divinis castris milites Christi, ut incorruptam fidei firmitatem non blanditiae decipiant" (CSEL 3,2,490); ep. 15,3: "ut Domini mandata incorrupta et inviolata permaneant" (515); PRISCILL., tract. 2,43: "si fides symboli incorrupta teneatur" (CSEL 18,36); VINCENT.LER., comm. 6: "intra sacratae atque incorruptae vetustatis castissimos limites" (RAUSCHEN 15); 33: "Quam doctrinam nisi catholicam et universalem et unam eandemque per singulas aetatum successiones incorrupta veritatis traditione manentem et usque in saecula sine fine mansuram?" (ebd. 52). Ausgehend von der Bibelstelle HIER., adv.Iovin. 1,39: "'in haereditatem incorruptam et immaculatam et immarcescibilem, quae servatur in coelis ...'. Ubi incorrupta praedicatur haereditas, et immaculata et immarcescibilis ..., ibi aliis verbis virginitatis privilegia describuntur" (PL 23,278BC); ebenso CASSIOD., Didym.in I Petr. 1,4. Vgl. ferner Kap. 6 A. 327; 339.

210) MARINI 200ff. Laut Hieronymus habe Christus dieses Privileg dem Petrus zugestanden und von diesem sei es auf seine Nachfolger übergegangen (208f).

211) A.a.O. 201.

212) Ebd. - Trotz der zeitlichen Nähe des Gesetzes vom 28.2.380 bedeutet diese Umschreibung eine Überinterpretation des Hieronymus-Textes. In diesem Gesetz (COD.THEOD. 16,1,2) wird dann allerdings Damasus ausdrücklich als Hort des vom Apostel Petrus den Römern übergebenen Glaubens genannt.

"patres" eher allgemein im Sinn von "maiores" fassen[213] und
es auf die rechtgläubigen Vorfahren allgemein und am ehesten
noch auf die Väter (Bischöfe) von Nikaia[214] beziehen. Ihr
Glaubenserbe sieht Hieronymus offenbar zweifelsfrei und unverfälscht durch den Bischof von Rom gewahrt.
Dieser Einwand gegen MARINI bestreitet nicht, daß HIERO-
NYMUS Damasus als "legitimus successor atque heres beati Petri"[215] betrachtet, wobei allerdings der "heres"-Begriff nir-
gendwo explizit angewandt wird und - wie gezeigt - zumindest
in dieser Relation auch nicht aus der "patrum hereditas" ab-
zuleiten ist. Deshalb eilt die Behauptung einer "moralis per-
sonae identitas" zwischen Damasus und Petrus[216] und das Fazit: "cuius (sc. Petri) auctoritas tota transit in suum heredem et successorem in episcopali Cathedra Romana"[217] - zumindest was die Terminologie (!) betrifft - der tatsächlichen
Entwicklung um ein Jahrzehnt voraus. Ähnliche Vorstellungen
(!) mögen in der Verwendung von "cathedra Petri" bei Hieronymus[218] mitschwingen und könnten sich auch auf seine entschie-
dene Deutung von MT. 16,18f im römischen Sinn[219] berufen. An

---

213) Vgl. z.B. AMBR., fid. 3,15,128 (§ 8.3); ep. 13,4 (Kap. 2 A. 284);
in psalm. 36,19: "hereditas maiorum fides vera est" (Kap. 6 A. 254).

214) Dazu oben § 8. Vgl. auch bes. AMBR., c.Aux. 18: "Absit ut tradam
hereditatem patrum, hoc est, hereditatem Dionysii ..." (§ 23 I 3).

215) MARINI 200: "Hieronymus ... agnoscit in episcopo insidente cathedrae
romanae, tunc temporis Damaso, legitimum successorem atque heredem
beati Petri, qui suam apostolicam cathedram post obitum succedenti-
bus sibi Romae episcopis transmissam reliquit ... affirmatur Damasum, Romae episcopum, beati Petri in cathedra romana successorem
atque heredem esse ... scilicet quod Hieronymus revera agnoscat et
profiteatur episcopos Romanae Ecclesiae legitimos beati Petri in
eius apostolica cathedra successores ac heredes." Vgl. BODIN 209:
"N'y a-t-il pas derrière ces mots, cette conviction que Damase est
le successeur et l'héritier de Pierre sur le Siège romain?".

216) MARINI 200; vgl. ebd.: "nisi quia velit intelligi in Damaso Papa
totum Petrum adhuc viventem exstare".

217) MARINI 208.

218) Vgl. oben A. 158; 158a.

219) LUDWIG 68-70.

der vorliegenden Stelle liegt der Schwerpunkt jedoch eindeutig auf der Bewahrung des "Glaubenserbes der Väter" durch
den römischen Bischof und nicht auf seiner - außerdem uner-
sichtlichen - "heres beati Petri"-Stellung. Das über Kapitel
6 hinausgehende "apud vos solos" signalisiert schließlich
hinreichend klar,"wohin der Hase läuft", und läßt sich nicht
bloß in eine "völlig neue Devotion der Form und Unterwürfig-
keit der Gesinnung"[220] auflösen.

2. Trotzdem kann man nur sehr schwer eine kontinuierliche
Entwicklung ausmachen, da auch die hochkommende Papstidee
viel zu sehr von den einzelnen Charakteren geprägt ist. So
ist bereits an dieser Stelle noch auf einen Text bei AMBRO-
SIUS einzugehen, der zeitlich (388/89) erst nach der Dekretale des Siricius anzusetzen ist. In seiner Schrift "De pae-
nitentia" bekämpft Ambrosius den Rigorismus der Novatianer[221], denen er im Blick auf ihre Anfänge (251) vorwirft,
die Bußfrage nur als Vorwand benützt zu haben. "Ceterum episcopatus amissi dolore succensus Novatianus schisma conpo-
suit."[222] Vor diesem Hintergrund stellt er die Frage:

"Quod ergo isti possunt consortium tecum habere, qui claves regni non suscipiunt, negantes, quod dimittere peccata debeant? Quod quidem recte de se fatentur; non habent
enim Petri hereditatem, qui Petri sedem non habent, quam
inpia divisione discerpunt."[223]

---

220) CASPAR 1,246.

221) A.HARNACK, Novatian, Novatianisches Schisma. Katharische Kirche,
in: RE 14,223-242; CASPAR 1,65ff; 77ff, Zur Schrift des Ambrosius vgl.
G.ODOARDI, La dottrina della penitenza in S.Ambrogio (Roma 1941)
bes. 19ff; H.J.VOGT, Coetus sanctorum. Der Kirchenbegriff des Novatian und die Geschichte seiner Sonderkirche (Bonn 1968) 219-227);
R.GRYSON, in: SourcesChr 179,16-20 (Ambr. u. Novat. Schisma).

222) Paenit. 1,15,85 (CSEL 73,159); vgl. damit TERT., bapt. 17,2: "Episcopatus aemulatio scismatum mater est" (CChrL 1,291).

223) Paenit. 1,7,32f (CSEL 73,135). Hierzu neben anderen BATIFFOL, Petrus initium episcopatus 448; W.ULLMANN, The significance of the
"Epistola Clementis" in the Pseudo-Clementines, in: JThS N.S. 11
(1960) 295-317, 311 Anm. 3; SourcesChr 179,81.

Beide Sätze hängen eng zusammen: Den Novatianern wird das "consortium"[224] mit Christus abgesprochen, weil sie die Schlüssel des Himmelreiches nicht besitzen und die Sündenvergebung ablehnen. Sie besitzen auch nicht die "Petri hereditas"[225], weil sie auf Grund ihrer "inpia divisio" die "Petri sedes"[225a] nicht in Besitz haben. Diese Argumentation legt es zwingend nahe, in der "Petri hereditas" die "claves regni" zu sehen. Nur durch die Verbindung mit der "Petri sedes" kann also Anteil an der als "hereditas" bezeichneten "Binde- und Lösegewalt" erlangt werden. Da diese von Christus dem Petrus übertragen wurde, ist auch nur auf diesem Weg ein "consortium" mit Christus möglich. Daß man mit dieser auch bei Ambrosius häufig beschworenen Schlüsselübergabe[226] nicht

---

224) Inwiefern der Besitz der "Petri sedes" für das "consortium" mit Christus unerläßlich ist, beleuchtet sehr schön LEO M., serm. 5,4: "dignitas Petri qui sedi suae praeesse non desinit et indeficiens obtinet cum aeterno Sacerdote consortium" (CChrL 138,24); dazu auch § 29.5.

225) Hier liegt ein genitivus possessivus bzw. relinquentis vor. Vgl. als Gegensatz auch paenit. 2,4,22: "quibus sic respondit dominus, quod satanae hereditas in his esset, qui satanae compararent salvatorem omnium et in regno diaboli constituerent Christi gratiam" (CSEL 73, 172f); zum Bezug auf die Novatianer ODOARDI 36.

225a) Hier ist auch an die Theorie von L.K.MOHLBERG zu erinnern, derzufolge die Novatianer die Petrusgedenkstätte "ad catacumbas" an der Via Appia usurpiert hätten; gute Zusammenfassung der Argumente bei E. DINKLER, Petrustradition, in: RGG 5,261-263, 262. Zur Erläuterung von "Petri sedes" an der vorliegenden Stelle vgl. auch "sedis hereditas" bei ZOSIMUS (§ 29.2).

226) Z.B. AMBR., in psalm. 38,37: "tibi, inquit, dabo claves regni caelorum, ut et solvas et liges. hoc Novatianus non audivit, ecclesia dei audivit; ideo ille in lapsu, nos in remissione, ille in inpaenitentia, nos in gratia. quod Petro dicitur, apostolis dicitur. non potestatem usurpamus, sed servimus imperio ..." (CSEL 64,212f); vgl. ansonsten TERT., scorp. 10,8; OPTAT. 2,4: "contra quas portas claves salutares accepisse legimus Petrum, principem scilicet nostrum" (CSEL 26,39); 2,5: "Unde est ergo, quod claves regni caelorum vobis usurpare contenditis, qui contra cathedram Petri ... militatis ...?" (ebd.); zu "usurpare" HEUMANN 605. AUG., in evang.Ioh. 124,5 (A. 138); serm. 295, 2 (PL 38,1349); oben A. 43; 44. Petrus wurde später als der "claviger" (A. 368; ein weiterer Beleg bei CORTI 44 Anm. 24) bezeichnet. Zum antiken Hintergrund von Schlüsselübergabe und Erbgedanken gehört auch PAP., dig. 31,77,21: "Pater pluribus filiis heredibus institutis moriens claves et anulum custodiae causa maiori natu filiae tradidit" (KRÜGER-MOMMSEN 2,60); zum Ring vgl. oben A. 103

primär Ideen der späteren Ikonographie[227] wachrufen wollte
- so könnte "hereditas" zunächst an einen tatsächlichen
Schlüsselbund denken lassen! - zeigt schon der engere Kontext unserer Stelle, wo Ambrosius vielmehr von einem "ius
datum"[228] spricht, das nur den "sacerdotes" der "ecclesia"[229]
zukommt. Ging es also bei dem vorausgehenden HIERONYMUS-Text
in der "patrum hereditas" um die "fides catholica", so meint
hier die "Petri hereditas" das "ius" von MT. 16,18f[230]. Schon
der Besitz dieses "ius" durch die "sacerdotes" wie auch der
Ausdruck "Petri hereditas" zeigen, wie mir scheint, daß hier
weder ein vorschneller Papalismus, der bereits AMBROSIUS den
Papst im selben Sinn wie etwa LEO DER GROSSE als "heres Petri" sehen ließe, noch ein überzogener Episkopalismus[231], wo-

---

227) MACCARRONE, Cathedra Petri 280f weist auf die Verknüpfung der An-
fangsbuchstaben von "Petrus" mit der graphischen Darstellung der
Schlüssel hin. Vgl. ansonsten J.POESCHKE, Schlüsselübergabe an Petrus, in: LChrIk 4,82-85.

228) Paenit. 1,8,36: "Quid interest, utrum per paenitentiam an per lavacrum hoc ius sibi datum sacerdotes vindicent? Unum in utroque mi-
nisterium est" (CSEL 73,137); vgl. 1,7,33 (A. 241); 1,2,7: "dominus
enim par ius et solvendi esse voluit et ligandi ..." (122; öfters
ebd.!); 2,5,34: "Neque enim poterat (sc. Petrus) dubitare de Christi munere, qui sibi solvendorum peccatorum dederat potestatem"
(178); LEO M., serm. 4,3: "Transivit quidem etiam in alios apostolos ius istius potestatis" (A. 137); 5,5: "ut manente apud nos iure
ligandi atque solvendi, per moderamen beatissimi Petri et condem-
natus ad paenitentiam et reconciliatus perducatur ad veniam" (CChrL
138,24f). ULLMANN, Principles 36 weist darauf hin, daß die "claves
regni coelorum" später als "claves iuris" bezeichnet wurden.

229) Paenit. 1,2,7: "Ecclesiae autem utrumque licet, haeresi utrumque
non licet; ius enim hoc solis permissum sacerdotibus est" (122).

230) Dazu H.J.VOGT, Novatian 221. Vgl. ULLMANN, Die Machtstellung XXV:
"Er (der Papst) erbt die Petrus anvertraute Gewalt und tritt nach
dem römischen Recht, das Leo als Vorbild diente, in die Gesamtnachfolge ein, in die 'successio juris universalis' ..."; DERS., The
Papacy 84f. Die Verknüpfung von "Petri hereditas" (ius) und "Petri
sedes" zeigt sich besonders deutlich in der "Epistola Clementis"
der Pseudo-Klementinen; dazu § 29.1.

231) HALLER 1,110 zieht gar die Lesart "Petri fidem" vor und übersetzt:
"Die den Glauben des Petrus nicht haben, haben auch seine Erbschaft
nicht." H.v.CAMPENHAUSEN, Ambrosius von Mailand als Kirchenpoliti-
ker (Berlin-Leipzig 1929) sieht Ambrosius ganz auf der Linie von
Palladius und Gaudentius von Brescia (112ff); zur "Stellung des
Apostels Petrus bei Ambrosius" vgl. 125-128. "Aber entscheidend

nach jeder Bischof "eine 'auf Petrus gegründete' 'cathedra' innehat"[232] und als "heres Petri" zu gelten hat, am Platze ist. Mit Recht führt deshalb J. LUDWIG[233] gegen H. KOCH jene AMBROSIUS-Texte[234] ins Feld, die man unter das Stichwort "Rom als das Zentrum der communio" stellen könnte. Für die Vorstellung, daß "der Herr" seine "discipuli" und "servuli" "in nomine suo"[235] handeln läßt, ist Petrus und Rom bei Ambrosius wohl in ähnlicher Weise als "Zwischeninstanz" gedacht. OPTATUS drückt in der strukturgleichen Auseinandersetzung mit dem Donatismus[236] auch die Konzeption des Ambrosius aus, wenn er schreibt: "beatus Petrus ... praeferri apostolis omnibus meruit et claves regni caelorum communicandas ceteris solus accepit"[237].

Dies auf unsere Stelle übertragen könnte man zusammenfassen: Petrus empfängt von Christus die Schlüssel, das "ius" von MT. 16,18f. Diese seine Rechtsstellung geht auf seine Nachfolger als "hereditas" unverändert über. An ihr gewinnen

---

ist niemals, daß Petrus in Rom einen unmittelbaren Nachfolger besitzt ..." (127)! - Zur Primatsfrage bei Ambrosius vgl. auch B. CITTERIO, Sulla interpretazione di un passo Ambrosiano riguardante il primato di S.Pietro, in: SC 68 (1940) 491-495.

232) H.Koch, Cathedra Petri 106; vgl. ebd. Anm. 1: jeder Bischof besitze die "sedes Petri" und so kann man folgern, sei deshalb ein "heres Petri". Vgl. E.DASSMANN: "Letztlich scheint Ambrosius das Gespür für die Notwendigkeit einer vertikal-hierarchischen Ordnung der Kirche und das Bewußtsein einer horizontal-episkopalistischen Gleichrangigkeit aller Bischöfe genausowenig in Einklang gebracht zu haben wie Cyprian vor ihm und Augustin nach ihm" (ThRE 2,371 Z. 34-38).

233) A.a.O. 66 Anm. 20. Vgl. RIMOLDI 123.

234) Ep. 11,4: "inde enim in omnes (sc. ecclesias) venerandae communionis iura dimanant" (Kap. 2 A. 276; 277); exc.Sat. 1,47: "percontatusque ex eo est, utrumnam cum episcopis catholicis, hoc est cum Romana ecclesia conveniret" (dazu oben § 24 I 1).

235) Paenit. 1,8,34: "Vult dominus plurimum posse discipulos suos, vult a servulis suis ea fieri in nomine suo, quae faciebat ipse positus in terris" (CSEL 73,135f).

236) Dazu oben § 16. Vgl. OPTAT., 1,10: "ut haeretici omnes neque claves habeant, quas solus Petrus accepit, nec anulum, quo legitur fons esse signatus" (CSEL 26,12). Zu Schlüssel und Ring auch A. 226.

237) OPTAT. 7,3 (CSEL 26,171).

alle jene Anteil[238], die mit der "Petri sedes" in Rom "communio" pflegen; denn es handelt sich ja um "claves communicandas ceteris" bzw. um ein entsprechendes "ius"[239]. So schlüssig diese Sicht auch anmutet, sie ist nur die eine, die petrinische; auch andere Apostel sind bei AMBROSIUS von hervorragender Bedeutung[240], insbesondere Paulus hat ebenfalls von Christus das "ius" erhalten[241]. Wo bleibt aber ihre "hereditas"? Mir scheint, es bleibt ein Rest von Unbehagen, sofern man hier schon ein nach allen Seiten ausgewogenes Modell erwartet.

3. Während HIERONYMUS und AMBROSIUS zum ersten Mal, wenn auch von außen her, die "hereditas"-Terminologie mit dem Bischof von Rom bzw. mit Petrus in Verbindung brachten, war es SIRICIUS (384 - 399)[242], der als "erster Papst" selbst den "heres Petri"-Anspruch erhob. Offensichtlich will er in seiner ersten Dekretale (385)[243], einer Antwort an den spanischen Bischof Himerius von Tarragona, seinen - in typischem

---

238) Sofern man diese "hereditas" allein auf die "Päpste" als die Nachfolger des Petrus bezieht und nicht die episkopalistische Deutung von H.KOCH (A. 232) übernimmt, erscheint diese "mitgeteilte" Rechtsstellung im Unterschied zu der in der "Petri hereditas" enthaltenen von "minderer" Natur; die Bischöfe und die Priester haben keinen direkten Zugang zur "Petri hereditas". Vgl. dazu auch ULLMANN, Leo I 44f.

239) A. 228; AMBR., ep. 11,4 (A. 234). Vgl. hierzu auch ep. 14,7: "nec haereditariae communionis iura violamus" (§ 8.2).

240) CAMPENHAUSEN, Ambrosius 127f; zur Gleichsetzung von Petrus und Kirche 126.

241) Paenit. 1,7,33: (zit. 2 Kor. 2,10) "Cur igitur Paulum legunt, si eum tam inpie arbitrantur errasse, ut ius sibi vindicaret domini sui? Sed vindicavit acceptum, non usurpavit indebitum" (CSEL 73, 135).

242) CASPAR 1,261-266; SEPPELT 1,127-133; HHKG II/1,263-265.

243) H.GETZENY, Stil und Form der ältesten Papstbriefe bis auf Leo den Großen. Ein Beitrag zur Geschichte des römischen Primats (Diss. Tübingen 1922); CASPAR 1,261f; HEILER 206-208; LUDWIG 84-86; C. ANDRESEN, Die Kirchen der alten Christenheit (Stuttgart-Berlin-Köln-Mainz 1971) 586f; F.WOTKE, Papstbriefe, in: PW 18,2,1107-1115.

Kanzleistil und in amtlich-juristischer Terminologie[244] for-
mulierten - Anordnungen und Bestimmungen dadurch eine noch
höhere Autorität verschaffen, daß er in der Präambel von der
Bedeutung seines Amtes spricht:

"Et quia necesse nos erat, in eius labores curasque succedere, cui per Dei gratiam successimus in honorem; ...
consultationi tuae responsum competens non negamus ...
Portamus onera omnium qui gravantur: quin immo haec portat
in nobis beatus apostolus Petrus, qui nos in omnibus, ut
confidimus, administrationis suae protegit et tuetur haeredes."[245]

Davon ausgehend, daß die Anfrage des Bischofs noch an seinen Vorgänger, Damasus, gerichtet war[246], bemerkt er zunächst,
daß er an dessen Platz[247] nachgefolgt sei und zwar was "labor", "cura" und "honor"[248] betrifft. Von einer unmittelbaren
petrinischen Nachfolge[249] ist hier nicht die Rede, obwohl

244) HALLER 1,99f; HEILER 206; HHKG II/1,264.

245) Ep. 1,1 (JK 255,1) (PL 13,1132C-1133A). Vgl. dazu TURMEL 3,125f;
BATIFFOL, Cathedra Petri 193; HALLER 1,112; CORTI 26f; RIMOLDI 165-
168; MACCARRONE, La dottrina 40f; ULLMANN, Die Machtstellung 8 Anm.
16; DERS., Leo I 30f; 44; DERS., Some Remarks on the Significance of
the "Epistola Clementis" in the Pseudo-Clementines, in: TU 79 (1961)
330-337, bes. 331; 336; DERS., Principles 37; FRANK 37.

246) Ep. 1,1: "Directa ad decessorem nostrum sanctae recordationis Damasum fraternitatis tuae relatio me iam in sede ipsius constitutum, quia
sic Dominus ordinavit, invenit" (PL 13,1132C); vgl. zu "decessor" ep.
1,2: "a venerandae memoriae praedecessore meo Liberio" (1133A).

247) Vgl. zu "succedere in ...", "successimus in ..." die juristische Terminologie: "succedere in locum alicuius", "succedere in universum
ius" (HEUMANN 565).

248) "Honor" mag hier das Amt oder einfach die mit ihm verbundene ehrenvol-
le Stellung bezeichnen, die dem Papst als Bischof von Rom ebenso wie
den anderen Bischöfen auf Grund der gleichen Weihegewalt (vgl. A.
251) zukommt. Vgl. ansonsten Kap. 6/§ 23 II 1 mit A. 257e-257m.

249) MACCARRONE, La dottrina 41 meint dazu: "Siricio si riferisce alla
propria immediata successione, ma lo stesso termine faceva risalire
a San Pietro." Zur Bezeichnung als "successor Petri" oben § 27.2
mit A. 140-146.

die Formulierung eine frappierende Ähnlichkeit mit einem
Text bei CÖLESTIN (431)[250] aufweist: Dort heißt es, daß die
Bischöfe den Aposteln als ihren "auctores" in "labor" und
"honor" nachfolgen. Zudem werden die Bischöfe auch in einer
Erbbeziehung mit den Aposteln hinsichtlich der "sollicitudo"
"per diversa terrarum" gesehen. Im Gegensatz dazu geht es
bei Siricius jeweils um eine Zweierbeziehung, die zum direkten Vorgänger (Damasus) durch die "successio"-Terminologie
und zum Apostel Petrus durch die "hereditas"-Terminologie
hergestellt wird. Man darf eine tiefere Begründung für diese Differenzierung bei SIRICIUS in den unterschiedlichen "Ob-
jekten" vermuten: In dem einen Fall geht es um "labores" und
"honor", im anderen Fall um "administratio". Obgleich auf
dem Umweg über den "onera"-Gedanken auch zwischen "labores"
und "administratio" ein Zusammenhang besteht, möchte ich die
angesprochene Differenzierung auch als ein brauchbares Argument für die Unterscheidung von "apostolischer" und "juristischer" Sukzession, wie sie W. ULLMANN[251] betont, werten.
Eine ausgefeilte Theorie darf man hier freilich nicht erwarten.
Der Hinweis auf die "onera omnium"[252], die der Papst auf

250) Ep. 7,2: "officium necesse est nostrorum sequamur auctorum subeamus omnes eorum labores quibus omnes successimus in honore" (dazu
oben § 24 II 1).

251) Leo I 30: "However, no doubt can arise about the theme of a juristic
succession in the first properly juristic product which the papacy
had issued, in the decretal of Damasus I, actually dispatched by
his successor Siricius." Zur angesprochenen Unterscheidung oben Kap.
6 A. 351. Zu dem damit korrespondierenden Unterschied von "potestas
ordinis" (Weihegewalt) und "potestas iurisdictionis" (Jurisdik-
tions-, Hirtengewalt) vgl. ULLMANN, Principles 41f; DERS., A History 27. Hinsichtlich der Kategorien, die ULLMANN verwendet, ist
grundsätzlich zu beachten, daß es sich dabei um den Versuch handelt, eine spätere Terminologie und begriffliche Differenzierung
bereits auf das Denken einer früheren Entwicklungsstufe anzuwenden.
Vgl. außerdem H.KOCH, der bei Cyprian in der Unterscheidung von
"honor" und "potestas" noch keinerlei "Ansatz zur späteren Unterscheidung von 'hierarchia ordinis' und 'hierarchia iurisdictionis'
oder von Würde und Vollmacht, Ehrenrang und Rechtsstellung" sehen
will (Cathedra Petri 55 Anm. 1).

252) Zu der Frage, ob mit "omnes" nur die Bischöfe oder alle Gläubigen
gemeint sind, RIMOLDI 166f.

sich nimmt, ist lediglich eine Variation jener in Papstbriefen überaus häufigen Formel von der "sollicitudo omnium (ecclesiarum)"[253]. Ähnlich wie dieses Motto zwar primär in 2 Kor. 11,28 wurzelt, jedoch auch häufig in kaiserlichen Schreiben vorkommt[254], klingt in dem Terminus "administratio" vielleicht noch das Charisma der Leitung von 1 Kor. 12,28 an. In erster Linie ist bei diesem Wort aber die häufige Verwendung im Sinne von "gubernatio"[255] zu beachten. Wie dem Thesaurus Linguae Latinae leicht zu entnehmen ist, verwendet es der Römer mit Vorliebe für die Verwaltung des Staates, öffentlicher Aufgaben und Provinzen[256]. Außerdem kann es im Sinne von "officium" das Amt selbst bezeichnen[257]. Es weist deshalb weit über die Bedeutung der vorliegenden Stelle hinaus[258], wenn A. BECK[259] allein schon für CYPRIAN ein so beeindruckendes Belegmaterial für die Verbindung "administratio ecclesiae" u.ä. zu liefern vermag und dazu bemerkt: "Zweifellos entstammt auch insbesondere der Grundbegriff der administratio ecclesiae der Sprache des öffentlichen Rechts"[260].

---

253) Vgl. ep. 1,8: "praecipue quibus secundum beatum Paulum, instantia quotidiana et sollicitudo omnium ecclesiarum indesinenter incumbit" (PL 13,1138A); ep. 6,1,1: "Et cui omnium ecclesiarum cura est ..." (1164A); HEILER 207; ansonsten oben Kap. 6 A. 303-307 u. unten A 335.

254) GETZENY 28. Zur Bedeutung der "cura" für das Kaisertum vgl. bes. M. HAUSER, Der römische Begriff cura (Diss. Winterthur 1954) 36-43.

255) ThLL I,729 Z. 66ff: III "id fere quod moderatio, gubernatio". Zu "gubernatio", "gubernare" etc. in der christlichen Latinität oben A. 52.

256) ThLL I,729 Z. 67 - 730 Z. 11.

257) ThLL I,730 Z.26ff; HEUMANN 15.

258) Es handelt sich um einen kleinen Aspekt jener komplexen Fragestellung, inwieweit Kategorien des römischen Imperiums sprachlich und inhaltlich die Ausbildung von Kirche, Bischofamt und Papsttum mitbestimmt haben, so daß man später sogar vom "Römischen System" sprechen konnte.

259) Römisches Recht bei Tertullian und Cyprian. Eine Studie zur frühen Kirchenrechtsgeschichte (Halle 1930/Neudr. Aalen 1967) 135 Anm. 2.

260) Ebd., gegen Ende.

So verwendet später auch LEO DER GROSSE zur umfassenden Bezeichnung seiner Aufgabe und seines Amtes einfach "administratio"[261] und an anderer Stelle ist von der "pontificii
administratio"[262] die Rede.

SIRICIUS nun beansprucht für sich, der "heres administrationis"[263] des Apostels Petrus zu sein, um auf diese Weise
zu erklären und wohl auch zu begründen[264], weshalb er vorher
sagen konnte: "haec portat in nobis ... Petrus". Der Gedanke
des petrinischen Fortlebens[265] in seinen Erben ist dabei noch
mit einer Art Patronat oder Schirmherrschaft des Petrus[266]
verbunden. Wenn J. HALLER meint, SIRICIUS äußere "noch be-
scheiden die Zuversicht ..., in seiner ganzen Amtswaltung
von Petrus geschützt und gedeckt zu sein"[267], so mißt er ihn

261) Serm. 2,1: "Unde etsi necessarium est trepidare de merito, religio-
sum tamen est gaudere de dono, quoniam qui mihi honoris est auctor, ipse est administrationis adiutor, et ne sub magnitudine gratiae suc-
cumbat infirmus, dabit virtutem, qui contulit dignitatem" (CChrL 138,
7); vgl. dazu serm. 5,3: "Ipse est enim verus et aeternus Antistes,
cuius administratio nec commutationem potest habere nec finem" (23).

262) PS-MAXIM., serm. 7,2: "quia pontificii administratione fulgebat,
plures ex discipulis sacerdotii sui reliquit heredes" (CChrL 23,
25); dazu oben § 24 I 2.

263) "Administratio" bezeichnet den Inhalt der "hereditas", die dem "heres" zufällt. Es liegt hier ein genitivus obiectivus vor. - CASPAR
1,261 übersetzt: "die Erben seines Waltens"; ANDRESEN 586: "die Erben seines Verwaltungsamtes".

264) Der Relativsatz enthält diese Begründung, obgleich kein Konjunktiv
den kausalen Nebensinn anzeigt. Vgl. auch CORTI 27 Anm.: "Si noti
come, in questo testo, Pietro non è solo il protettore e il difen-
sore del papato, ma è colui che 'nel papa' porta il peso ('haec portat in nobis') della necessità di tutta la Chiesa. Il 'Pietro' di
questo testo non è certo la sola autorità primaziale, ma è la per-
sone fisica di Pietro."

265) Vgl. hierzu auch oben § 26 u. § 27.4.

266) Ausgedrückt durch "protegere" und "tueri". MACCARRONE, La dottrina
41 spricht von "patrocinio". Zu den interessanten Zusammenhängen
zwischen "cura" und "tutela" (tueri) HAUSER 37; 48 und zwischen
"cura" und "administratio" ebd. 48f; STOCKMEIER, Leo I. 79f (tutela). LEO M., serm. 4,4: "Illi ergo hunc servitutis nostrae natalicium diem, illi ascribamus hoc festum, cuius patrocinio sedis ipsius meruimus esse consortes" (CChrL 138,21).

267) A.a.O. 1,112.

an der weiteren Entwicklung. Tatsächlich dient aber unsere
Stelle dazu, den alles andere als bescheidenen, gesetzes-
artigen Verlautbarungen der Dekretale die notwendige Autorität zu verleihen. Dabei darf, insgesamt betrachtet, die
Funktion des Mottos von der "Sorge für alle" und vom "Tragen der Lasten aller" bei der Ausbildung des Jurisdiktionsprimats nicht übersehen werden; denn verbindet man die
Schlagworte "omnes"[268], "administratio" und dazu noch die
"potestas" von MT. 16,18f mit der "hereditas"-Terminologie,
so ergibt sich die Logik der Entwicklung von selbst. Ver-
einfacht könnte die Formel dafür lauten: Je mehr Aufgaben,
umso mehr Macht. Wenn auch an der vorliegenden Stelle diese "potestas" nicht ausdrücklich erwähnt ist, so scheint
mir doch die notwendige "auctoritas" und "potestas" mit der
"administratio" des Petrus[269] automatisch mitgegeben, so
daß sie damit auch seinen "heredes" zur Verfügung steht.
Zudem fordert der Begriff des magistratischen Imperiums,
der gerade auch in Zusammenhang mit "administratio" voraus-
zusetzen ist, "daß die Amtsgewalt sich unmittelbar vom Vormann auf den Nachfolger überträgt"[270], hier allerdings mit
der erheblichen Modifizierung, daß für jeden "heres" Petrus
selbst der jeweilige "Vormann" ist[271]. Somit ist SIRICIUS
als "heres administrationis" auch ein "heres" der "potestas iuris-

---

268) Zu "onera omnium" vgl. A. 252; "in omnibus" ist in adverbiellem
Sinn zu "protegit et tuetur" zu ziehen. ANDRESEN 586 übersetzt:
"in allen Fährlichkeiten".

269) LUDWIG 85: "der Umfang der Dekretale scheint mit dem Terminus: administratio über die Glaubenswacht hinüberzugreifen in Disziplin
und Recht. Neben dem Glaubensprimat tritt also der Jurisdiktions-
primat." Zum Zusammenhang von "potestas" und "gubernatio" auch ULL-
MANN, A History 27. Vgl. im übrigen MT. 16,18f und JO. 21,15ff
("Weide meine Lämmer; weide meine Schafe").

270) BECK 131.

271) ULLMANN, Leo I 37: "What therefore this Petrinity of the pope
amounted to was 'imperium' (in the Roman law sense) ...". Zur Vererbung der "potestas iurisdictionis" durch Petrus, den direkten
Vorgänger eines jeden Papstes, ULLMANN, Leo I 50; DERS., The Papacy 85; DERS., Principles 41; vgl. ansonsten oben A. 251.

dictionis" des Petrus. War bei AMBROSIUS die exklusive Zuordnung der "hereditas Petri" - verstanden im Sinne von MT.
16,18f - zum Bischof von Rom noch anzuzweifeln, so ist es in
der Dekretale des SIRICIUS unumstritten: Der Papst allein ist
der "heres Petri" und somit der unmittelbare, direkte Rechtsnachfolger des Apostelfürsten.

§ 29. Der Anspruch der Erben auf Petrus-Amt und Petrus-Macht

1. In der Dekretale des SIRICIUS wurde das "Wie" des Fort-
bestands der petrinischen Gewalten und der ganzen Rechtsstellung des Petrus durch den Einsatz der "hereditas"-Terminolo-
gie gelöst. In der Zwischenzeit bis zum nächsten einschlägigen Beleg bei ZOSIMUS begegnet man einem Lösungsversuch für
jene naheliegende Frage, auf Grund welchen "Rechtstitels"
oder welches Beglaubigungsschreibens gerade der Bischof von
Rom das Erbe jener Rechtsstellung für sich beanspruchen konnte. Eine solche Funktion mißt zumindest W. ULLMANN[272] einem
fiktiven Brief des Klemens von Rom an Bischof Jakobus von Jerusalem bei, der als "EPISTOLA CLEMENTIS" in den pseudoklementinischen Homilien[273] auftaucht. ULLMANN charakterisiert
ihn als griechisches Produkt römischer Herkunft, Ende des
zweiten Jahrhunderts entstanden[274]. Doch nachgerade zu einem
Impuls für das Hervortreten des Erbdenkens in Zusammenhang
mit der Petrusnachfolge[275] habe er erst durch die lateinische

---

272) "Epistola Clementis"; DERS., Some Remarks; DERS., Grundfragen 14f.

273) B.REHM, Clemens Romanus II (PsClementinen), in: RAC 3,197-206; ALTA-
NER-STUIBER 134f. Ausgabe von B.REHM: GCS 42 (Berlin 1953). Vgl. H.
CLAVIER, La primauté de Pierre d'après les pseudo-clémentines, in:
RHPhR 36 (1956) 298-307.

274) Some Remarks 331; Grundfragen 14.

275) "Epistola Clementis" 314: "Although the translation of the 'Ep.Cl.'
by Rufinus was made in the decisive period for the development of
the juristic complexion of the papacy, at the end of the fourth century, it would be rash to deduce from this fact that it alone gave
the impulse to the juristic theme of the pope as heir of St.Peter."
Vgl. Some Remarks 335f.

Übersetzung der Homilien werden können, die RUFINUS Ende des
4. Jahrhunderts[276] anfertigte. Da in diesem Brief der Apostel
Petrus vor seinem Tode dem Klemens seine eigene "cathedra"
anvertraut[277], ihm die von Christus empfangene Schlüsselgewalt überträgt[278] und bestimmt, "daß alle seine Nachfolger
dieselbe Stellung innerhalb der Christengemeinde haben sollten wie er selbst"[279], spricht ULLMANN von einem förmlichen
"Einsetzungsbericht", der als testamentarische Verfügung den
Rechtstitel für den Erbanspruch enthält[280]. Die Einsetzung
eines Erben durch den hl. Petrus[281] betraf seiner Ansicht
nach die Weitergabe aller dem Petrus eigenen Gewalten.

Obwohl ULLMANN nur durch Rückgriff auf "die gleichzeitig
von Irenaeus vorgetragene römische Bischofsliste"[282] eine
ausgesprochene Erbterminologie ins Spiel zu bringen vermag

276) Nach ULLMANN, "Epistola Clementis" 300 Anm. 5 u. 314 Anm. 1 hat RU-
FINUS die "Epistola Clementis" bereits einige Zeit vor den Homilien
übersetzt. Zur Bedeutung von Rufins Übersetzung ebd. 312ff.

277) Ep.Cl. 2,2: "quoniam ... dies mortis meae instat, Clementem hunc
episcopum vobis ordino, cui soli meae praedicationis et doctrinae
cathedram credo" (GCS 42,6); vgl. dazu ULLMANN, "Epistola Clementis"
305 mit Anm. 7; 313; MACCARRONE, La dottrina 7f.

278) Ep.Cl. 2,4: "propter quod ipsi trado a domino mihi datam potestatem ligandi et solvendi, ut de omnibus quibuscumque decreverit in
terris hoc decretum sit et in caelis" (GCS 42,7).

279) ULLMANN, Grundfragen 15.

280) "Epistola Clementis" 305; 307-309; DERS., Some Remarks 334f; DERS.,
Grundfragen 15.

281) Some Remarks 333: "My point is therefore that Irenaeus himself gave
the author of the 'Ep.Cl.' the idea of making Clement, and not Linus or Anacletus, the first heir of petrine powers"; vgl. auch
DERS., "Epistola Clementis" 296-300. Allerdings spricht gegen eine
so weitgehende Interpretation der Szene zwischen Petrus und Klemens
auch PS-CLEM.HOM. 3,60-71 ("Praxeis Petrou"), wo Petrus vor seinem
Abschied von Caesarea in Palästina den Zöllner "Zakchaeus" dort zum
Bischof einsetzt, indem er ihm die Hand auflegt und ihn auf seiner
eigenen "cathedra" Platz nehmen läßt.

282) Grundfragen 14. Zu IREN., adv.Haer. 3,3,3: τὴν ἐπισκοπὴν
κληροῦται Κλήμης u. EP.CLEM. 2,2: Κλήμεντα τοῦτον ἐπίσκοπον
ὑμῖν χειροτονῶ. Vgl. ULLMANN, "Epistola Clementis" 296ff.

- freilich legt die ganze Szenerie die Vorstellung einer Erbeinsetzung nahe - und er die Ausstrahlung des lateinischen
Textes der Homilien allzu hoch veranschlagen dürfte, ist es
sein unbestreitbares Verdienst, diese interessanten Verbindungen aufgezeigt und die Komplexität und den Stellenwert
der Erbproblematik in diesem Zusammenhang sichtbar gemacht
zu haben.

2. Wahrscheinlich im Blick auf die Aussage, daß Petrus dem
Klemens "praedicationis et doctrinae cathedram"[283] anvertraut
habe, meint ULLMANN, geradezu eine Paraphrase der EPISTOLA
CLEMENTIS vor sich zu haben[284], wenn es im Brief von Papst
ZOSIMUS an die Synode in Karthago (418)[285] heißt:

> "tantam enim huic apostolo canonica antiquitas per senten-
> tias omnium voluit esse potentiam ex ipsa quoque Christi
> dei nostri promissione, ut et ligata solveret et soluta
> vinciret, ‹ et › par potestatis data conditio in eos, qui
> sedis hereditatem ipso adnuente meruissent; habet enim il-
> le cum omnium ecclesiarum tum huius maxime, ubi sederat,
> curam ... ."[286]

Mit diesem Brief versuchte Zosimus die Wogen der Empörung
in Afrika zu glätten, nachdem er zuvor im Gegensatz zu seinem
Vorgänger Innocenz I. für Caelestius und Pelagius Partei ergriffen hatte. Während der zweite Teil einen verklausulier-
ten, sachlichen Rückzieher enthält, bringt die erste Hälfte,
der auch unser Text entnommen ist, eine "Lobpreisung des römischen Petrus"[287], die allerdings sehr wohl eine Funktion

---

283) Vgl. A. 277 u. 278 (Schlüsselgewalt).

284) "Epistola Clementis" 312 Anm. 2: "Reading through his Ep. 12 ... one
might almost think oneself reading a paraphrase of the 'Ep.Cl.'".

285) CASPAR 1,354f; HALLER 1,124; HEILER 212; SEPPELT 1,146.

286) Ep. 12,2 (Avell.ep. 50; JK 342) (CSEL 35,1,115); vgl. auch 12,1.3.
Dazu CORTI 27; RIMOLDI 170f; MACCARRONE, La dottrina 41.

287) CASPAR 1,354; LUDWIG 86 sieht darin "eine wortreiche Exegese von
Mt 16,18.19". Vgl. die Kritik an dieser oberflächlichen Einschätzung bei ULLMANN, Leo I 32 Anm. 2.

und auch beträchtliche juristische Valenz besitzt; denn es
soll damit der Grundsatz der Endgültigkeit päpstlicher Entscheidungen[288] begründet werden. Zosimus rekurriert dabei zunächst auf die "tanta potentia"[289], die "Christus deus noster" dem Petrus übertragen hat. Wenn er dann fortfährt, die
"par potestatis conditio" sei auch - kurz gesagt - den Päpsten gegeben worden, so will er mit dieser eindeutig juristischen Terminologie[290] ausdrücken, daß deren "potestas" ganz
die gleiche juristische Beschaffenheit aufweist wie die des
Petrus. Es fügt sich gut zu den übrigen Parallelen zwischen
Prinzipat und Papsttum[291], wenn ein PANEGYRIKER gut 100 Jahre zuvor die gleiche Herrschaftsgewalt zwischen Maximian und
Konstantin, die ihrerseits im Vater-Sohn-Verhältnis gesehen
werden, mit "par imperii potestate"[292] umschreibt.

Die Päpste und somit auch sich selbst als die Empfänger
dieser "potestas" sieht der Papst als diejenigen, "qui sedis
hereditatem ipso adnuente meruissent": Der "cathedra Petri"-
Gedanke[293] erscheint hier verbunden mit der Erbterminologie.

---

288) Ep. 12,4: "cum nobis tantum esset auctoritatis, ut nullus de nostra
possit retractare sententia" (CSEL 35,1,116); vgl. A. 304. CASPAR
1,354 Anm. 3 spricht von "einem Fundamentalsatz des späteren päpstlichen primatus iurisdictionis".

289) Vgl. auch LEO M ., serm. 4,2: "huic viro (sc. Petro) consortium potentiae suae tribuit divina dignatio" (CChrL 138,18). "Potentia"
bezeichnet bei den Römern u.a. die politische Macht, den Einfluß,
das Ansehen im Staat.

290) Zu "conditio" HEUMANN 89; zu "par" ebd. 403 (verschiedene Verbin-
dungen mit "par conditio"!). "Par potestas" bezeichnet im römischen
Staatsrecht die gleichen Amtsbefugnisse bei der Kollegialität von
Beamten; dazu TH.MOMMSEN, Abriß des römischen Staatsrechts (Darm-
stadt 1974; nach der 2.Aufl. von 1907) 94f; primär entstammt der
Zosimus-Ausdruck aber dem Erbrecht (unten A. 301). Vgl. auch ULL-
MANN, Leo I 33: "all concepts which belong to the juristic sphere".

291) Vgl. oben § 25.

292) PANEG. 7,14,5 (A. 18).

293) Vgl. oben § 27.3. Zu "sedes apostolica" BATIFFOL, Cathedra Petri
151ff; MACCARRONE, La dottrina 2ff.

Dabei ist auch daran zu denken, daß schon OPTATUS von der
"hereditaria cathedra"[294] des Maiorinus sprach, LEO DER GROS-
SE sich als "sedis ipsius (sc. Petri) consors"[294a] versteht
und in der oben gestreiften EPISTOLA CLEMENTIS Petrus feier-
lich seinen Sitz dem Klemens übergibt und schließlich ein
mittelalterliches Gedicht klagt: "Iniquos habet haeredes apostolica sedes"[295], was sehr schön mit dem ZOSIMUS-Text kon-
trastiert. Nach ihm ist nämlich die "sedis hereditas"[296] zunächst zu verdienen[297] und offenbar Petrus[298] muß dazu seine
Einwilligung geben. Damit entsteht nicht nur ein eigenartiger
Widerspruch zu LEO DES GROSSEN Sprechweise vom "indignus heres"[299], sondern man denkt auch an das gegen den Erbprinzipat

---

294) 1,15 (CSEL 26,18). Dazu oben Kap. 4/§ 16.2, bes. A. 374. Vgl. ferner PAUL.NOL., carm. 15,122ff: "quem (sc. Felicem) mente paterna com-
plexus veluti natum sedisque vovebat heredem" (dazu § 23 II 2).

294a) Serm. 4,4 (A. 298). Faßt man "consors" hier im strengen Sinn, so
könnte man sagen: Petrus und Papst bilden hinsichtlich der "sedes"
eine Erbengemeinschaft. Vgl. dazu A. 54-57. Aber auch Petrus und
Christus bilden ein "indeficiens consortium" (serm. 4,4).

295) H.GRAUERT, Rom und - Gunther der Eremit? in: HJ 19 (1898) 249-287,
254; vgl. HEILER 251f.

296) Ein genitivus identitatis oder "Genitiv der Definition"; dazu Kap.
2 A. 153.

297) GEORGES 2,889f; HEUMANN 340; zum Begriff "mereri" im Rahmen des Erbprinzipats PW 22,2,2216. Vgl. auch LEO M., serm. 4,4 (A. 298); ferner A. 342. Möglicherweise liegt eine Erklärung auch in den Umständen, unter denen Zosimus Papst wurde: Innocenz selbst hatte sich
den griechischen Presbyter, den ihm Johannes Chrysostomos empfohlen
hatte, zum Nachfolger gewünscht. Eventuell hat sich auch der gerade
in Rom weilende Bischof Patroclus von Arles für ihn eingesetzt. Vgl.
CASPAR 1,344f; SEPPELT 1,145.

298) Daß der ablativus absolutus Petrus meint - es käme sonst nur Christus in Frage -, legt auch das folgende "ille" und die besondere
"cura" um seinen einstigen Sitz nahe. Vgl. damit LEO M., serm. 4,4:
"cuius (sc. Petri) patrocinio sedis ipsius meruimus esse consortes"
(CChrL 138,21). Hier ist das "Verdienen" der "sedes" stärker indi-
rekt ausgedrückt und enger an Petrus gebunden als bei Zosimus durch
"ipso adnuente". Zum Fortwirken solcher Vorstellungen CORTI 40-42
Anm. 17.

299) Dazu unten § 29.3.

vielbeschworene Leistungsprinzip. Daß sich neben diesem "ipso adnuente" der Papst selbst gleichzeitig als fortlebender
Petrus versteht, zeigt der Hinweis auf die "omnium ecclesiarum cura" des Petrus.

Überblickt man den angeführten Text, so erscheint - hier
zum ersten Mal expressis verbis - die "potestas ligandi et
solvendi"ganz eng mit der "sedis hereditas" verknüpft, so
daß man sich an jenes Ambrosiuswort gegen die Novatianer[300]
erinnert fühlt. Kurz: Die Vollmacht und die Rechtsstellung
ist an die Erben gebunden. Nach dem Grundsatz: "Heredem eiusdem potestatis iurisque esse, cuius fuit defunctus"[301] besitzen sie ganz dieselbe Rechtsstellung wie der Erblasser.
W. ULLMANN[302] weist zu Recht darauf hin, daß das juristische
Argument des Erbrechts im Brief neben der Berufung auf die
"patrum traditio"[303] steht, derzufolge die "apostolica sedes"
eine solche "auctoritas" besitzt, "ut de eius iudicio discep-
tare nullus auderet"[304]. Mit dem ut-Satz ist auch nochmals
die Stoßrichtung des Arguments von der "sedis hereditas" verdeutlicht: Es handelt sich letztlich immer um dieselbe "potentia Christi dei nostri"!

3. Papst LEO I., dem die Geschichte den Beinamen "der Große" beilegte, gilt gemeinhin als der Vollender und Höhepunkt
der frühen Papstdoktrin[305]. Bei ihm hat die moderne Forschung auch am frühesten und intensivsten die Bedeutung ge-

---

300) Paenit. 1,7,33: "non habent enim Petri hereditatem, qui Petri sedem non habent" (CSEL 73,135); dazu oben § 28.2.

301) DIG. 50,17,59 (KRÜGER-MOMMSEN 2,960). Diese Stelle verdanke ich
ULLMANN, Leo I 40, der aber ihre Bedeutung für den Ausdruck "par
potestatis conditio" (ebd. 32f) bei Zosimus übersehen hat.

302) Leo I 32.

303) Ep. 12,1; vgl. 12,2: "canonica antiquitas" (CSEL 35,1,115).

304) Ep. 12,1 (115); vgl. oben A. 288.

305) CASPAR 1,423ff; HALLER 1,156ff; HEILER 214ff; SEPPELT 1,175ff;
HHKG II/1,273ff; CHADWICK 285f.

würdigt[306], die dem Rückgriff auf das römische Erbrecht für
die Frage einer juristischen Begründung der Kontinuität der
Gewalten zwischen (Christus,) Petrus und Papst zukommt. Hält
man sich jedoch die bereits angesprochenen für diese Frage
einschlägigen Texte vor Augen, so scheint doch W. ULLMANN
die Bedeutung Leos etwas zu hoch zu veranschlagen, wenn er
meint, vor Leo habe es "keine plausible Konstruktion"[307]
hierfür gegeben. Sicherlich findet sich vor Leo kein vergleichbar prägnant formuliertes und abgerundetes Konzept,
wie es uns vor allem in seinen "Sermones" begegnet. In unserem Rahmen ist jedoch nur auf jene Texte einzugehen, in
denen die "hereditas"-Terminologie auf den Nachfolger Petri
angewendet wird. Angrenzende Fragen wie die Petrus-princeps-
Bezeichnung oder der Gedanke einer Personenidentität waren
schon anzusprechen, und auch der Forschungsstand erlaubt es,
trotz der zentralen Bedeutung dieser Texte hier etwas "kür-
zer zu treten".

Schon alleine der Umstand, daß LEO mit Vorliebe am Jahrestag seiner Konsekration (29. September), seinem "natali-

---

306) K.D.SCHMIDT, Papa Petrus ipse 268f; DERS., Kirchengeschichte 138.
Vgl. ansonsten neben CORTI 25ff bes.ULLMANN, Leo I (weitere Lit. im
Verzeichnis). Erstmals in einem Handbuch rezipiert von K.BAUS (1973)
in: HHKG II/1,273f (mit Berufung auf ULLMANN). Vgl. auch MEDICO,
der zu Leo schreibt: "tous les évêques sont les héritiers de ce pouvoir pourvu qu'ils agissent 'in forma Petri'" (382). "Pierre et son
héritier sont ainsi présentés comme les gardiens de l'unité de l'é-
piscopat et les garants de la constitution monarchico-hiérarchique
de l'Eglise" (383). "Les évêques participent ensemble à un héritage
commun, c'est-à-dire à l'épiscopat que le Christ a établi en Pierre"
(383). "Toutefois seuls les évêques de Rome sont les héritiers du
primat de Pierre sur les fidèles et sur les pasteurs, qui participent à l'héritage commun du sacerdoce et des pouvoirs ..." (383).
- Zur Diskussion um ein bloß "uneigentliches" "heres"-Verständnis
und eine mystisch-personale bzw. rechtlich-institutionelle Auffassung vom Primat (in Zusammenhang mit "vicarius" u. "heres")vgl.
CORTI 31 Anm. 7 ("... essendo improprio, andò presto in disuso");
MACCARRONE, Vicarius Petri, bes. 370f; RIMOLDI 165-167 Anm. 16;
MACCARRONE, La dottrina, bes. 46; MONACHINO.

307) Leo I 33: "Although therefore Leo did not invent the idea of Petrine powers juristically continuing in the pope, there was a yet
no plausible construction: what Leo did was to erect a fully-
fledged and satisfying doctrine culminating in the juristic succession of the pope to St.Peter"; DERS., Grundfragen 19f.

cius dies"[308], wie er sich ausdrückt, seiner "Überzeugung von dem Vorrang und der Vollgewalt des römischen Bischofs als des Nachfolgers des Apostels Petrus"[309] beredten Ausdruck verlieh, zeigt anschaulich, wie sehr ihn der Gedanke des Fortlebens und der unablässigen Anwesenheit des Apostelfürsten[310] bewegte. So kann immer wieder Petrus zum Subjekt präsentischer Sätze werden:

"De vestro itaque et ipse gaudet affectu et in consortibus honoris sui observantiam dominicae institutionis amplectitur, probans ordinatissimam totius Ecclesiae caritatem quae in Petri sede Petrum suscipit et a tanti amore pastoris nec in persona tam inparis tepescit haeredis."[311]

Dieser Text aus der Predigt vom 29. September 441 ist innerhalb der Reihe der drei einschlägigen Belege bei Leo der am wenigsten beachtete und besprochene[312]. Lediglich G. CORTI[313] geht paraphrasierend auf Einzelheiten ein. Der für uns entscheidende Abschnitt des Textes besagt, daß die "caritas" der ganzen Kirche, die der "Petri sedes" entgegengebracht wird, dem Petrus selbst gilt[314]. Da es also um die Liebe zu

---

308) Serm. 4,4 (A. 266). Vgl. auch CASPAR 1,425. Von Damasus heißt es Avell. ep. 1,13: "quos (sc. episcopos Italiae) etiam cum ad natale suum sollemniter invitasset..." (CSEL 35,1,4). Zum Gebrauch von "natalis" für den Jahrestag der Weihe vgl. ferner R.DOLLE, in: Sources Chr 200,244 Anm. 1 (auch mit Belegen bei anderen Autoren).

309) SEPPELT 1,176. Vgl. zur Bedeutung der Petrusthematik in diesen Predigten CASPAR 1,426-431.

310) Serm. 2,2: "Nec abest, ut confido, ab hoc coetu etiam beatissimi Petri apostoli pia dignatio et fida dilectio, neque devotionem vestram ille deseruit, cuius vos reverentia congregavit" (CChrL 138,8); vgl. ebd. "gaudet", "amplectitur".

311) Serm. 2,2 (CChrL 138,8).

312) Erwähnt bei K.D.SCHMIDT, Papa Petrus ipse 268; GMELIN 118; 124; MACCARRONE, La dottrina 44f; ULLMANN, Die Machtstellung 13 Anm. 31; HHKG II/1,273f.

313) A.a.O. 29-31.

314) TH.STEEGER, in: BKV 54,5: "die auf den 'Stuhl Petri' einen 'Petrus' setzt". CORTI 31: "La carità, che anima e unisce strettamente i

einem so bedeutenden "Hirten" geht, kann sie auch nicht "er-
kalten" "in persona tam inparis haeredis"[315]. Während ZOSI-
MUS von einer "par potestatis conditio"[316] sprach, begegnet
uns hier plötzlich ein "tam inpar haeres"! Wie ist das zu erklären? Der Ausdruck bei Zosimus bezieht sich auf die Gleichheit in Vollmacht und Amt zwischen Petrus und Papst. LEO dagegen betont, daß der Papst als der "haeres" dieser "potestas" - was seine Person angeht - im Vergleich zum Erblasser
Petrus "inpar" ist, d.h. "ungleich", "nicht gewachsen",
"nicht ebenbürtig". Den näheren Aspekt dieser Diskrepanz
nennt er hier zwar nicht, aber wir wissen, daß er sich an
anderer Stelle als "indignus haeres" bezeichnet, so daß man
ergänzen könnte: "inpar meritis haeres"[317].

Schon rein sprachlich wird hier die Spannung, in der der
Papst steht, deutlich, insofern ja ein "heres" in erster
Linie die "Gleichheit" für sich beanspruchen kann. In diesem
Kontext ist es wohl auch zu erklären, weshalb HIERONYMUS, AM-
BROSIUS und ZOSIMUS - bei allen Unterschieden - in gleicher
Weise von "hereditas"[318] sprechen und nicht das Substantiv
"heres" verwenden. SIRICIUS verfolgt in seiner Dekretale na-
türlich die Interessen seiner persönlichen Autorität, aber

---

membri della Chiesa universale, fa scorgere ed amare, nella sede
di Pietro, lo stesso Pietro in persona".

315) STEEGER a.a.O.: "die ... selbst bei einem so unähnlichen Erben in
ihrer Liebe zu einem so großen Hirten n i c h t erkältet." CORTI
31: "La forza e l'intensità di questo amore verso un tanto pastore,
qual' è Pietro, è tale che non intiepidisce neppure di fronte alla
insufficienza dell' 'erede' che lo rappresenta". Vgl. zur Ausdrucksweise Leos auch GREGOR VII. (1073-1085), Reg. 1,3: "ad locum apostolici regiminis cui longe impar sum"; zit. nach W.ULLMANN, Romanus Pontifex indubitanter efficitur sanctus: Dictatus Papae 23 in
retrospect and prospect, in: Studi Gregoriani 6 (1959-1961) 229-
264, 243 Anm, 54.

316) Ep. 12,2 (CSEL 35,1,115); dazu oben § 29.2 bes. A. 290; 292; 301.

317) Vgl. GEORGES 2,82: "impar nobilitate" (honoribus). Gegen die Interpretation im Sinne von "inpar dignitate" spricht eindeutig die
andere Aussage: (Petri) "dignitas etiam in indigno herede non deficit" (serm. 3,4; vgl. § 29.4).

318) HIER., ep. 15,1,2 (§ 28.1); AMBR., paenit. 1,7,33 (§ 28.2); ZOSI-
MUS, ep. 12,2 (§ 29.2).

trotzdem spricht er im Plural (!) von "administrationis haeredes"[319]. Es geht also - zumindest anscheinend - um grundsätzliche Überlegungen zur Papstdoktrin und nicht um die
eigene Person oder auch Position. Vor diesem Horizont gewinnt
es einige Plausibilität, wenn LEO an den beiden Stellen, wo
er mit offensichtlichem Bezug auf die eigene Person vom "haeres" spricht, ein "inpar" bzw. "indignus" dazusetzt. Auch
die Gleichheit in der Struktur der Ausdrücke "in persona inparis haeredis" und "in persona humilitatis meae"[320] verdeutlicht, welche Problematik hier vorliegt.

4. In der Predigt, die Papst LEO genau zwei Jahre später
(443) zur Feier seines Krönungstages hielt, bringt er wieder
seine Überzeugung vom Fortleben des Apostels Petrus und von
der Personenidentität mit ihm[321], d.h. daß Petrus "im römischen Bischof handelnd gegenwärtig"[322] ist, zum Ausdruck. Worauf diese Vorstellung in erster Linie abzielt, zeigt der
Satz: "cuius (sc. Petri) in sede sua vivit potestas, ex-
cellit auctoritas"[323]. Schon der Ausdruck "sedis hereditas"
bei ZOSIMUS[324] unterstrich ja die Bedeutung, die der "sedes
Romana" für die petrinische Amts- und Rechtsnachfolge des

---

319) Ep. 1,1 (§ 28.3).

320) Serm. 3,4 (§ 29.4).

321) Serm. 3,3: "Manet ergo dispositio veritatis, et beatus Petrus in
accepta fortitudine perseverans suscepta Ecclesiae gubernacula non
relinquit" (CChrL 138,12); vgl. auch A. 323; 340; serm. 3,2: "Soliditas enim illius fidei, quae in apostolorum principe est laudata,
perpetuat, et sicut permanet quod in Christo Petrus credidit, ita
permanet quod in Petro Christus instituit" (12); serm. 3,4 (A. 330).
Zu serm. 3,3 (gubernacula etc.) vgl. SIRIC., ep. 1,1: "administrationis suae haeredes" (§ 28.3); CORTI 31 mit Anm. 8; 33; ULLMANN,
Leo I 37f.

322) K.D.SCHMIDT, Papa Petrus ipse 268.

323) Serm. 3,3 "Si quid itaque a nobis recte agitur recteque decerni-
tur, si quid a misericordia Dei cotidianis supplicationibus obtinetur, illius est operum atque meritorum, cuius ..." (13); vgl.
serm. 3,4: "huius sedis praesulem" (14); A. 160; 170. Ansonsten
GMELIN 124; CORTI 35.

324) Ep. 12,2 (§ 29.2).

Papstes zukommt. Dabei ist nicht nur die "auctoritas" und "potestas", die man den Bischöfen allgemein zumaß[325], vom antik-römischen Denken her zu bestimmen, sondern insbesondere auch die "auctoritas apostolica", die man dem Petrus und seinen Nachfolgern zuschrieb, ist offensichtlich "beeinflußt von der Vorstellung der auctoritas der zeitgenössichen Kaiser"[326]. Daß die Fortdauer der petrinischen "potestas" und "auctoritas" in dieser Predigt nicht nur mit der "hereditas"-Terminologie ausgedrückt wird, beweist LEOs selbstbewußte Aufforderung an seine Zuhörer: "ipsum vobis cuius vice fungimur, loqui credite"[327]. Dies erinnert nicht nur an jene berühmte Akklamation auf dem KONZIL VON CHALKEDON[328], sondern auch an den bereits gestreiften Zusammenhang von "vicarius"- und "heres"-Bezeichnung[329], den man mit dem Stichwort "Stellvertretung" umreißen könnte. So gilt auch die Feier des Tages in der Person des Erben LEO letztlich dem Erblasser Petrus:

"celebratur hodierna festivitas, ut in persona humilitatis meae ille intellegatur, ille honoretur, in quo et omnium pastorum sollicitudo cum commendatarum sibi ovium custodia perseverat et cuius dignitas etiam in indigno herede non deficit"[330].

---

325) RAC 1,907f (G.TELLENBACH).

326) RAC 1,909.

327) Serm. 3,4 (14). Dazu CASPAR 1,430; GMELIN 118; LUDWIG 89; CORTI 35-37; MACCARRONE, La dottrina 52f.

328) Vgl. A. 192.

329) Vgl. oben §§ 24 II 1; 27.2 Zur Verwendung von "vice alicuius fungi" im Erbrecht ULLMANN, Die Machtstellung 13 Anm. 31; DERS., Leo I 34 Anm. 6.

330) Serm. 3,4 (13). TH.STEEGER übersetzt: "der ... auch bei einem unwürdigen Nachfolger nichts von seiner Würde einbüßt" (BKV 54,9); vgl. auch SEPPELT 1,177, der diese Übersetzung einfach übernimmt. Die Wiedergabe von "heres" mit "Nachfolger" bedeutet eine unzulässige Nivellierung und erscheint im Vergleich zu serm. 2,2 u. 5,4, wo mit "Erbe(n)" übersetzt wird (a.a.O. 5 bzw. 20) und offenbar auch die Tragweite dieses Terminus erkannt ist (Sperrung a.a.O. 20) unverständlich. Auch "Würde" für "dignitas" scheint mir hier nicht zu

Wiederum begegnet uns hier jenes - nicht nur bei LEO häufig variierte - Motiv[331] von der Unwürdigkeit des Menschen bzw. der eigenen Person angesichts der Größe Gottes bzw. der von ihm abgeleiteten Macht oder Amtsstellung. Andererseits verbirgt sich hinter dieser vordergründigen Bescheidenheit auch geschickt die Einsicht, daß es der eigenen Autorität und Machtstellung nur zuträglich sein kann, wenn man sich selbst "bloß" als Instrument eines Größeren, sei es nun Petrus, Christus oder Gott, versteht. In diesem Sinn werden in Leos Ansprache die "soliditas fidei"[332], die "dispositio veritatis"[333], die "suscepta Ecclesiae gubernacula"[334], die "potestas" und "auctoritas", die "sollicitudo" und "custodia"[335] und schließlich die "dignitas", deren Träger der Papst ist, mit dem in diesem gegenwärtig handelnden Petrus in Verbindung gebracht.

Dabei steht in unserem Zusammenhang die Frage im Vordergrund, was gemeint ist, wenn es heißt, daß die "dignitas" des Petrus "etiam in indigno herede non deficit". Zunächst mag man von der Lösung fasziniert sein, die sich durch die

---

passen. - Vgl. zur Stelle neben GMELIN 124; ALTANER-STUIBER 360; MACCAR-RONE, La dottrina 45; bes. ULLMANN, Leo I 34ff (vgl. auch Lit. A. 336!). CORTI 31-37 hat die Bedeutung dieses Textabschnitts übersehen. R. DOLLE, in: SourcesChr 200,260f Anm. 6 geht (unter Verweis auf ULLMANN, Leo I) auf die Bedeutung des Ausdrucks "indignus heres" ein.

331) Z.B. serm. 2,1: "Honorabilem mihi, dilectissimi, hodiernum diem fecit divina dignatio, quae dum humilitatem meam in summum gradum provehit, quod neminem suorum sperneret, demonstravit. Unde etsi necessarium est trepidare de merito ... in eum munera sua contulit, in quo meritorum suffragia non invenit" (CChrL 138,7); serm. 3,1 (10 Z. 6ff). Vgl. ansonsten ULLMANN (A. 336).

332) Serm. 3,2 (A. 321); vgl. dazu auch unten § 29.5.

333) Serm. 3,3 (A. 321).

334) Serm. 3,3 (A. 321).

335) Serm. 3,4 (A. 330). Vgl. dazu LUDWIG 89f; oben A. 253. MACCARRONE, La dottrina 45 Anm. 130 bemerkt zu "custodia" - m.E. hier unzutreffend: "idea del patrocinio". - In ep. 10,2: "cui (sc. Petro) cum prae ceteris solvendi et ligandi tradita sit potestas, pascendarum tamen ovium cura specialius mandata est" (PL 54,630B) ist gut zu erkennen, daß der mit "cura" bzw. "custodia" (serm. 3,4) verbundene Ausdruck von JO. 21,15ff inspiriert ist.

einschlägigen Arbeiten von W. ULLMANN wie ein roter Faden hindurchzieht[336], nämlich daß damit die "Absonderung des objektiven Rechts vom subjektiven Träger des Amtes"[337] ausgedrückt wird und deshalb in "dieser kurzen Begriffsverbindung von der Unwürdigkeit einerseits und der Erbschaftsqualifikation andererseits ... das Wesentliche der Papstdoktrin" steckt[338]. Abgesehen davon, daß ULLMANN auf dieses schon früh verbreitete Motiv, das LEO freilich mit "indignus heres" juristisch faßt, ohne Vorbehalte spätere Kategorien überträgt, vermißt man bei ihm eine Analyse der Zuordnung von "dignitas" und "indignus heres".

Was meint "dignitas"? 1. Ist es vielleicht das "meritum Petri" von Caesarea Philippi? Aber: "Rein persönliche Eigenschaften konnten verständlicherweise nicht rechtlich vererbt werden"[339]. 2. Weshalb ist der Papst "indignus heres", wenn er doch die "dignitas Petri" besitzt?[340] Einen Ansatzpunkt zur Lösung dieser schwierigen zweiten Frage möchte ich im folgenden Text bei LEO sehen:

> "huic viro (sc. Petro) consortium potentiae suae tribuit divina dignatio... (es folgt die Szene von Caesarea Philippi!). At ubi quid habeat discipulorum sensus exigitur, primus est in Domini confessione, qui primus est in apostolica dignitate"[341].

---

336) Vgl. neben Leo I 34ff; 47 u. Grundfragen 20f auch: Die Machtstellung XXV; "Epistola Clementis" 307; Romanus Pontifex 242ff; The Papacy 88; Principles 38; 103; A History 25.

337) Grundfragen 21.

338) Ebd. 20.

339) ULLMANN, Grundfragen 20. Vgl. allerdings oben A. 72.

340) "(Petri) dignitas non deficit" (13). Vgl. dazu serm. 2,2: "nec tepescit" (8; oben § 29.3); serm. 3,2: "ipse tamen dilecti gregis custodiam non reliquit" (11); serm. 3,3: "gubernacula non relinquit" (A. 321) u. bes. serm. 5,4 (A. 341).

341) Serm. 4,2 (18); vgl. serm. 2,1: "dabit virtutem, qui contulit dignitatem" (7); ep. 5,2: Dominus "apostolicae dignitatis beatissimo apostolo Petro primatum fidei suae remuneracis commisit, universalem Ecclesiam in fundamenti ipsius soliditate constituens" (PL 54,615B); Petrus ist also der (erste) Inhaber des "apostolicae dig-

Dieser Text macht es notwendig, die "apostolica dignitas"
des Petrus im Sinne von "potentia" bzw. "potestas" und "auctoritas" zu verstehen. Petrus erhält die Binde- und Lösegewalt und seine "princeps"-Stellung innerhalb der Apostel auf
Grund seiner "Domini confessio", die sein persönliches, anscheinend nicht übertragbares "meritum"[342] ist. Diese durch
ein persönliches Verdienst konstituierte "dignitas" des Petrus, die sich auf seine besondere "potestas" bezieht, ja man
kann sagen in ihr besteht, steht auch in Einklang mit dem antiken "dignitas"-Begriff[343], der "die erreichte Stellung und
Geltung in der Öffentlichkeit"[344] beinhaltet und dabei ins-

nitatis primatus"; serm. 5,4: "non solum apostolica sed etiam episcopalis beatissimi dignitas Petri, qui sedi suae praeesse non desinit et indeficiens (!) obtinet cum aeterno Sacerdote consortium"
(24; vgl.. § 29.5). Zu "apostolica dignitas" auch A. 348. Zu "dignitas" ansonsten ep. 10,2 (PL 54,630).

342) OPTAT. 7,3: "beatus Petrus ... praeferri apostolis omnibus meruit"
(CSEL 26,171); LEO M., serm 3,3 (A. 323); serm. 5,5: "agnoscimus
nos praesulis nostri meritis et precibus adiuvari" (24). Serm. 2,1:
Leo ohne eigene "merita" (A. 331). Scheinbar im Gegensatz dazu serm.
4,4: "cuius (sc. Petri) patrocinio sedis ipsius meruimus esse consortes" (21; A. 298); vgl. ZOSIM., ep. 12,2 (A. 297). Ein weiterer
einschlägiger Text findet sich in dem "Libellus adversus eos, qui
contra synodum scribere praesumpserunt", den Bischof ENNODIUS VON
PAVIA zur Verteidigung der römischen Synode von 502, die für Papst
Symmachus eintrat, verfaßte: "non nos beatum Petrum, sicut dicitis,
a domino cum sedis privilegiis vel successores eius peccandi iudica-
mus licentiam suscepisse, ille perennem meritorum dotem cum hereditate innocentiae misit ad posteros" (CSEL 6,295); hierzu und allgemein
zu den "merita beati Petri" MACCARRONE, La dottrina 46 mit Anm. 133.

343) ThLL V,1,1133-1140, bes. 1137f. F.KLOSE, Die Bedeutung von honos
und honestus (Diss. Breslau 1933) bes 45ff; 59ff; 87ff; 128ff; W.
DÜRIG, Dignitas, in: RAC 3,1024-1035: "Die Angehörigen eines römischen Geschlechtes haben die strenge Verpflichtung (officium), durch
eigene merita, die d., die die Vorfahren begründet haben, zu erhalten und zu mehren" (1027). - Leider geht DÜRIG bei Leo dem Großen
(einige Stellen 1030f) überhaupt nicht auf die wichtige Verbindung
der "dignitas Petri" mit dem Papst ein, sondern nennt lediglich serm.
5,4 (vgl. § 29.5) u. 83,1 unter "Kirchl. Amt" (1031). Zum Zusammenhang von "dignitas" u. "meritum" D.B.BOTTE, Secundi meriti munus, in:
QLP 21 (1936) 84-88. - Zu Erbprinzip und Leistungsprinzip im römischen Prinzipat PW 22,2,2200ff.

344) E.MEYER, Römischer Staat und Staatsgedanke (Darmstadt 1961^2) 267f;
zit. 267. Zu den spätantiken "dignitates" (Rangklassen) RAC 3,1032f.

besondere mit der Verwaltung von Staatsämtern zusammenhängt.
Nun ist es klar, daß der Papst ohne jenes "meritum" nur ein
"indignus heres" ist; dies hat ULLMANN richtig gesehen. Das
Adjektiv "indignus"[345], das auch in Verbindung mit "magistra-
tu" oder "sacerdotio"[346] gebräuchlich ist und juristisch "de
heredibus, qui successione digni non sunt"[347] benützt wird,
schließt den "heres" somit vom Besitz der "dignitas" nicht
aus[348], sofern man diese im Sinne jenes "par potestatis conditio"[349] versteht. Die Bedeutung der "hereditas"-Terminolo-
gie innerhalb des Ausdrucks "indignus heres" ließe sich mit
G. F. PUCHTA[350] folgendermaßen umschreiben: "die Fortdauer
der Persönlichkeit des Erblassers ... erstreckt sich ... auf
die Zeit nach dem Eintritt des Erben, der darum als Erbe und
durch seine Repräsentation des Erblassers Subject von Rechten seyn kann, deren er für seine eigene Person unfähig wäre."

5. Schließlich betont LEO in einer weiteren Ansprache, die
er anläßlich der Feier des "suscepti sacerdotii dies", wahrscheinlich nach 445 hielt, daß einerseits "in omnibus quae

---

345) ThLL VII,1,1187-1193; zur Verwendung im Sinne von "humilitas" wie
auch bei LEO M. vgl. ebd. 1188 Z. 65ff.

346) ThLL VII,1,1188 Z. 74ff (Ämter); 1189 Z. 31ff; 1191 Z. 30ff (sacerdotium; episcopatus u.ä.).

347) ThLL VII,1,1189 Z. 24ff; 1191 Z. 27ff. Vgl. KASER 1,725-727; 2,375f;
ULLMANN, Leo I 34.

348) Noch PETRUS BLESENSIS schreibt im Namen der Königin Eleanor 1193 an
den Papst: "ubi est auctoritas Petri? ... non degeneret in haerede
Petri dignitatis apostolicae reverenda successio" (PL 206,1267C);
Stelle nach ULLMANN, Die Machtstellung 409f Anm. 79.

349) ZOSIM., ep. 12,2 (§ 29.2). Hier wäre auch LEO M., ep. 14,1 beizuziehen, wo der Papst die "plenitudo potestatis" für sich beansprucht,
während er den übrigen Bischöfen nur die Teilhabe an der "sollicitudo" zugesteht: "Vices enim nostras ita tuae credimus charitati,
ut in partem sis vocatus sollicitudinis, non in plenitudinem potestatis" (PL 54,671B) (Brief an den Vikar Anastasius von Thessalonike);
dazu CASPAR 1,455; STOCKMEIER, Leo I.209; ULLMANN, Die Machtstellung XXVI; DERS., Leo I 36; 40; DERS., The Papacy 84; 88; DERS.,
Principles 39; DERS., Grundfragen 21; DERS., A History 27.

350) Pandekten (Leipzig 1863[9]) 646f.

recte agimus" Christus am Werke ist[351] und somit er die Ehre
verdient und andererseits der "apostolorum princeps"[352] Petrus ein Grund für das Freudenfest ist:

"Subiungit autem se ad rationem solemnitatis nostrae, non
solum apostolica sed etiam episcopalis beatissimi dignitas Petri, qui sedi suae praeesse non desinit et indeficiens obtinet cum aeterno Sacerdote consortium. Soliditas
enim illa quam de petra Christo etiam ipse 'petra' factus
accepit, in suos quoque se transfundit haeredes, et ubicumque aliquid ostenditur firmitatis, non dubie apparet
fortitudo pastoris."[353]

Wie schon festzustellen war, spricht hier Leo der Große
im Unterschied zu den beiden anderen "heres"-Stellen nicht
so sehr von seiner eigenen Person, dem "indignus heres", sondern behandelt mehr allgemein die Papstdoktrin, deren Fundament wir in der "Trilogie Christus - Petrus - Papst"[354] zu
erblicken haben. Die beiden zitierten Sätze stehen ganz offensichtlich in einem Begründungszusammenhang, der durch die
Klärung einiger Begriffe verdeutlicht werden soll: Die Bedeutung von "apostolica" bzw. "episcopalis dignitas Petri"[355],

---

351) Serm. 5,4: "Non est itaque nobis, dilectissimi, praesumptiosa festivitas, qua suscepti sacerdotii diem divini muneris memores hono-
ramus, quandoquidem pie et veraciter confitemur, quod opus ministerii nostri, in omnibus quae recte agimus, Christus exsequitur"
(CChrL 138,24); vgl. dazu serm. 3,3 (A. 323), wo mit ganz ähnlichen Worten dieselbe Funktion Petrus zugeschrieben wird.

352) Serm. 5,4: "Viget prorsus et vivit in apostolorum principe illa
Dei hominumque dilectio ..." (24).

353) Serm. 5,4 (24). Vgl. dazu CASPAR 1,427f; HALLER 1,157f; GMELIN 118;
CORTI 43; STOCKMEIER, Leo I. 208f; HHKG II/1,273; ULLMANN, Leo I
39 (ebd. muß es im Zitat aus LEO M., ep. 10,1 richtig heißen: "id,
quod [nicht: quos] ipse erat"). DERS., Die Machtstellung 13
Anm. 31 erweckt aus Versehen den falschen Eindruck, als würde sich
Leo in serm. 5,4 auch als "indignus haeres" bezeichnen.

354) STOCKMEIER, Leo I. 209.

355) Vgl. auch A. 341; 348.

356) Serm. 3,4 (§ 29.4).

die natürlich auch vor dem Hintergrund der "dignitas Petri
in indigno herede"[356] zu sehen ist, muß man wohl mit der besonderen Stellung des Petrus als "apostolorum princeps"[357]
und "initium episcopatus"[358] in Zusammenhang bringen. Diese
Deutung unterstreicht auch der von "Petri" abhängige Relativsatz, der die Fortdauer[359] der petrinischen "praeesse"-Funk-
tion[360] bezüglich der petrinischen "sedes" und das "indeficiens consortium" des Petrus mit Christus zum Ausdruck bringt.
Dieses "consortium" sollte jedoch nicht nur auf das beiden
gemeinsame Priester- bzw. Bischofsamt[361] bezogen werden, sondern ist m.E. auch gleichzeitig im Sinne von "consortium potentiae"[362] aufzufassen.

Dafür spricht auch der zweite Satz, wo von der Übergabe
der "soliditas" von Christus (= petra) an Petrus die Rede
ist. Das Wort "soliditas"[363] wird bei Leo vielfach mit der

---

357) Serm. 5,4 (A. 352). Vgl. ansonsten oben § 25 II.

358) Dazu BATIFFOL, Petrus initium episcopatus.

359) Zu "non desinit" vgl. A. 340.

360) Zu "praeesse" (provinciae; exercitui; tribunali) HEUMANN 446f. Petrus gilt Leo auch als "praesul" (serm. 5,5; A. 342) u. "huius sedis
praesul" (serm. 3,4; CChrL 138,14); vgl. dazu BKV 54,10 Anm. 26 u.
bes. STRAUB, Ordination 342f Anm. 41. Vor diesem Hintergrund ist es
nur konsequent, wenn es serm. 5,5 heißt: "cuius (sc. Petri) sedi non
tam praesidere quam servire gaudemus" (25). Vgl. auch PETR.CHRYS.
(=LEO M., ep. 25,2): "beatus Petrus, qui in propria sede et vivit et
praesidet" (A. 182).

361) TH.STEEGER übersetzt "cum aeterno Sacerdote": "mit dem ewigen Ho-
henpriester" (BKV 54,20); CASPAR 1,427: "mit dem ewigen Bischof".

362) Serm. 4,2: "huic viro (sc. Petro) consortium potentiae suae tribuit
divina dignatio" (18). ULLMANN, Leo I 39 bemerkt dazu treffend: "This
undivided union between Peter and Christ is the result of the confer-
ment of plenary powers on the former, so that he and Christ are the
same". Diese Sicht wird auch durch ep. 10,1 bestätigt: "Hunc (sc.
Petrum) enim in consortium individuae unitatis assumptum, id quod ipse erat, voluit nominari, dicendo: 'Tu es Petrus ...'" (PL 54,629A);
vgl. ansonsten oben A. 54-57.

363) Das juristische Verständnis im Sinn von "solidarische Haftpflicht
für das Ganze" (HEUMANN 545) ist hier auszuscheiden. Die Nähe zu
"firmitas" (serm. 4,3; 5,4; ep. 10,1) zeigen auch die übrigen Belegstellen: serm. 3,2: "Soliditas enim illius fidei, quae in apostolorum principe est laudata, perpetuat" (A. 12); serm. 3,3: "Tanta enim divinitus soliditate (sc. ecclesia) munita est" (13); ep.

"petra"-Funktion des Petrus und mit seinem Bekenntnis in Verbindung gebracht. Diese "soliditas" als Fundament der Kirche[364] umfaßt deshalb auch die von Christus verheißene "potestas" oder "potentia". Die so verstandene "soliditas" übertrug sich nach Meinung Leos auch auf die "haeredes" des Petrus, zu denen auch er selbst gehört. In diesem Text wird also die Übergabe der "soliditas" von Christus an Petrus mit "accipere" und von Petrus an seine Erben mit dem erbrechtlichen Terminus "transfundere"[365] ausgedrückt, wobei man implizit auch die besondere "dignitas" des Petrus und sein "consortium" mit Christus, also kurz gesagt, seine besondere Stellung als Gegenstand des "transfundere" ansehen darf. So betrachtet dient die Erbenqualifikation des Papstes im zweiten Satz zur Erklärung und auch Begründung des Gedankens von der Fortdauer[366] der petrinischen Stellung im ersten Satz. Wenn E. CASPAR deshalb feststellt: "Petrus, im ewigen 'consortium' der Gewalt mit Christus stehend, wird damit tatsächlich - wenn auch natürlich nicht dogmatisch - in eine ähnliche Stellung gerückt, wie sie Christus selbst ... innehat"[367], so gilt dies nach den Prinzipien des römischen Erbrechts im gleichen Sinn auch vom Papst, dem "heres Petri".

10,1: "qui ausus fuisset a Petri soliditate recedere ... ut aeterni templi aedificatio ... in Petri soliditate consisteret" (PL 54,629AB); SIRIC., ep. 1,3: "ab apostolicae petrae ... soliditate divelli" (PL 13,1336A).

364) Ep. 5,2 (A. 341); dazu LUDWIG 89.

365) Mit "hereditas" als Objekt (HEUMANN 591; vgl. ULLMANN, Leo I 39 Anm. 3).

366) Vgl. "non desinit et indeficiens".

367) Papstgeschichte 1,428. Vgl. außerdem oben A. 362. Vor dem Hintergrund dieser antiken "Identifikationstheorie" (Christus-Petrus-Papst) kann man sich dann auch leichter das Entstehen von Sätzen erklären, wie etwa: "Die Unfehlbarkeit des Papstes ist die Unfehlbarkeit Jesu Christi selbst." "Wenn der Papst denkt, so ist es Gott, der in ihm denkt." (aus der Unfehlbarkeitsdebatte des 19.Jh.; zit. nach H.KÜNG, Unfehlbar? Eine Anfrage, Zürich-Einsiedeln-Köln 1970, 79).

ZUSAMMENFASSUNG:

In Anbetracht der Querverbindungen, die schon jeweils an Ort und Stelle herzustellen waren, erübrigt es sich hier am Schluß des Kapitels über die Sicht der Päpste als Erben Petri, nochmals auf Gemeinsamkeiten oder Differenzierungen einzugehen. Der Ertrag für die Sicht des Papsttums liegt - abgesehen von den Hinweisen auf den Einfluß des zeitgenössischen Kaisertums und die bedeutsamen terminologischen Anleihen im römischen Bereich - in der Herausarbeitung des Begründungszusammenhangs für die - davon abgelöst betrachtet - oftmals unerklärliche oder, denkt man etwa an die Infallibilität, für viele anstoßerregende Stellung des Papstes. Dieser Begründungszusammenhang gewinnt seine konkrete Ausprägung in der vielfältig artikulierten Theorie von der Identität des Papstes mit Petrus und vor allem in dem damit zusammenhängenden Konzept, das, angeregt durch die damalige Umwelt, "cathedra Petri" und "potestas" von MT. 16,18f mit der "hereditas"-Terminologie verknüpft hat. Die "Virulenz" des so entstandenen "hereditas Petri"-Anspruchs läßt sich, wenn auch nur schlaglichtartig[368], vom 5. Jahrhundert über das Mittelalter bis in die Gegenwart verfolgen. Gleichzeitig

---

368) PSEUDO-ISIDOR (9.Jh.): "Atque hoc privilegium beato clavigero Petro sua vice solummodo commisit. Quod eius iuste praerogativum successit sedi, futuris hereditandum atque tenendum temporibus, quoniam et inter beatissimos apostolos fuit quaedam discretio potestatis ..." (zit. nach ULLMANN,"Epistola Clementis" 312 Anm. 3, jedoch fälschlich "futurus");Papst NIKOLAUS I. (9.Jh.): "Ehrerbietung wird Gott in seinem Apostel erwiesen, der uns als dessen Erben und Nachfolger eingesetzt hat" (zit. nach ULLMANN, Die Machtstellung 286); EKKEHARD VON AURA (12.Jh.): "... Clementem vero, Petro ipso tradente, legitimo iure successisse, et idcirco eum a quibusdam primum papam vocatum, quia velut hereditario iure ligandi solvendique a Petro accepisse dicitur pontificatum ..." (zit. nach ULLMANN, "Epistola Clementis" 304 Anm. 7, ohne Kursivschrift); BERNHARD VON CLAIRVAUX (12.Jh): "Eis tu successisti in haereditatem. Ita tu haeres, et orbis haereditas" (zit. nach ULLMANN, Leo I 47 Anm. 1); vgl. zu dieser Stelle oben § 12. - Weitere Belege zum Nachwirken der "hereditas Petri" A. 3; 191; 295; 342; 348.

bildet diese "hereditas Petri"-Terminologie auch den Höhe -
punkt in der Anwendung der "hereditas"-Terminologie auf Tradition und Sukzession, insofern wir hier eine besonders enge
Anlehnung an die Prinzipien des römischen Erbrechts vorfanden, insofern es dabei um den stark juristischen Kontext von
Amts- und Rechtsstellung ging und insofern wir es hier haupt-
sächlich mit Rechtsansprüchen zu tun hatten, die sich in
einer "Selbsttitulatur" artikulierten.

Dabei fällt die in gewisser Weise doppelte Sukzession[369],
in die jeder Papst eintritt - dadurch, daß er als "heres Petri" in der direkten Nachfolge Petri steht[370] und doch auch
das Erbe seines Vorgängers zu übernehmen hat[371] - besonders
ins Auge, wenn man in kürzester Zeit Ende bzw. Beginn des
Pontifikats dreier Päpste miterlebt. In diesem Sinn begründet auch Papst JOHANNES PAUL II. selbst die Wahl seines Namens, indem er bekundet, daß er "das reiche Erbe der letzten
Pontifikate antreten" und gleichzeitig "mit der gesamten
Tradition dieses apostolischen Bischofssitzes verbunden...
an jene Folge der Sendung und des Dienstes" anknüpfen wolle,
"die dem Sitz des Petrus seine einzigartige Stellung in der
Kirche verleiht."[372]

---

369) Vgl. oben S. 344f.

370) Beachte die Zählung: Papst Johannes Paul II. = 264.Nachfolger Petri.

371) Vgl. die Abfolge der Papstnamen: Johannes XXIII.; Paul VI.; Johannes Paul I.; Johannes Paul II.; dazu A. 372.

372) Enzyklika"Redemptor Hominis" I/2f(Verlautbarungen des Apostolischen
Stuhls Nr.6, hrsg.v.Sekretariat der Deutschen Bischofskonferenz,
4.März 1979, S.5). Vgl. auch: "Ich habe dieselben Namen gewählt wie
mein hochverehrter Vorgänger Johannes Paul I. ...Durch diese Wahl
nach dem Beispiel meines verehrten Vorgängers möchte ich wie er meine Liebe zu dem einzigartigen Erbe bekunden, das die beiden Päpste
Johannes XXIII. und Paul VI. der Kirche hinterlassen haben, und
mich zugleich persönlich bereit erklären, es mit der Hilfe Gottes
weiterzuentwickeln. Durch diese zwei Namen und die beiden Pontifikate bin ich mit der gesamten Tradition dieses apostolischen Bi -
schofssitzes verbunden, mit allen Vorgängern im Verlauf des 20.Jahr-
hunderts und der voraufgehenden Jahrhunderte, und knüpfe so über die
verschiedenen Zeitperioden hin bis zur ältesten Zeit an jene Folge
der Sendung und des Dienstes an... ...das reiche Erbe der letzten
Pontifikate... . Dieses Erbe hat... tiefe Wurzeln geschlagen" (4-6).
Zu beachten ist auch die Überschrift von Kapitel I: "Das Erbe" (3).

SCHLUSSBEMERKUNGEN

Versucht man am Ende einer jahrelangen Beschäftigung mit
ein und derselben Thematik kurz noch einmal den Ertrag einer
solchen Untersuchung zu skizzieren, so drängt sich einerseits nur jene grundsätzliche Aussage auf, die schon ganz
am Anfang als Hypothese diese Beschäftigung anstieß und die
auch den Titel und das gemeinsame Band all dieser Interpretationen bildet, andererseits aber konkretisierte sich dieses Phänomen einer erbmäßigen Sicht von Tradition und Sukzession in so vielfältigen Formen und Situationen[1], daß an
dieser Stelle nur noch einige pauschale, aber m.E. w e -
s e n t l i c h e P u n k t e zu nennen sind:

1. Bei der Rezeption erbrechtlicher Kategorien zur Interpretation christlicher Tradition und Sukzession handelt es
   sich um die Übernahme von Terminologie u n d Vorstellungen, allerdings mit sehr unterschiedlicher Akzentuierung.

2. Die Untersuchungen zu den lateinischen Vätern, die sich
   primär an der Terminologie orientierten, stießen auf eine
   vielfältige Präsenz biblischer Erbthematik, die aber
   trotz ihrer Uminterpretation durch Rechtsanschauungen der
   Umwelt für unsere spezielle Thematik nicht von zentraler
   Bedeutung ist[2].

3. Dabei zeigte sich freilich bereits die juristische Denkweise und Kompetenz zahlreicher Väter, so daß die Verwendung der römisch geprägten "hereditas"-Terminologie zur

---

1) Vgl. dazu auch bes. die Zusammenfassungen am Schluß der einzelnen Kapitel und die zahlreichen Querverweise in den Anmerkungen.

2) Dies deckt sich auch mit der Aussage bei W.ULLMANN, Leo I and the theme
of papal primacy, in: JThS N.S. 11 (1960) 25-51: "Of course, 'haeres'
and 'haereditas' and its underlying idea could be found in the Bible,
but it seems that there it is used either in the concrete and untech-
nical sense (O.T.) or in a sacramental-pneumatic connotation (es-
pecially in the Pauline letters). Nowhere can be found a biblical use
of the term that would deal with the juristic succession into the
powers and office of someone else." (41 Anm. 1).

Kennzeichnung ihrer Sicht von Glaubensüberlieferung und
Amtsnachfolge in diesem Gesamtzusammenhang zu würdigen
ist und auch durch die Kongruenz mit verschiedenen alttestamentlichen Vorstellungen erleichtert wurde.

4. Die auf Grund der Auseinandersetzungen mit der "Häresie"
   notwendige Definition des Glaubens führte zu einer Betonung des Inhalts im Sinn einer philosophischen Lehre, d.h.
   zu einer Vergegenständlichung, und machte die Sicherung
   der Lehr-Überlieferung durch eine gesicherte Abfolge von
   Amtsträgern nötig.

5. Wie diese massive, kontroverstheologisch motivierte Ak-
   zentverschiebung im Glaubensverständnis auch durch den
   Einfluß der philosophischen Schulen und ihrer Praktiken
   und nicht zuletzt durch die offensive, missionarische Auseinandersetzung mit ihnen vorangetrieben wurde, so machte sich auch in der Art der Nachfolge-Sicherung im kirchlichen Amt dieser Einfluß bemerkbar, allerdings zunehmend
   überlagert von den Einflüssen der römischen Beamtenstruktur und des kaiserlichen Amtes.

6. So kam es einerseits zur Bezeichnung des Glaubens (fides)
   als "Erbgut" (hereditas) mit all den Implikationen, die
   sich für einen römisch und juristisch denkenden Menschen
   daraus ableiteten.

7. Andererseits wurde diese "hereditas", sei sie nun die der
   Patriarchen, der Apostel oder die des Konzils von Nikaia,
   den Häretikern und Schismatikern abgesprochen und deren
   "Enterbung" konstatiert.

8. Waren letztere auch "enterbt" bezüglich des wahren, das
   Heil verbürgenden Glaubensgutes, so ordnete man sie dennoch - mit dem Ziel einer Disqualifizierung - einer von
   Erzketzern anhebenden Erbfolge des Unheils und des Unglaubens, einer Pseudo-Sukzession bzw. einem Ketzerstammbaum, zu.

9. Neben den Faktoren der antiken Philosophenschulen, des
   römischen Beamtentums und dem Stellenwert des Erbrechts
   im römischen Bereich allgemein ist auch das Faktum der
   ebenfalls vom römischen dynastischen Prinzip forcierten,
   tatsächlichen Vererbung kirchlicher Ämter zum Verständnis der Anwendung der "hereditas"-Terminologie auf die
   Sukzession der Bischöfe unerläßlich.

10. Dabei ist trotz des parallelen Bestehens von tatsächli-
    cher Vererbung kirchlicher Ämter und der Interpretation
    bischöflicher Sukzession im Sinne einer Erbfolge eine
    Art Umformung der materiellen Vererbung in geistige Ver-
    erbung zu bemerken, was vor allem aus verschiedenen kri-
    tischen Argumenten gegen das dynastische Prinzip hervor-
    geht.

11. Allerdings liegt die eigentliche Zielsetzung des Konzepts
    von einer "hereditas episcoporum" in der Ausgestaltung
    einer erbmäßigen, gleichzeitig das Erbgut sichernden und
    die Vollmacht des Ursprungs wahrenden Abfolge der Bi-
    schöfe von den Aposteln her. Daneben sprechen die Väter
    aber auch von einer "hereditas" bzw. einer "heres"-Stel-
    lung bezogen auf unmittelbare Amtsvorgänger, so daß hier
    also sehr wohl der Gedanke von Punkt 10 mitspielen könn-
    te.

12. Trotz der Verbindungslinie, die sich durch den Gedanken
    der Vollmacht der Bischöfe als Erben der Apostel nahe-
    legt, bleibt die juristische Valenz und die Tragweite der
    Sicht der Päpste als "Erben Petri" beispiellos. Der zen-
    trale Gedanke vom Fortleben des Erblassers in seinem Er-
    ben bzw. vom unveränderlichen Fortbestehen seiner Amts-
    bzw. Rechtsposition in seinem Erben läßt die Bezeichnung
    des Papstes als "heres Petri" als die letzte Aufgipfelung
    der Übertragung der "hereditas"-Terminologie auf Tradi-
    tion und Sukzession erscheinen und auch ein erhellendes
    Licht auf die beanspruchte Unfehlbarkeit dieses "heres
    Petri" fallen. Schließlich läßt sich aus der Benennung

des Petrus als "princeps apostolorum" der Einfluß des römischen Erbprinzipats erahnen.

Gerade dieser Gedanke bildet einen jener Ansatzpunkte,
die sich in w e i t e r e n U n t e r s u c h u n g e n
noch besser verfolgen ließen. Liegt er doch im Schnittpunkt
jener unauflöslichen Verflechtung von Römertum und früher
Kirche, die noch viel stärker als bisher geschehen von der
sprachlichen Analyse her angegangen werden sollte. Erst auf
dem Wege einschlägiger Spezialuntersuchungen und Vergleiche
wäre hinreichende Klarheit über solche Zusammenhänge zu gewinnen, wie sie sich im Verlauf der Betrachtung der "hereditas"-Terminologie beiläufig und meist nur hypothetisch da
und dort ergaben. Auch der Stellenwert der "hereditas"-Ter-
minologie selber könnte bei einer besseren lexikalischen Ausgangslage bzw. bei einer bewußten, stärkeren Einschränkung
des Untersuchungsbereichs noch genauer erarbeitet werden.
Als notwendige Ergänzung käme noch der Einfluß des Erbgedankens auf Tradition und Sukzession in der Folgezeit bis
ins Mittelalter und im griechischen Bereich hinzu. Weitere
Desiderate ergäben sich, wollte man die primär historisch-
philologische Betrachtungsweise ergänzen durch eine noch
stärker theologisch akzentuierte Behandlung der Auswirkungen des "hereditas"-Prinzips auf das Verständnis von Glaube
und Amt bis in die Gegenwart, wo man die immer gleichbleibenden Anliegen der Apostolizität und der Ursprungstreue
eher durch andere Kategorien zu realisieren versucht. Hierbei träte dann sicher das Moment der Wertung stärker in den
Vordergrund, als es in den vorliegenden Untersuchungen der
Fall ist, die sich bewußt eng an den sprachlichen Befund halten zu müssen glaubten, auch auf die Gefahr hin, durch diese "Strenge des Begriffs" etwas trocken zu wirken. Ebenfalls
bedingt durch die in der Einleitung gestreifte Ausgangsposi-
tion und Forschungslage mögen einige leitende Gedanken in
manchen Punkten überakzentuiert, vielleicht sogar der eine
oder andere Text überinterpretiert erscheinen; weniger auf

die "hereditas" fixierte Interpreten werden das aber wohl
zurechtrücken.

Trotzdem wird der Mensch, von M. HEIDEGGER interpretiert
als "Dasein", ihm selbst und seinem Seinkönnen überantwortet,
aber doch als "In-der-Welt-sein"[3], nicht auskommen ohne die
"Entschlossenheit", die "die jeweiligen faktischen Möglichkeiten eigentlichen Existierens aus dem Erbe, das sie als ge-
worfene übernimmt"[4], erschließt. Um so weniger wird er dies
als Christ, für den die "Möglichkeiten eigentlichen Existierens" sich herleiten aus jener konstitutiven Zeit der Offenbarung, in der das Heil ein für allemal Ereignis geworden
ist. Um die Frage der A n t e i l h a b e an diesem in der
V e r g a n g e n h e i t bereits ereigneten Heil, um seine
"Zu-" und "An-Eignung" also, geht es bei der Bewahrung der
Ursprungstreue und der Kontinuität der Vollmacht. Diesem Anliegen dienen Tradition und Sukzession, die Weitergabe des
Glaubensgutes und die rechtmäßige Abfolge der Amtsträger.
Funktionalen Charakter besitzt also auch die Interpretation
von Tradition und Sukzession als "Erbgut" und "Erbfolge".
Erst die Mißachtung dieses Charakters und die Überbetonung
dieses (funktionalen) Prinzips, das sich in der Geschichte
der Kirche oftmals zum Selbstzweck zu verselbständigen droh-
te, und die lange währende Ausblendung der korrespondierenden Frage nach der A n t e i l h a b e am z u k ü n f -
t i g sich vollendenden Heil, dem der biblisch-eschatolo-
gische Erbgedanke einst diente, hatten zur Folge, daß der
Erbgedanke - in der von uns skizzierten Anwendung - in Miß-
kredit und Vergessenheit geriet. Diese Vergessenheit muß um

---

3) Sein und Zeit (Tübingen 1967[11]) 383.

4) A.a.O. 383. Vgl. die Fortsetzung: "Das entschlossene Zurückkommen auf
die Geworfenheit birgt ein Sichüberliefern überkommener Möglichkeiten
in sich, obzwar nicht notwendig als überkommener. Wenn alles 'Gute'
Erbschaft ist und der Charakter der 'Güte' in der Ermöglichung eigent-
licher Existenz liegt, dann konstituiert sich in der Entschlossenheit
je das Überliefern eines Erbes." (383f).

so größer sein in einer Zeit, in der viele Zeitgenossen den
eigentlichen Sinn eines "con-servare" nicht mehr kennen.

- 423 -

LITERATURVERZEICHNIS (in Auswahl; vgl. Register 2)

1. Ausgaben und Quellen

Vorbemerkung: Es sind nur die Titel aufgenommen, die in den Anmerkungen unzureichend aufgeführt sind und sich nicht aus dem LThK² ermitteln lassen.

GOODSPEED, E.J., Die ältesten Apologeten. Texte mit kurzen Einleitungen (Göttingen 1914).

HARVEY, W.W., Sancti Irenaei libri quinque adversus Haereses, t. 1/2 (Cantabrigiae 1857).

HOHL, E., Scriptores historiae Augustae, Vol. 1/2 (Leipzig 1965-1971).

KRÜGER, P., Corpus iuris civilis: Codex Iustinianus (Berolini 1875).

KRÜGER, P. - MOMMSEN, TH., Digesta Iustiniani Augusti, Vol. 1/2 (Berlin 1962/63²).

MOMMSEN, TH., Theodosiani libri XVI cum constitutionibus Sirmondianis, Vol. I 1/2 (Berlin 1962³).

MYNORS, R.A.B., XII Panegyrici Latini (Oxonii 1964).

RAHNER, K. - VORGRIMLER, H., Kleines Konzilskompendium. Sämtliche Texte des Zweiten Vatikanums mit Einführungen und ausführlichem Sachregister (Freiburg-Basel-Wien 1972⁸).

RAUSCHEN, G., Vincenti Lerinensis commonitoria (FlorPatr 5) (Bonn 1906).

REFOULE, R.F., Tertullien. Traité de la prescription contre les hérétiques (Introduction, texte critique et notes; trad. de P. de Labriolle) (= SourcesChr 46) (Paris 1957).

SEECK,O., Q. Aurelii Symmachi quae supersunt (MG Auct.ant. VI 1) (Berlin 1883).

WEBER, R., Biblia Sacra iuxta Vulgatam versionem, t. 1/2 (Stuttgart 1969).

2. Handbücher und Lexika

Vorbemerkung: Titel, die in Stichwort-Bezeichnung und Auflage bzw. in ihrer Abkürzung mit den Angaben des LThK² übereinstimmen, sind in der Regel nicht aufgeführt. Ebenso bleiben die bereits in den Anmerkungen voll angeführten Titel unerwähnt. Vgl. ansonsten auch das Abkürzungsverzeichnis.

ALTANER, B. - STUIBER, A., Patrologie. Leben, Schriften und Lehre der Kirchenväter (Freiburg-Basel-Wien 1966⁷).

BAUER, W., Griechisch - Deutsches Wörterbuch zu den Schriften des Neuen Testaments und der übrigen urchristlichen Literatur (Berlin 1958⁵).

BLAISE, A., Dictionnaire latin-français des auteurs chrétiens (Straß-burg 1954).

BOISACQ, E., Dictionnaire éthymologique de la langue Grecque étudiée dans ses rapports avec les autres langues indo-européennes (Paris-Heidelberg 1907).

CASPAR, E., Geschichte des Papsttums von den Anfängen bis zur Höhe der Weltherrschaft, 2 Bde. (Tübingen 1930-33).

CLAESSON, G., Index Tertullianus,Vol. 2 (Paris 1974/75).

CREMER, H., Biblisch-Theologisches Wörterbuch des neutestamentlichen Griechisch, hrsg. v. J.Kögel (Stuttgart-Gotha 1923[11]).

DAREMBERG, CH., - SAGLIO, M.E., Dictionnaire des Antiquités Grecques et Romaines, 5 Bde. (Paris 1877-1919).

GEORGES, K.E. Ausführliches Lateinisch-Deutsches Handwörterbuch, 2 Bde. (Hannover 1969[12]).

HAAG, H., Bibel-Lexikon (Einsiedeln-Zürich-Köln 1968[2]).

KASER, M., Das römische Privatrecht, 2 Bde. (HbAW III 3) (München 1955/59).

LATTE, K., Römische Religionsgeschichte (HbAW V 4) (München 1960).

MOMMSEN, TH., Römisches Staatsrecht, 3 Bde. (Basel 1952[4]; Nachdr. d. Aufl. 1887[3]).

PAPE, W., Griechisch-Deutsches Handwörterbuch, 2 Bde. (Graz 1954).

QUASTEN, J., Patrology, Vol. 3 (Utrecht-Brüssel 1953).

SEPPELT, F.X., Geschichte der Päpste von den Anfängen bis zur Mitte des 20.Jahrhunderts, 5 Bde. (München 1954ff).

3. Monographien und Spezialuntersuchungen

ABRAHAMIAN, A., Die Grundlagen des armenischen Kirchenrechts (Diss. Zürich 1917).

ACHELIS, H., Das Christentum in den ersten drei Jahrhunderten,Bd. 2 (Leipzig 1912).

ADAM, K., Neue Untersuchungen über die Ursprünge der kirchlichen Primatslehre, in: ThQ 109 (1928) 161-256.

ALBERTARIO, E., "Sepulchra familiaria" e "sepulchra hereditaria", in: Filangieri 35 (1910) 492-506.

ALTENDORF, E., Einheit und Heiligkeit der Kirche. Untersuchungen zur Entwicklung des altchristlichen Kirchenbegriffs im Abendland von Tertullian bis zu den antidonatistischen Schriften Augustins (Arbeiten zur Kirchengesch. 20) (Berlin-Leipzig 1932).

AMBROSINO, R., In iure cessio hereditatis. Spunti per la valutazione della "hereditas", in: Studia et documenta historiae et iuris 10 (1944) 1-100.

AMBROSINO, R., Successio in ius - Successio in locum - Successio, in: Studia et documenta historiae et iuris 11 (1945) 65-192.

ANDRESEN, C., Die Kirchen der alten Christenheit (Stuttgart-Berlin-Köln-Mainz 1971).

ANTON, H.H., Kaiserliches Selbstverständnis in der Religionsgesetzgebung der Spätantike und päpstliche Herrschaftsinterpretation im 5.Jahrhundert, in: ZKG 88 (1977) 38-84.

BACHER, W., Tradition und Tradenten in den Schulen Palästinas und Babyloniens. Studien und Materialien zur Entstehungsgeschichte des Talmuds (Leipzig 1914).

BAKHUIZEN VAN DEN BRINK, J.N., Traditio im theologischen Sinne, in: VigChr 13 (1959) 65-86.

BATIFFOL, P., Petrus initium episcopatus, in: RevSR 4 (1924) 440-453.

BATIFFOL, P., "Princeps apostolorum", in: RSR 18 (1928) 31-59.

BATIFFOL, P., Cathedra Petri. Etudes d'Histoire ancienne de l'Eglise (Unam Sanctam 4) (Paris 1938).

BAUER, W., Rechtgläubigkeit und Ketzerei im ältesten Christentum (BHTh 10) (Tübingen 1934/1964^2).

BAUMSTARK, A., Konstantin, der "Apostelgleiche", und das Kirchengesangbuch des Severus von Antiocheia, in: Konstantin der Große und seine Zeit, hrsg. v. F.J.Dölger (RQ Suppl. 19) (Freiburg 1913) 248-254.

BAUNARD, A., Geschichte des heiligen Ambrosius (übersetzt von Joh.Bittl) (Freiburg 1873).

BAUS, K., Wesen und Funktion der apostolischen Sukzession in der Sicht des heiligen Augustinus, in: Ekklesia. Festschrift f. Bischof Dr. M. Wehr (Trierer theol. Studien 15) (Trier 1962) 137-148.

BECK, A., Römisches Recht bei Tertullian und Cyprian. Eine Studie zur frühen Kirchenrechtsgeschichte (Schriften der Königsberger gelehrten Gesellschaft. Geisteswissenschaftl. Klasse Jahr 7 Heft 2) (Halle/Neudr. Aalen 1967).

BECKER, C., Fides, in: RAC 7,801-839.

BEHM, J., Die Handauflegung im Urchristentum in religionsgeschichtlichem Zusammenhang untersucht (Naumburg 1911).

BENEDEN, P.v., Ordo. Über den Ursprung einer kirchlichen Terminologie, in: VigChr 23 (1969) 161-176.

BENEDEN, P.v., Aux origines d'une terminologie sacramentelle. Ordo, ordinare, ordinatio dans la littérature chrétienne avant 313 (SSL 38) (Louvain 1974).

BERANGER, J., L'Hérédité du Principat. Note sur la transmission du pouvoir impérial aux deux premiers siècles, in: RÉL 17 (1939) 171-187.

BERANGER, J., Recherches sur l'aspect idéologique du principat (Schweizerische Beiträge zur Altertumswissenschaft 6) (Basel 1953).

BERKHOF, H., Kirche und Kaiser. Eine Untersuchung der Entstehung der byzantinischen und der theokratischen Staatsauffassung im vierten Jahrhundert (Zollikon-Zürich 1947).

BETTI, U., La perpetuità del Primato di Pietro nei Romani Pontefici secondo il Concilio Vaticano, in: Divinitas 3 (1959) 95-143.

BETZ, J., Christus - petra - Petrus, in: Kirche und Überlieferung, hrsg. v. J.Betz u. H.Fries (Freiburg-Basel-Wien 1960) 1-21.

BEUMER, J., Das katholische Traditionsprinzip in seiner heute neu erkannten Problematik, in: Scholastik 36 (1961) 217-240.

BEYENKA, M.M., Saint Ambrose: Letters (The Fathers of the Church, Vol. 26) (Washington 1967/Reprint.).

BEYSCHLAG, K., Simon Magus und die christliche Gnosis (WUNT 16) (Tübingen 1974).

BIEMER, G., Überlieferung und Offenbarung. Die Lehre von der Tradition nach John Henry Newman (Freiburg-Basel-Wien 1961).

BLUM, G.G., Tradition und Sukzession. Studien zum Normbegriff des Apostolischen von Paulus bis Irenäus (Arbeiten zur Geschichte u. Theologie des Luthertums Bd. 9) (Berlin-Hamburg 1963).

BLUM, G.G., Der Begriff des Apostolischen im theologischen Denken Tertullians, in: KuD 9 (1963) 102-121.

BODIN, Y., Saint Jérôme et l'église (Theologie historique 6) (Paris 1966).

BONAMENTE, G., "Fidei commissum" e trasmissione del potere nel "De obitu Theodosii" di Ambrogio, in: Vetera Christianorum 14 (1977) 273-280.

BONFANTE, P., L'origine dell' "Hereditas" e dei "Legata", in: Scritti giuridici varii I (Torino 1916) 101-151.

BONFANTE, P., La "successio in universum ius" e l'"universitas", in: Scritti giuridici varii I (Torino 1916) 250-306.

BONNARDIÈRE, A. M. LA, "Tu es petrus". La péricope "Matthieu 16, 13-23" dans l'oeuvre de Saint Augustin, in: Irenikon 34 (1961) 451-499.

BORCHARDT, C.F.A., Hilary of Poitiers' Role in the Arian Struggle (Kerkhistorische Studien 12) ('S-Gravenhage 1966).

BORN, A. van den, Erben, in: HAAG 406-408.

BORTOLUCCI, G., La Hereditas come Universitas: Il dogma della successione nella personalità giuridica del defunto, in: Atti del Congresso Internazionale di Diritto Romano, Vol I 1 (Pavia 1934) 431-448.

BRAUN, J., Die liturgische Gewandung im Occident und Orient. Nach Ursprung und Entwicklung, Verwendung und Symbolik (Darmstadt 1964; reprogr. Nachdr. d. Ausg. Freiburg 1907).

BRAUN, R. "Deus Christianorum". Recherches sur le vocabulaire doctrinal de Tertullien (Paris 1962).

BOUSSET, W., Der Antichrist in der Überlieferung des Judenthums, des neuen Testaments und der alten Kirche (Göttingen 1895).

BROGLIE, M.A. de, Saint Ambroise (340-397) (Les Saints 14) (Paris 1899).

BROK, M.F.A., Het conflict tusschen Sint Ambrosius en keizerin Justina, in: Historisch Tijdschrift 18 (1939) 17-35.

BROX, N., Zur Berufung auf "Väter" des Glaubens, in: Heuresis. Festschrift f. A.Rohracher, hrsg. v. Th.Michels (Salzburg 1969) 42-67.

BRUCK, E.F., Kirchenväter und soziales Erbrecht. Wanderungen religiöser Ideen durch die Rechte der östlichen und westlichen Welt (Berlin-Göttingen-Heidelberg 1956).

BRUNETIÈRE, F. - LABRIOLLE, P.de, Saint Vincent de Lérins (Paris 1906).

BURCKHARD, H., Zu Cicero de legibus 2, 19-21, in: ZSavRGrom 9 (1888) 286-330.

CAMPENHAUSEN, H.Frhr.v., Ambrosius von Mailand als Kirchenpolitiker (Arbeiten zur Kirchengeschichte 12) (Berlin-Leipzig 1929).

CAMPENHAUSEN, H.Frhr.v., Die Nachfolge des Jakobus. Zur Frage eines urchristlichen "Kalifats", in: ZKG 63 (1950) 133-144.

CAMPENHAUSEN, H.v., Lehrerreihen und Bischofsreihen im 2.Jahrhundert, in: In memoriam E.Lohmeyer, hrsg. v. W.Schmauch (Stuttgart 1951) 240-249.

CAMPENHAUSEN, H.Frhr.v., Kirchliches Amt und geistliche Vollmacht in den ersten drei Jahrhunderten (BHTh 14) (Tübingen 1963[2]).

CAMPENHAUSEN, H.Frhr.v., Ursprung und Bedeutung der christlichen Tradition, in: Im Lichte der Reformation VIII (1965) 25-45.

CARCOPINO, J., L'hérédité dynastique chez les Antonins, in: RÉA 51 (1949) 262-321.

CASPAR, E., Die älteste römische Bischofsliste. Kritische Studien zum Formproblem des eusebianischen Kanons sowie zur Geschichte der ältesten Bischofslisten und ihrer Entstehung aus apostolischen Sukzessionsreihen (Schriften der Königsberger gelehrten Gesellschaft, Geisteswiss. Kl. Jg. 2) (Berlin 1926) 207-472 (I - VIII, [1] - [258]).

CASPAR, E., Die älteste römische Bischofsliste, in: Papsttum und Kaisertum, Paul Kehr zum 65. Geburtstag, hrsg. v. A.Brackmann (München-Tübingen 1926) 1-22.

CASPAR, E., Primatus Petri. Eine philologisch-historische Untersuchung über die Ursprünge der Primatslehre, in: ZSavRGrom 47 (1927) 253-331.

CHADWICK, H., Die Kirche in der antiken Welt (Göschen Bd. 7002) (Berlin-New-York 1972).

CITTERIO, B., Sulla interpretazione di un passo Ambrosiano riguardante il primato di S.Pietro, in: SC 68 (1940) 491-495.

CONGAR, Y.M.J., Composantes et idée de la Succession Apostolique, in: Oecumenica (1966) 61-80.

CONGAR, Y.M.J., Die Normen für die Ursprungstreue und Identität der Kirche im Verlauf ihrer Geschichte, in: Concilium 9 (1973) 156-163.

CONRAT, M., Das Erbrecht im Galaterbrief (3,15-4,7), in: ZNW 5 (1904) 204-227.

COPPENS, J., L'imposition des mains et les rites connexes dans le Nouveau Testament et dans l'église ancienne (Paris 1925).

CORTI, G., Pietro, fondamento e pastore perenne della Chiesa, in: SC 84 (1956) 321-335; 427-450; 85 (1957) 25-58.

CROUZEL, H., Le célibat et la continence dans l'Eglise primitive: leurs motivations, in: Sacerdoce et célibat. Etudes historiques et théologiques, hrsg. v. J.Coppens (Bibliotheca Ephemeridum Theologicarum Lovaniensium 28) (Gembloux-Louvain 1971) 333-371.

DASSMANN, E., Die Frömmigkeit des Kirchenvaters Ambrosius von Mailand (Münster 1965).

DENEFFE, A., Der Traditionsbegriff. Studie zur Theologie (MBTh 18) (Münster 1931).

DERRETT, J.D.M., Law in the New Testament (London 1970).

DÖLGER, F.J., Sphragis. Eine altchristliche Taufbezeichnung in ihren Beziehungen zur profanen und religiösen Kultur des Altertums (Studien z. Geschichte u. Kultur des Altertums 5.Bd. 3./4.H.) (Paderborn 1911/ Reprint. 1967).

DÖLGER, F.J., "Nihil innovetur nisi quod traditum est." Ein Grundsatz der Kulttradition in der römischen Kirche, in: AuC 1 (1929) 79f.

DÖLLINGER, J.J.I., Heidenthum und Judenthum. Vorhalle zur Geschichte des Christentums (Regensburg 1857).

DOIGNON, J., Hilaire de Poitiers avant l'exil. Recherches sur la naissance, l'enseignement et l'épreuve d'une foi épiscopale en Gaule au milieu du IVe siècle (Paris 1971).

DREYFUS, F., Le thème de l'héritage dans l'Ancien Testament, in: RSPhTh 42 (1958) 3-49.

DÖRIG, W., Disciplina. Eine Studie zum Bedeutungsumfang des Wortes in der Sprache der Liturgie und der Väter, in: SE 4 (1952) 245-279.

DÖRIG, W., Dignitas, in RAC 3,1024-1035.

DUDDEN, F.H., The life and times of St.Ambrose, Vol. 1/2 (Oxford 1935).

DURENGUES, A., Le Livre de Saint Phébade "Contre les Ariens" (Agen 1927).

DUVAL, Y.-M., La "manoeuvre frauduleuse" de Rimini. A la recherche du 'Liber adversus Ursacium et Valentem', in: Hilaire et son temps. Actes du Colloque de Poitiers 29 sept.-3 octobre (Paris 1969) 51-103.

EGER, O., Rechtswörter und Rechtsbilder in den paulinischen Briefen, in: ZNW 18 (1917/18) 84-108.

EGER, O., Rechtsgeschichtliches zum Neuen Testament (Rektoratsprogramm der Universität Basel für das Jahr 1918) (Basel 1919).

EHRHARDT, A.A.T., The Apostolic Succession in the first two centuries of the Church (London 1953).

EHRHARDT, A.A.T., Politische Metaphysik von Solon bis Augustin, 2 Bde. (Tübingen 1959).

ERCOLE, G.d', Communio interecclesiastica e valutazione giuridica del Primato del Vescovo di Roma nelle testimonianze patristiche dei primi tre secoli, in: Apollinaris 35 (1962) 25-75.

ERCOLE, G.d', Communio - collegialità - primato e sollicitudo omnium ecclesiarum dai Vangeli a Costantino (Roma 1964).

EWIG, E., Das Bild Constantins des Großen in den ersten Jahrhunderten des abendländischen Mittelalters, in: HJ 75 (1956) 1-46.

EYNDE, D.van den, Les Normes de L'enseignement Chrétien dans la littérature patristique des trois premiers siècles (Gembloux-Paris 1933).

FAVEZ, CH., L'inspiration chrétienne dans les "Consolations" de Saint Ambroise, in: REL 8 (1930) 82-91.

FEINE, H.E., Vom Fortleben des röm. Rechts in der Kirche, in: ZSavRGkan 42 (1956) 1-24.

FEINE, H.E., Kirchliche Rechtsgeschichte. Die katholische Kirche (Köln-Graz 1964⁴).

FINKENZELLER, J., Überlegungen zum Verständnis der apostolischen Nachfolge in der gegenwärtigen theologischen Diskussion, in: Ortskirche-Weltkirche. Festschrift f. Jul.Kard.Döpfner, hrsg. v. H.Fleckenstein - G. Schwaiger u.a. (Würzburg 1973) 325-356.

FLESSEMAN - VAN LEER, E., Tradition and Scripture in the Early Church (Assen 1953).

FOERSTER, W. - HERRMANN, J., κλῆρος (κτλ.), in: ThW 3,757-786.

FOHRER, G., Geschichte der israelitischen Religion (Berlin 1969).

FRAENKEL, E., fides, in: ThLL VI,1,661-691.

FRAENKEL, E., Zur Geschichte des Wortes "Fides", in: RhM 71 (1916) 187-199.

FRAENKEL, P., Histoire Sainte et Hérésie chez Saint Epiphane de Salamine d'après le tome I du Panaricn, in: RThPh 12 (1962) 175-191.

FRANK, K.S., Vita apostolica und dominus apostolicus. Zur altkirchlichen Apostelnachfolge, in: Konzil und Papst. Festgabe f. H.Tüchle, hrsg. v. G.Schwaiger (München-Paderborn-Wien 1975) 19-41.

FRIES, H. - PANNENBERG, W., Das Amt in der Kirche, in: Una sancta 25 (1970) 107-115.

FUHRMANN, R., Ahnengut in Römischen Familien (Diss. Halle/Saale 1938).

FUNK, F.X., Die Bischofswahl im christlichen Altertum und im Anfang des Mittelalters, in: Kirchengeschichtl.Abhandlungen u. Untersuchungen Bd. 1 (Paderborn 1897) 23-39.

GARIGLIO, A., Il commento al salmo 118 in S.Ambrogio e in S.Ilario, in: Atti della Accademia delle Scienze di Torino 90 (1955/56) 356-370.

GAUDEMET, J., La formation du droit séculier et du droit de l'église aux IVᵉ et Vᵉ siècles (Institut de droit romain de l'université de Paris 15)(Sirey 1957).

GEISELMANN, J.R., Jesus der Christus. Die Urform des apostolischen Kerygmas als Norm unserer Verkündigung und Theologie von Jesus Christus (Stuttgart 1951).

GELZER, H., Die Anfänge der armenischen Kirche, in: Berichte über die Verhandlungen der königlich sächsischen Gesellschaft der Wissenschaften zu Leipzig philol.-hist.Cl. (Leipzig 1896) 109-174.

GETZENY, H., Stil und Form der ältesten Papstbriefe bis auf Leo d. Großen. Ein Beitrag zur Geschichte des römischen Primats (Diss. Tübingen 1922).

GHELLINCK, J.de - BACKER, E.de, u.a., Pour l'histoire du mot "sacramentum" (SSL 3) (Louvain-Paris 1924).

GIGON, O., Grundprobleme der antiken Philosophie (Bern-München 1959).

GIRARD, P.F., Geschichte und System des römischen Rechtes, Bd. 1/2 (Berlin 1908).

GLUSCHKE, V., Die Unfehlbarkeit des Papstes bei Leo dem Großen und seinen Zeitgenossen, nach der Korrespondenz Leos in Sachen des Monophysitismus (Excerp. ex diss., Romae 1938).

GMELIN, U., Auctoritas. Römischer princeps und päpstlicher Primat (Diss. Berlin-Stuttgart 1936).

GÜLLER, E., Die Bischofswahl bei Origenes, in: Ehrengabe deutscher Wissenschaft, dem Prinzen Joh.Georg Herzog zu Sachsen, hrsg. v. F.Fessler (Freiburg 1920) 603-616.

GOMPERZ, TH., Die angebliche platonische Schulbibliothek und die Testamente der Philosophen, in: SB der Kaiserl. Akad. d. Wissenschaften philos.-hist. Class. 141 (1899) VII.Abhandl. (Wien 1899).

GOPPELT, L., Die apostolische und nachapostolische Zeit (Die Kirche in ihrer Geschichte 1,1) (Göttingen 1966²).

GOTTLIEB, G., Ambrosius von Mailand und Kaiser Gratian (Hypomnemata 40) (Göttingen 1973).

GRASMÜCK, E.L., Coercitio. Staat und Kirche im Donatistenstreit (Bonner hist. Forschungen Bd. 22) (Bonn 1964).

GREENSLADE, S.L., Schism in the Early Church (New York 1953).

GROSS, K., Die Unterpfänder der römischen Herrschaft (Neue deutsche Forschungen, Abtlg. Alte Geschichte Bd. 41) (Berlin 1935).

GROSS, K., Auctoritas - Maiorum exempla. Das Traditionsprinzip der hl. Regel, in: Studien und Mitteilungen zur Geschichte des Benediktiner-Ordens 58 (1940) 59-67.

GRÜTZMACHER, G., Hieronymus. Eine biographische Studie zur alten Kirchengeschichte, 3 Bde (Leipzig 1901/06/08; Neudr. Aalen 1969).

GRYSON, R., Le prêtre selon saint Ambroise (Univ.Cath.Lov. Diss. III,11) (Louvain 1968).

GRYSON, R., Les origines du célibat ecclésiastique du premier au septième siècle (Gembloux 1970).

GRYSON, R., Les élections ecclésiastiques au IIIᵉ siècle, in: RHE 68 (1973) 353-404.

GUMMERUS, J., Die homöusianische Partei bis zum Tode des Konstantius. (Ein Beitrag zur Geschichte des arianischen Streites in den Jahren 356-361) (Leipzig 1900).

GY, M., Bemerkungen zu den Bezeichnungen des Priestertums in der christlichen Frühzeit, in: Das apostolische Amt, hrsg. v. J.Guyot (Mainz
1961) 92-109.

HÄGERSTRÖM, A., Der römische Obligationsbegriff im Lichte der allgemeinen
römischen Rechtsanschauung Bd.2 (Uppsala 1941) Beilage 5 (84-173 innerh. d. Beil.) (=Skrifter utgivna av. K. Humanistiska Vetenskaps -
Samfundet i Uppsala 35).

HAERINGEN, J.H.van, De Valentiniano II et Ambrosio. Illustrantur et digeruntur res anno 386 gestae, in: Mnemosyne 5 (1937) 28-33; 229-240.

HALMEL, A., Über römisches Recht im Galaterbrief. Eine Untersuchung zur
Geschichte des Paulinismus (Essen 1895).

HAMMER, P.L., The Understanding of inheritance (KΛHPONOMÍA) in the New
Testament (Diss.masch. Heidelberg 1958).

HARNACK, A., Die Chronologie der altchristlichen Litteratur bis Eusebius
Bd. I (Leipzig 1897).

HARNACK, A., Die Mission und Ausbreitung des Christentums in den ersten
drei Jahrhunderten (Leipzig 1902).

HARNACK, A., Militia Christi. Die christliche Religion und der Soldatenstand in den ersten drei Jahrhunderten (Tübingen 1905).

HARNACK, A., Vicarii Christi vel dei bei Aponius. Ein Beitrag zur Ideengeschichte des Katholizismus, in: Delbrück-Festschrift (Berlin 1908)
37-46.

HARNACK, A., Entstehung und Entwicklung der Kirchenverfassung und des
Kirchenrechts in den zwei ersten Jahrhunderten (Leipzig 1910).

HARNACK, A.v., Der kirchengeschichtliche Ertrag der exegetischen Arbeiten
des Origenes (I. Teil: Hexateuch u. Richterbuch) (TU 42,3 bzw. III
12,3) (Leipzig 1918).

HARNACK, A.v., Marcion: Das Evangelium vom fremden Gott. Eine Monographie
zur Geschichte der Grundlegung der katholischen Kirche (Leipzig 1924[2]).

HARNACK, A.v., Ecclesia Petri propinqua. Zur Geschichte der Anfänge des
Primats des römischen Bischofs, in: SB phil.-hist.Kl. (Berlin 1927)
139-152).

HARNACK, A.v., Christus praesens - Vicarius Christi. Eine Kirchengeschichtliche Skizze, in: SB phil.-hist.Kl. (Berlin 1927) 415-446.

HARTKE, W. Römische Kinderkaiser. Eine Strukturanalyse römischen Denkens
und Daseins (Berlin 1951).

HAUSER, M., Der römische Begriff cura (Diss. Winterthur 1954).

HAUSER-MEURY, M.-M., Prosopographie zu den Schriften Gregors von Nazianz
(Theophaneia 13) (Bonn 1960).

HEBEIN, R.J., St. Ambrose and Roman Law (Diss. St.Louis University 1970).

HEFELE, C.J., Die Bischofs-Wahlen in den ersten christlichen Jahrhunderten, in: Beiträge zur Kirchengeschichte, Archäologie und Liturgik
Bd. 1 (Tübingen 1864) 140-144.

HEGGELBACHER, O., Vom römischen zum christlichen Recht. Juristische Elemente in den Schriften des sog. Ambrosiaster (Arbeiten aus dem Jur. Seminar der Univ. Freiburg Schweiz 19) (Freiburg 1959).

HEILER, F., Altkirchliche Autonomie und päpstlicher Zentralismus (München 1941).

HEINZE, R., Fides, in: Hermes 64 (1929) 140-166.

HERTLING, L., Communio und Primat. Kirche u. Papsttum in der christlichen Antike, in: Una Sancta 17 (1962) 91-125.

HERZ, M., Sacrum commercium. Eine begriffsgeschichtliche Studie zur Theologie der römischen Liturgiesprache (München 1958).

HILGENFELD, D.A., Die Ketzergeschichte des Urchristentums (Leipzig 1884).

HOLDER, K., Die Designation der Nachfolger durch die Päpste (Diss. Freiburg 1892).

HOLDER, K., Die Designation der Nachfolger durch die Päpste kirchenrechtlich untersucht, in: AkathKR 72 (1894) 409-433.

HONIG, R.M., Humanitas und Rhetorik in spätrömischen Kaisergesetzen (Studien zur Gesinnungsgrundlage des Dominats)(Göttinger Rechtswissenschaftl. Studien Bd. 30)(Göttingen 1960).

JANSSEN, H., Kultur und Sprache. Zur Geschichte der alten Kirche im Spiegel der Sprachentwicklung. Von Tertullian bis Cyprian (Latinitas Christianorum Primaeva 8) (Nijmegen 1938).

JAVIERRE, A.M., La primera "diadoché" de la Patristica y los "ellogimoi" de Clemente Romano. Datos para el problema de la Sucesión Apostolica (Biblioteca del "Salesianum" 40 [1958]).

JAVIERRE, A.M., Le thème de la succession des Apôtres dans la littérature chrétienne primitive, in: L'épiscopat et l'église universelle (Unam Sanctam 39), hrsg. v. Y.Congar u.a. (Paris 1962) 171-221.

JAVIERRE, A.M., El tema literario de la sucesión en el Judaismo, Helenismo y Cristianismo primitivo (Bibliotheca Theologica Salesiana I 1) (Zürich 1963).

JERG, E., Vir venerabilis. Untersuchungen zur Titulatur der Bischöfe in den außerkirchlichen Texten der Spätantike als Beitrag zur Deutung ihrer öffentlichen Stellung (Wiener Beiträge zur Theologie 26) (Wien 1970).

JOST, K., Das Beispiel und Vorbild der Vorfahren bei den attischen Rednern und Geschichtsschreibern bis Demosthenes (Diss. Regensburg 1935).

KARRER, O., Apostolische Nachfolge und Primat. Ihre biblischen Grundlagen im Licht der neueren Theologie, in: ZkTh 77 (1955) 129-168.

KASPER, W., Zur Frage der Anerkennung der Ämter in den lutherischen Kirchen, in: ThQ 151 (1971) 97-109.

KAUFFMANN, F., Aus der Schule des Wulfila (Texte und Untersuchungen zur altgermanischen.Religionsgeschichte I) (Strassburg 1899).

KELLY, J.N.D., Die Begriffe "Katholisch" und "Apostolisch" in den ersten Jahrhunderten, in: KuD Beiheft 2 (1971) 9-21.

KLAUSER, TH., Die Anfänge der römischen Bischofsliste, in: BZThS 8 (1931) 193-213.

KLAUSER, TH., Der Ursprung der bischöflichen Insignien und Ehrenrechte, (Bonner Akadem. Reden 1) (Krefeld 1953²).

KLAUSER, TH., Bischöfe auf dem Richterstuhl, in: JAC 5 (1962) 172-174.

KLAUSER, TH., Bischöfe als staatliche Prokuratoren im dritten Jahrhundert? in: JAC 14 (1971) 140-149.

KLEIN, K.K., Die Dissertatio Maximini als Quelle der Wulfilabiographie, in: Zeitschrift f. deutsches Altertum u. deutsche Literatur 83 (1951/52) 239-271.

KLEIN, K.K., Ist der Wulfilabiograph Auxentius von Durostorum identisch mit dem mailändischen Arianerbischof Auxentius Mercurinus?, in: BGDSL 74 (1952) 165-191.

KLEIN, K.K., Ambrosius von Mailand und der Gotenbischof Wulfila, in: Südostforschungen 22 (1963) 14-47.

KLINKENBERG, H.M., Papst Leo der Große. Römischer Primat und Reichskirchenrecht (Diss.masch. Köln 1950).

KLINKENBERG, H.M., Papsttum und Reichskirche bei Leo d. Gr., in: ZSavRGkan 38 (1952) 37-112.

KLOSE, F., Die Bedeutung von honos und honestus (Diss. Breslau 1933).

KNECHT, A., System des Justinianischen Kirchenvermögensrechtes (Kirchenrechtl.Abhandl. 22.Heft) (Stuttgart 1905).

KOCH, H., Cyprian und der römische Primat. Eine kirchen- und dogmengeschichtliche Studie (TU 35 H.1) (Leipzig 1910).

KOCH, H., Cathedra Petri. Neue Untersuchungen über die Anfänge der Primatslehre (Gießen 1930).

KÖHLER, W., Omnis ecclesia Petri propinqua. Versuch einer religionsgeschichtlichen Deutung: SB Heidelberg philos.-hist.Kl. (Heidelberg 1938).

KOEP, L., Bischofsliste, in: RAC 2,407-415.

KÖTTING, B., Der Zölibat in der alten Kirche (Schriften der Gesellschaft zur Förderung der Westfälischen Wilhelms-Universität zu Münster, H. 61) (Münster 1968).

KOHLMEYER, E., Zur Ideologie des ältesten Papsttums: Succession und Tradition, in: Studien und Kritiken zur Theologie (Festgabe f. D.F.Kattenbusch) 103 (1931), 2./3.Heft 230-243 (= 92] - 105]).

KORNHARDT, H., Beiträge aus der Thesaurus-Arbeit VI: hereditas, in: Philologus 95 (1943) 287-298.

KRELLER, H., Erbrechtliche Untersuchungen aufgrund der graeco-aegyptischen Papyrusurkunden (Leipzig 1915/19).

KRÜGER, G., Lucifer, Bischof von Calaris, und das Schisma der Luciferianer (Leipzig 1886/Reprogr. Hildesheim-New York 1969).

KÜBLER, B., Zu Cicero de legibus 2, 19-21, in: ZSavRGrom 11 (1890) 37-45.

KÜNG, H., Unfehlbar? Eine Anfrage (Zürich-Einsiedeln-Köln 1970).

KÜNG, H., Die Kirche (Freiburg-Basel-Wien 1967).

LANGKAMMER, H., "Den er zum Erben von allem eingesetzt hat" (Hebr 1,2), in: BZ N.F. 10 (1966) 273-280.

LOHMEYER, E., Diatheke. Ein Beitrag zur Erklärung des neutestamentlichen Begriffs (UNT 2) (Leipzig 1913).

LOHSE, B., Das Passafest der Quartadecimaner (Gütersloh 1953).

LOHSE, E., Emuna und Pistis - Jüdisches und urchristliches Verständnis des Glaubens, in: ZNW 68 (1977) 147-163.

LUDWIG, J., Die Primatworte Mt 16,18.19 in der altkirchlichen Exegese (NTA 19,4) (Münster 1952).

LÖBTOW, U.v., Das römische Volk. Sein Staat und sein Recht (Frankfurt 1955).

LÜTCKE, K.-H., "Auctoritas" bei Augustin. Mit einer Einleitung zur römischen Vorgeschichte des Begriffs (Tübinger Beiträge zur Altertumswissenschaft 44) (Stuttgart 1968).

MACCARRONE, M., Vicarius Christi. Storia del titolo papale (Rom 1952).

MACCARRONE, M., L'antico titolo papale "Vicarius Petri" e la concezione del Primato, in: Divinitas 1 (1957) 365-371.

MACCARRONE, M., La dottrina del primato papale dal IV all' VIII secolo nelle relazioni con le chiese occidentali (Spoleto 1960).

MACCARRONE, M., "Cathedra Petri" und die Idee der Entwicklung des päpstlichen Primats vom 2. bis 4.Jahrhundert, in: Saeculum 13 (1962) 278-292.

MAMONE, G., Le epistole di S. Ambrogio, in: Didaskaleion 2 (1924) 3-143.

MANDOUZE, A., Saint Augustin. L'aventure de la raison et de la grâce (Paris 1968).

MANIGK, A., Hereditarium ius, in: PW 8,1,622-648.

MANNIX, M.D., S. Ambrosii Oratio de obitu Theodosii. Text, Translation, Introduction and Commentary (The Catholic Univ. of America Patr. Stud. Vol. 9) (Washington 1925).

MARINI, N., Beatus Hieronymus doctrinae de Romanorum Pontificum Primatu penes Orientalem Ecclesiam testis et assertor, in: Miscellanea Geronimiana (Roma 1920) 181-217.

MARTIN, J., Der priesterliche Dienst III: Die Genese des Amtspriestertums in der frühen Kirche (Quaest.disput. 48) (Freiburg-Basel-Wien 1972).

MEDICO, G., La collégialité épiscopale dans les lettres des pontifes romains du Ve siècle, in: RSPhTh 49 (1965) 369-402.

MEER, F.van der, Augustinus der Seelsorger. Leben und Wirken eines Kirchenvaters (Köln 1951).

MESLIN, M., Les Ariens d'Occident 335-430 (Patristica Sorbonensia t.8) (Paris 1967).

MESLIN, M., Hilaire et la crise arienne, in: Hilaire et son temps. Actes du Colloque de Poitiers 29 sept. - 3 octobre 1968 (Paris 1969) 19-42.

MESOT,J., Die Heidenbekehrung bei Ambrosius von Mailand (Neue Zeitschrift f. Missionswissenschaft, Suppl. VII) (Schöneck-Beckenried 1958).

MEYER, E., Ursprung und Anfänge des Christentums, Bd. 3 (Stuttgart-Berlin 1923).

MICHAELIDES, D., Tradition, succession épiscopale, apostolicité dans le De Praescriptione de Tertullien, in: Bijdragen 29 (1968) 394-409.

MILBURN, R.L.P., A note on Διαδοχή, in: TU 63 (1957) 240-245.

MITTEIS, L., Römisches Privatrecht bis auf die Zeit Diokletians, Bd. 1 (Leipzig 1908).

MÖHLER, J.A.,Die Einheit in der Kirche oder das Prinzip des Katholizismus, hrsg. v. J.R.Geiselmann (Köln-Olten 1957).

MÖRSDORF, K., Persona in Ecclesia Christi, in: AkathKR 131 (1962) 345-393.

MOMMSEN, TH., Die Erblichkeit des Decurionats, in: Gesammelte Schriften 3 (Berlin 1907) 43-49,

MOMMSEN, TH., Zum römischen Grabrecht, in: Gesammelte Schriften 3 (Berlin 1907) 198-214.

MOMMSEN, TH.,Abriß des römischen Staatsrechts (Darmstadt 1974; nach der 2.Aufl. von 1907).

MONACHINO, V., La perennità del Primato di S. Pietro in uno studio recente, in: AHP 5 (1967) 325-339.

MÜHLEN, H., Der Unfehlbarkeits-Test. Warum Hans Küng auf harten Widerspruch stoßen muß, in: Zum Problem Unfehlbarkeit. Antworten auf die Anfrage von H.Küng, hrsg. v. K.Rahner (Freiburg-Basel-Wien 1971) 233-257.

MÜLLER, K., Kleine Beiträge zur alten Kirchengeschichte, in: ZNW 23 (1924) 214-247.

NAUCK, W. Probleme des frühchristlichen Amtsverständnisses (I Petr 5,2f.), in: ZNW 48 (1957) 200-220.

NESSELHAUF, H., Die Adoption des römischen Kaisers, in: Hermes 83 (1955) 477-495.

NEUHÄUSLER, E., Der Bischof als geistlicher Vater nach den frühchristlichen Schriften (München 1964).

NOETHLICHS, K.-L., Die gesetzgeberischen Maßnahmen der christlichen Kaiser des vierten Jahrhunderts gegen Häretiker, Heiden und Juden (Diss. Köln 1971).

NORTON, F.O., A lexicographical and historical study of ΔΙΑΘΗΚΗ from the earliest times of the end of the classical period (Diss. Chicago 1908).

OKSALA, P., "Fides" und "pietas" bei Catull, in: Arctos N.S. 2 (1958) 88-103.

OPELT, I., Die lateinischen Schimpfwörter und verwandte sprachliche Erscheinungen. Eine Typologie (Heidelberg 1965).

OPELT, I., Griechische und lateinische Bezeichnungen der Nichtchristen. Ein terminologischer Versuch, in: VigChr 19 (1965) 1-22.

OPELT, I., Formen der Polemik bei Lucifer von Calaris, in: VigChr 26 (1972) 200-226.

OPELT, I., Hieronymus' Streitschriften (Heidelberg 1973).

OPELT, I., Hilarius von Poitiers als Polemiker, in: VigChr 27 (1973) 203-217.

OTTO, W.F., Die Manen oder von den Urformen des Totenglaubens. Eine Untersuchung zur Religion der Griechen, Römer und Semiten und zum Volksglauben überhaupt (Berlin 1923).

PALANQUE, J.-R., Saint Ambroise et l'empire Romain. (Contribution à l'histoire des rapports de l'Eglise et de l'Etat à la fin du quatrième siècle) (Paris 1933).

PAREDI, A., I prefazi ambrosiani. Contributo alla storia della liturgia latina (Milano 1937).

PAREDI, A., Sant' Ambrogio e la sua età (Milano 1941).

PETERSON, E., Der Monotheismus als politisches Problem. Ein Beitrag zur Geschichte der politischen Theologie im Imperium Romanum (Leipzig 1935).

PIEPER, J., Über den Begriff der Tradition (Arbeitsgemeinschaft f. Forschung des Landes Nordrhein-Westfalen, Geistesw. H.72) (Köln-Opladen 1958).

PLUMPE, J.C., Wesen und Wirkung der Auctoritas maiorum bei Cicero (Diss. Münster 1935).

PLUMPE, J.C., Mater Ecclesia. An inquiry into the concept of the Church as mother in early Christianity (The Catholic Univ. of America, studies in Christian Antiquity Vol. 5) (Washington 1943).

RAHNER, H., Kirche und Staat im frühen Christentum. Dokumente aus acht Jahrhunderten und ihre Deutung (München 1961).

RAHNER, K. - RATZINGER, J., Episkopat und Primat (Quaest. Disput. 11) (Freiburg-Basel-Wien 1961).

RANFT, J., Der Ursprung des katholischen Traditionsprinzips (Paderborn 1931).

RANFT, J., Die Traditionsmethode als älteste theologische Methode des Christentums (Würzburg 1934).

RATZINGER, J., Das Problem der Dogmengeschichte in der Sicht der katholischen Theologie (Arbeitsgem. f. Forschung des Landes Nordrhein-Westfalen, Heft 139) (Köln-Opladen 1966).

REINHARD, W., Nepotismus. Der Funktionswandel einer papstgeschichtlichen Konstanten, in: ZKG 86 (1975) 145-185.

REYNDERS, D.B., Paradosis. Le progrès de l'idee de tradition jusqu'à Saint Irénée, in: RThAM 5 (1933) 155-191.

RIMOLDI, A., L'apostolo San Pietro (fondamento della Chiesa, principe degli apostoli ed ostiario celeste nella Chiesa primitiva dalle origini al Concilio di Calcedonia) (Analecta Gregoriana 96) (Romae 1958).

RING, T.G., Auctoritas bei Tertullian, Cyprian und Ambrosius (Cassiciacum 29) (Würzburg 1975).

RIVIÈRE, J., In partem sollicitudinis ... Evolution d'une formule pontificale, in: RevSR (1925) 210-231.

ROZYNSKI, F., Die Leichenreden des hl. Ambrosius insbesondere auf ihr Verhältnis zu der antiken Rhetorik und den antiken Trostschriften untersucht (Diss. Breslau 1910).

RUEGG, D., Sancti Aurelii Augustini De utilitate ieiunii. A Text with a Translation, Introduction and Commentary (The Catholic Univ. of America Patr. Stud. Vol. 85) (Washington 1951).

SÄGMÜLLER, J.B., Die Idee von der Kirche als imperium Romanum im kanonischen Recht, in: ThQ 80 (1898) 50-80.

SAVIO, F., Gli antichi vescovi d'Italia dalle origine a 1300, La Lombardia Parte I: Milano (Firenze 1913).

SCHILLING, O., Amt und Nachfolge im Alten Testament und in Qumran, in: Volk Gottes (Festgabe f. J.Höfer) hrsg. v. R.Bäumer u. H.Dolch (Freiburg-Basel-Wien 1967) 199-214.

SCHIRR, J., Motive und Methoden frühchristlicher Ketzerbekämpfung (Diss. masch. Greifswald 1976).

SCHLOSSMANN, S., Tertullian im Lichte der Jurisprudenz, in: ZKG 27 (1906) 251-275; 407-430.

SCHMECK, H., Infidelis. Ein Beitrag zur Wortgeschichte, in: VigChr 5 (1951) 129-147.

SCHMIDT, K.D., Papa Petrus ipse, in: ZKG 54 (1935) 267-275; neu abgedruckt, in: K.D.SCHMIDT, Gesammelte Aufsätze, hrsg. v. M.Jacobs (Göttingen 1967) 24-30.

SCHMIDT, K.D., Grundriß der Kirchengeschichte (Göttingen 1960[3]).

SCHNACKENBURG, R., Apostolizität: Stand der Forschung, in: KuD Beiheft 2 (1971) 51-73.

SCHOEPS, H.J., Theologie und Geschichte des Judenchristentums (Tübingen 1949).

SCHÜTTE, H., Amt, Ordination und Sukzession im Verständnis evang. u. kath. Exegeten und Dogmatiker sowie in Dokumenten ökumenischer Gespräche (Düsseldorf 1974).

SCHWARTZ, E., Zwei Predigten Hippolyts (München 1936).

SEEBERG, E., Wer war Petrus? Bemerkungen zu J.Haller, Das Papsttum, Idee und Wirklichkeit I, in: ZKG 53 (1934) 571-584.

SELB, W., Erbrecht (Nachträge zum RAC), in: JAC 14 (1971) 170-184.

SELIGA, S., De invectiva Hieronymiana, in: Collectanea Theologica 16 (1935) 145-181.

SHERWIN-WHITE, A.N., Roman Society and Roman Law in the New Testament (Oxford 1963).

SIMON, M., Verus Israel. Etude sur les relations entre Chrétiens et Juifs dans l'Empire Romain (135-425) (Paris 1964).

SOHM, R., Institutionen. Geschichte und System des römischen Privatrechts (München/Leipzig 1917[15]).

SPEIGL, J., Cyprian über das iudicium dei bei der Bischofseinsetzung, in: RQ 69 (1974) 30-45.

STAUDENMAIER, F.A., Geschichte der Bischofswahlen mit besonderer Berücksichtigung der Rechte und des Einflusses christlicher Fürsten auf dieselben (Tübingen 1830).

STAUFFER, E., Jüdisches Erbe im urchristlichen Kirchenrecht, in: ThLZ 77 (1952) 201-206.

STAUFFER, E., Zum Kalifat des Jacobus, in: ZRGG 4 (1952) 193-214.

STEIN, A., Das Fortleben des römischen Principatsgedankens, in: Bulletin of the International Committee of Historical Sciences, Vol. 10 (Paris 1938) 191-193.

STOCKMEIER, P., Leo I. des Großen Beurteilung der Kaiserlichen Religionspolitik (MthStH I,14) (Diss. München 1959).

STOCKMEIER, P., Von der Diakonie zur Hierarchie. Zum Wandel des Amtsverständnisses im Frühchristentum, in: Orientierung 32 (1968) 259-261.

STOCKMEIER, P., Gemeinde und Bischofsamt in der alten Kirche, in: ThQ 149 (1969) 133-146.

STOCKMEIER, P., Das Petrusamt in der frühen Kirche, in: Zum Thema Petrusamt und Papsttum, hrsg. v. G.Denzler u.a. (Stuttgart 1970) 61-79.

STOCKMEIER, P., "Offenbarung" in der frühchristlichen Kirche, in: HDG I,1a (1971) 27-87.

STOCKMEIER, P., Zum Verhältnis von Glaube und Religion bei Tertullian, in: TU 108 (Berlin 1972) 242-246.

STOCKMEIER, P., Glaube und Religion in der frühen Kirche (Freiburg-Basel-Wien 1973).

STOCKMEIER, P., Die Übernahme des Pontifex-Titels im spätantiken Christentum, in: Konzil und Papst. Historische Beiträge zur Frage der höchsten Gewalt in der Kirche. Festgabe für H.Tüchle, hrsg. v. G. Schwaiger (München-Paderborn-Wien 1975) 75-84.

STOCKMEIER, P., Die sogenannte Konstantinische Wende im Licht antiker Religiosität, in: HJ 95 (1975) 1-17.

STOCKMEIER, P., Aspekte zur Ausbildung des Klerus in der Spätantike, in: MThZ 27 (1976) 217-232.

STRAUB, J., Vom Herrscherideal in der Spätantike (Forschungen zur Kirchen- u. Geistesgeschichte, Bd. 18) (Stuttgart 1939).

STRAUB, J., Zur Ordination von Bischöfen und Beamten in der christlichen Spätantike, in: Mullus. Festschrift Th.Klauser, JAC-Ergänzungsbd. 1 (1964) 336-345.

STRAUBINGER, J., Die Kreuzauffindungslegende. Untersuchungen über ihre altchristlichen Fassungen mit besonderer Berücksichtigung der syrischen Texte (Forschungen zur christl. Literatur- u. Dogmengeschichte 11,3) (Paderborn 1913).

STROHEKER, K.F., Der senatorische Adel im spätantiken Gallien (Tübingen 1948).

SUERBAUM, W., Vom antiken zum frühmittelalterlichen Staatsbegriff. Über Verwendung und Bedeutung von res publica, regnum, imperium und status von Cicero bis Jordanis (Münster 1970[2]).

TIETZE, W., Lucifer von Calaris und die Kirchenpolitik des Constantius II. Zum Konflikt zwischen dem Kaiser Constantius II. und der nikänisch-orthodoxen Opposition (Lucifer von Calaris, Athanasius von Alexandria, Hilarius von Poitiers, Ossius von Cordoba, Liberius von Rom und Eusebius von Vercelli) (Diss. Tübingen 1976).

TODD, J.H., St. Patrick Apostle of Ireland. A Memoir of his Life and Mission (Dublin 1864).

TRUMMER, J., Mystisches im alten Kirchenrecht. Die geistige Ehe zwischen Bischof und Diözese, in: ÖAKR 2 (1951) 62-75.

TSCHIRN, Die Entstehung der römischen Kirche im zweiten christlichen Jahrhundert, in: ZKG 12 (1891) 215-247.

TURMEL, J., Histoire des dogmes, Vol. 3 (Paris 1933).

TURNER, C.H., Apostolic Succession, in: Essays on the Early History of the Church and the Ministry, hrsg. v. H.B.Swete (London 1921) 93-214.

TURNER, H.E.W., The Pattern of Christian Truth. A Study in the Relations between Orthodoxy and Heresy in the Early Church (Bampton Lectures 1954) (London 1954).

ULLMANN, W., The Growth of Papal Government in the Middle Ages. A study in the ideological relation of clerical to lay power (London 1955) (1962[2]; 1970[3]).

ULLMANN, W., Die Machtstellung des Papsttums im Mittelalter. Idee und Geschichte (Graz-Wien-Köln 1960).

ULLMANN, W., Leo I and the theme of papal primacy, in: JThS N.S. 11 (1960) 25-51.

ULLMANN, W., The significance of the "Epistola Clementis" in the Pseudo-Clementines, in: JThS N.S. 11 (1960) 295-317.

ULLMANN, W., Some Remarks on the Significance of the "Epistola Clementis" in the Pseudo-Clementines, in: TU 79 (1961) 330-337.

ULLMANN, W., Romanus Pontifex indubitanter efficitur sanctus : Dictatus Papae 23 in retrospect and prospect, in: Studi Gregoriani 6 (1959-1961) 229-264.

ULLMANN, W., The Papacy as an Institution of Government in the Middle Ages, in: Studies in Church History, hrsg. v. J.Cuming, Vol. II (London 1965) 78-101.

ULLMANN, W., Principles of Government and Politics in the Middle Ages (London 1966[2]).

ULLMANN, W., Grundfragen des mittelalterlichen Papsttums, in: Papst und König (Dike Bd. 3) (Salzburg-München 1966) 9-41.

ULLMANN, W., A History of Political Thought in the Middle Ages (London 1970²).

ULLMANN, W., The Church and the Law in the Earlier Middle Ages. Selected Essays (London 1975).

VASSALL-PHILLIPS, O.R., The Work of St. Optatus bishop of Milevis against the Donatists (London 1917).

VAUX, R.de, Das Alte Testament und seine Lebensordnungen (Freiburg- Basel-Wien Bd. 1/1964²; Bd. 2/1962).

VOGT, H.J., Coetus sanctorum. Der Kirchenbegriff des Novatian und die Geschichte seiner Sonderkirche (Theophaneia 20) (Diss. Bonn 1968).

VOGT, H.J., Das Kirchenverständnis des Origenes (Köln-Wien 1974).

VOGT, J., Constantin der Große und sein Jahrhundert (München 1973).

VOLKMANN, H., Die Bruderfolge griechischer Priestertümer im Licht der vergleichenden Rechtsgeschichte, in: Klio 34 (1941) 62-71.

WALSH, P.G., The Poems of St. Paulinus of Nola (ACW 40) (New York 1975).

WARD, M., Early Church Portrait Gallery (London-New York 1959).

WEGENAST, K., Das Verständnis der Tradition bei Paulus und in den Deuteropaulinen (Wissenschaftl. Monographien zum Alten u. Neuen Testament Bd. 8) (Neukirchen 1962).

WENDLAND, H.D., Sukzession im Neuen Testament, in: Credo Ecclesiam, hrsg. v. der evang. Michaelsbruderschaft (Kassel 1955) 37-44.

WICKERT, L., Princeps und ΒΑΣΙΛΕΥΣ, in: Klio 36 (1944) 1-25.

WICKERT, L., Princeps, in: PW 22,2,1998-2296.

WIELAND, H., origo, in: ThLL (1978; nach einem noch unveröffentlichten Manuskript).

WINKELMANN, F., Großkirche und Häresien in der Spätantike, in: Forschungen und Fortschritte 41 (1967) 243-247.

WOESS, F.v., Das römische Erbrecht und die Erbanwärter. Ein Beitrag zur Kenntnis des römischen Rechtslebens vor und nach der constitutio Antoniniana (Berlin 1911).

ZEILLER, J., Les origines chrétiennes dans les provinces danubiennes de l'empire romain (Paris 1918).

ZUMPT, Die Athenischen Philosophenschulen und die Succession der Scholarchen daselbst, in: SB der Königl. Preuß. Akad. d. Wissenschaften (Berlin 1842) 211-213.

ABKÜRZUNGSVERZEICHNIS

Vorbemerkungen:
1) Allgemein gebräuchliche und verständliche und im LThK^2 verzeichnete Abkürzungen sind nicht aufgeführt.
2) Lateinische Autoren und Werke sind (mit wenigen Ausnahmen, z.B. Autoren der "Historia Augusta") nach dem ThLL zitiert.
3) Griechische Autoren und Werke sind in der Regel nach den Angaben des ARTEMIS-LEXIKONs abgekürzt.

A.:	Anmerkung der vorliegenden Arbeit.
AHP.:	Archivum historiae pontificiae (Roma 1,1963).
Anm.:	Anmerkung in der zitierten Literatur.
ARTEMIS-LEXIKON:	Lexikon der Alten Welt, hrsg. v. C.Andresen, H.Erbse u.a. (Zürich-Stuttgart 1965).
BUCHBERGER:	Lexikon für Theologie und Kirche, hrsg. v. M.Buchberger (Freiburg 1930ff^2).
CIL:	Corpus Inscriptionum Latinarum, 16 vols. (Leipzig-Berlin 1862-1943).
DS:	H.Denzinger - A.Schönmetzer, Enchiridion Symbolorum, Definitionum et Declarationum de rebus fidei et morum (Freiburg 1967^{34}).
HEUMANN:	Heumanns Handlexikon zu den Quellen des römischen Rechts, neu bearb. v. E.Seckel (Jena 1907^9).
HHKG:	(Herders) Handbuch der Kirchengeschichte, hrsg. v. H.Jedin, 6 Bde (Freiburg-Basel-Wien 1962ff).
IG:	Inscriptiones Graecae (Berlin 1873-1939).
JAC:	Jahrbuch für Antike und Christentum (Münster i.W. 1ff, 1958ff).
JK:	Ph.Jaffé - K.Kaltenbrunner - G.Wattenbach, Regesta pontificum Romanorum, 2 Bde (Leipzig 1885-1888^2).
LChrJk:	Lexikon der christlichen Ikonographie, hrsg. v. E.Kirschbaum, 8 Bde (Rom-Freiburg-Basel-Wien 1968-1976).
MHP:	Miscellanea historiae pontificiae (Roma 1/1, 1939).
PW:	Paulys Realencyclopädie der classischen Altertumswissenschaft, neue Bearb. v. G.Wissowa u. W.Kroll (mit K.Mittelhaus) (Stuttgart 1893ff).
RHEF:	Revue d'histoire de l'Eglise de France (Paris 1, 1910).
RIDA:	Revue Internationale des Droits de l'Antiquité (Bruxelles N.S. 1, 1954).
THLL:	Thesaurus Linguae Latinae (Leipzig 1900ff).
ThRE:	Theologische Realenzyklopädie, hrsg. v. G.Krause u. G.Müller (Berlin-New York 1976ff).

NACHTRÄGLICHE ERGÄNZUNGEN

Auf den Aufsatz von W.STEIDLE, Die Leichenrede des Ambrosius für
Kaiser Theodosius und die Helena-Legende, in: VigChr 32 (1978) 94-112,
stieß ich leider erst nach Abschluß des Manuskripts. STEIDLE hebt ganz
besonders den Stellenwert des "hereditas"-Motivs hervor und verwendet
es gleichzeitig überzeugend als Argument für eine einheitliche Gesamt-
komposition der Rede, wie ich es auch bereits in meiner Zulassungsarbeit (vgl. oben S. 2 A. 7 und S. 97 A. 335) versucht habe. Er schreibt:
"Mit den Worten 'hereditatem fidei reliquit' in c.40 ist bis in die
Wortwahl hinein ein Motiv angeschlagen, das für das Verständnis der Rede grundlegend ist. ... Im ganzen werden also, das darf man sagen, drei
Glaubenstraditionen namhaft gemacht, die des Theodosius, die alttestamentliche der Patriarchen und schließlich die von Constantin ausgehende. Da nun bei den beiden ersten ausdrücklich betont wird, daß man ihnen folgen müsse und daß sie Schutz gewähren, so wäre es seltsam, wenn
diese beiden Punkte im dritten Fall fehlten. Man darf sogar noch weiter
gehen und behaupten, es sei absurd, wenn von der christlichen Kaisertra-
dition nur in dem einzigen auf 'Constantino adhaeret' folgenden Satz die
Rede wäre; die Analogie der beiden anderen 'hereditas'-Motive und das
Faktum selbst fordern vielmehr unbedingt einen Zusatz und den liefert
die Legende." (98f; statt "reliquit" richtig: "dereliquit"). Vgl. auch 97.

Zu Seite 36:

Wie ich erst nachträglich sehe, befaßt sich auch schon ein Aufsatz
von B.WEISS mit der Autorität des "Alten" im frühen Christentum:
Das Alte als das Zeitlos-Wahre oder als das Apostolisch-Wahre? Zur Frage der Bewertung des Alten bei der theologischen Wahrheitsfindung der
Väter des 2. und 3. Jahrhunderts, in: TThZ 81 (1972) 214-227. Zutreffend
betont WEISS die Rolle der jeweiligen Zeitvorstellung für die Aufstellung eines Wahrheitskriteriums (Zeitlosigkeit bzw. zeitliche Nähe zum
Christusereignis, bes. 219-221). Allerdings wäre neben der griechischen
Zeitvorstellung auch das Argument vom Alter als Götternähe (vgl. oben
36) zu berücksichtigen bzw. in einem zweiten Schritt nach dem Zusammenhang zwischen dieser griechischen Zeit- und Göttervorstellung zu fragen.
Aus dem Argument vom Alter als Götternähe ergäben sich dann auch Verbindungslinien zum Alten als dem "Apostolisch-Wahren". Mit Recht verweist
WEISS am Schluß auf die Gefahr, "alles Alte als Zeitlos-Ewiges unbesehen
zu akzeptieren" (227), wobei allerdings anzufügen wäre, daß durch den
Fortgang der Zeit "das Apostolisch-Wahre" von selbst zum "Zeitlos-Wah-
ren" zu werden droht. Hier wäre eben die Besinnung auf das Eschatolo-
gisch-Wahre (dazu W.PANNENBERG, Was ist Wahrheit? in: Grundfragen sys-
tematischer Theologie. Gesammelte Aufsätze, Göttingen 1971², 202-222;
bes. 218ff) am Platze, die freilich bei der Konfrontation des Zeitbe-
griffs der Apologeten mit dem NT (WEISS 221) fehlt.

Zu Seite 98; 304; 333; 354:

In seiner Behandlung des Reichskirchenprinzips des sogenannten "CO-
DEX ENCYCLICUS", einer nach-chalkedonischen Briefsammlung, die die religiöse Funktion des Kaisertums in den höchsten Tönen - bis hin zur Anwendung der Petrusverheißung von MT. 16 auf den Kaiser - preist, streift
A.GRILLMEIER [Auriga mundi. Zum Reichskirchenbild der Briefe des sog.

Codex Encyclicus (458), in: Mit ihm und in ihm. Christologische Forschungen und Perspektiven (Freiburg-Basel-Wien 1975) 386-419] auch zwei Texte (I/III), in denen der Kaiser als "heres" einer christlichen Glaubenstradition angesprochen wird. Zunächst die Texte und dann - an dieser Stelle leider nicht anders möglich - jeweils ein paar kurze Bemerkungen:
I. Die Bischöfe von Mesopotamien sehen die "principes" als "conlaborantes piscatoribus", was die "praedicatio pietatis" anbetrifft. Dann heißt es, bezogen auf Kaiser Leo: "quorum pii imperii successorem et fidei salutaris heredem etiam nunc suis donavit ecclesiis..." (ACO II 5,41,20f).
1. Kaiser Leo wird als Nachfolger in der gottesfürchtigen Herrschaft seiner Vorgänger und als Erbe ihres heilbringenden Glaubens bezeichnet.
2. Im Zusammenhang mit dem Kontext läßt sich also sagen: Der Kaiser gilt als "heres" von "imperium" und "fides" seiner Vorgänger, auf diese Weise aber auch als Erbe der Apostel. GRILLMEIER spricht davon, daß die Bischöfe von Mesopotamien "die christlichen Kaiser mutig in die Nachfolge der Apostel" (398; vgl. 399) stellen.
3. Damit läßt sich einerseits die "Erbfolge des Glaubens" vergleichen, in die AMBROSIUS die Kaiser Konstantin und Theodosius stellt und andererseits ist an die Sicht der Bischöfe als Erben der Apostel bei Papst CÖLESTIN I. zu denken.
II. Die Bischöfe der prima Syria bezeichnen Kaiser Leo als "culturae a vobis hereditatae susceptor et fidelissimus conservator" (ACO II 5,33,3). Hier wird die bewahrende Sorge des Kaisers für den von ihm ererbten Glauben ("cultura" als Kult, Verehrung aufzufassen; vgl. auch Kontext) hervorgehoben. Wieder ist an die Leichenrede für Kaiser Theodosius zu denken.
III. Die Bischöfe der secunda Armenia betonen die Verantwortung der Kaiser für die ersten Konzilien - die Väter des Konzils von Nikaia gelten als "Waffenträger" Kaiser Konstantins - und sehen diese Sorge für den christlichen Glauben ebenfalls als "hereditas": "igitur quasi paternae succedentes hereditati sacratissimi principes qui sceptra illius susceperunt, in synodo centum quinquaginta patrum et fidem trecentorum XVIII patrum piis et deo decibilibus sanctionibus firmaverunt et inventorem novorum dogmatum confunderunt..." (ACO II 5,73,8-11; vgl. auch GRILL-MEIER 399f). Die Verantwortung der Kaiser für das Konzil von Konstantinopel (381) wird aus ihrer Nachfolge in die "paterna hereditas" Kaiser Konstantins hergeleitet. Hier liegt sicherlich die deutlichste Parallele zu AMBROSIUS, obit.Theod. 40 für: Constantinus "primus imperatorum credidit et post se hereditatem fidei principibus dereliquit" (CSEL 73, 392). Schon für AMBROSIUS gilt, was GRILLMEIER über den CODEX ENCYCLICUS schreibt: "Konstantin und seine Nachfolger treten in Parallele zu den Bischöfen als den Nachfolgern der Apostel oder nehmen gar deren Stelle ein..." (407).

Zu Seite 100:

Dabei trifft sich die römische Vorstellung in erstaunlichem Maße mit dem Gedanken einer "seelischen Gemeinschaft" von Stammvätern und ihren Nachkommen bei den Juden. Grundlegend hierzu J.SCHARBERT, Solidarität in Segen und Fluch im AT und in seiner Umwelt, I. Väter und Söhne (Bonn 1958). SCHARBERT schreibt zu dieser Art von Zusammengehörigkeit: "Der Hebräer sieht... in einer Generation die ganze Generationenfolge, im Stammvater alle von ihm abstammenden Personen... . Man kann so geradezu von einer Genealogisierung der Geschichte sprechen" (11;13).

Zu Seite 141:

A.LABHARD, Tertullien et la philosophie ou la recherche d'une position pure, in: Museum Helveticum 7 (1950) 159-180, läßt erkennen, daß Tertullians Beurteilung der Philosophie nicht nur negativ ausfällt (vgl. 169ff).

Zu Seite 145:

Zu den Ketzerstammbäumen vgl. die illustrativen Ausführungen unter dem Titel "Häresiologische Genealogien und Sippschaften" (S. 237-241) bei A.GRILLMEIER, Mit ihm und in ihm: Ketzer-"Genealogien", Ketzer-"Verwandtschaft"; der Teufel, Judas, Simon Magus, Paulos v. Samosata als "Stammvater"; häretische Sippschaft der nach-chalkedonischen Monophysiten; Simplifizierung und Schematisierung durch Anwendung von festen Typen und Katalogen.
Vgl. ferner K.KOSCHORKE, Hippolyt's Ketzerbekämpfung und Polemik gegen die Gnostiker. Eine tendenzkritische Untersuchung seiner "Refutatio omnium haeresium" (Göttinger Orientforschungen VI.Reihe Bd.4) (Wiesbaden 1975), bes. 56ff: "Die successio haereticorum". Hinzuweisen ist auch auf die Feststellung KOSCHORKEs, daß man "gegenwärtige Kontroversen in Häresien der Vergangenheit zu projizieren" (90) pflegte.

Zu Seite 171 A. 194:

Vgl. inzwischen auch G.A.BENRATH, Antichrist (III. Alte Kirche und Mittelalter), in: ThRE 3,24-28.

Zu Seite 199; 201; 204:

W.WISCHMEYER, Die Bedeutung des Sukzessionsgedankens für eine theologische Interpretation des donatistischen Streites, in: ZNW 70 (1979) 68-85. - Es ist das Verdienst dieses Beitrags, den Zusammenhang des Sukzessionsgedankens mit der pater-filius-Terminologie und dem genealogischen Denken insgesamt am Beispiel der Argumentation auf der Konferenz von Karthago (411) aufgezeigt zu haben. Dabei wird die Bedeutung des Ursprungs - hier für die donatistische Partei (vgl. umgekehrt die "hereditas"-Argumentation bei OPTATUS; oben § 16) - am Stellenwert der "causa Caeciliani" deutlich vor Augen geführt. "Die rechte 'origo' und die unanfechtbare Sukzessionsreihe der Väter im Bischofsamt garantieren die 'ecclesia'. Ist die 'origo' inkriminiert und die reine Kette der Sukzession durchbrochen, ist Häresie da" (76). Hierin jedoch nur "das petilianische Prinzip der 'origo'" (82) zu sehen, erscheint mir etwas einseitig. Anstatt dieses "Denkprinzip" (79) lediglich als "vulgärphiloso - phisch" (79;85) zu bezeichnen, hätte man einige Zusammenhänge und zahlreiche Parallelen aufzeigen können (gerade auch bei OPTATUS; vgl. z.B. oben 204 A. 376 oder unten im Register; Ansätze auch bei WISCHMEYER 84; 80 Anm. 38; es muß hier richtig heißen: "1,28, ebd. 31; 2,5, ebd. 40;"). Wichtige Termini: "generare", "generator" (79;81f); "progenies" (79); "caput" (75;79;82); "origo" (75f;79f;82;84); "radix" (75;79); "ordinator" (81f); "pater", "filius", "Vater","Mutter", "Sohn" passim.

Zu Seite 259:

F.PFISTER sieht eine Verbindung von Vererbung und spiritualisierter Generationsbeziehung durch die Weihe gewährleistet: "In Religionen, die

vom Priester Ehelosigkeit und Keuschheit verlangen, gibt es keine Prie-
stergeschlechter, also auch keine E. priesterlicher Fähigkeiten durch
Zeugung. Hier wird das priesterliche Charisma durch die Weihung, Ordination usw. verliehen. Durch das Sacramentum ordinationis, bei dem das
Wesentliche die Handauflegung... seitens einer bereits geweihten Person
ist, wird die wunderbare Kraft, das ἅγιον πνεῦμα, auf den Einzuwei-
henden übertragen." (Art. "Erblichkeit", in: H.BÄCHTOLD-STÄUBLI, Handwörterbuch des deutschen Aberglaubens 2, Berlin-Leipzig 1929/30, 869-
874, zit. 871f).

Zu Seite 314ff:

Trotz der - meine eigene Argumentation stützenden - Tendenz sind gegen das pater-filius-Verständnis, das WISCHMEYER (a.a.O.) für Petilianus aus den untersuchten Quellen geltend macht, einige Einwände vorzu-
bringen. Die grundsätzliche Frage lautet: Wird Augustinus als Bischof
und Glied der bischöflichen Sukzession (a) oder als "Katholik" (b) "filius Caeciliani" genannt?
Abgesehen von einigen Aussagen, die auf b hindeuten, die aber vom Autor
in die Argumentation nicht einbezogen werden ["...wen die Katholiken
bei sich Vater nennen" (73; AUGUSTINUS-Zitat); Petilianus fordert: "Er
möge doch endlich deutlich sagen, ob die Katholiken Caecilian 'loco patris' hätten, von dem diese Generation abstamme." (79). "Zuerst drängt
nun der Vorsitzende (237) auf die präzise Beantwortung der Frage, ob
die 'catholica' Caecilian als Vater oder Mutter bezeichne" (80). "...ob
Caecilian Vater der 'catholica' sei" (81)] spricht sich WISCHMEYER für
a aus, was dann auch die Basis für seine Behauptung eines engen Zusammenhangs (81) mit der "Frage nach Augustins 'ordinator'" (81) bildet.
Nur ein paar Beispiele für diese - m.E. unangebrachte und mit den angeführten Zitaten unvereinbare - Engführung der Vater-Sohn-Beziehung im
Sinne der Bischofsabfolge: "Auf diese Frage nach der Sohnschaft, hinter
der schon die Frage nach der Erbschaft sichtbar wird, die also das Bischofsamt personal von der Folge der Bischöfe her fassen will..."(74f).
"Als Bischof seiner Kirche seinen bischöflichen Vater zu verurteilen
als Häretiker..." (75)."Bei der Sukzession der Bischöfe kommt alles auf
die Reinheit des Ursprungs von Vaterschaft und Sohnschaft an" (76).
"Denn er versteht das Verhältnis der Bischöfe in der Kette der Sukzession nur und ausschließlich als Vater-Sohn-Verhältnis... . ...Interpre-
tationsmodell..., das das Verhältnis der Bischöfe untereinander nach der
Art der Geschlechterfolge eines Stammbaumes versteht" (78). "1. Augustin muß einen Vater haben, d.h. einen Vorgängerbischof. ... 2. Als
Sohn eines Übeltäters erbt Augustin die Übeltat" (80).
Zum Abschluß ein paar Bemerkungen:
1. Wenn ich recht sehe, wird Augustinus nur als Mitglied und Vertreter
der "catholica" als "filius Caeciliani" angesprochen (gängige Praxis,
die Gläubigen als Kinder, Söhne, Gezeugte des Bischofs zu sehen bzw. die
Vorgänger in einer bestimmten Tradition als "Väter" zu bezeichnen; vgl.
oben 256f u. die Bezeichnung "filii traditorum" bei OPTATUS, einige Beispiele oben 204 A. 376).
2. Natürlich ist ein Bischof dieser "catholica" für Petilianus in besonders herausragender Weise ein "filius Caeciliani", weil er ja quasi diese
se häretisch-schismatische Erbfolge weiter-repräsentiert. Somit ist die
Abgrenzung nicht immer einfach.
3. Augustinus bezeichnet selbst seinen unmittelbaren Vorgänger, Bischof
Valerius, (es ist mißverständlich, Caecilian als den "Vorgängerbischof"
Augustins zu bezeichnen) einmal als "pater"(vgl.oben S.244 A.165; S.259).

REGISTER

1. ANTIKE PERSONEN UND QUELLEN

2. MODERNE PERSONEN UND QUELLEN

3. SACHEN UND BEGRIFFE

In gleicher Ausstattung sind erschienen:

Ethel Leonore Behrendt
Recht auf Gehör. Grundrecht und Grundwert. 1978. XXXIV, 484 Seiten. Br. DM 60,—.
ISBN 3-597-10028-7

Walter Wimmer
Eschatologie der Rechtfertigung. Paul Althaus' Vermittlungsversuch zwischen uneschatologischer und nureschatologischer Theologie (Dissertation, Päpstliche Universität Gregoriana, 1974) 1979. XII, 527 Seiten. Br. DM 60,—.
ISBN 3-597-10058-9

MINERVA PUBLIKATION SAUR GmbH
Postfach 71 06 40, 8000 München 71